수제비 2025

수험생 입장에서 제대로 쓴 비법서

#가독성
#기출복원
#커뮤니티

제7판

빅데이터 분석기사 필기 Vol.1

IT 수험서 Best Seller 1

2021년~2024년 기출문제 복원

첫째, 비전공자를 위한 최고의 비법서!
두음쌤, 잠깐! 알고 가기, 학습 Point 등 다양한 장치 마련

둘째, 최강 커뮤니티를 통한 실시간 피드백!
예상 족보, 데일리 문제, FAQ 자료 등 제공

윤영빈 · 조수연 · 이호형 · 박인상 · 김학배 · 서용욱 공저

도서출판 건기원

학습지원센터 가기
cafe.naver.com/soojebi

집필진

- **윤영빈 기술사**
  (정보관리기술사, 정보시스템 수석감리원, 정보처리기사, 정보보안기사, 전자계산기조직응용기사, 전자계산기기사, 정보통신기사, 무선설비기사, 임베디드기사, 품질경영기사, 전기공사기사, 수제비 시리즈 대표 저자)
- **조수연 기술사**
  (정보관리기술사, 정보시스템 수석감리원, 마이데이터 코리아 허브 회원)
- **이호형 기술사**
  (정보관리기술사, 한이음 ICT 멘토, 정보통신산업진흥원(NIPA) 평가위원)
- **박인상 기술사**
  (정보관리 기술사, 정보시스템 수석감리원, 정보보안기사, AWS-SAA, 한이음 ICT 멘토, 정보통신기획평가원(IITP) 평가위원)
- **김학배 기술사**
  (NCS 정보통신 분야 검토 위원, 컴퓨터 시스템응용기술사, 정보통신기사, 수제비 시리즈 대표 저자)
- **서용욱 기술사**
  (빅데이터 분야 개인정보보호 전문가, 정보관리기술사, 수제비 시리즈 대표 저자)

수제비 2025 수험생 입장에서 제대로 쓴 비법서

빅데이터분석기사 필기

2025년 2월 20일 제7판 제1쇄 발행
2024년 3월 15일 제6판 제1쇄 발행
2023년 3월 6일 제5판 제1쇄 발행
2022년 2월 25일 제4판 제1쇄 발행
2021년 8월 20일 제3판 제1쇄 발행
2021년 1월 5일 제2판 제1쇄 발행
2020년 10월 12일 제1판 제1쇄 발행

지은이 | 윤영빈 · 조수연 · 이호형 · 박인상 · 김학배 · 서용욱 공저
발행인 | 차승녀
편집 · 제작 | 웅보출판사
표지디자인 | 웅보출판사
공급처 | 도서출판 건기원(https://www.kkwbooks.com)
주   소 | 경기도 파주시 연다산길 244(연다산동 186-16)
전   화 | 02)2662-1874~5   **팩   스** | 02)2665-8281
등   록 | 제11-162호, 1998. 11. 24

저자와의
협의하에
인지 생략

- 건기원은 여러분을 책의 주인공으로 만들어 드리며 출판 윤리 강령을 준수합니다.
- 본 수험서를 복제 · 변형하여 판매 · 배포 · 전송하는 일체의 행위를 금하며, 이를 위반할 경우 저작권법 등에 따라 처벌받을 수 있습니다.

ISBN 979-11-5767-879-2 14000(1권)
     979-11-5767-880-8 14000(2권)
     979-11-5767-878-5 14000(전 2권)

정가 33,000원

수제비
빅데이터분석기사 필기를 소개합니다.

빅데이터분석기사는 4차 산업혁명 시대를 이끌어 갈 인재 양성을 위한 빅데이터 분야 최초의 국가기술 자격증입니다. 현재 정부, 기업을 막론하고 빅데이터를 활용하기 위한 다양한 전략을 모색하고 있습니다. 이에 따라 데이터 산업의 일자리 수요가 급증하고 있으며, 빅데이터를 제대로 다루고 분석할 수 있는 인력에 대한 수요 역시 증가하고 있습니다. 출제기준에 발맞춰 빅데이터의 분석, 기획, 탐색, 모델링, 결과해석 전반에 이르는 내용을 수제비-빅데이터분석기사를 통해 익힐 수 있습니다.

수험생 입장에서 제대로 쓴 비법서(수제비)는 빅데이터 입문자를 위해 만들어진 책입니다. 첫 시리즈인 정보처리기사에서 많은 수험생의 호평을 받은 집필진의 Know-How를 더욱 발전시켜 녹여냈습니다. 다소 어려운 빅데이터 관련 개념과 용어들을 쉽게 풀어쓰고 암기하기 위한 여러 장치를 마련했습니다.

첫째 최단기 합격을 위해 꼭 필요한 내용만을 담백하게!
이미 검증된 수제비 집필진의 오랜 연구를 통해 빅데이터분석기사 합격을 위한 최단기 솔루션을 제안합니다. 최근 시행된 빅데이터분석기사 시험 출제 경향을 분석하여 비중이 높은 내용 위주로 구성했습니다. 출제 비중이 적고 이해하기 어려운 개념들은 과감하게 제외함으로써 꼭 필요한 내용만을 실었습니다.

둘째 빅데이터분석기사 합격을 위한 다양한 솔루션 제공!
책의 목적인 빅데이터분석기사 합격을 위한 다양한 방안을 제공합니다.
수제비 전매특허인 두음쌤을 통한 암기비법, 학습의 강약을 조절하는 학습 Point, 용어의 개념을 파악하는 잠깐! 알고가기, 완전 학습을 돕는 개념 박살내기, 핵심 내용을 엄선한 천기누설 예상문제, 단원별로 핵심이 되는 개념을 최종 정리하는 선견지명 단원종합문제, 시험을 완벽 복원한 백전백승 기출문제 등을 통해 효과적인 학습을 지원합니다.

셋째 수험생 입장에서 제대로 쓴 책!
빅데이터분석기사를 보는 수험생분들은 대부분 학생 또는 직장인입니다. 부족한 시간을 투자하여 벼랑 끝의 심정으로 공부에 매진하는 수험생분들을 위해 좀 더 친절하게 설명하여 쉽게 이해할 수 있도록 집필하였습니다.

넷째 집필진이 상주하는 수제비 학습 지원센터(https://cafe.naver.com/soojebi)
2025년 1월 기준 12만 명의 수험생이 함께하는 수제비 커뮤니티는 명실상부한 IT 자격증 분야 최고의 커뮤니티가 되었습니다. 책으로 학습하는데 잘 이해되지 않거나 궁금한 사항이 있을 때, 수제비 학습센터를 이용해보세요! 집필진은 수험생의 궁금한 점을 풀어주기 위해 커뮤니티에 상주하고 있습니다. 집단지성의 힘을 커뮤니티에 오셔서 직접 체험하시길 권장합니다.

끝으로 이 책을 통해 학습하는 모든 수험생 여러분이 최단기 합격을 할 수 있도록 지원하겠습니다.

저자 일동

추천하는 글

 서정훈 기술사

    4차 산업혁명 시대를 맞아 IT를 대표할 유망 자격증인 빅데이터분석기사가 2020년에 첫 시행하여 준비가 어려운 수험자에게 코로나 백신과 같은 책이 나왔습니다.

    유사 분야의 IT 자격증 시험은 기출문제를 몇 개월 동안 달달 외워서 합격할 수 있었다면 빅데이터분석기사는 최신 트렌드를 반영하고 첫 시행되는 시험인 만큼 실무종사자라 하더라도 합격을 장담할 수 없습니다.

    「수제비 빅데이터분석기사 필기」 수험서는 비전공자까지도 쉽게 이해할 수 있도록 탄탄하게 구성되어 있으며 쉽게 암기할 수 있는 비법까지 제공하니 수험생 여러분에게 큰 도움이 될 것입니다.

    IT 분야에서 경험을 갖춘 정보관리기술사와 빅데이터 전문가들이 심혈을 기울인 역작임이 틀림없어 수험자분에게 이 책으로 공부하시면 실력 향상과 합격에 도움이 될 것으로 추천합니다.

                                                                        – 서정훈(정보관리기술사, 엔씨소프트 퍼블리싱 플랫폼 실장, PMP Agile 바이블 저자)

 이태영 기술사

    전 세계적으로 빅데이터 분석 기술에 관한 전문 인력에 대한 수요가 높고 국내외 빅데이터 산업 시장이 확대되고 있습니다. 그러나 지금까지는 국가에서 시행하는 빅데이터 분석 역량 평가를 위한 자격시험이 없었습니다. 빅데이터분석기사는 우리나라에서 최초로 시행하는 빅데이터 분석 관련 국가 자격시험입니다. 이 시험을 통하여 빅데이터 분석에 기여하는 전문 인력이 더 많이 배출되고 빅데이터 분석 기술에 관한 관심이 높아져서 국가의 IT 기술 발전에 기여가 될 것으로 기대합니다.

    빅데이터 분석 분야는 통계와 같은 비 IT 분야와 데이터 모델링, 클라우드, 하둡 등의 IT 분야를 아우르는 전문 지식이 필요하므로 비전문 인력이 도전하기에는 어려움이 있었습니다. 그러나 「수제비 빅데이터분석기사 필기」 수험서는 빅데이터 분석 분야에 진출하기 위한 비전문 인력도 이해하기 쉽도록 저술이 되어 있으며, 외우기 어려운 빅데이터 관련 용어들도 재미있게 두음쌤을 통해서 반복해서 보다 보면 자연스럽게 외우고 이해할 수 있도록 구성이 되어 있습니다.

    또한, 수험자가 이해가 안 되는 부분에 대해서는 1만 명 이상의 회원을 보유하고 있는 수제비 카페에 질문을 올리면 집필진들이 상세히 설명해주고 있습니다. 책의 저술에서만 끝나는 것이 아니라 카페를 통하여 집필진이 수험자와 지속적으로 피드백과 공유, 소통하는 살아있는 수험서라고 할 수 있습니다. 어렵게만 느껴지는 빅데이터분석기사에 수제비 수험서가 수험자들에게 절대적인 도움이 될 것이라고 믿으며 자신 있게 추천해 드립니다.

                                                                                   – 이태영(컴퓨터시스템응용기술사, 삼성전자)

📖 황선옥 기술사

　세계 산업 환경은 IT 기술을 기반으로 무한 경쟁의 시대로 변화되고 있습니다. 특히, 여러 IT 기술 중에 빅데이터 기술은 단연코 기업의 핵심 기술로 성장하고 있습니다. 우리나라 또한 국가적 뉴딜 정책에 따라 빅데이터에 대한 선제적 투자가 실현되고 있고, 데이터 댐 건설을 위해 각계각층의 노력이 계속되고 있습니다.

　이러한 국가 정책에 발맞춰 국내의 빅데이터 산업 시장이 확대되고 있으며, 빅데이터 기술에 대한 인식이 확산 및 전문 인력에 대한 수요가 급증하고 있습니다.

　이와 같이 빅데이터 관련 기술에 대한 국민적 관심과 수요가 증가함에 따라 드디어 빅데이터분석기사 시험이 신설되었고, 2020년 12월에 1회 시험을 시행할 계획입니다. 하지만, 처음 시행하는 빅데이터 기사 시험이다 보니 많은 수험자들이 기사 시험을 효과적으로 준비하시기가 어려운 실정입니다. 이런 어려운 시점에 수험자들에게 단비와 같은 「수제비 빅데이터분석기사 필기」 수험서가 나왔습니다.

　「수제비 빅데이터분석기사 필기」는 비전공자까지도 쉽게 이해할 수 있도록 탄탄하게 구성되어 있어서 수험생 여러분에게 큰 도움이 될 것입니다. 빅데이터 분야에서 경험을 갖춘 정보관리기술사와 전문가들이 철저히 준비해서 내놓은 가장 효과적인 합격 지침서가 될 것이라고 확신합니다.

– 황선옥 (정보관리기술사, LG CNS 품질 Innovation팀)

📖 김유성 기술사

　4차 산업혁명으로 기존의 많은 산업이 IT 중심으로 재편되고 있으며, 그중에서도 데이터를 중심으로 하는 비즈니스가 두각을 나타내고 있습니다. 기존 IT 기업뿐만 아니라, 제조/금융/공공 분야까지 빅데이터 기술에 대한 수요가 증가하고 있으며, 이를 기반으로 한 다양한 산업, 서비스, 전략들이 활용되고 있습니다.

　이런 국내 산업계 상황 속에서 기업들은 유능한 빅데이터 전문 인력을 확보하기 위하여 노력하고 있고, 경력사원뿐만 아니라 빅데이터 개발/분석 역량을 가진 신입사원 채용에도 많은 관심을 가지고 있습니다.

　신입사원의 역량을 판단하는 것에는 많은 기준이 있지만, 기본 조건 중 하나가 자격증이라고 생각합니다. 그중 2020년 12월에 1회 시험을 치르는 빅데이터 기사 자격증에 대한 취득 여부가 신입사원의 역량 판단의 기준이 되리라 생각합니다.

　이에 정보처리기술사연구회에서 활동하는 저자들이 빅데이터 기사 시험에 최적화되도록 구성한 「수제비 빅데이터분석기사 필기」 수험서는 맞춤형 책이라고 확신합니다. 비전공자도 쉽게 자격증을 취득할 수 있도록 친절하고, 시험에 출제될 것 위주로만 구성된 비법서입니다.

　정보통신 분야의 취준생이나 전산직 공무원을 준비하는 수험생 등 자격증 취득이 목표인 많은 이들에게 도움이 되는 지침서가 될 것이라고 확신합니다.

– 김유성 (NCS 정보통신 분야 집필위원, 정보관리기술사, KT IT 부문, 정보통신기획평가원 평가위원)

이 책의 활용 방법

1 각 과목의 인트로(Intro)

- 접근 전략: 해당 과목의 공부 방향성을 제시합니다.
- 미리 알아두기: 해당 과목을 학습하기 전에 필요한 기초지식을 제공합니다.
- 핵심키워드 베스트 일레븐(Best Eleven): 출제 가능성이 큰 11개의 핵심키워드입니다.

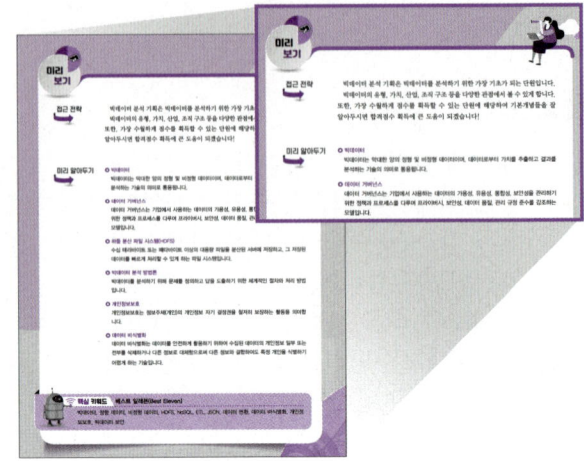

2 학습 중요도(✮~✮✮✮) 구분

- 수험생 학습의 우선순위를 별점 기준으로 가이드합니다.
- ✮✮✮: 반드시 이해하고 넘어가야 하는 빈출 개념입니다. 시험 전날 꼭 보세요!! 60점 이상을 맞고 싶다면 반드시 알아두시길 추천해요!
- ✮✮: 매번 나오진 않지만 자주 출제되는 개념입니다. 시간이 부족해도 이것만은 꼭 짚고 넘어가세요!
- ✮: 드문드문 나오는 개념입니다. 하지만 기본이 되는 개념이에요!

3 두음쌤 한마디

- 시험에 자주 나오는 빈출 문제를 대상으로 반드시 암기해야 할 필수 요소에 대해 두음으로 쉽게 암기할 수 있도록 '핵심 키워드'만을 엄선하여 정리하였습니다.
- 기억력 학습법을 기반으로 한 '두음 암기법'을 통해 빅데이터분석기사를 누구보다 빨리 합격할 수 있도록 지원합니다.
- 두음 암기를 좀 더 효율적으로 할 수 있도록 '스토리텔링'을 가미하여 머리에 쏙쏙 들어오도록 구성하였습니다.

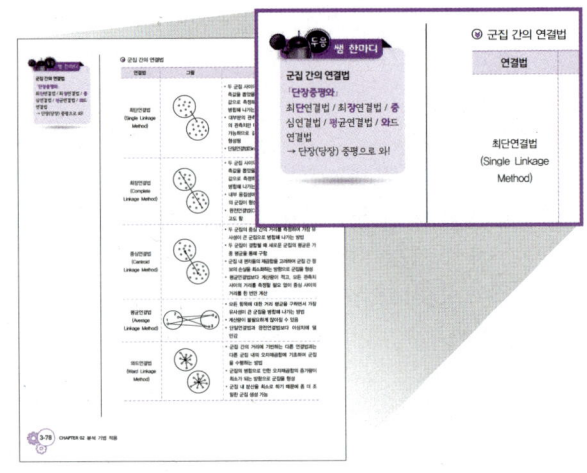

④ 학습 Point

- 본 책의 학습 방향을 제시하고 시험을 위해 반드시 알아야 할 개념들을 가이드합니다.
- 출제 배경과 학습 강도를 제안하여 불필요한 학습시간을 최소화할 수 있도록 지원합니다.

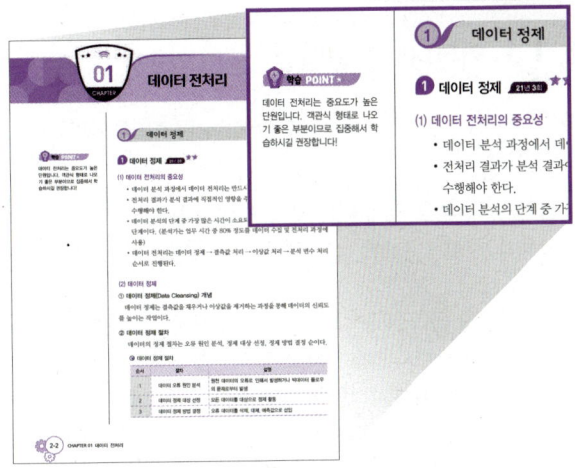

⑤ 잠깐! 알고가기

- 학습을 하면서 제일 힘든 점은 모르는 개념이 처음 나왔을 때입니다. 개념을 이해하고 넘어가는 것이 무엇보다 중요합니다. 이럴 때 '잠깐! 알고가기' 코너를 통해 개념을 확실히 이해하도록 지원합니다.

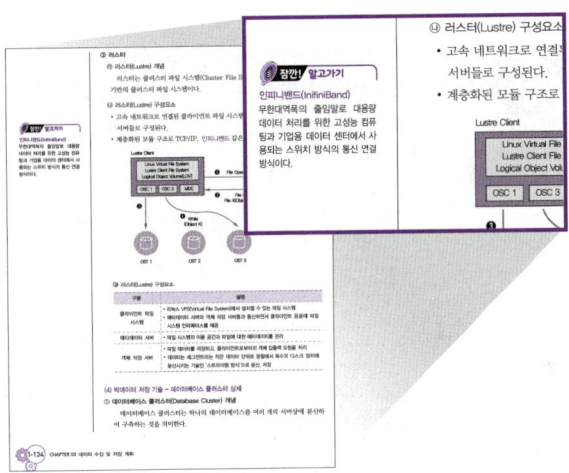

⑥ 개념 박살내기

- 모든 내용을 쉽게 이해하고 넘어가기는 어렵습니다. 다소 어려운 개념을 선별하여 개념 박살 내기로 구성하고, 쉬운 예시와 부연설명을 통해 이해할 수 있게 하였습니다.

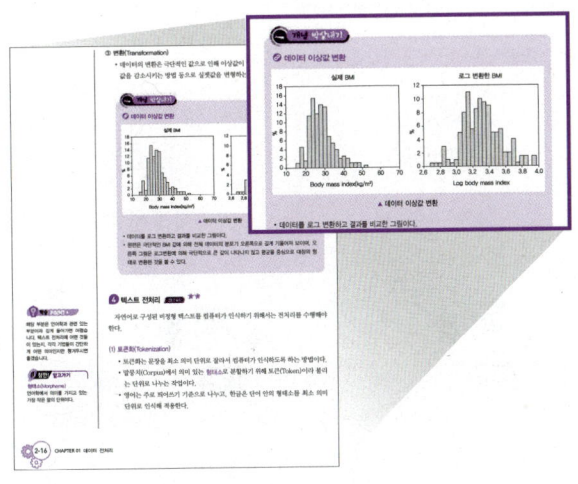

이 책의 활용 방법

1. 커뮤니티 활용방법

수제비 학습 지원센터(cafe.naver.com/soojebi)를 이용하세요!

- 합격 수기, 시험 후기, 예상 족보, 수험생 Tip, 분야별 자료실, 시험일정 관련 소개 등 다양한 콘텐츠를 제공합니다!
- 질의응답을 올려주시면 최대한 빨리 답변을 드리는 One-Stop 수험자 맞춤 서비스를 지원합니다.
- 우수회원(VIP)에게는 다양한 혜택을 제공합니다. (자세한 사항은 커뮤니티(cafe.naver.com/soojebi) 참고)

2. 인터넷 강의 안내(유료)

- 검색창에서 '수제비 에듀'를 검색하세요!
- 저자 직강 및 핵심만 찍어주는 이해 위주의 비전공자를 위한 강의로 빅데이터 분석기사 최단기 합격을 지원합니다!

3. 문제 활용방안(예상문제 / 단원종합문제 / 기출문제)

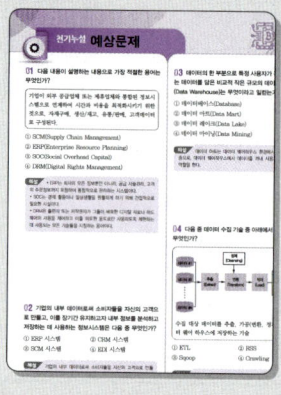

▶ 수제비 '천기누설 예상문제'는 출제기준에 기반하여 수제비 전문위원들이 집중 분석하여 빅데이터분석기사 시험에 최적화된 문제로 재편집하여 구성하였습니다.

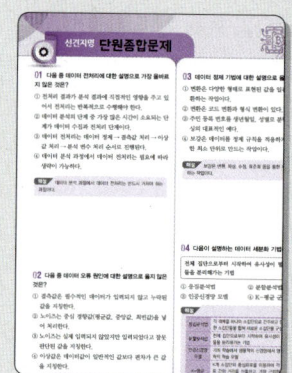

▶ 수제비 '선견지명 단원종합문제'는 단원별로 핵심이 되는 개념을 시험에 대비하여 실전처럼 풀어보고, 보충이 필요한 문제를 인지하여 강화 학습할 수 있도록 구성하였습니다.

▶ '백전백승 기출문제'는 최근 시행(2021년 1회~2023년 6회) 된 빅데이터 분석기사 시험을 심도 있게 분석한 복원 문제와 함께 충분한 해설을 제공합니다.

이 책의 목차

1권

I 빅데이터 분석 기획

Chapter 01 빅데이터의 이해

1. 빅데이터 개요 및 활용 ········· 1-2
   - ❶ 빅데이터 특징 ········· 1-2
   - ❷ 빅데이터 가치 ········· 1-5
   - ❸ 빅데이터 산업의 이해 ········· 1-9
   - ❹ 빅데이터 조직 및 인력 ········· 1-9
   - • 지피지기 기출문제 ········· 1-17
   - • 천기누설 예상문제 ········· 1-24
2. 빅데이터 기술 및 제도 ········· 1-32
   - ❶ 빅데이터 플랫폼 ········· 1-32
   - ❷ 빅데이터와 인공지능 ········· 1-37
   - ❸ 개인정보보호법 · 제도 ········· 1-38
   - ❹ 개인정보 활용 ········· 1-47
   - • 지피지기 기출문제 ········· 1-52
   - • 천기누설 예상문제 ········· 1-58

Chapter 02 데이터 분석 계획

1. 분석 방안 수립 ········· 1-64
   - ❶ 분석 로드맵 설정 ········· 1-64
   - ❷ 분석 문제 정의 ········· 1-65
   - ❸ 데이터 분석 방안 ········· 1-71
   - • 지피지기 기출문제 ········· 1-80
   - • 천기누설 예상문제 ········· 1-86
2. 분석 작업 계획 ········· 1-91
   - ❶ 데이터 확보 계획 ········· 1-91
   - ❷ 분석 절차 및 작업 계획 ········· 1-92
   - • 지피지기 기출문제 ········· 1-94
   - • 천기누설 예상문제 ········· 1-95

Chapter 03 데이터 수집 및 저장 계획

1. 데이터 수집 및 전환 ········· 1-96
   - ❶ 데이터 수집 ········· 1-96
   - ❷ 데이터 유형 및 속성 파악 ········· 1-105
   - ❸ 데이터 비식별화 ········· 1-109
   - ❹ 데이터 품질 검증 ········· 1-115
   - • 지피지기 기출문제 ········· 1-122
   - • 천기누설 예상문제 ········· 1-132
2. 데이터 적재 및 저장 ········· 1-140
   - ❶ 데이터 저장 ········· 1-140
   - • 지피지기 기출문제 ········· 1-150
   - • 천기누설 예상문제 ········· 1-155
- ✦ 선견지명 단원종합문제 ········· 1-156

II 빅데이터 탐색

Chapter 01 데이터 전처리

1. 데이터 정제 ········· 2-2
   - ❶ 데이터 정제 ········· 2-2
   - ❷ 데이터 결측값 처리 ········· 2-5
   - ❸ 데이터 이상값 처리 ········· 2-10
   - ❹ 텍스트 전처리 ········· 2-16
   - • 지피지기 기출문제 ········· 2-18
   - • 천기누설 예상문제 ········· 2-21
2. 분석 변수 처리 ········· 2-26
   - ❶ 변수 선택 ········· 2-26
   - ❷ 차원축소 ········· 2-31
   - ❸ 파생변수 생성 ········· 2-33
   - ❹ 변수 변환 ········· 2-36
   - ❺ 불균형 데이터 처리 ········· 2-40
   - • 지피지기 기출문제 ········· 2-44
   - • 천기누설 예상문제 ········· 2-52

Chapter 02 데이터 탐색

1. 데이터 탐색 기초 ········· 2-55
   - ❶ 데이터 탐색 개요 ········· 2-55
   - ❷ 상관관계 분석 ········· 2-59
   - ❸ 기초통계량 추출 및 이해 ········· 2-60
   - ❹ 시각적 데이터 탐색 ········· 2-61
   - • 지피지기 기출문제 ········· 2-65
   - • 천기누설 예상문제 ········· 2-70
2. 고급 데이터 탐색 ········· 2-74
   - ❶ 시공간 데이터 탐색 ········· 2-74
   - ❷ 다변량 데이터 탐색 ········· 2-75
   - • 지피지기 기출문제 ········· 2-78
   - • 천기누설 예상문제 ········· 2-79

Chapter 03 통계기법 이해

1. 기술통계 ········· 2-80
   - ❶ 데이터 요약 ········· 2-80
   - ❷ 표본추출 ········· 2-92
   - ❸ 확률분포 ········· 2-93
   - ❹ 표본분포 ········· 2-109
   - • 지피지기 기출문제 ········· 2-112
   - • 천기누설 예상문제 ········· 2-126
2. 추론통계 ········· 2-134
   - ❶ 추론통계 ········· 2-134
   - ❷ 비모수 통계 ········· 2-144
   - ❸ 가설검정 ········· 2-148
   - • 지피지기 기출문제 ········· 2-156
   - • 천기누설 예상문제 ········· 2-163
- ✦ 선견지명 단원종합문제 ········· 2-170

미리보기

접근 전략

빅데이터 분석 기획은 빅데이터를 분석하기 위한 가장 기초가 되는 단원입니다. 빅데이터의 유형, 가치, 산업, 조직 구조 등을 다양한 관점에서 볼 수 있게 합니다. 또한, 가장 수월하게 점수를 획득할 수 있는 단원에 해당하여 기본개념들을 잘 알아두시면 합격점수 획득에 큰 도움이 되겠습니다!

미리 알아두기

○ **빅데이터**
빅데이터는 막대한 양의 정형 및 비정형 데이터이며, 데이터로부터 가치를 추출하고 결과를 분석하는 기술의 의미로 통용됩니다.

○ **NoSQL**
NoSQL은 데이터 저장에 고정된 테이블 스키마가 필요하지 않고 조인(Join) 연산을 사용할 수 없으며, 수평적으로 확장이 가능한 DBMS입니다.

○ **하둡 분산 파일 시스템(HDFS)**
수십 테라바이트 또는 페타바이트 이상의 대용량 파일을 분산된 서버에 저장하고, 그 저장된 데이터를 빠르게 처리할 수 있게 하는 파일 시스템입니다.

○ **빅데이터 분석 방법론**
빅데이터를 분석하기 위해 문제를 정의하고 답을 도출하기 위한 체계적인 절차와 처리 방법입니다.

○ **빅데이터 플랫폼**
빅데이터에서 가치를 추출하기 위해 일련의 과정(수집 → 저장 → 처리 → 분석 → 시각화)을 규격화한 기술입니다.

○ **데이터 비식별화**
데이터 비식별화는 데이터를 안전하게 활용하기 위하여 수집된 데이터의 개인정보 일부 또는 전부를 삭제하거나 다른 정보로 대체함으로써 다른 정보와 결합하여도 특정 개인을 식별하기 어렵게 하는 기술입니다.

핵심 키워드 베스트 일레븐(Best Eleven)

빅데이터, 정형 데이터, 비정형 데이터, HDFS, NoSQL, ETL, JSON, 데이터 변환, 데이터 비식별화, 개인정보보호, 빅데이터 보안

빅데이터 분석 기획

01 빅데이터의 이해
02 데이터 분석 계획
03 데이터 수집 및 저장 계획

CHAPTER 01 빅데이터의 이해

1 빅데이터 개요 및 활용

1 빅데이터 특징 ★★★

(1) 빅데이터

① 빅데이터(Big Data) 개념
- 빅데이터는 막대한 양(수십 **테라바이트** 이상)의 정형 및 비정형 데이터이다.
- 데이터로부터 가치를 추출하고 결과를 분석하여 통찰, 지혜를 얻는 과정이다.
- Ackoff, R.L이 도식화한 DIKW 피라미드로 표현할 수 있다.

❂ DIKW 피라미드

피라미드 요소	설명
데이터 (Data)	• 객관적 사실로서 다른 데이터와의 상관관계가 없는 가공하기 전의 순수한 수치나 기호 예) 수제비 빅분기 책을 A 사이트에서 30,000원, B 사이트에서 수제비 빅분기 책을 35,000원에 판매 수제비 정처기 책을 A 사이트에서 34,000원, B 사이트에서 수제비 정처기 책을 35,000원에 판매
정보 (Information)	• 가공, 처리하여 데이터 간의 연관 관계와 함께 의미가 도출된 요소 예) 수제비 빅분기, 정처기 책은 A 사이트에서 더 싸게 판매
지식 (Knowledge)	• 획득된 다양한 정보를 구조화하여 유의미한 정보로 분류하고 일반화시킨 결과물 • 정보에 기반해 찾아진 규칙 예) 서적들은 A 사이트가 싸게 팔기 때문에 수제비 책을 구입할 계획
지혜 (Wisdom)	• 근본 원리에 대한 깊은 이해를 바탕으로 도출되는 창의적 아이디어 • 상황이나 맥락에 맞게 규칙을 적용하는 요소 예) A 사이트의 다른 상품들도 B 사이트보다 저렴할 것으로 판단

잠깐! 알고가기

테라바이트(TB; Tera-Byte)
10^{12}를 의미하는 SI(국제단위계) 접두어인 테라와 컴퓨터 데이터의 표시단위인 바이트가 합쳐진 자료량을 의미한다. ($1TB=10^3GB=10^{12}Bytes$)

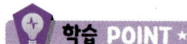

DIKW는 빅데이터 관련 시험에도 자주 출제되는 내용이므로 눈여겨 봐두시기 바랍니다.

데이터에서 가치를 찾는 피라미드 구조
「데정 식혜」
데이터 / **정**보 / 지**식** / 지**혜**
→ 대전(데정)에서 먹는 식혜가 맛있다.

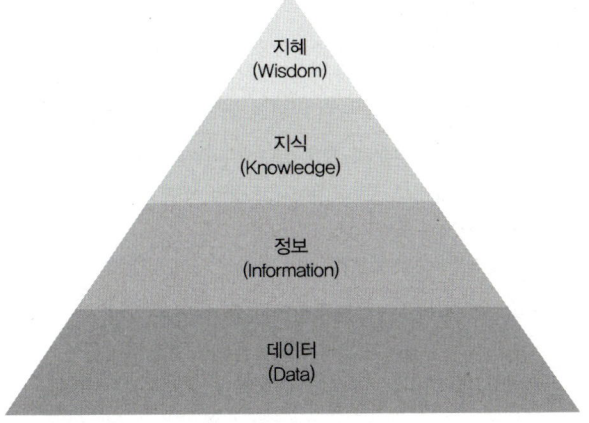

▲ DIKW 피라미드

- 데이터를 수집, 저장, 관리, 분석하는 기존의 관리 방법으로는 막대한 양(수십 테라바이트 이상)의 데이터를 처리하기 어려울 때 빅데이터를 사용한다.

② 데이터의 양을 측정하는 단위 기출

데이터의 양을 측정하는 단위

기호	이름	값
KB	킬로바이트	$1KB = 10^3 Bytes$
MB	메가바이트	$1MB = 10^3 KB = 10^6 Bytes$
GB	기가바이트	$1GB = 10^3 MB = 10^9 Bytes$
TB	테라바이트	$1TB = 10^3 GB = 10^{12} Bytes$
PB	페타바이트	$1PB = 10^3 TB = 10^{15} Bytes$
EB	엑사바이트	$1EB = 10^3 PB = 10^{18} Bytes$
ZB	제타바이트	$1ZB = 10^3 EB = 10^{21} Bytes$
YB	요타바이트	$1YB = 10^3 ZB = 10^{24} Bytes$

(2) 빅데이터 특성 기출

빅데이터는 전통적으로 3V(Volume, Variety, Velocity)의 특성이 있지만, 최근에는 4V(Value 추가), 5V(Veracity 추가), 7V(Validity, Volatility 추가)로 확장되고 있다.

빅데이터의 특성

특성	설명
규모(Volume)	• 빅데이터 분석 규모에 관련된 특징 • ICT 기술 발전으로 과거의 텍스트 데이터부터 SNS로부터 수집되는 사진, 동영상 등의 다양한 멀티미디어 데이터까지 디지털 정보량의 기하급수적 증가

데이터의 양을 측정하는 크기 단위

「페엑제요」
페타바이트 / 엑사바이트 / 제타바이트 / 요타바이트

빅데이터 특성은 빅데이터 관련 시험에서 자주 나오는 개념이니 꼭 봐주시길 권장합니다!

빅데이터 특성

「규다속가 신정휘」
규모 / 다양성 / 속도 / 가치 / 신뢰성 / 정확성 / 휘발성

특성	설명
다양성 (Variety)	• 빅데이터 자원 유형에 관련된 특징 • 정형 데이터뿐만 아니라 비정형, 반정형 데이터를 포함
속도 (Velocity)	• 빅데이터 수집·분석·활용 속도에 관련된 특징 • 사물 정보(센서, 모니터링), 스트리밍 정보 등 실시간성 정보의 생성 속도 증가에 따라 처리 속도 가속화 요구 • 가치 있는 정보 활용을 위해 데이터 처리 및 분석 속도의 중요성 증가
가치 (Value)	• 빅데이터 수집 데이터를 통해 얻을 수 있는 가치 • 비즈니스나 연구에 활용되어 유용한 가치를 끌어낼 수 있는가에 대한 문제 • 빅데이터의 가치는 데이터의 정확성 및 시간성과 관련됨
신뢰성 (Veracity)	• 빅데이터의 수집 대상 데이터가 가지는 신뢰에 관련된 특징 • 방대한 데이터에서 노이즈 및 오류 제거를 통해 활용 데이터에 대한 품질과 신뢰성 제고 요구
정확성 (Validity)	• 빅데이터의 수집 대상 데이터가 가지는 유효성과 정확성 • 데이터의 규모가 아무리 크더라도 질 높은 데이터를 활용한 정확한 분석 수행이 없다면 의미가 없음 • 데이터가 타당한지 정확한지에 대한 여부는 의사결정의 중요한 요소
휘발성 (Volatility)	• 빅데이터의 수집 대상 데이터가 의미가 있는 기간 • 데이터가 얼마나 오래 저장될 수 있고, 타당하여 오랫동안 쓰일 수 있을지에 관한 사항 • 빅데이터는 장기적인 관점에서 유용한 가치를 창출해야 함

잠깐! 알고가기

노이즈(Noise)
• 실제는 입력되지 않았지만 입력되었다고 잘못 판단된 값이다.
• 노이즈에 대한 처리 방법으로는 일정 간격으로 이동하면서 주변보다 높거나 낮으면 평균값을 대체하거나 일정 범위의 중간값으로 대체하는 방법이 있다.

(3) 데이터 지식경영

• 데이터 기반 지식경영의 핵심 이슈는 암묵지와 형식지의 상호작용에 있다.

⌄ 지식 구분

구분	설명
암묵지 (Tacit Knowledge)	• 학습과 경험을 통해 개인에게 체화되어 있지만 겉으로 드러나지 않는 지식 • 사회적으로 중요하지만 다른 사람에게 공유되기 어려움 예) 수영, 태권도
형식지 (Explicit Knowledge)	• 문서나 매뉴얼처럼 형상화된 지식 • 전달과 공유가 용이 예) 수험서, 소프트웨어 설치 매뉴얼

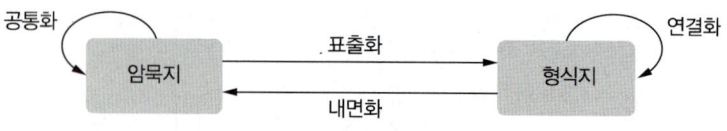

▲ 데이터 지식경영 상호작용

(4) 데이터 지식경영 상호작용(SECI 모델)

- 데이터 지식경영 상호작용에는 공통화, 표출화, 연결화, 내면화가 있다.

⊙ 데이터 지식경영 상호작용

상호작용	내용
공통화 (Socialization)	다른 사람과의 대화 등 상호작용을 통해 개인이 암묵지를 습득하는 단계
표출화 (Externalization)	형식지 요소 중의 하나이며 개인에게 내재된 경험을 객관적인 데이터인 문서나 매체로 저장하거나 가공, 분석하는 과정
연결화 (Combination)	형식지가 상호결합하면서 새로운 형식지를 창출하는 과정
내면화 (Internalization)	행동과 실천교육 등을 통해 형식지가 개인의 암묵지로 체화되는 단계

2 빅데이터 가치 ★★★

(1) 빅데이터 가치

빅데이터를 통해서 기업/조직의 불확실성 제거, 리스크 감소, 스마트한 경쟁력, 타 분야 융합으로 가치를 창출할 수 있다.

⊙ 빅데이터의 가치

가치	설명
경제적 자산	• 새로운 기회를 창출하고, 위험을 해결하여 사회 및 경제 발전의 엔진 역할을 수행
불확실성 제거	• 사회현상, 현실 세계의 데이터를 기반으로 한 패턴 분석과 미래 전망 • 여러 가지 가능성에 대한 시나리오 시뮬레이션
리스크 감소	• 환경, 소셜 네트워크, 모니터링 정보의 패턴 분석을 통해 위험 징후 및 이상 신호 포착 • 이슈를 사전에 인지 및 분석하고 빠른 의사결정과 실시간 대응
스마트한 경쟁력	• 대규모 데이터 분석을 통한 상황 인지, 인공지능 서비스 기능 • 개인화, 지능화 서비스 제공 확대 • 트렌드 변화 분석을 통한 제품 경쟁력 확보
타 분야 융합	• 타 분야와의 융합을 통한 새로운 가치 창출 • 방대한 데이터 활용을 통한 새로운 융합시장 창출

(2) 빅데이터 가치 산정이 어려운 이유

데이터 활용 방식, 새로운 가치 창출, 분석기술 발전으로 인해 빅데이터의 가치를 정확하게 산정하기가 어렵다.

학습 POINT ★

빅데이터의 가치는 중요도가 상대적으로 낮은 편이지만 잠시 후에 나오는 분석 가치 에스컬레이터에 대해서는 밀도 있게 학습하시길 권장합니다!
가치는 4V에 Value입니다.
빅데이터 특징 중 하나라는 것을 염두에 두고 학습하세요.

잠깐! 알고가기

패턴 분석(Pattern Analysis)
- 데이터들에서 나타나는 규칙적인 특징(Feature)들의 집합이다.
- 패턴 분석은 미가공된 데이터들에서 어떤 규칙성을 자동으로 찾아내고, 이 규칙성에 따라 각각의 그룹(카테고리)으로 분류하고 분석하는 작업이다.

상황 인지
(Context Awareness)
- 현실공간과 가상공간을 연결해 가상공간에서 현실의 상황을 정보화하고, 이를 활용해 사용자 중심의 지능화된 서비스를 제공하는 기술이다.
- 사용자의 직무·감정·위치를 인지해 사용자가 직접 입력하지 않아도 컴퓨팅이 알아서 해주는 것을 말한다.

빅데이터 가치 산정이 어려운 이유

원인	설명
데이터 활용 방식의 다양화	• 데이터의 재사용, 데이터의 재조합, 다목적용 데이터 개발 등이 일반화되면서 특정 데이터를 언제/어디서/누가 활용할지 알 수 없어서 가치 산정이 어려움 • 데이터의 창의적 조합으로 인해 기존에 풀 수 없는 문제를 해결하는 데 도움을 주기 때문에 가치 산정이 어려움 예) 구글이 검색 결과를 낼 때마다 구글은 클라우드에 저장된 웹 사이트 정보를 매번 사용
새로운 가치 창출	• 빅데이터 시대에 데이터가 기존에 없던 가치를 창출하여 가치 산정이 어려움 예) 고객의 성향을 분석하여 고객 맞춤 서비스 제공
분석기술의 급속한 발전	• 비용 문제로 인해 분석할 수 없었던 것을 저렴한 비용으로 분석하면서 활용도가 증가하여 가치 산정이 어려움 예) 텍스트 마이닝을 통한 SNS 분석

> **잠깐! 알고가기**
>
> **텍스트 마이닝(Text Mining)**
> - 대량의 텍스트 데이터로부터 패턴 또는 관계를 추출하여 의미 있는 정보를 찾아내는 기법이다.
> - 비정형/반정형 데이터에 대하여 자연어/문서 처리기술을 적용하여 의미 있는 정보를 추출하는 기법이다.

(3) 빅데이터 영향 `기출`

빅데이터의 가치를 활용함으로써 기업, 정부, 개인이 스마트해지고 있다.

빅데이터 영향

대상	영향	설명
기업	• 혁신 수단 제공 • 경쟁력 강화 • 생산성 향상	• 소비자의 행동을 분석하고, 시장 변동을 예측해서 비즈니스 모델을 혁신하거나 신사업을 발굴 • 원가절감, 제품 차별화, 기업 활동의 투명성 제고 등을 활용하여 경쟁사보다 경쟁 우위를 확보
정부	• 환경 탐색 • 상황 분석 • 미래 대응 가능	• 날씨, 교통 등 통계 데이터를 수집해 사회 변화를 추정하고 각종 재해 관련 정보를 추출 • 사회 연결망 분석, 시스템 다이내믹스와 같은 분석 방식을 통해 미래 의제 도출
개인	• 목적에 따른 활용	• 빅데이터 서비스를 저렴한 비용으로 활용 • 적시에 필요한 정보를 획득

> **잠깐! 알고가기**
>
> **사회 연결망 분석(SNA; Social Network Analysis)**
> 그룹에 속한 사람들 간의 네트워크 특성과 구조를 분석하고 시각화하는 분석기법이다.
>
> **시스템 다이내믹스 (System Dynamics)**
> 사업이나 사회 시스템 등과 같은 복잡한 피드백 시스템을 연구하고 관리하는 방법이다.

(4) 빅데이터 위기 요인 및 통제 방안 `기출`

- 빅데이터는 유용한 가치를 주는 동시에 부정적인 영향을 줄 수 있다.
- 빅데이터의 부정적인 영향으로 인해 위기가 발생하므로 이를 극복하기 위한 통제 방안이 필요하다.

① 빅데이터 위기 요인

▼ 빅데이터 위기 요인

위기 요인	설명
사생활 침해	• 목적 외로 활용된 개인정보가 포함된 데이터의 경우 사생활 침해를 넘어 사회·경제적 위협으로 확대 예) 여행 사실을 페이스북에 올린 사람의 집을 도둑이 노리는 사례 발생
책임 원칙 훼손	• 예측 기술과 빅데이터 분석기술이 발전하면서 분석 대상이 되는 사람들이 예측 알고리즘의 희생양이 될 가능성도 증가 • 잠재적 위협이 아닌 명확한 결과에 대한 책임을 묻고 있는 민주주의 국가 원리를 훼손할 가능성이 존재 예) 범죄 예측 프로그램에 의해 범행을 저지르기 전에 체포, 자신의 신용도와 무관하게 부당하게 대출 거부
데이터 오용	• 데이터 분석은 실제 일어난 일에 대한 데이터에 의존하기 때문에 이를 바탕으로 미래를 예측하는 것은 언제나 맞을 수는 없는 오류가 존재함 • 잘못된 지표를 사용하는 것도 빅데이터의 피해가 될 수 있음

② 빅데이터 위기 요인에 대한 통제 방안

▼ 빅데이터 위기 요인에 대한 통제 방안

통제 방안	위기 요인	설명
책임의 강조	사생활 침해	• 빅데이터를 통한 개인정보 침해 문제 해결을 위해 개인정보를 사용하는 사용자의 '책임'을 통해 해결하는 방안 강구 • 사용자에게 개인정보의 유출 및 동의 없는 사용으로 발생하는 피해에 대한 책임을 지게 함으로써 사용 주체가 적극적인 보호 장치를 마련할 수 있도록 함
결과 기반의 책임 적용	책임 원칙 훼손	• 책임의 강조를 위해서는 기존의 원칙 보강 및 강화와 예측 자료에 의한 불이익 가능성을 최소화하는 장치를 마련하는 것이 필요 • 판단을 근거로 오류가 있는 예측 알고리즘을 통해서는 불이익을 줄 수 없으며, 방지를 위한 피해 최소화 장치 마련 필요
알고리즘에 대한 접근 허용	데이터 오용	• 예측 알고리즘의 부당함을 반증할 수 있는 '알고리즘에 대한 접근권'을 제공 • 알고리즘을 통해 불이익을 당한 사람들을 대변할 알고리즈미스트라는 전문가가 필요

> **잠깐! 알고가기**
>
> **알고리즈미스트(Algorithmist)**
> 알고리즘코딩 해석을 통해 빅데이터 알고리즘에 의해 부당하게 피해를 입은 사람을 구제하고, 데이터 사이언티스트가 한 일로 인한 부당 피해를 막는 역할을 하는 전문 인력이다.

(5) 분석 가치 에스컬레이터(Analytic Value Escalator) 기출

- 분석 가치 에스컬레이터는 가트너가 빅데이터의 가치를 묘사(Descriptive) 분석, 진단(Diagnostic) 분석, 예측(Predictive) 분석, 처방(Prescriptive) 분석의 4단계로 정의한 기법이다.
- 분석 가치 에스컬레이터에서는 높은 난도를 수반하는 데이터 분석은 더 많은 가치를 창출한다.

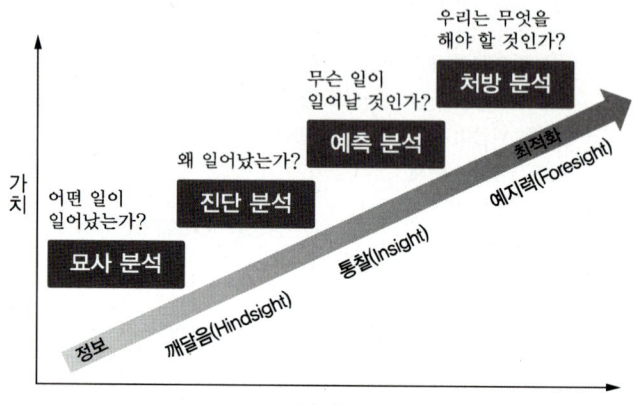

▲ 가트너의 분석 가치 에스컬레이터

◉ 가트너의 분석 가치 에스컬레이터

순서	단계	설명
1	묘사 분석 (Descriptive Analysis)	• 분석의 가장 기본적인 지표를 확인하는 단계 • 과거에 어떤 일이 일어났고, 현재는 무슨 일이 일어나고 있는지 확인 예) 단순한 소비자 선호도(좋다, 나쁘다)뿐만 아니라 선호하는 대상까지 확인
2	진단 분석 (Diagnostic Analysis)	• 묘사 단계에서 찾아낸 분석의 원인을 이해하는 단계 • 데이터를 기반으로 왜 발생했는지 이유를 확인 예) 분기별로 매출 차이가 발생한 이유 확인
3	예측 분석 (Predictive Analysis)	• 데이터를 통해 기업 혹은 조직의 미래, 고객의 행동 등을 예측하는 단계 • 무슨 일이 일어날 것인지를 예측 예) 패턴을 분석하여 고객 이탈 가능성 확인, 고객 구매 이력으로 상품 추천
4	처방 분석 (Prescriptive Analysis)	• 예측을 바탕으로 최적화하는 단계 • 무엇을 해야 할 것인지를 확인 예) 고객 이탈을 막을 수 있는 최적 시점 탐색, 투자 대비 최적 수익률을 보장하는 종목 추천

분석 가치 에스컬레이터 단계
「묘진예처」
묘사 분석 / **진**단 분석 / **예**측 분석 / **처**방 분석

3 빅데이터 산업의 이해 ★

(1) 빅데이터 산업 개요

- 스마트폰, SNS, 사물인터넷(IoT) 확산 등에 따라 데이터 활용이 증가하여 빅데이터는 신성장동력으로 급부상하고 있다.
- 클라우드 컴퓨팅 기술의 발전으로 데이터 처리 비용이 급격하게 감소하여 빅데이터가 발전하고 있다.
- 주요국 및 글로벌 기업은 빅데이터 '산업' 육성 및 '활용'에 주력하고 있다.
- 우리나라는 데이터 생산량이 많은 산업(통신·제조업 등)이 발달해 잠재력이 크지만, 불확실성에 따른 투자 리스크 등으로 '활용'은 저조하다.

(2) 산업별 빅데이터 활용

⊙ 산업별 빅데이터 활용

산업	활용
의료·건강	• 헬스케어 플랫폼 등을 통한 개인 건강정보의 축적 및 의료기관 등과 공유·활용
과학기술	• 주요 분야의 연구·개발 성과물을 바탕으로 대규모 과학기술 빅데이터 공유·활용 플랫폼 구축
정보보안	• 빅데이터 분석을 통해 해킹 등의 보안사고 징후 파악 및 조기 대응·협업시스템 구축
제조·공정	• 완제품 품질향상 등을 위해 대기업이 빅데이터 시스템을 구축하고 납품 • 중소·중견기업이 공동으로 활용(정부 예산 투자 또는 필요 SW의 개발 등 지원)
소비·거래	• 구매 패턴 및 트랜잭션 분석 등을 통한 소비 트렌드 예측, 시뮬레이션 등을 통한 판매 포트폴리오 구성 지원 및 리스크 관리 등
교통·물류	• 수요예측·제어 등 물류·유통체계 최적화

4 빅데이터 조직 및 인력 ★

(1) 빅데이터 조직 설계

빅데이터 서비스 도입 및 운영 조직을 구성하기 위해서는 빅데이터 업무 프로세스를 이해하고, 조직의 특성을 고려하여야 한다.

① 빅데이터 업무 프로세스

- 빅데이터 도입 및 운영은 빅데이터 도입 계획을 수립하고, 빅데이터 시스템을 구축하며, 빅데이터 서비스를 운영하는 단계로 진행된다.

⊻ 빅데이터 업무 프로세스

단계	설명
빅데이터 도입 단계	• 빅데이터 서비스를 제공하기 위해서는 빅데이터 시스템 구축을 위한 빅데이터 도입 기획, 기술 검토, 도입 조직 구성, 예산 확보 등을 수행
빅데이터 구축 단계	• 빅데이터 플랫폼을 구축하기 위해서는 요구사항 분석, 설계, 구현, 테스트 단계를 수행
빅데이터 운영 단계	• 빅데이터 시스템의 도입 및 구축이 끝나면, 이를 인수하여 운영 계획을 수립 • 빅데이터 플랫폼 운영, 데이터 및 빅데이터 분석 모델 운영, 빅데이터 운영 조직, 빅데이터 운영 예산 고려

② 조직 구조 설계의 요소

㉮ 조직 구조 설계의 요소

조직의 목적을 성공적으로 달성하기 위하여 업무 활동, 부서화, 보고 체계를 고려한다.

⊻ 조직 구조 설계 요소

요소	설명
업무 활동	• 조직의 미션과 목적을 달성하기 위하여 과업 수행을 위해 수직 업무 활동과 수평 업무 활동으로 구분 | 수직 업무 활동 | 경영 계획, 예산 할당 등 우선순위를 결정 | | 수평 업무 활동 | 업무 프로세스 절차별로 업무를 배분 |
부서화	• 조직의 미션과 목적을 효율적으로 달성하기 위한 조직 구조 유형 설계 • 조직 구조 유형은 집중 구조, 기능 구조, 분산 구조로 분류
보고 체계	• 조직의 목표 달성을 위하여 업무 활동 및 부서의 보고 체계를 설계

㉯ 조직 구조 유형 기출

• 빅데이터 조직 구조의 유형은 집중 구조, 기능 구조, 분산 구조가 있다.

⊻ 빅데이터 조직 구조 유형

유형	조직 구조	설명
집중 구조	▲ 집중 구조	• 전사 분석 업무를 별도의 분석 전담 조직에서 담당 • 전략적 중요도에 따라 분석조직이 우선순위를 정해서 진행 가능 • 현업 업무부서의 분석 업무와 중복 및 이원화 가능성이 높음

빅데이터 조직 구조 유형
「집기분」
집중 구조 / **기**능 구조 / **분**산 구조
→ 집사람 기분이 좋다.

DSCoE(Data Science Center of Excellence)
데이터 사이언스 전문가들로 구성된 조직이다.

유형	조직 구조	설명
기능 구조	▲ 기능 구조	• 일반적인 형태로 별도 분석조직이 없고 해당 부서에서 분석 수행 • 전사적 핵심 분석이 어려우며 과거에 국한된 분석 수행
분산 구조	▲ 분산 구조	• 분석조직 인력들을 현업 부서로 직접 배치해 분석 업무를 수행 • 전사 차원의 우선순위 수행 • 분석 결과에 따른 신속한 피드백이 나오고 베스트 프랙티스 공유가 가능 • 업무 과다와 이원화 가능성이 존재할 수 있기에 부서 분석 업무와 역할 분담이 명확해야 함

> **잠깐! 알고가기**
>
> **베스트 프랙티스**
> (Best Practice; 모범 사례)
> 경영 목적을 지속적이고 효과적으로 달성하기 위한 가장 성공적인 해결책이나 문제해결 방법을 가리킨다.

③ 조직 구조의 설계 특성

조직 구조를 설계할 때는 공식화, 분업화, 직무 전문성, 통제 범위, 의사소통 및 조정 등의 특성을 고려한다.

⯆ 조직 구조의 설계 특성

특성	설명
공식화	• 업무의 수행 절차, 수행 방법, 작업 결과 등의 기준을 사전에 설정하여 공식화
분업화	• 조직의 목표 달성을 위하여 업무 수행 시 업무를 분할하여 수행 • 업무의 성격에 따라 여러 단위로 나누는 수평적 분할과 계획, 감독, 실무 업무 실행 등의 수준에 따라 나누는 수직적 분할로 구분
직무 전문화	• 직무 전문화는 수행 업무에 활용되는 직무 전문성의 유형을 의미하며, 직무 전문성에 따라 생산성이 증대되므로 전문 지식과 경험이 중요한 요소
통제 범위	• 관리자가 효율적이며 효과적으로 관리할 수 있는 조직의 인원수
의사소통 및 조정	• 업무 수행 시 의사소통은 업무의 지시, 보고, 피드백 등 수직적인 활동과 문제 해결을 위한 협업 등 수평적인 활동으로 구분

(2) 조직 역량

① 조직 역량 개념

- 조직 역량은 조직 구성원의 역량을 확보하여 조직 구성원들이 조직이 기대한 성과를 낼 수 있도록 하는 중요한 요소이다.
- 기업이나 조직을 지속적으로 경영하기 위해서는 조직 역량의 확보가 필수적이다.

② 조직 역량 모델링 [기출]

- 기업이나 조직의 목표 달성을 위해서는 우수 성과자의 기여가 중요한 요소이다.
- 우수 성과자의 행동 특성을 파악하여 타 조직원에게 전달 및 공유하면 조직의 목표를 달성하기 쉬워진다.
- 우수 성과자의 행동하는 특성을 파악하여 업무 달성을 위한 지식, 스킬, 태도 등 직무 역량 요소들을 도출하여 직무별 역량 모델을 만든다.
- 데이터 사이언스를 수행하는 데이터 사이언티스트의 요구역량에는 소프트 스킬(Soft Skill)과 하드 스킬(Hard Skill)이 있다.

 데이터 사이언티스트 요구역량

역량	설명
소프트 스킬(Soft Skill)	• 모든 직무에서 사용할 수 있는 기술
하드 스킬(Hard Skill)	• 해당 업무를 수행하기 위해 필요한 실질적인 기술

 데이터 사이언티스트 요구역량 상세

구분	스킬	설명
소프트 스킬 (Soft Skill)	여러 분야의 협력 능력	커뮤니케이션 능력
	분석의 통찰력	논리적 비판 능력, 창의적 사고력, 호기심
	설득력 있는 전달력	스토리텔링 능력, 비주얼라이제이션
하드 스킬 (Hard Skill)	분석기술의 숙련도	목적에 맞는 최적 분석 설계, 노하우 축적
	빅데이터 관련 이론적 지식	빅데이터 관련 기법 및 다양한 방법론 습득

- 가트너(Gartner)는 데이터 사이언티스트가 갖추어야 할 역량으로 분석 모델링, 데이터 관리, 소프트 스킬, 비즈니스 분석을 제시했다.

③ 데이터 분야 직무별 업무 [기출]

데이터 엔지니어, 데이터 분석가, 데이터 사이언티스트에 대한 직무별 업무는 다음과 같다.

데이터 분야 직무별 업무

구분	직무별 업무
데이터 엔지니어 (Data Engineer)	• 비즈니스를 이해하고 대량의 데이터 세트를 가공하는 업무 • 사내 데이터 분석가와 데이터 사이언티스트가 제품을 최적화하기 위한 분석 도구를 개발하고 하둡, 스파크 등을 이용해서 대용량 데이터 분산 처리 시스템을 개발하는 업무 • 시스템 개발에 필요한 프로그래밍 언어 사용 스킬 필수

잠깐! 알고가기

데이터 사이언스 (Data Science)
- 데이터 사이언스는 데이터 공학, 의학, 수학, 통계학, 컴퓨터공학, 시각화, 해커의 사고방식, 해당 분야의 전문 지식을 종합한 학문이다.
- 정형, 비정형 형태를 포함한 다양한 데이터로부터 지식과 인사이트를 추출하는 융합 분야이다.

두음 쌤 한마디

데이터 사이언티스트의 요구역량
「협통전 숙지」
(소프트 스킬) **협**력 능력 / **통**찰력 / **전**달력, (하드 스킬) **숙**련도 / **지**식
→ 게임 협동(통)전을 숙지하라.

잠깐! 알고가기

스토리텔링(Storytelling)
알리고자 하는 바를 단어, 이미지, 소리를 통해 사건, 이야기로 전달하는 방법이다.

비주얼라이제이션 (Visualization)
분석 결과를 쉽게 이해할 수 있도록 도표(Graph)를 통해 정보를 시각적으로 명확하고 효과적으로 전달하는 과정이다.

구분	직무별 업무
데이터 분석가 (Data Analyst)	• 최적의 의사결정을 내리는 데 도움을 주는 비즈니스 인사이트를 제공하는 업무 • 데이터의 경향, 패턴, 이상값 등을 인식하기 위한 시각화 진행 및 보고서 작성 업무 • 비즈니스 팀과 연계해 각 팀의 전략을 수립하거나 업무 효율화에 필요한 데이터를 수집하고 분석하는 업무
데이터 사이언티스트 (Data Scientist)	• 머신러닝 모델을 사용해 정형, 비정형 데이터에서 인사이트를 창출하는 업무 • 사내 데이터를 이용해서 고객 행동 패턴 모델링 진행, 패턴을 찾아내거나 이상값을 탐지하는 업무 • 예측 모델링, 추천 시스템 등을 개발해 비즈니스 의사결정에 필요한 인사이트를 제공하는 업무
데이터 아키텍트 (Data Architect)	• 데이터베이스를 쉽게 통합, 중앙 집중화 및 보호할 수 있도록 기업의 데이터 관리를 위한 청사진을 만드는 업무 • 효율성 및 보안을 고려한 기업의 데이터 아키텍트 계획 및 관리 업무 • 기업의 데이터를 정형 데이터베이스에서 하둡(Hadoop) 기반의 비정형 데이터베이스로 이관하려고 할 때 이관 프로세스 정립, 모니터링, 테스트를 주도

 학습 POINT

데이터 사이언티스트는 데이터 분석 모델에 대한 한계점과 분석 결과가 변결될 수 있다는 것을 인정하고, 데이터 분석 목적에 맞는 다양한 분석 모델을 적용할 수 있어야 합니다.

 학습 POINT

• 데이터 분석가는 분석 모델의 한계를 넘기 위해, 경험과 세상에 대한 통찰력을 분석에 활용해야 합니다.
• 데이터 분석가는 정확한 분석 결과를 얻기 위해서 분석 절차를 변경할 수 있고, 분석이 잘 못되었다고 판단되면 알고리즘을 수정할 수 있습니다.

(3) 데이터 거버넌스

① 데이터 거버넌스(Data Governance) 개념 [기출]

데이터 거버넌스는 기업에서 사용하는 데이터의 가용성, 유용성, 통합성, 보안성을 관리하기 위한 정책과 프로세스를 다루며 프라이버시, 보안성, 데이터 품질, 관리 규정 준수를 강조하는 모델이다.

② 데이터 거버넌스 구성요소 [기출]

데이터 거버넌스의 구성요소는 원칙, 조직, 프로세스 등으로 구분된다.

 데이터 거버넌스 구성요소

구분	설명
원칙 (Principle)	• 데이터를 유지·관리하기 위한 지침과 가이드 • 품질 기준, 보안, 변경관리
조직 (Organization)	• 데이터를 관리할 조직의 역할과 책임(R&R; Role & Responsibility) • 데이터 관리자, 데이터베이스 관리자(DBA), 데이터 아키텍트 등
프로세스 (Process)	• 데이터 관리를 위한 활동과 체계 • 작업 절차, 모니터링 활동, 측정 활동 등

 **쌤 한마디**

데이터 거버넌스 구성요소
「원조프」
원칙 / **조**직 / **프**로세스
→ 원조가 프로그램에 출연했다.

③ 데이터 거버넌스 체계

데이터 거버넌스 체계는 데이터 표준화, 표준화 활동, 데이터 관리 체계, 데이터 저장소 관리로 구분된다.

▽ 데이터 거버넌스 체계

구분	설명
데이터 표준화	• 데이터 표준 용어 설명, 명명 규칙, 메타데이터 구축, 데이터 사전 구축 • 데이터 표준 준수 진단, 논리·물리 모델 표준에 맞는지 검증
표준화 활동	• 데이터 거버넌스 체계 구축 이후 표준 준수 여부를 주기적으로 점검 및 모니터링 실시
데이터 관리 체계	• 메타데이터와 데이터 사전의 관리 원칙 수립
데이터 저장소 관리	• 메타데이터 및 표준 데이터를 관리하기 위한 전사 차원의 저장소 구성

(4) 분석 준비도(Readiness) 기출

분석 준비도는 기업의 데이터 분석 도입의 수준을 파악하기 위한 진단 방법이다.

① 데이터 분석 준비도 프레임워크

- 데이터 분석 준비도 프레임워크에는 분석 업무 파악, 분석 인력 및 조직, 분석 기법, 분석 데이터, 분석 문화, IT 인프라의 총 6가지 영역이 있다.

데이터 분석 준비도 프레임워크
「업인 기데 문아」
분석 **업**무 파악 / **인**력 및 조직 / 분석 **기**법 / 분석 **데**이터 / 분석 **문**화 / **IT** 인프라

▽ 데이터 분석 준비도 프레임워크

영역	분석 업무 파악	인력 및 조직	분석 기법
상세 영역	• 발생한 사실 / 예측 / 시뮬레이션 / 최적화 분석 업무 • 분석 업무 정기적 개선	• 분석 전문가 교육 훈련 프로그램 • 관리자들의 기본적 분석 능력 • 전사 분석 업무 총괄 조직 존재 • 경영진 분석 업무 이해 능력	• 업무별 적합한 분석 기법 사용 • 분석 업무 도입 방법론 • 분석 기법 효과성 평가 및 정기적 개선

영역	분석 데이터	분석 문화	IT 인프라
상세 영역	• 분석 업무를 위한 데이터 충분성 / 신뢰성 / 적시성 • 비구조적 데이터 관리 • 외부 데이터 활용 체계 • 기준 데이터 관리	• 사실에 근거한 의사결정 • 관리자의 데이터 중시 • 회의 등에서 데이터 활용 • 경영진의 직관보다 데이터 활용 • 데이터 공유 및 협업 문화	• 운영 시스템 데이터 통합 • EAI, ETL 등 데이터 유통 체계 • 분석 전용 서버 및 스토리지 • 빅데이터 분석 환경 / 통계 분석 환경 / 비주얼 분석 환경

② 조직평가를 위한 성숙도(Maturity) 단계
- 기업의 분석 수준은 성숙도 수준에 따라 달라진다.
- 조직평가를 위한 성숙도 단계는 4단계로 도입 단계, 활용 단계, 확산 단계, 최적화 단계로 되어 있다.
- 성숙도는 비즈니스 부문, 조직·역량 부문, IT 부문을 대상으로 성숙도 수준을 평가한다.

▽ 성숙도 단계

단계	설명	조직·역량 부문
도입 단계	분석을 시작해 환경과 시스템을 구축하는 단계	• 일부 부서에서 수행 • 담당자 역량에 의존
활용 단계	분석 결과를 실제 업무에 적용하는 단계	• 전문 담당 부서에서 수행 • 분석 기법 도입 • 관리자가 분석 수행
확산 단계	전사 차원에서 분석을 관리하고 공유하는 단계	• 전사 모든 부서 수행 • 분석 전문가 조직(CoE; Center of Excellence) 조직 운영 • 데이터 사이언티스트 확보
최적화 단계	분석을 진화시켜서 혁신 및 성과 향상에 기여하는 단계	• 데이터 사이언스그룹 • 경영진 분석 활용 • 전략 연계

③ 개선 방안 수립
- 성숙도와 준비도에 따라 4가지 유형으로 구분하여 분석 수준에 대한 목표 방향을 정의하고 개선 방안을 수립한다.

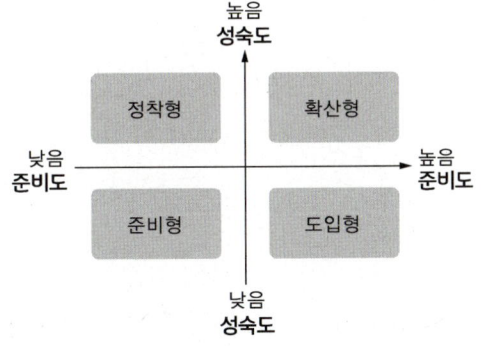

▲ 사분면 분석(Analytics Quadrant)

학습 POINT ★

조직평가를 위한 성숙도 단계는 기출문제로서 두음쌤의 도움을 받아 어떤 단계가 있는지 잘 알아두시길 권장합니다.

두음쌤 한마디

조직평가를 위한 성숙도 단계
「도활확최」
도입 / **활**용 / **확**산 / **최**적화
→ 도둑들의 활동이 확산되어 최루탄으로 진압했다.

◈ 사분면 분석 유형

유형	설명
준비형	• 데이터 분석을 위한 낮은 준비도와 낮은 성숙도 수준에 있는 기업 • 기업에 필요한 데이터, 인력, 조직, 분석 업무, 분석 기법 등이 적용되어 있지 않아 사전준비가 필요한 기업
정착형	• 준비도는 낮으나 조직, 인력, 분석 업무, 분석 기법 등을 기업 내부에서 제한적으로 사용하고 있어 일차적으로 정착이 필요한 기업
도입형	• 기업에서 활용하는 분석 업무, 기법 등은 부족하지만 적용조직 등 준비도가 높아 바로 도입할 수 있는 기업
확산형	• 기업에 필요한 6가지 분석 구성요소를 갖추고 있고, 지속적인 확산이 필요한 기업

지피지기 기출문제

01 다음 중 가트너에서 정의한 3V에 해당하지 않은 것은?

① 규모(Volume)
② 다양성(Variety)
③ 속도(Velocity)
④ 신뢰성(Veracity)

> **해설** 가트너에서 정의한 3V에는 Volume, Variety, Velocity가 있다.

규모 (Volume)	• 빅데이터 분석 규모에 관련된 특징 • ICT 기술 발전으로 과거의 텍스트 데이터부터 SNS로부터 수집되는 사진, 동영상 등의 다양한 멀티미디어 데이터까지 디지털 정보량의 기하급수적 증가
다양성 (Variety)	• 빅데이터 자원 유형에 관련된 특징 • 정형 데이터뿐만 아니라 비정형, 반정형 데이터를 포함
속도 (Velocity)	• 빅데이터 수집·분석·활용 속도에 관련된 특징 • 사물 정보(센서, 모니터링), 스트리밍 정보 등 실시간성 정보의 생성 속도 증가에 따라 처리 속도 가속화 요구 • 가치 있는 정보 활용을 위해 데이터 처리 및 분석 속도의 중요성 증가

02 데이터 사이언티스트(Data Scientist)가 데이터 엔지니어와 다르게 지녀야 하는 소양으로 올바르지 않은 것은?

① 머신러닝 모델을 사용해 정형, 비정형 데이터에서 인사이트 창출 능력
② 사내 데이터를 이용해서 고객 행동 패턴 모델링을 통해 패턴을 찾아내거나 이상치를 탐지하는 능력
③ 데이터 분석 및 활용에 사용될 소프트웨어 개발 능력
④ 예측 모델링, 추천 시스템 등을 개발해 비즈니스 의사결정에 필요한 인사이트 제공 능력

> **해설**
> • 데이터 분석 및 활용에 사용될 소프트웨어 개발 능력은 데이터 엔지니어가 지녀야 할 업무적 능력이다.
> • 데이터 사이언티스트(Data Scientist)가 지녀야 할 업무적 능력은 다음과 같다.
>
> - 머신러닝 모델을 사용해 정형, 비정형 데이터에서 인사이트 창출
> - 사내 데이터를 이용해서 고객 행동 패턴 모델링 진행, 패턴을 찾아내거나 이상치 탐지
> - 예측 모델링, 추천 시스템 등을 개발해 비즈니스 의사결정에 필요한 인사이트 제공

03 조직을 평가하기 위한 성숙도 단계로 적절하지 않은 것은?

① 도입
② 최적화
③ 활용
④ 인프라

> **해설** 데이터 분석 성숙도 모델은 도입, 활용, 확산, 최적화 단계로 구성된다.

도입 단계	분석을 시작해 환경과 시스템을 구축하는 단계
활용 단계	분석 결과를 실제 업무에 적용하는 단계
확산 단계	전사 차원에서 분석을 관리하고 공유하는 단계
최적화 단계	분석을 진화시켜서 혁신 및 성과 향상에 기여
성숙도 단계	
도활확최	도입 / 활용 / 확산 / 최적화

지피지기 기출문제

04 다음이 설명하는 모델은 무엇인가?

> 기업에서 사용하는 데이터의 가용성, 유용성, 통합성, 보안성을 관리하기 위한 정책과 프로세스를 다루며 프라이버시, 보안성, 데이터 품질, 관리 규정 준수를 강조하는 모델

① 데이터 거버넌스
② IT 거버넌스
③ 데이터 레이크
④ 데이터 리터러시

해설
- IT 거버넌스는 IT 자원과 정보를 통해 조직의 경영목표를 충족시킬 수 있는 계획을 개발하고, 통제하는 프로세스이다.
- 데이터 레이크는 정형, 반정형, 비정형 데이터를 비롯한 모든 가공되지 않은 다양한 종류의 데이터(Raw Data)를 저장할 수 있는 시스템 또는 중앙 집중식 데이터 저장소이다.
- 데이터 리터러시는 데이터를 기술적으로 다루는 것에서부터 데이터에 숨겨진 의미있는 인사이트를 도출해내는 등 데이터 활용 과정 전반에 필요로 하는 역량이다.

05 다음 중 진단 분석(Diagnosis Analysis)에 대한 설명으로 가장 적합한 것은?

① 과거에 어떤 일이 일어났고 현재는 무슨 일이 일어나고 있는지?
② 데이터를 기반으로 왜 발생했는지?
③ 무슨 일이 일어날 것인지?
④ 어떤 대응을 해야 하는지?

해설
- 진단 분석(Diagnosis Analysis)은 데이터를 기반으로 왜 발생했는지 이유를 확인하는 분석이다.
- 가트너의 분석 가치 에스컬레이터(Analytic Value Escalator)는 아래와 같다.

묘사 분석 (Descriptive Analysis)	• 분석의 가장 기본적인 지표를 확인하는 단계 • 과거에 어떤 일이 일어났고, 현재는 무슨 일이 일어나고 있는지 확인
진단 분석 (Diagnostic Analysis)	• 묘사 단계에서 찾아낸 분석의 원인을 이해하는 단계 • 데이터를 기반으로 왜 발생했는지 이유를 확인
예측 분석 (Predictive Analysis)	• 데이터를 통해 기업 혹은 조직의 미래, 고객의 행동 등을 예측하는 단계 • 무슨 일이 일어날 것인지를 예측
처방 분석 (Prescriptive Analysis)	• 예측을 바탕으로 최적화하는 단계 • 무엇을 해야 할 것인지를 확인

06 다음 중 빅데이터 3V에 해당하지 않는 것은?

① Volume
② Velocity
③ Variety
④ Value

해설 빅데이터 3V는 Volume, Variety, Velocity이다.

규모 (Volume)	• 빅데이터 분석 규모에 관련된 특징 • ICT 기술 발전으로 과거의 텍스트 데이터부터 SNS로부터 수집되는 사진, 동영상 등의 다양한 멀티미디어 데이터까지 디지털 정보량의 기하급수적 증가
다양성 (Variety)	• 빅데이터 자원 유형에 관련된 특징 • 정형 데이터뿐만 아니라 비정형, 반정형 데이터를 포함
속도 (Velocity)	• 빅데이터 수집·분석·활용 속도에 관련된 특징 • 사물 정보(센서, 모니터링), 스트리밍 정보 등 실시간성 정보의 생성 속도 증가에 따라 처리 속도 가속화 요구 • 가치 있는 정보 활용을 위해 데이터 처리 및 분석 속도의 중요성 증가

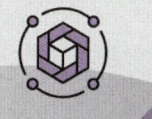

07 1제타바이트에 1byte의 아스키코드(ASCII Code)를 넣을 수 있는 수의 크기는?

① 2^{10}
② 2^{30}
③ 2^{50}
④ 2^{70}

해설 데이터의 양을 측정하는 단위는 다음과 같다.

KB	킬로바이트	1KB = 10^3 Bytes = 2^{10} Bytes
MB	메가바이트	1MB = 10^3 KB = 10^6 Bytes = 2^{20} Bytes
GB	기가바이트	1GB = 10^3 MB = 10^9 Bytes = 2^{30} Bytes
TB	테라바이트	1TB = 10^3 GB = 10^{12} Bytes = 2^{40} Bytes
PB	페타바이트	1PB = 10^3 TB = 10^{15} Bytes = 2^{50} Bytes
EB	엑사바이트	1EB = 10^3 PB = 10^{18} Bytes = 2^{60} Bytes
ZB	제타바이트	1ZB = 10^3 EB = 10^{21} Bytes = 2^{70} Bytes
YB	요타바이트	1YB = 10^3 ZB = 10^{24} Bytes = 2^{80} Bytes

08 다음 중 빅데이터의 영향으로 올바르지 않은 것은?

① 빅데이터로 인한 개인의 영향은 적시에 필요한 정보를 획득할 수 있다는 것이다.
② 빅데이터로 인한 기업의 영향은 시장 변동을 예측해서 비즈니스 모델을 혁신하거나 신규 비즈니스를 창출할 수 있다는 것이다.
③ 빅데이터 분석의 영향은 항상 경제적이다.
④ 정부는 날씨, 교통 등 통계 데이터를 수집해서 사회 변화를 추정하고 대응할 수 있다.

해설
• 빅데이터 분석은 기업에는 혁신 수단을 제공하고 정부에는 상황 분석을 가능하게 하고 개인에게는 필요한 정보를 적시에 획득할 수 있다.
• 빅데이터 분석은 항상 경제적이지는 않다.

09 다음 중 기업의 데이터를 정형 데이터베이스에서 Hadoop 기반의 비정형 데이터베이스로 이관하려고 할 때 데이터 이관 프로세스 정립, 모니터링, 테스트를 주도하는 사람을 무엇이라고 하는가?

① Data Engineer
② Data Analyst
③ Data Scientist
④ Data Architect

해설 데이터 분야 직무별 업무는 다음과 같다.

데이터 엔지니어 (Data Engineer)	• 비즈니스를 이해하고 대량의 데이터 세트를 가공하는 업무 • 사내 데이터 분석가와 데이터 사이언티스트가 제품을 최적화하기 위한 분석 도구를 개발하고 하둡, 스파크 등을 이용해서 대용량 데이터 분산 처리 시스템을 개발하는 업무 • 시스템 개발에 필요한 프로그래밍 언어 사용 스킬 필수
데이터 분석가 (Data Analyst)	• 최적의 의사결정을 내리는 데 도움을 주는 비즈니스 인사이트를 제공하는 업무 • 데이터의 경향, 패턴, 이상값 등을 인식하기 위한 시각화 진행 및 보고서 작성 업무 • 비즈니스 팀과 연계해 각 팀의 전략을 수립하거나 업무 효율화에 필요한 데이터를 수집하고 분석하는 업무
데이터 사이언티스트 (Data Scientist)	• 머신러닝 모델을 사용해 정형, 비정형 데이터에서 인사이트를 창출하는 업무 • 사내 데이터를 이용해서 고객 행동 패턴 모델링 진행, 패턴을 찾아내거나 이상값을 탐지하는 업무 • 예측 모델링, 추천 시스템 등을 개발해 비즈니스 의사결정에 필요한 인사이트를 제공하는 업무
데이터 아키텍트 (Data Architect)	• 데이터베이스를 쉽게 통합, 중앙 집중화 및 보호할 수 있도록 기업의 데이터 관리를 위한 청사진을 만드는 업무 • 효율성 및 보안을 고려한 기업의 데이터 아키텍트 계획 및 관리 업무 • 기업의 데이터를 정형 데이터베이스에서 Hadoop 기반의 비정형 데이터베이스로 이관하려고 할 때 이관 프로세스 정립, 모니터링, 테스트를 주도

지피지기 기출문제

10 다음 중 머신러닝, 빅데이터 분석으로 미래 혹은 알려지지 않은 결과를 분석하는 기법으로 가장 알맞은 것은?

① Prescriptive Analytics
② Predictive Analytics
③ Descriptive Analytics
④ Diagnostic Analytics

해설 예측분석(Predictive Analytics)은 데이터로부터 학습하여 미래를 예측하는 예측모델을 생성하고 활용하는 기법이다.

묘사 분석 (Descriptive Analytics)	• 분석의 가장 기본적인 지표를 확인하는 단계 • 거에 어떤 일이 일어났고 현재는 무슨 일이 일어나고 있는지 확인
진단 분석(Diagnostic Analytics)	• 묘사 단계에서 찾아낸 분석의 원인을 이해하는 단계 • 데이터를 기반으로 왜 발생했는지 이유를 확인
처방 분석 (Prescriptive Analysis)	• 예측을 바탕으로 최적화하는 단계 • 엇을 해야 할 것인지를 확인

11 정형, 비정형, 반정형 데이터 등 빅데이터 자원의 유형과 관련된 빅데이터의 특징은 무엇인가?

① 규모(Volume)   ② 다양성(Variety)
③ 속도(Velocity)   ④ 가치(Value)

해설 정형, 비정형, 반정형 데이터 등 빅데이터 자원의 유형과 관련된 빅데이터의 특징은 다양성(Variety)이다.

규모 (Volume)	• 빅데이터 분석 규모에 관련된 특징 • ICT 기술 발전으로 과거의 텍스트 데이터부터 SNS로부터 수집되는 사진, 동영상 등의 다양한 멀티미디어 데이터까지 디지털 정보량의 기하급수적 증가
다양성 (Variety)	• 빅데이터 자원 유형에 관련된 특징 • 정형 데이터뿐만 아니라 비정형, 반정형 데이터를 포함
속도 (Velocity)	• 빅데이터 수집·분석·활용 속도에 관련된 특징 • 사물 정보(센서, 모니터링), 스트리밍 정보 등 실시간성 정보의 생성 속도 증가에 따라 처리 속도 가속화 요구 • 가치 있는 정보 활용을 위해 데이터 처리 및 분석 속도의 중요성 증가
가치 (Value)	• 빅데이터 수집 데이터를 통해 얻을 수 있는 가치 • 비즈니스나 연구에 활용되어 유용한 가치를 끌어낼 수 있는가에 대한 문제 • 빅데이터의 가치는 데이터의 정확성 및 시간성과 관련됨

12 데이터 분석 개념에서 가장 중요한 3V로 올바른 것은?

① 다양성 - 속도 - 가치
② 다양성 - 속도 - 신뢰성
③ 규모 - 다양성 - 속도
④ 규모 - 다양성 - 가치

해설 데이터 분석 개념에서 가장 중요한 3V는 규모(Volume), 다양성(Variety), 속도(Velocity)이다.

13 다음 중 빅데이터 산업의 단점으로 볼 수 없는 것은?

① 사생활 침해
② 데이터 오용
③ 책임 원칙의 훼손
④ H2H(Human to Human)의 확산

CHAPTER 01 빅데이터의 이해

해설 빅데이터 산업의 단점, 위기 요인은 다음과 같다.

사생활 침해	• 목적 외로 활용된 개인정보가 포함된 데이터의 경우 사생활 침해를 넘어 사회·경제적 위협으로 확대
책임 원칙 훼손	• 예측 기술과 빅데이터 분석기술이 발전하면서 분석 대상이 되는 사람들이 예측 알고리즘의 희생양이 될 가능성도 증가 • 잠재적 위협이 아닌 명확한 결과에 대한 책임을 묻고 있는 민주주의 국가 원리를 훼손할 가능성이 존재
데이터 오용	• 데이터 분석은 실제 일어난 일에 대한 데이터에 의존하기 때문에 이를 바탕으로 미래를 예측하는 것은 언제나 맞을 수는 없는 오류가 존재함 • 잘못된 지표를 사용하는 것도 빅데이터의 피해가 될 수 있음

14 다음 중 빅데이터 조직 구조에 대한 설명으로 올바르지 않은 것은?

① 기능 구조 - 일반적인 조직 형태로 전사적 핵심 분석이 어렵다.
② 집중 구조 - 별도의 분석 전담 조직에서 담당하기 때문에 현업 업무부서와 분석 업무가 중복되지 않는다.
③ 분산 구조 - 분석조직 인력들을 현업 부서로 직접 배치해서 분석 업무를 수행하기 때문에 빠르게 대응할 수 있다.
④ 기능 구조 - 별도의 집중화된 분석조직이 없고 해당 부서에서 분석을 수행한다.

해설 집중 구조는 현업 부서와 업무 중복 가능성이 있다.

집중 구조	• 전사 분석 업무를 별도의 분석 전담 조직에서 담당 • 전략적 중요도에 따라 분석조직이 우선순위를 정해서 진행 가능 • 현업 업무부서의 분석 업무와 중복 및 이원화 가능성이 큼
기능 구조	• 일반적인 형태로 별도 분석조직이 없고 해당 부서에서 분석 수행 • 전사적 핵심 분석이 어려우며 과거에 국한된 분석 수행

분산 구조	• 분석조직 인력들을 현업 부서로 직접 배치해 분석 업무를 수행 • 전사 차원의 우선순위 수행 • 분석 결과에 따른 신속한 피드백이 나오고 베스트 프랙티스 공유가 가능 • 업무 과다와 이원화 가능성이 존재할 수 있기에 부서 분석 업무와 역할 분담이 명확해야 함

15 다음 중 데이터 사이언스(Data Science)에 대한 설명으로 올바른 것은?

① 정형 데이터만을 대상으로부터 인사이트를 추출하는 학문이다.
② 알고리즘코딩 해석을 통해 빅데이터 알고리즘에 의해 부당하게 피해를 입은 사람을 구제하는 학문이다.
③ 데이터 공학, 의학, 수학, 통계학, 컴퓨터공학, 시각화, 해커의 사고방식, 해당 분야의 전문 지식을 종합한 학문이다.
④ 인공지능이 발전함에 따라 데이터 사이언스가 필요 없어진다.

해설 데이터 사이언스는 데이터 공학, 의학, 수학, 통계학, 컴퓨터공학, 시각화, 해커의 사고방식, 해당 분야의 전문 지식을 종합한 학문이다.

16 데이터 사이언티스트의 업무적 고려 사항으로 올바르지 않은 것은?

① 데이터 분석의 한계성을 인정해야 한다.
② 데이터 분석 결과가 변경될 수 있다는 것을 고려해야 한다.
③ 데이터 분석에 필요한 다양한 분석 도구의 활용을 고려해야 한다.
④ 데이터 분석 모델에 대한 한계점은 배제하고 진행한다.

지피지기 기출문제

> **해설** 데이터 사이언티스트는 데이터 분석 모델에 대한 한계점을 인정하고, 데이터 분석 목적에 맞는 다양한 분석 모델을 적용할 수 있어야 한다.

> **해설** 데이터 사이언티스트의 요구역량 중 소프트 스킬에 해당하는 것은 협력 능력, 통찰력, 전달력이다.
>
> | 데이터 사이언티스트의 요구 역량 | |
> |---|---|
> | 협통전 숙지 | (소프트 스킬) 협력 능력 / 통찰력 / 전달력, (하드 스킬) 숙련도 / 지식 |

17 다음 중 데이터 분석가의 업무로 올바르지 않은 것은?

① 데이터 분석의 객관성을 위해 자신의 경험을 배제한다.
② 정확한 분석 결과를 얻기 위해서 분석 절차를 변경할 수 있다.
③ 분석이 잘못되었다고 판단되면 알고리즘을 수정할 수 있다.
④ 비즈니스팀과 연계해 각 팀의 전략을 수립하거나 업무 효율화에 필요한 데이터를 수집하고 분석하는 업무를 수행한다.

> **해설** 데이터 분석가는 분석 모델의 한계를 넘기 위해, 경험과 세상에 대한 통찰력을 분석에 활용해야 한다.

19 다음 중 데이터 거버넌스 구성요소가 아닌 것은 무엇인가?

① 원칙
② IT 인프라
③ 조직
④ 프로세스

> **해설** 데이터 거버넌스 구성요소는 다음과 같다.
>
> | 데이터 거버넌스 구성요소 | |
> |---|---|
> | 원조프 | 원칙 / 조직 / 프로세스 |

20 다음 중 데이터 분석 준비도(Readiness) 프레임워크의 영역이 아닌 것은?

① 분석 업무 파악
② 인력 및 조직
③ 성과 분석
④ 분석기법

> **해설** 데이터 분석 준비도 프레임워크의 영역은 다음과 같다.
>
> | 데이터 분석 준비도 프레임워크 | |
> |---|---|
> | 업인 기데 문아 | 분석 업무 파악 / 인력 및 조직 / 분석기법 / 분석 데이터 / 분석 문화 / IT 인프라 |

18 다음 중 데이터 사이언티스트의 소프트 스킬에 해당되는 것은?

① 통찰력
② 지식
③ 기술
④ 머신러닝

21 다음 중 데이터 분석 조직의 유형에 대한 설명으로 올바르지 않은 것은?

① 준비형 – 기업에 필요한 데이터, 인력, 조직, 분석 업무, 분석 기법 등이 적용되어 있지 않아 사전준비가 필요한 기업
② 정착형 – 성숙도가 높아 조직, 인력, 분석 업무, 분석 기법 등을 기업 내부에서 제한 없이 사용할 수 있는 기업
③ 도입형 – 기업에서 활용하는 분석 업무, 기법 등은 부족하지만 적용조직 등 준비도가 높아 바로 도입할 수 있는 기업
④ 확산형 – 기업에 필요한 분석 구성요소를 갖추고 있고, 지속적인 확산이 필요한 기업

> **해설** 정착형은 준비도는 낮으나 조직, 인력, 분석 업무, 분석 기법 등을 기업 내부에서 제한적으로 사용하고 있어 일차적으로 정착이 필요한 기업이다.

22 다음 빅데이터 특성에 대한 설명으로 옳은 것은?

① Veracity – 빅데이터의 수집 대상 데이터가 가지는 신뢰에 관련된 특성
② Volume – 비정형, 반정형 데이터 등 다양한 데이터를 처리하는 특성
③ Variety – 빅데이터 수집 데이터를 통해 얻을 수 있는 가치
④ Velocity – 수집하는 데이터의 양이 많은 특성

> **해설** 빅데이터 특성은 다음과 같다.
>
> | | |
> |---|---|
> | 신뢰성(Veracity) | • 빅데이터의 수집 대상 데이터가 가지는 신뢰에 관련된 특징 |
> | 규모(Volume) | • 빅데이터 분석 규모에 관련된 특징 |
> | 다양성(Variety) | • 빅데이터 자원 유형에 관련된 특징 |
> | 속도(Velocity) | • 빅데이터 수집·분석·활용 속도에 관련된 특징 |

정답 01 ④ 02 ③ 03 ④ 04 ① 05 ② 06 ④ 07 ④ 08 ③ 09 ④ 10 ② 11 ② 12 ③ 13 ④ 14 ② 15 ③ 16 ④ 17 ① 18 ① 19 ② 20 ③ 21 ② 22 ①

천기누설 예상문제

01 다음 중 빅데이터의 특징이 아닌 것은?

① Veracity
② Volume
③ Value
④ Vertical

> **해설** 빅데이터의 특징은 3V(Volume, Variety, Velocity)이며, Value, Veracity를 추가하여 5V라 한다.

02 DIKW 피라미드에 포함되지 않는 요소는 무엇인가?

① 데이터
② 학습
③ 지식
④ 지혜

> **해설**
> | 데이터에서 가치를 찾는 피라미드 구조 | |
> |---|---|
> | 데정 식혜 | 데이터 / 정보 / 지식 / 지혜 |

03 다음 중 빅데이터의 가치와 관련된 설명으로 가장 옳지 않은 것은?

① 새로운 기회를 창출하고, 위험을 해결하여 사회 및 경제 발전의 엔진 역할을 수행한다.
② 가상 세계의 데이터를 기반으로 한 패턴 분석과 과거 전망을 예측하여 불확실성을 제거한다.
③ 환경, 소셜, 모니터링 정보의 패턴 분석을 통해 위험 징후 및 이상 신호를 포착한다.
④ 방대한 데이터 활용과 타 분야와의 융합을 통한 새로운 가치를 창출한다.

> **해설** 현실 세계의 데이터를 기반으로 하며 미래 전망을 예측하여 불확실성을 제거한다.

04 다음 중 일반적으로 통용되는 빅데이터의 정의와 가장 거리가 먼 것은 무엇인가?

① 빅데이터는 다양한 종류의 대규모 데이터로부터 저렴한 비용으로 가치를 추출하고 데이터의 초고속의 수집, 분석, 발굴을 지원하도록 고안된 차세대 기술이자 아키텍트이다.
② 빅데이터는 일반 데이터베이스 소프트웨어로 저장, 관리, 분석할 수 있는 범위를 초과하는 규모의 데이터이다.
③ 데이터에서부터 가치를 추출하는 것은 통찰, 지혜를 얻는 과정으로 Ackoff, R.L.이 도식화한 DKNY 피라미드로 표현할 수 있다.
④ 빅데이터는 데이터의 양(Volume), 다양성(Variety), 속도(Velocity)가 급격히 증가하면서 나타난 현상이다.

> **해설** DKNY 피라미드가 아닌 DIKW 피라미드가 올바른 개념이다.

05 다음 중 그 자체로는 의미가 중요하지 않은 객관적 사실인 데이터를 가공, 처리하여 얻을 수 있는 것으로 부적절한 것은?

① 정보(Information)
② 지혜(Wisdom)
③ 지식(Knowledge)
④ 선호(Preference)

> **해설** DIKW 피라미드를 기준으로 데이터를 통해 정보, 지식, 지혜 등을 얻을 수 있다.
>
> | 데이터에서 가치를 찾는 피라미드 구조 | |
> |---|---|
> | 데정 식혜 | 데이터 / 정보 / 지식 / 지혜 |

06 다음 DIKW 단계 설명 중 다른 하나는 무엇인가?

① 작년 매출은 2월에서 7월까지 증가하였고, 10월에 다시 증가했다.
② 7월 A상품을 구매하는 고객의 60%가 30대 남성 고객이다.
③ 작년 매출액의 70%는 2월에 집중되어 있다.
④ 날씨가 추워지고, 지점이 늘어나 11월 매출액은 5000만 원으로 예상한다.

해설 ④는 지식, 나머지는 정보에 해당하는 내용이다.

07 DIKW 피라미드 중 데이터 가공, 처리와 데이터 간 연관 관계 속에서 의미가 도출하는 형태를 무엇이라고 하는가?

① 데이터　② 정보
③ 지식　④ 지혜

해설 정보(Information): 가공, 처리하여 데이터 간의 연관 관계와 함께 의미가 도출된 데이터

08 다음 중 지식에 대한 예시로 가장 적절한 것은?

① B 사이트의 USB 판매 가격이 A 사이트보다 더 비싸다.
② A 사이트는 1,000원에 B 사이트는 1,200원에 USB를 팔고 있다.
③ B 사이트보다 가격이 상대적으로 저렴한 A 사이트에서 USB를 사야겠다.
④ A 사이트가 B 사이트보다 다른 물건도 싸게 팔 것이다.

해설 ①: 정보, ②: 데이터, ③: 지식, ④: 지혜

09 다음 중 빅데이터 분석에 경제성을 제공해 준 결정적인 기술로 가장 적절한 것은 무엇인가?

① 텍스트 마이닝(Text Mining)
② 클라우드 컴퓨팅(Cloud Computing)
③ 저장장치 비용(Storage Cost)의 지속적인 하락
④ 5G 통신 기술의 발달

해설 클라우드 컴퓨팅 기술의 발전으로 데이터 처리 비용이 급격하게 감소하고 있다.

10 데이터의 양을 측정하는 단위의 크기를 순서대로 나열한 것은?

① TB < EB < PB < ZB < YB
② TB < PB < EB < YB < ZB
③ TB < EB < ZB < YB < PB
④ TB < PB < EB < ZB < YB

해설

기호	이름	값
KB	킬로바이트	10^3 Bytes
MB	메가바이트	10^3 KB = 10^6 Bytes
GB	기가바이트	10^3 MB = 10^9 Bytes
TB	테라바이트	10^3 GB = 10^{12} Bytes
PB	페타바이트	10^3 TB = 10^{15} Bytes
EB	엑사바이트	10^3 PB = 10^{18} Bytes
ZB	제타바이트	10^3 EB = 10^{21} Bytes
YB	요타바이트	10^3 ZB = 10^{24} Bytes

천기누설 예상문제

11 다음 중 사분면 분석 결과 중 기업에서 활용하는 분석 업무, 기법 등은 부족하지만 적용조직 등 준비도가 높아서 바로 도입할 수 있는 기업에 해당하는 유형은 무엇인가?

① 정착형 ② 확산형
③ 준비형 ④ 도입형

해설 기업에서 활용하는 분석 업무, 기법 등은 부족하지만 적용조직 등 준비도가 높아서 바로 도입할 수 있는 기업에 해당하는 유형은 도입형이다.

준비형	• 데이터 분석을 위한 낮은 준비도와 낮은 성숙도 수준에 있는 기업 • 기업에 필요한 데이터, 인력, 조직, 분석 업무, 분석 기법 등이 적용되어 있지 않아 사전준비가 필요한 기업
정착형	• 준비도는 낮으나 조직, 인력, 분석 업무, 분석 기법 등을 기업 내부에서 제한적으로 사용하고 있어 일차적으로 정착이 필요한 기업
도입형	• 기업에서 활용하는 분석 업무, 기법 등은 부족하지만 적용조직 등 준비도가 높아 바로 도입할 수 있는 기업
확산형	• 기업에 필요한 6가지 분석 구성요소를 갖추고 있고, 지속적인 확산이 필요한 기업

12 다음 중 빅데이터의 가치에 해당하지 않는 것은?

① 불확실성 증가 ② 스마트한 경쟁력
③ 리스크 감소   ④ 타 분야 융합

해설

경제적 자산	• 새로운 기회를 창출하고, 위험을 해결하여 사회 및 경제 발전의 엔진 역할을 수행
불확실성 제거	• 사회현상, 현실 세계의 데이터를 기반으로 한 패턴 분석과 미래 전망 • 여러 가지 가능성에 대한 시나리오 시뮬레이션
리스크 감소	• 환경, 소셜, 모니터링 정보의 패턴 분석을 통해 위험 징후 및 이상 신호 포착 • 이슈를 사전에 인지 및 분석하고 빠른 의사결정과 실시간 대응
스마트한 경쟁력	• 대규모 데이터 분석을 통한 상황 인지, 인공지능 서비스 기능 • 개인화, 지능화 서비스 제공 확대 • 트렌드 변화 분석을 통한 제품 경쟁력 확보
타 분야 융합	• 타 분야와의 융합을 통한 새로운 가치 창출 • 방대한 데이터 활용을 통한 새로운 융합시장 창출

13 빅데이터의 가치 산정이 어려운 이유로 옳지 않은 것은?

① 데이터 재사용의 일반화로 특정 데이터를 언제 누가 사용했는지 알기 어렵기 때문이다.
② 빅데이터 전문 인력의 증가로 다양한 곳에서 빅데이터가 활용되었기 때문이다.
③ 비용 문제로 인해 분석할 수 없었던 것을 저렴한 비용에 분석하면서 활용도가 증가했기 때문이다.
④ 빅데이터 시대에 데이터가 기존에 없던 가치를 창출하기 때문이다.

해설

데이터 활용 방식	데이터의 재사용, 데이터의 재조합, 다목적용 데이터 개발 등이 일반화되면서 특정 데이터를 언제·어디서·누가 활용할지 알 수 없어서 가치 산정이 어려움
새로운 가치 창출	빅데이터 시대에 데이터가 기존에 없던 가치를 창출하여 가치 산정이 어려움
분석기술 발전	비용 문제로 인해 분석할 수 없었던 것을 저렴한 비용에 분석하면서 활용도가 증가하여 가치 산정이 어려움

14 빅데이터 산업에 대한 설명으로 옳지 않은 것은?

① 빅데이터가 스마트폰, SNS, 사물인터넷(IoT) 확산 등에 따른 데이터 폭증 등으로 인해 ICT 분야의 새로운 패러다임이자 신성장동력으로 급부상하고 있다.
② 우리나라는 데이터 생산량이 많은 산업(통신·제조업 등)이 발달해 잠재력이 크다.
③ 주요국 및 글로벌 기업은 빅데이터 '산업' 육성 및 '활용'에 주력하고 있다.
④ 우리나라는 불확실성에 따른 투자 리스크 등이 있지만 '활용'이 빈번하다.

해설 우리나라는 데이터 생산량이 많은 산업(통신·제조업 등)이 발달해 잠재력이 크지만, 불확실성에 따른 투자 리스크 등으로 '활용'은 저조하다.

15 다음 중 빅데이터 시대에서 발생할 수 있는 '책임 원칙의 훼손'에 대해 가장 올바른 사례는 무엇인가?

① 범죄 예측 프로그램에 의해 범행이 발생하기 전 체포
② 빅브라더가 개인의 일상생활을 전체적으로 감시
③ 여행 사실을 SNS에 올린 사람의 집에 강도 침입
④ 검색엔진의 차별적인 누락으로 매출액 감소

> **해설**
> • 예측 기술과 빅데이터 분석기술이 발전하면서 분석 대상이 되는 사람들이 예측 알고리즘의 희생양이 될 가능성도 증가한다.
> • 잠재적 위협이 아닌 명확한 결과에 대한 책임을 묻고 있는 민주주의 국가 원리를 훼손할 가능성이 존재한다.

16 빅데이터 시대의 위기와 통제에 대한 설명으로 가장 올바르게 묶인 것은?

ⓐ 개인정보 사용자의 정보사용에 대한 책임의 한계로 개인정보 사용 책임제도보다 동의제도를 더욱 강화해야 한다.
ⓑ 민주주의에서 '행동결과'에 따른 처벌의 모순을 교훈 삼아 빅데이터 사전 '성향' 분석을 통한 통제의 강화가 필요하다.
ⓒ 빅데이터 분석은 실제 일어난 일에 대한 데이터에 의존하기 때문에 이를 바탕으로 미래를 예측하는 것은 언제나 맞을 수는 없는 오류가 존재한다.
ⓓ 알고리즘을 통해 불이익을 당한 사람들을 대변할 알고리즈미스트라는 전문가가 필요하다.

① Ⓐ, Ⓑ   ② Ⓐ, Ⓒ
③ Ⓑ, Ⓒ   ④ Ⓒ, Ⓓ

> **해설**
> • 동의제도를 강화하기보다 책임제도를 통해 해결하는 방법을 권장한다.
> • 사전 예측을 통한 통제 강화는 책임 원칙의 훼손을 유발한다.

책임의 강조	사생활 침해	빅데이터를 통한 개인정보 침해 문제 해결을 위해 개인정보를 사용하는 사용자의 '책임'을 통해 해결하는 방안 강구
결과 기반의 책임 적용	책임 원칙 훼손	판단을 근거로 오류가 있는 예측 알고리즘을 통해서는 불이익을 줄 수 없으며, 방지를 위한 피해 최소화 장치 마련 필요
알고리즘에 대한 접근 허용	데이터 오용	알고리즘을 통해 불이익을 당한 사람들을 대변할 알고리즈미스트라는 전문가가 필요

17 목적 외로 활용된 개인정보가 포함된 데이터가 사생활 침해를 넘어 사회와 경제적 위협으로 확대되고 있다. 이에 대한 통제 방안으로 가장 옳은 것은?

① '알고리즘에 대한 접근권'을 통해 통제한다.
② 알고리즈미스트라는 전문가를 통해 사생활 침해에 대해 통제한다.
③ 기존의 원칙 보강 및 강화와 예측 자료에 의한 불이익 가능성을 최소화하는 장치를 마련하는 것이 필요하다.
④ 개인정보를 사용하는 사용자의 '책임'을 통해 해결하는 방안을 강구한다.

> **해설**

책임의 강조	사생활 침해	• 빅데이터를 통한 개인정보 침해 문제 해결을 위해 개인정보를 사용하는 사용자의 '책임'을 통해 해결하는 방안 강구 • 사용자에게 개인정보의 유출 및 동의 없는 사용으로 발생하는 피해에 대한 책임을 지게 함으로써 사용 주체가 적극적인 보호 장치를 마련할 수 있도록 함
결과 기반의 책임 적용	책임 원칙 훼손	• 책임의 강조를 위해서는 기존의 원칙 보강 및 강화와 예측 자료에 의한 불이익 가능성을 최소화하는 장치를 마련하는 것이 필요 • 판단을 근거로 오류가 있는 예측 알고리즘을 통해서는 불이익을 줄 수 없으며, 방지를 위한 피해 최소화 장치 마련 필요
알고리즘에 대한 접근 허용	데이터 오용	• 예측 알고리즘의 부당함을 반증할 수 있는 '알고리즘에 대한 접근권' 제공 • 알고리즘을 통해 불이익을 당한 사람들을 대변할 알고리즈미스트라는 전문가가 필요

천기누설 예상문제

18 다음이 설명하는 분석 가치 에스컬레이터 단계는 무엇인가?

> - 분석의 가장 기본적인 지표
> - 과거에 어떤 일이 일어났고, 현재는 무슨 일이 일어나고 있는지 확인
> - 단순한 소비자 선호도(좋다, 나쁘다)뿐만 아니라 선호하는 대상까지 확인

① 묘사 분석(Descriptive Analysis)
② 진단 분석(Diagnostic Analysis)
③ 예측 분석(Predictive Analysis)
④ 처방 분석(Prescriptive Analysis)

해설

묘사 분석 (Descriptive Analysis)	• 분석의 가장 기본적인 지표를 확인하는 단계 • 과거에 어떤 일이 일어났고, 현재는 무슨 일이 일어나고 있는지 확인
진단 분석 (Diagnostic Analysis)	• 묘사 단계에서 찾아낸 분석의 원인을 이해하는 단계 • 데이터를 기반으로 왜 발생했는지 이유를 확인
예측 분석 (Predictive Analysis)	• 데이터를 통해 기업 혹은 조직의 미래, 고객의 행동 등을 예측하는 단계 • 무슨 일이 일어날 것인지를 예측
처방 분석 (Prescriptive Analysis)	• 예측을 바탕으로 최적화하는 단계 • 무엇을 해야 할 것인지를 확인

19 다음 중 데이터 거버넌스의 구성 요소가 아닌 것은 무엇인가?

① Principle   ② Organization
③ System   ④ Process

해설

원칙 (Principle)	• 데이터를 유지·관리하기 위한 지침과 가이드 • 품질 기준, 보안, 변경관리
조직 (Organization)	• 데이터를 관리할 조직의 역할과 책임(R&R) • 데이터 관리자, 데이터베이스 관리자(DBA), 데이터 아키텍트 등
프로세스 (Process)	• 데이터 관리를 위한 활동과 체계 • 작업 절차, 모니터링 활동, 측정 활동 등

20 다음 중 데이터 분석 준비도 프레임워크에서 분석 업무 파악 항목으로 가장 부적절한 것은 무엇인가?

① 업무별 적합한 분석 기법 사용
② 예측 분석 업무
③ 발생한 사실 분석 업무
④ 최적화 분석 업무

해설 업무별 적합한 분석 기법 사용은 분석 기법 영역이다.

분석 업무 파악	• 발생한 사실 분석 업무 • 예측 분석 업무 • 시뮬레이션 분석 업무 • 최적화 분석 업무 • 분석 업무 정기적 개선
분석 기법	• 업무별 적합한 분석 기법 사용 • 분석 업무 도입 방법론 • 분석 기법 라이브러리 • 분석 기법 효과성 평가 • 분석 기법 정기적 개선

21 다음 중 데이터 분석 준비도 프레임워크에서 분석 데이터의 진단 항목으로 가장 부적절한 것은 무엇인가?

① 분석 업무를 위한 데이터 충분성
② 비구조적 데이터 관리
③ 내부 데이터 활용 체계
④ 기준 데이터 관리

해설 분석 데이터의 진단 항목은 내부 데이터 활용 체계가 아닌 외부 데이터 활용 체계이다.

분석 데이터	• 분석 업무를 위한 데이터 충분성 • 분석 업무를 위한 데이터 신뢰성 • 분석 업무를 위한 데이터 적시성 • 비구조적 데이터 관리 • 외부 데이터 활용 체계 • 기준 데이터 관리

22 조직 평가를 위한 성숙도 단계 중에서 분석 결과를 실제 업무에 적용하는 수준의 성숙 단계는 무엇인가?

① 도입 단계 ② 활용 단계
③ 확산 단계 ④ 최적화 단계

> **해설** 분석 결과를 실제 업무에 적용하는 수준의 성숙 단계는 활용 단계이다.

도입 단계	분석을 시작해 환경과 시스템을 구축하는 단계
활용 단계	분석 결과를 실제 업무에 적용하는 단계
확산 단계	전사 차원에서 분석을 관리하고 공유하는 단계
최적화 단계	분석을 진화시켜서 혁신 및 성과 향상에 기여하는 단계

23 분석 수준 진단 결과 기업에서 활용하는 분석 업무, 기법 등은 부족하지만 적용조직 등 준비도가 높아 데이터 분석을 바로 도입할 수 있는 수준의 기업 유형은 무엇인가?

① 준비형 ② 정착형
③ 확산형 ④ 도입형

> **해설** 기업에서 활용하는 분석 업무, 기법 등은 부족하지만 적용조직 등 준비도가 높아 바로 도입할 수 있는 수준의 성숙 단계는 도입형이다.

준비형	• 데이터 분석을 위한 낮은 준비도와 낮은 성숙도 수준에 있는 기업 • 기업에 필요한 데이터, 인력, 조직, 분석 업무, 분석 기법 등이 적용되어 있지 않아 사전준비가 필요한 기업
정착형	• 준비도는 낮으나 조직, 인력, 분석 업무, 분석 기법 등을 기업 내부에서 제한적으로 사용하고 있어 1차적으로 정착이 필요한 기업
도입형	• 기업에서 활용하는 분석 업무, 기법 등은 부족하지만 적용조직 등 준비도가 높아 바로 도입할 수 있는 기업
확산형	• 기업에 필요한 6가지 분석 구성요소를 갖추고 있고, 지속적인 확산이 필요한 기업

24 데이터 표준 용어 설명, 명명 규칙 수립, 메타데이터 구축, 데이터 사전 구축 등의 업무로 구성되는 데이터 거버넌스 체계 항목은 무엇인가?

① 데이터 관리 체계 ② 데이터 저장소 관리
③ 표준화 활동 ④ 데이터 표준화

> **해설** 데이터 표준 용어 설명, 명명 규칙 수립, 메타데이터 구축, 데이터 사전 구축 등의 업무로 구성되는 데이터 거버넌스 체계 항목은 데이터 표준화이다.

데이터 표준화	• 데이터 표준 용어 설명, 명명 규칙, 메타데이터 구축, 데이터 사전 구축 • 데이터 표준 준수 진단, 논리·물리 모델 표준에 맞는지 검증
표준화 활동	• 데이터 거버넌스 체계 구축 이후 표준 준수 여부를 주기적으로 점검 및 모니터링 실시
데이터 관리 체계	• 메타데이터와 데이터 사전의 관리 원칙 수립
데이터 저장소 관리	• 메타데이터 및 표준 데이터를 관리하기 위한 전사 차원의 저장소 구성

25 메타데이터와 데이터 사전의 관리 원칙 수립, 데이터의 생명주기 관리 방안 수립 등의 업무로 구성되는 데이터 거버넌스 체계 항목은 무엇인가?

① 데이터 관리 체계 ② 표준화 활동
③ 데이터 저장소 관리 ④ 데이터 표준화

> **해설** 메타데이터와 데이터 사전의 관리 원칙 수립, 데이터의 생명주기 관리 방안 수립 등의 업무로 구성되는 데이터 거버넌스 체계 항목은 데이터 관리 체계이다.

데이터 표준화	• 데이터 표준 용어 설명, 명명 규칙, 메타데이터 구축, 데이터 사전 구축 • 데이터 표준 준수 진단, 논리·물리 모델 표준에 맞는지 검증
표준화 활동	• 데이터 거버넌스 체계 구축 이후 표준 준수 여부를 주기적으로 점검 및 모니터링 실시
데이터 관리 체계	• 메타데이터와 데이터 사전의 관리 원칙 수립
데이터 저장소 관리	• 메타데이터 및 표준 데이터를 관리하기 위한 전사 차원의 저장소 구성

천기누설 예상문제

26 빅데이터 조직 구조 설계의 요소에 대한 설명으로 옳지 않은 것은?

① 업무 활동은 수직 업무 활동과 수평 업무 활동으로 구분한다.
② 수직 업무 활동은 업무 프로세스 절차별로 업무를 배분한다.
③ 부서화는 조직의 미션과 목적을 효율적으로 달성하기 위한 조직 구조 유형이다.
④ 조직의 목표 달성을 위하여 업무 활동 및 부서의 보고 체계를 설계한다.

해설 수직 업무 활동은 경영 계획, 예산 할당 등 우선순위를 결정한다.

업무 활동	• 조직의 미션과 목적을 달성하기 위하여 과업 수행을 위해 수직 업무 활동과 수평 업무 활동으로 구분	
	수직 업무 활동	경영 계획, 예산 할당 등 우선순위를 결정
	수평 업무 활동	업무 프로세스 절차별로 업무를 배분
부서화	• 조직의 미션과 목적을 효율적으로 달성하기 위한 조직 구조 유형 설계
• 조직 구조 유형은 집중 구조, 기능 구조, 분산 구조로 분류	
보고 체계	• 조직의 목표 달성을 위하여 업무 활동 및 부서의 보고 체계를 설계	

27 조직 구조의 설계 특성 중 가장 옳지 않은 것은?

① 공식화 ② 직무 전문화
③ 협업화 ④ 통제 범위

해설 조직 구조를 설계할 때는 공식화, 분업화, 직무 전문성, 통제 범위, 의사소통 및 조정 등의 특성을 고려한다.

28 다음이 설명하는 빅데이터 조직 구조 유형은 무엇인가?

- 분석조직 인력들을 현업 부서로 직접 배치해 분석 업무를 수행
- 분석 결과에 따른 신속한 피드백이 나오고 베스트 프랙티스 공유가 가능
- 업무 과다와 이원화 가능성이 존재

① 분산 구조 ② 복합 구조
③ 기능 구조 ④ 집중 구조

해설 분석 조직 인력들을 현업 부서로 배치하는 조직 구조 유형은 분산 구조이다.

| 집중 구조 | • 전사 분석 업무를 별도의 분석 전담 조직에서 담당
• 전략적 중요도에 따라 분석조직이 우선순위를 정해서 진행 가능
• 현업 업무부서의 분석 업무와 중복 및 이원화 가능성이 높음 |
|---|---|
| 기능 구조 | • 일반적인 형태로 별도 분석조직이 없고, 해당 부서에서 분석 수행
• 전사적 핵심 분석이 어려우며 과거에 국한된 분석 수행 |
| 분산 구조 | • 분석조직 인력들을 현업 부서로 직접 배치해 분석 업무를 수행
• 전사 차원의 우선순위 수행
• 분석 결과에 따른 신속한 피드백이 나오고 베스트 프랙티스 공유가 가능
• 업무 과다와 이원화 가능성이 존재할 수 있기에 부서 분석 업무와 역할 분담이 명확해야 함 |

29 빅데이터를 다각적으로 분석하여 인사이트를 도출하는 데이터 사이언티스트(Data Scientist)의 요구 역량으로 가장 부적절한 것은 무엇인가?

① 통찰력 있는 분석 능력
② 인공지능 분야 최적화 능력
③ 다양한 분야를 아우르는 협업능력
④ 설득력 있는 전달 능력

해설

데이터 사이언티스트의 요구역량	
협통전 숙지	(소프트 스킬) 협력 능력 / 통찰력 / 전달력,
(하드 스킬) 숙련도 / 지식

CHAPTER 01 빅데이터의 이해

30 다음 중 데이터 사이언티스트에서 인문학 열풍을 가져오게 한 외부환경 요소로 가장 올바르지 않은 것은?

① 비즈니스 중심이 제품생산에서 서비스로 이동하였다.
② 빅데이터 분석기법의 이해와 분석 방법론이 확대되었다.
③ 단순 세계화인 컨버전스에서 복잡한 세계화인 디버전스로 변화하였다.
④ 경제와 산업의 논리가 생산에서 시장 창조로 변화되었다.

해설 인문학 열풍을 가져오게 한 외부환경 요소는 컨버전스에서 디버전스로의 변화, 제품생산에서 서비스로의 변화, 생산에서 시장창조로의 변화이다.

31 데이터 사이언스와 데이터 사이언티스트에 대한 설명으로 가장 올바르지 않은 것은?

① 대부분의 전문가들이 데이터 사이언티스트가 갖춰야 할 역량으로 호기심을 언급한다.
② 통계학과 데이터 사이언스는 '데이터를 다룬다'는 것이 비슷하지만 통계학은 더욱 확장된 유형의 데이터를 다룬다.
③ 뛰어난 데이터 사이언티스트는 정량적 분석이라는 과학과 인문학적 통찰을 근거로 합리적 추론을 한다.
④ 더 높은 가치 창출과 차별화를 가져오는 것은 전략적 통찰력과 관련된 소프트 스킬이다.

해설
• 통계학과 데이터 사이언스는 '데이터를 다룬다'는 것이 비슷하지만 데이터 사이언스는 더욱 확장된 유형의 데이터를 다룬다.
• 데이터 사이언스는 데이터 공학, 수학, 통계학, 컴퓨터공학, 시각화, 해커의 사고방식, 해당 분야의 전문지식을 종합한 학문이다.

32 다음 중 가트너가 제시한 데이터 사이언티스트가 갖춰야 할 역량으로 가장 올바르지 않은 것은?

① 데이터 관리   ② 분석 모델링
③ 비즈니스 분석 ④ 하드 스킬

해설 가트너 데이터 사이언티스트 갖춰야할 역량으로 분석 모델링, 데이터 관리, 소프트스킬, 비즈니스 분석을 제시했다.

33 다음 중 데이터로부터 의미 있는 정보를 추출해 내는 학문으로, 통계학과는 달리 정형 또는 비정형을 막론하고 다양한 유형의 데이터를 분석 대상으로 하고, 이를 효과적으로 구현하고 전달하는 과정까지 포함한 개념은 무엇인가?

① 데이터 마이닝   ② 데이터 사이언스
③ 데이터 알고리즘 ④ 데이터 시각화

해설
• 데이터 사이언스란 데이터 공학, 수학, 통계학, 컴퓨터공학, 시각화, 해커의 사고방식, 해당 분야의 전문지식을 종합한 학문이다.
• 데이터 사이언스는 데이터로부터 의미 있는 정보를 추출해 내는 학문으로, 통계학과는 달리 정형 또는 비정형을 막론하고 다양한 유형의 데이터를 분석 대상으로 하고, 이를 효과적으로 구현하고 전달하는 과정까지 포함한 개념이다.

34 다음 중 Hard Skill에 해당되는 것을 모두 고른 것은?

ⓐ 분석의 통찰력   ⓑ 빅데이터 관련 이론적 지식
ⓒ 설득력 있는 전달력 ⓓ 분석기술의 숙련도

① ⓐ, ⓑ   ② ⓐ, ⓒ
③ ⓑ, ⓒ   ④ ⓑ, ⓓ

해설

데이터 사이언티스트의 요구역량	
협통전 숙지	(소프트 스킬) 협력 능력 / 통찰력 / 전달력, (하드 스킬) 숙련도 / 지식

정답 01 ④ 02 ② 03 ② 04 ③ 05 ④ 06 ④ 07 ② 08 ③ 09 ② 10 ④ 11 ④ 12 ① 13 ② 14 ④ 15 ① 16 ④ 17 ④ 18 ① 19 ③ 20 ①
21 ③ 22 ② 23 ④ 24 ④ 25 ① 26 ② 27 ③ 28 ① 29 ② 30 ② 31 ② 32 ④ 33 ② 34 ④

빅데이터 플랫폼 구성요소 중 수집과 저장 기술은 중요합니다! 수집과 저장을 중심으로 봐주시길 당부드립니다.

2 빅데이터 기술 및 제도

1 빅데이터 플랫폼 ★★

(1) 빅데이터 플랫폼(Bigdata Platform)의 개념

- 빅데이터 플랫폼은 빅데이터에서 가치를 추출하기 위해 일련의 과정(수집 → 저장 → 분석 → 활용)을 규격화한 기술이다.
- 특화된 분석(의료, 환경, 범죄, 자동차 등)을 지원하는 빅데이터 플랫폼이 발전하는 추세이다.

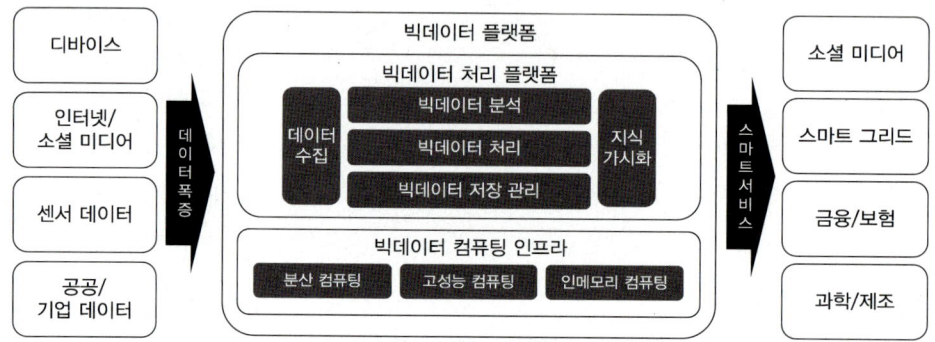

▲ 빅데이터 플랫폼 개념도

(2) 빅데이터 플랫폼 계층 구조 기출

빅데이터 플랫폼은 소프트웨어 계층, 플랫폼 계층, 인프라 스트럭처 계층 구조로 되어 있다.

◈ 빅데이터 플랫폼 계층 구조

계층	설명
소프트웨어 계층 (Software Layer)	• 빅데이터 처리 및 분석·활용을 위한 서비스 관리 및 데이터 수집, 정제 등을 수행하는 계층 • 데이터 처리 및 분석 엔진, 데이터 수집 및 정제 모듈, 서비스 관리 모듈, 사용자 관리 모듈, 모니터링 모듈, 보안 모듈로 구성
플랫폼 계층 (Platform Layer)	• 데이터 처리 및 분석 서비스를 위한 응용프로그램이 실행될 수 있는 기반을 제공하는 계층 • 작업 스케줄링 모듈, 데이터 자원 및 할당 모듈, 프로파일링 모듈, 데이터 관리 모듈, 자원 관리 모듈, 서비스 관리 모듈, 사용자 관리 모듈, 모니터링 모듈, 보안 모듈로 구성
인프라 스트럭처 계층 (Infrastructure Layer)	• 빅데이터 처리 및 분석에 필요한 자원을 제공하는 계층 • 자원 배치 모듈, 노드 관리 모듈, 데이터 관리 모듈, 자원 관리 모듈, 서비스 관리 모듈, 사용자 관리 모듈, 모니터링 모듈, 보안 모듈로 구성

(3) 빅데이터 플랫폼 구성요소

빅데이터 플랫폼은 크게 수집, 저장, 분석, 활용의 요소로 구성된다.

◎ 빅데이터 플랫폼 구성요소

구성요소	주요 기능
데이터 수집	• 원천 데이터의 정형 / 반정형 / 비정형 데이터 수집 예) ETL, 크롤러, EAI 등
데이터 저장	• 정형 데이터, 반정형 데이터, 비정형 데이터 저장 예) RDBMS, NoSQL 등
데이터 분석	• 텍스트 분석, 머신러닝, 통계, 데이터 마이닝 예) SNS 분석, 예측 분석 등
데이터 활용	• 데이터 가시화 및 BI, Open API 연계 예) 히스토그램, 인포그래픽 등

(4) 하둡 에코시스템(Hadoop Ecosystem) 기출

- 하둡 에코시스템은 하둡 프레임워크를 이루고 있는 다양한 서브 프로젝트들의 모임이다.
- 하둡 에코시스템은 수집, 저장, 처리 기술과 분석, 실시간 SQL 질의 기술로 구분할 수 있다.

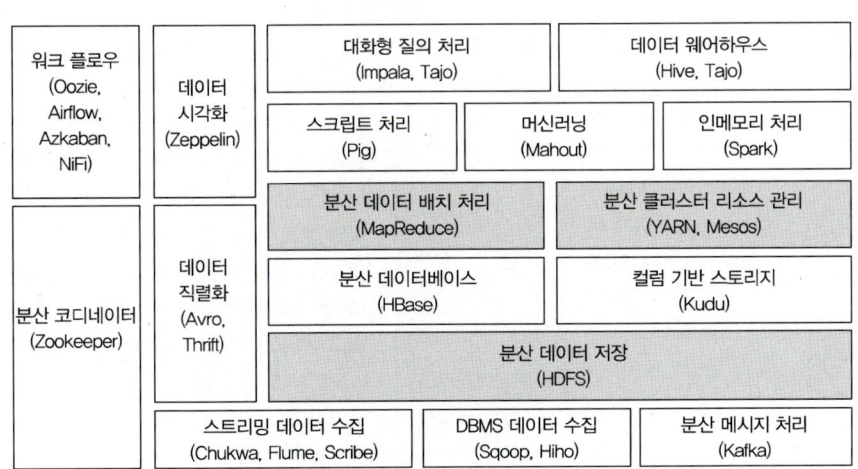

▲ 하둡 에코시스템

잠깐! 알고가기

크롤러(Crawler)
URL에 존재하는 HTML 문서에 접근하여 해당 내용을 추출하고, 문서에 포함된 하이퍼링크를 통해 재귀적으로 다른 문서에 접근하여 콘텐츠 수집을 반복하는 기술이다.

EAI(Enterprise Architecture Integration)
기업에서 운영하는 서로 다른 기종의 애플리케이션 및 시스템을 통합하는 솔루션이다.

RDBMS(Relational DBMS)
2차원 테이블인 데이터 모델에 기초를 둔 관계형 데이터베이스를 생성하고 수정하고 관리할 수 있는 소프트웨어이다.

NoSQL(Not Only SQL)
전통적인 RDBMS와 다른 DBMS를 지칭하기 위한 용어로서 데이터 저장에 고정된 테이블 스키마가 필요하지 않고 조인(Join) 연산을 사용할 수 없으며, 수평적 확장이 가능한 DBMS이다.

BI(Business Intelligence)
데이터를 통합/분석하여 기업 활동에 연관된 의사결정을 돕는 프로세스이다.

히스토그램(Histogram)
자료 분포의 형태를 직사각형 형태로 시각화하여 보여주는 차트이다.

인포그래픽(Infographics)
Information + Graphic의 줄임말로, 중요 정보를 하나의 그래픽으로 표현해서 보는 사람들이 쉽게 정보를 이해할 수 있도록 만드는 시각화 방법이다.

잠깐! 알고가기

JNI(Java Native Interface)
자바 가상 머신(JVM) 위에서 실행되고 있는 자바 코드가 네이티브 응용 프로그램(하드웨어와 운영 체제 플랫폼에 종속된 프로그램들)이며, C, C++ 그리고 어셈블리 같은 다른 언어들로 작성된 라이브러리들을 호출하거나 반대로 호출되는 것을 가능하게 하는 프로그래밍 프레임워크이다.

깃허브(GitHub)
- 분산 버전 관리 도구인 깃(Git)을 사용하는 프로젝트를 지원하는 웹호스팅 서비스이다.
- 영리적인 서비스와 오픈 소스를 위한 무상 서비스를 모두 제공한다.

하둡 에코시스템 기술

구분	기술	설명
비정형 데이터 수집	척와 (Chukwa)	• 분산된 각 서버에서 에이전트를 실행하고, 컬렉터(Collector)가 에이전트로부터 데이터를 받아 HDFS에 저장하는 기술
	플럼 (Flume)	• 많은 양의 로그 데이터를 효율적으로 수집, 집계, 이동하기 위해 이벤트(Event)와 에이전트(Agent)를 활용하는 기술
	스크라이브 (Scribe)	• 다수의 서버로부터 실시간으로 스트리밍되는 로그 데이터를 수집하여 분산 시스템에 데이터를 저장하는 대용량 실시간 로그 수집 기술 • 최종 데이터는 HDFS 외에 다양한 저장소를 활용 가능 • HDFS에 저장하기 위해서는 JNI를 이용
정형 데이터 수집	스쿱 (Sqoop; SQL-to-Hadoop)	• 대용량 데이터 전송 솔루션 • 커넥터(Connector)를 사용하여 관계형 데이터베이스 시스템(RDBMS)에서 하둡 파일 시스템(HDFS)으로 데이터를 수집하거나, 하둡 파일 시스템에서 관계형 데이터베이스로 데이터를 보내는 기술 • Oracle, MS-SQL, DB2와 같은 상용 RDBMS와 MySQL과 같은 오픈 소스 RDBMS 지원
	히호 (Hiho)	• 스쿱(Sqoop)과 같은 대용량 데이터 전송 솔루션이며, 현재 깃허브에서 공개되어 있음 • 하둡에서 데이터를 가져오기 위한 SQL을 지정할 수 있으며, JDBC 인터페이스를 지원, 현재는 Oracle, MySQL의 데이터만 전송 지원
분산 데이터 저장	HDFS (Hadoop Distributed File System)	• 대용량 파일을 분산된 서버에 저장하고, 그 저장된 데이터를 빠르게 처리할 수 있게 하는 하둡 분산 파일 시스템 • 범용 하드웨어 기반, 클러스터에서 실행되고 데이터 접근 패턴을 스트리밍 방식으로 지원 • 다중 복제, 대량 파일 저장, 온라인 변경, 범용서버 기반, 자동복구 특징이 있음 • 네임 노드, 보조네임 노드, 데이터 노드로 구성
	네임 노드 (Name Node)	• HDFS 상의 모든 메타데이터를 관리하며 마스터/슬레이브 구조에서 마스터 역할 수행 • 네임 노드는 파일 시스템의 디렉터리, 파일명, 파일 블록 등 네임 스페이스를 관리하는 일종의 마스터 역할을 하며, 슬레이브에 해당하는 데이터 노드에게 입출력에 관련된 작업을 지시하고 데이터 노드를 관리함
	보조네임 노드 (Secondary Name Node)	• HDFS 상태 모니터링을 보조 • 주기적으로 네임 노드의 파일 시스템 이미지를 스냅샷으로 생성
	데이터 노드 (Data Node)	• HDFS의 슬레이브 노드로, 데이터 입출력 요청을 처리 • 데이터 유실 방지를 위해 블록을 3중으로 복제하여 저장

구분	기술	설명
분산 데이터베이스	HBase	• HDFS를 기반으로 구현된 컬럼 기반의 분산 데이터베이스 • 실시간 랜덤 조회 및 업데이트를 할 수 있으며, 각각의 프로세스는 개인의 데이터를 비동기적으로 업데이트할 수 있음
분산 데이터 처리	맵리듀스 (Map Reduce)	• 대용량 데이터 세트를 분산 병렬 컴퓨팅에서 처리하거나 생성하기 위한 목적으로 만들어진 소프트웨어 프레임워크 • 모든 데이터를 키-값(Key-Value) 쌍으로 구성, 데이터를 분류 • 맵(Map) → 셔플(Shuffle) → 리듀스(Reduce) 순서대로 데이터 처리 { 맵(Map): Key-value 형태로 데이터를 취합 / 셔플(Shuffle): 데이터를 통합하여 처리 / 리듀스(Reduce): 맵 처리된 데이터를 정리 }
리소스 관리	얀 (YARN)	• 하둡의 맵리듀스 처리 부분을 새롭게 만든 자원 관리 플랫폼 • 리소스 매니저(Master)와 노드 매니저(Slave)로 구성 { 리소스 매니저: 스케줄러 역할을 수행하고, 클러스터 이용률 최적화를 수행 / 노드 매니저: 노드 내의 자원을 관리하고, 리소스 매니저에게 전달 수행 및 컨테이너를 관리 / 애플리케이션 마스터: 리소스 매니저와 자원의 교섭을 책임지고, 컨테이너를 실행 / 컨테이너: 프로그램 구동을 위한 격리 환경을 지원하는 가상화 자원 }
인메모리 처리	아파치 스파크 (Apache Spark)	• 하둡 기반 대규모 데이터 분산처리시스템 • 스트리밍 데이터, 온라인 머신러닝 등 실시간 데이터 처리 • 스칼라, 자바, 파이썬, R 등에 사용 가능 • 인 메모리 기반의 실시간 데이터 처리와 관련된 오픈소스 프로젝트
데이터 가공	피그 (Pig)	• 대용량 데이터 집합을 분석하기 위한 플랫폼 • 하둡을 이용하여 맵리듀스를 사용하기 위한 높은 수준의 스크립트 언어인 피그 라틴이라는 자체 언어를 제공 • 맵리듀스 API를 매우 단순화시키고, SQL과 유사한 형태로 설계됨 • SQL과 유사하기만 할 뿐, 기존 SQL 지식을 활용하는 것이 어려움
	하이브 (Hive)	• 하둡 기반의 DW 솔루션 • SQL과 매우 유사한 HiveQL이라는 쿼리를 제공 • HiveQL은 내부적으로 맵리듀스로 변환되어 실행됨
데이터 마이닝	머하웃 (Mahout)	• 하둡 기반으로 데이터 마이닝 알고리즘을 구현한 오픈 소스 • 분류, 클러스터링, 추천 및 협업 필터링, 패턴 마이닝, 회귀 분석, 진화 알고리즘 등 주요 알고리즘 지원

잠깐! 알고가기

피그 라틴(Pig Latin)
데이터의 흐름을 표현하기 위해 사용하는 언어이다.

데이터 웨어하우스 (DW; Data Warehouse)
사용자의 의사결정에 도움을 주기 위하여, 기간 시스템의 데이터베이스에 축적된 데이터를 공통 형식으로 변환해서 관리하는 데이터베이스이다.

구분	기술	설명
실시간 SQL 질의	임팔라 (Impala)	• 하둡 기반의 실시간 SQL 질의 시스템 • 데이터 조회를 위한 인터페이스로 HiveQL을 사용 • 수초 내에 SQL 질의 결과를 확인할 수 있으며, HBase와 연동이 가능
	타조 (Tajo)	• 다양한 데이터 소스를 위한 하둡(Hadoop) 기반의 ETL(Extract Transform Load) 기술을 이용해서 데이터 웨어하우스(DW)에 적재하는 시스템 • HDFS 및 다양한 형태의 데이터를 추출하고 분석 시스템에 전송하여 집계 및 연산, 조인, 정렬 기능을 제공
워크플로우 관리	우지 (Oozie)	• 하둡 작업을 관리하는 워크플로우 및 코디네이터 시스템 • 자바 서블릿 컨테이너에서 실행되는 자바 웹 애플리케이션 서버 • 맵리듀스나 피그와 같은 특화된 액션들로 구성된 워크플로우 제어
분산 코디네이션	주키퍼 (Zookeeper)	• 분산 환경에서 서버들 간에 상호 조정이 필요한 다양한 서비스를 제공하는 기술 • 하나의 서버에만 서비스가 집중되지 않도록 서비스를 알맞게 분산하여 동시에 처리 • 하나의 서버에서 처리한 결과를 다른 서버들과도 동기화하여 데이터의 안정성을 보장

개념 박살내기

맵리듀스의 디자인 패턴

맵리듀스의 디자인 패턴은 요약 패턴, 필터링 패턴, 데이터 조직화 패턴, 조인 패턴, 메타 패턴, 입출력 패턴이 있다.

공개 의료데이터 사례

패턴	설명
요약 패턴 (Summarization Pattern)	• 데이터를 요약하고 그룹핑하여 최상위 수준의 관점을 얻는 패턴
필터링 패턴 (Filtering Pattern)	• 특정 사용자가 생성한 레코드를 찾는 것처럼 데이터의 서브셋을 찾는 패턴
데이터 조직화 패턴 (Data Organization Pattern)	• 타 시스템으로 작업하기 위해 또는 맵리듀스 분석을 좀 더 쉽게 만들기 위해 데이터를 재조직화하는 패턴
조인 패턴 (Join Pattern)	• 특별한 관계를 발견하기 위해 다른 데이터 세트를 함께 연결하여 분석하는 패턴
메타 패턴 (Meta Pattern)	• 여러 가지 문제를 풀거나 동일 방법으로 몇 가지 분석을 수행하기 위해 몇몇 패턴을 조합하는 패턴
입출력 패턴 (Input and Output Patterns)	• 데이터를 로드하거나, 저장하는 방식을 사용자 정의하는 패턴

2 빅데이터와 인공지능 기출 ★★

(1) 인공지능(AI; Artificial Intelligence)의 개념 기출

- 인공지능은 인간의 지적능력을 인공적으로 구현하여 컴퓨터가 인간의 지능적인 행동과 사고를 모방할 수 있도록 하는 소프트웨어이다.
- 아무리 뛰어난 인공지능 알고리즘이 있더라도 정확한 분석을 위해서는 학습이 필요하다.

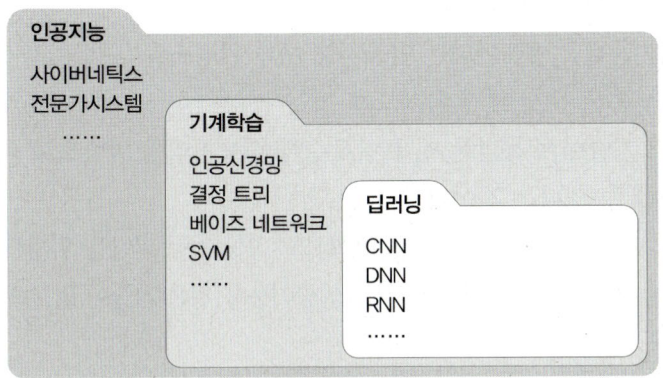

▲ 인공지능의 범위

- 강한 인공지능은 사람처럼 학습하고, 추론하며, 문제를 인식하고 이것을 해결하기 위한 범용 인공지능이다.

(2) 인공지능, 머신러닝, 딥러닝의 관계 기출

- 인공지능이 가장 넓은 개념이고, 인공지능을 구현하는 방법 중 중요한 방법이 기계학습 또는 머신러닝이다.
- 딥러닝은 머신러닝의 여러 방법 중 중요한 방법론이다.
- 인공지능 ⊃ 머신러닝 ⊃ 딥러닝 관계가 성립한다.
- 1950년에 등장한 인공지능을 최신 트렌드로 끌고 온 것은 '빅데이터'의 존재이다.
- 빅데이터는 비정형 데이터를 고속으로 분석할 수 있고, 이러한 점은 인공지능이 기존에 기계가 인지하지 못했던 정보들을 분석할 수 있게 한다.
- 인공지능의 암흑기를 지나 빅데이터를 통해 자체 알고리즘을 가지고 학습하는 딥러닝 기술로 특정 분야에서 인간의 지능을 뛰어넘는 능력을 갖추게 되었다.
- 빅데이터를 활용하여 인공지능 스스로 문제 해결 기준을 설정하고 학습하는 특징이 있다.

> **잠깐! 알고가기**
>
> **인공지능의 암흑기**
> 컴퓨팅 능력의 한계, 폭발적으로 많은 조합 수, 퍼셉트론의 한계 등으로 인해 인공지능에 관한 연구 및 투자가 축소된 시기이다.
>
> **딥러닝(Deep Learning)**
> 사람의 개입이 필요한 기존의 지도 학습(Supervised Learning)보다 더 능동적인 비지도 학습(Unsupervised Learning)이 결합되어 컴퓨터가 마치 사람처럼 스스로 학습할 수 있는 인공지능 기술이다.

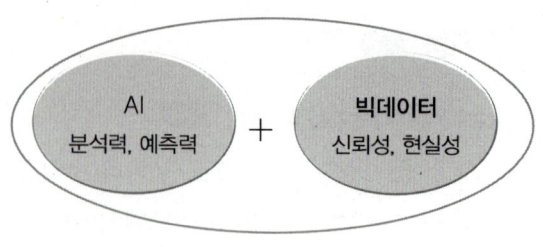

▲ 빅데이터와 인공지능의 관계

(3) 빅데이터와 인공지능의 관계

- 상호보완 관계로 빅데이터는 인공지능 구현 완성도를 높여주고, 빅데이터는 인공지능을 통해 문제 해결 완성도를 높인다.
- 빅데이터 기술이 주목받는 이유는 우수한 정보처리를 바탕으로 의미 있는 결과를 도출할 수 있다는 점이다.
- 빅데이터 목표가 인공지능 목표와 부합하고, 인공지능 판단을 위해서는 빅데이터와 같은 기술이 필수이므로, 빅데이터는 인공지능을 위한 기술이 될 가능성이 크다.

3 개인정보보호법·제도 ★★★

(1) 개인정보보호의 개념

개인정보보호는 정보 주체(개인)의 개인정보 자기 결정권을 철저히 보장하는 활동이다.

> **잠깐! 알고가기**
>
> **개인정보 자기 결정권**
> 자신에 관한 정보가 언제, 어떻게 그리고 어느 범위까지 타인에게 전달되고 이용될 수 있는지를 그 정보 주체가 스스로 결정할 수 있는 권리이다.
>
> **개인정보**
> 살아 있는 개인에 관한 정보로서 성명, 주민등록번호 및 영상 등을 통하여 개인을 알아볼 수 있는 정보를 의미한다.

(2) 개인정보보호의 필요성

개인정보는 정보사회의 핵심 인프라로 유출 시 피해가 심각하여 개인정보보호의 필요성이 존재한다.

▽ 개인정보보호의 필요성

필요성	세부 내용
유출 시 피해 심각	개인적 피해(정신적/경제적)와 함께 사회적 혼란 야기
정보사회 핵심 인프라	정보사회에서 모든 경제활동의 중심이 개인정보를 매개로 운영
개인정보 자기 통제권	정보 주체는 자신과 관련된 정보의 수집, 이용, 공개, 제공에 대해 본인이 통제할 수 있는 권리가 있음

(3) 빅데이터 개인정보보호 가이드라인

한국 방송통신위원회, 한국 인터넷진흥원에서 제정한 〈빅데이터 개인정보보호 가이드라인〉의 주요 내용을 참고한다.

◉ 빅데이터 개인정보 가이드라인 주요 내용

구분	주요 내용
개인정보 비식별화	• 수집 시부터 개인 식별 정보에 대한 철저한 비식별화 조치 • 개인정보가 포함된 공개 정보 및 이용 내역 정보는 비식별화 조치를 취한 후 수집, 저장, 조합, 분석 및 제3자 제공 등 가능
개인정보 재식별 시 조치	• 개인정보 재식별 시, 즉시 파기 및 비식별화 조치 • 빅데이터 처리 과정 및 생성정보에 개인정보가 재식별될 경우, 즉시 파기하거나 추가적인 비식별화 조치 시행
투명성 확보	• 빅데이터 처리 사실, 목적 등의 공개를 통한 투명성 확보 • 개인정보 취급방침을 통해 비식별화 조치 후 빅데이터 처리 사실, 목적, 수집 출처 및 정보 활용 거부권 행사 방법 등을 이용자에게 투명하게 공개
	개인정보 취급방침: • 비식별화 조치 후 빅데이터의 처리 사실, 목적 등을 이용자에게 공개 • 〈정보 활용 거부 페이지 링크〉를 제공하여 이용자가 거부권을 행사할 수 있도록 조치
	수집 출처 고지: • 이용자 이외의 자로부터 수집한 개인정보 처리 시 〈수집 출처, 목적, 개인정보 처리 정지 요구권〉을 이용자에게 고지
민감정보 처리	• 민감정보 및 통신비밀의 수집, 이용, 분석 등 처리 금지 • 특정 개인의 사상, 신념, 정치적 견해 등 민감정보의 생성을 목적으로 정보의 수집, 이용, 저장, 조합, 분석 등 처리 금지 • 이메일, 문자, 메시지 등 통신 내용의 수집, 이용, 저장, 조합분석 등 처리 금지
수집정보의 보호조치	• 수집된 정보의 저장관리 시 기술적, 관리적 보호조치 • 비식별화 조치가 취해진 정보를 저장관리하고 있는 정보처리시스템에 대한 기술적, 관리적 보호조치 적용

(4) 개인정보보호 관련 법령 [기출]

- 개인정보 보호법, 정보통신망법, 신용정보법 등의 개인정보보호 관련 법령이 존재한다.

◉ 개인정보보호 관련 법령

관련 법규	주요 내용
개인정보 보호법	• 개인정보 처리 과정상의 정보 주체와 개인정보 처리자의 권리, 의무 등 규정
정보통신망법	• '정보통신망 이용촉진 및 정보보호 등에 관한 법률'의 약칭 • 정보통신망을 통하여 수집, 처리, 보관, 이용되는 개인정보의 보호에 관한 규정
신용정보법	• '신용정보의 이용 및 보호에 관한 법률'의 약칭 • 개인 신용정보의 취급 단계별 보호조치 및 의무사항에 관한 규정
위치정보법	• '위치정보의 보호 및 이용 등에 관한 법률'의 약칭 • 개인 위치정보 수집, 이용, 제공 파기 및 정보 주체의 권리 등 규정

학습 POINT ★

주요 3법인 개인정보보호법, 정보통신망법, 신용정보법은 현업에서도 개망신법이라고 줄여서 표현합니다. 눈여겨 봐주세요.

개인정보보호 관련 법령
「**개망신 위**」
개인정보 보호법 / 정보통신**망**법 / **신**용정보법 / **위**치정보법
→ 나만 개망신을 당해서 위안이 된다.

(5) 개인정보보호 관련 주요 용어

▼ 개인정보보호 관련 주요 용어

주요 용어	설명
개인정보	• 살아 있는 개인에 관한 정보로 성명, 주민등록번호 및 영상 등을 통하여 개인을 알아볼 수 있는 정보 • 해당 정보만으로는 특정 개인을 알아볼 수 없더라도 다른 정보와 쉽게 결합하여 알아볼 수 있는 정보
가명처리	• 개인정보의 일부를 삭제하거나 일부 또는 전부를 대체하는 등의 방법으로 추가 정보가 없이는 특정 개인을 알아볼 수 없도록 처리하는 기술
개인정보의 처리	• 개인정보의 수집, 생성, 연계, 연동, 기록, 저장, 보유, 가공, 편집, 검색, 출력, 정정, 복구, 이용, 제공, 공개, 파기, 그 밖에 이와 유사한 행위
정보 주체	• 처리되는 정보에 의하여 알아볼 수 있는 사람으로서 그 정보의 주체가 되는 사람
개인정보파일	• 개인정보를 쉽게 검색할 수 있도록 일정한 규칙에 따라 체계적으로 배열하거나 구성한 개인정보의 집합물
개인정보처리자	• 업무를 목적으로 개인정보파일을 운용하기 위하여 스스로 또는 다른 사람을 통하여 개인정보를 처리하는 공공기관, 법인, 단체 및 개인
고정형 영상정보처리기기	• 일정한 공간에 설치되어 지속적 또는 주기적으로 사람 또는 사물의 영상 등을 촬영하거나 이를 유·무선망을 통하여 전송하는 장치로서 대통령령으로 정하는 장치
이동형 영상정보처리기기	• 사람이 신체에 착용 또는 휴대하거나 이동 가능한 물체에 부착 또는 거치하여 사람 또는 사물의 영상 등을 촬영하거나 이를 유·무선망을 통하여 전송하는 장치로서 대통령령으로 정하는 장치
과학적 연구	• 기술의 개발과 실증, 기초연구, 응용연구 및 민간 투자 연구 등 과학적 방법을 적용하는 연구

(6) 개인정보보호법 주요 내용 〔기출〕

① 개인정보 보호 원칙(제3조)

> 1. 개인정보처리자는 개인정보의 처리 목적을 명확하게 하여야 하고 그 목적에 필요한 범위에서 최소한의 개인정보만을 적법하고 정당하게 수집하여야 한다.
> 2. 개인정보처리자는 개인정보의 처리 목적에 필요한 범위에서 적합하게 개인정보를 처리하여야 하며, 그 목적 외의 용도로 활용하여서는 아니 된다.
> 3. 개인정보처리자는 개인정보의 처리 목적에 필요한 범위에서 개인정보의 정확성, 완전성 및 최신성이 보장되도록 하여야 한다.
> 4. 개인정보처리자는 개인정보의 처리 방법 및 종류 등에 따라 정보 주체의 권리가 침해받을 가능성과 그 위험 정도를 고려하여 개인정보를 안전하게 관리하여야 한다.
> 5. 개인정보처리자는 제30조에 따른 개인정보 처리방침 등 개인정보의 처리에 관한 사항을 공개하여야 하며, 열람청구권 등 정보 주체의 권리를 보장하여야 한다.
> 6. 개인정보처리자는 정보 주체의 사생활 침해를 최소화하는 방법으로 개인정보를 처리하여야 한다.
> 7. 개인정보처리자는 개인정보를 익명 또는 가명으로 처리하여도 개인정보 수집목적을 달성할 수 있는 경우 익명처리가 가능한 경우에는 익명에 의하여, 익명처리로 목적을 달성할 수 없는 경우에는 가명에 의하여 처리될 수 있도록 하여야 한다.

학습 POINT ★

개인정보보호법은 개인정보를 익명정보, 가명정보로 구분하고 있습니다. 이와 관련해서는 개인정보보호법 3조 7항에 의거하여 개인정보처리자는 익명처리가 가능한 경우에는 익명에 의하여, 익명처리로 목적을 달성할 수 없는 경우에는 가명에 의하여 처리될 수 있도록 하여야 합니다.

8. 개인정보처리자는 이 법 및 관계 법령에서 규정하고 있는 책임과 의무를 준수하고 실천함으로써 정보 주체의 신뢰를 얻기 위하여 노력하여야 한다.

② 개인정보의 수집·이용(제15조)

①항 개인정보처리자는 다음 어느 하나에 해당하는 경우에는 개인정보를 수집할 수 있으며 수집 목적의 범위에서 이용할 수 있다.

1. 정보 주체의 동의를 받은 경우
2. 법률에 특별한 규정이 있거나 법령상 의무를 준수하기 위하여 불가피한 경우
3. 공공기관이 법령 등에서 정하는 소관 업무의 수행을 위하여 불가피한 경우
4. 정보 주체와 체결한 계약을 이행하거나 계약을 체결하는 과정에서 정보 주체의 요청에 따른 조치를 이행하기 위하여 필요한 경우
5. 명백히 정보 주체 또는 제3자의 급박한 생명, 신체, 재산의 이익을 위하여 필요하다고 인정되는 경우
6. 개인정보처리자의 정당한 이익을 달성하기 위하여 필요한 경우로서 명백하게 정보 주체의 권리보다 우선하는 경우. 이 경우 개인정보처리자의 정당한 이익과 상당한 관련이 있고 합리적인 범위를 초과하지 아니하는 경우에 한함
7. 공중위생 등 공공의 안전과 안녕을 위하여 긴급히 필요한 경우

②항 개인정보의 수집·이용을 위해 정보 주체의 동의를 받을 때 고지사항은 아래와 같다.

1. 개인정보의 수집·이용 목적
2. 수집하려는 개인정보의 항목
3. 개인정보의 보유 및 이용 기간
4. 동의를 거부할 권리가 있다는 사실 및 동의 거부에 따른 불이익이 있는 경우에는 그 불이익의 내용

③항 개인정보처리자는 당초 수집 목적과 합리적으로 관련된 범위에서 정보 주체에게 불이익이 발생하는지 여부, 암호화 등 안전성 확보에 필요한 조치를 하였는지 여부 등을 고려하여 대통령령으로 정하는 바에 따라 정보 주체의 동의 없이 개인정보를 이용할 수 있다.

③ 개인정보의 수집 제한(제16조)

①항 개인정보처리자는 제15조 제1항 중 어느 하나에 해당하여 개인정보를 수집하는 경우에는 그 목적에 필요한 최소한의 개인정보를 수집하여야 한다. 이 경우 최소한의 개인정보 수집이라는 입증책임은 개인정보처리자가 부담한다.
②항 개인정보처리자는 정보 주체의 동의를 받아 개인정보를 수집하는 경우 필요한 최소한의 정보 외의 개인정보 수집에는 동의하지 아니할 수 있다는 사실을 구체적으로 알리고 개인정보를 수집하여야 한다.
③항 개인정보처리자는 정보 주체가 필요한 최소한의 정보 외의 개인정보 수집에 동의하지 아니한다는 이유로 정보 주체에게 재화 또는 서비스의 제공을 거부하여서는 아니 된다.

개인정보의 수집·이용이 가능한 경우(15조 1항)

「동법소계 3이공」

정보 주체의 **동**의 / **법**률에 특별한 규정 / 공공기관이 법령 등에서 정하는 **소**관 업무의 수행 / 정보 주체와의 **계**약의 체결 및 이행 / 제**3**자의 급박한 생명, 신체, 재산의 이익 / 개인정보처리자의 정당한 **이**익을 달성하기 위하여 필요한 경우 / **공**중위생 등 공공의 안전과 안녕을 위하여 긴급히 필요한 경우

개인정보의 수집·이용을 위해 정보 주체의 동의를 받을 때 고지사항(15조 2항)

「목항기불」

개인정보의 수집·이용 **목**적 / 수집하려는 개인정보의 **항**목 / 개인정보의 보유 및 이용 **기**간 / 동의를 거부할 권리가 있다는 사실 및 동의 거부에 따른 **불**이익이 있는 경우에는 그 불이익의 내용

잠깐! 알고가기

15조 3항에 보면 대통령령(시행령)이 있습니다. 개인정보 보호법에 직접 명시하지 않고 시행령을 따로 두는 것이 편리합니다. 그 이유는 국회에서 개인정보와 관련된 내용을 전문적으로 다루기 어렵고, 개인정보 관련하여 사회, 기술 등의 변화로 인해서 내용이 법률보다 자주 바뀌기 때문에 개정이 쉽지 않은 개인정보 보호법에서 다루지 않고, 대통령령을 통해 규정합니다.

개인정보를 제공하기 위해 정보 주체의 동의를 받을 때 고지 사항(17조 2항)

「자목항기불」

개인정보를 제공받는 **자** / 개인정보를 제공받는 자의 개인정보 이용 **목**적 / 제공하는 개인정보의 **항**목 / 개인정보를 제공받는 자의 개인정보 보유 및 이용 **기**간 / 동의를 거부할 권리가 있다는 사실 및 동의 거부에 따른 **불**이익이 있는 경우에는 그 불이익의 내용

개인정보의 수집·이용을 위해 정보 주체의 동의를 받을 때 고지사항(15조 2항)은 목항기불, 개인정보를 제공하기 위해 정보 주체의 동의를 받을 때 고지사항(17조 2항)은 자목항기불입니다. 헷갈리지 않게 구분해서 외워주세요!

④ **개인정보의 제공(제17조)**

①항 개인정보처리자는 다음 각호의 어느 하나에 해당되는 경우에는 정보 주체의 개인정보를 제3자에게 제공(공유 포함)할 수 있다.

1. 정보 주체의 동의를 받은 경우
2. 개인정보를 수집한 목적 범위에서 개인정보를 제공하는 경우

②항 개인정보처리자는 제1항 제1호에 따른 동의를 받을 때에는 다음 각호의 사항을 정보 주체에게 알려야 한다. 다음 각호의 어느 하나의 사항을 변경하는 경우에도 이를 알리고 동의를 받아야 한다.

1. 개인정보를 제공받는 자
2. 개인정보를 제공받는 자의 개인정보 이용 목적
3. 제공하는 개인정보의 항목
4. 개인정보를 제공받는 자의 개인정보 보유 및 이용 기간
5. 동의를 거부할 권리가 있다는 사실 및 동의 거부에 따른 불이익이 있는 경우에는 그 불이익의 내용

③항 삭제
④항 개인정보처리자는 당초 수집 목적과 합리적으로 관련된 범위에서 정보 주체에게 불이익이 발생하는지 여부, 암호화 등 안전성 확보에 필요한 조치를 하였는지 여부 등을 고려하여 대통령령으로 정하는 바에 따라 정보 주체의 동의 없이 개인정보를 제공할 수 있다.

⑤ **개인정보의 목적 외 이용·제공 제한(제18조)**

①항 개인정보처리자는 개인정보를 제15조 제1항에 따른 범위를 초과하여 이용하거나 제17조 제1항 및 제28조의8 제1항에 따른 범위를 초과하여 제3자에게 제공하여서는 아니 된다.

②항 제1항에도 불구하고 개인정보처리자는 다음 각호의 어느 하나에 해당하는 경우에는 정보 주체 또는 제3자의 이익을 부당하게 침해할 우려가 있을 때를 제외하고는 개인정보를 목적 외의 용도로 이용하거나 이를 제3자에게 제공할 수 있다. 다만, 제5호부터 제9호까지에 따른 경우는 공공기관의 경우로 한정한다.

1. 정보 주체로부터 별도의 동의를 받은 경우
2. 다른 법률에 특별한 규정이 있는 경우
3. 명백히 정보 주체 또는 제3자의 급박한 생명, 신체, 재산의 이익을 위하여 필요하다고 인정되는 경우
4. 삭제
5. 개인정보를 목적 외의 용도로 이용하거나 이를 제3자에게 제공하지 아니하면 다른 법률에서 정하는 소관 업무를 수행할 수 없는 경우로서 보호위원회의 심의·의결을 거친 경우
6. 조약, 그 밖의 국제협정의 이행을 위하여 외국정부 또는 국제기구에 제공하기 위하여 필요한 경우
7. 범죄의 수사와 공소의 제기 및 유지를 위하여 필요한 경우
8. 법원의 재판업무 수행을 위하여 필요한 경우
9. 형 및 감호, 보호처분의 집행을 위하여 필요한 경우
10. 공중위생 등 공공의 안전과 안녕을 위하여 긴급히 필요한 경우

③항 개인정보처리자는 제2항 제1호에 따른 동의를 받을 때는 다음 각호의 사항을 정보 주체에게 알려야 한다. 다음 각호의 어느 하나의 사항을 변경하는 경우에도 이를 알리고 동의를 받아야 한다.

> 1. 개인정보를 제공받는 자
> 2. 개인정보의 이용 목적(제공 시에는 제공받는 자의 이용 목적을 말한다)
> 3. 이용 또는 제공하는 개인정보의 항목
> 4. 개인정보의 보유 및 이용 기간(제공 시에는 제공받는 자의 보유 및 이용 기간을 말한다)
> 5. 동의를 거부할 권리가 있다는 사실 및 동의 거부에 따른 불이익이 있는 경우에는 그 불이익의 내용

④항 공공기관은 제2항 제2호부터 제6호까지, 제8호부터 제10호까지에 따라 개인정보를 목적 외의 용도로 이용하거나 이를 제3자에게 제공하는 경우에는 그 이용 또는 제공의 법적 근거, 목적 및 범위 등에 관하여 필요한 사항을 보호위원회가 고시로 정하는 바에 따라 관보 또는 인터넷 홈페이지 등에 게재하여야 한다.

⑤항 개인정보처리자는 제2항 각호의 어느 하나의 경우에 해당하여 개인정보를 목적 외의 용도로 제3자에게 제공하는 경우에는 개인정보를 제공받는 자에게 이용 목적, 이용 방법, 그 밖에 필요한 사항에 대하여 제한을 하거나, 개인정보의 안전성 확보를 위하여 필요한 조치를 마련하도록 요청하여야 한다. 이 경우 요청을 받은 자는 개인정보의 안전성 확보를 위하여 필요한 조치를 하여야 한다.

⑥ 개인정보의 파기(제21조)

①항 개인정보처리자는 보유 기간의 경과, 개인정보의 처리 목적 달성, 가명 정보의 처리 기간 경과 등 그 개인정보가 불필요하게 되었을 때는 지체 없이 그 개인정보를 파기하여야 한다. 다만, 다른 법령에 따라 보존하여야 하는 경우에는 그러하지 아니하다.

②항 개인정보처리자가 제1항에 따라 개인정보를 파기할 때에는 복구 또는 재생되지 아니하도록 조치하여야 한다.

③항 개인정보처리자가 제1항 단서에 따라 개인정보를 파기하지 아니하고 보존하여야 하는 경우에는 해당 개인정보 또는 개인정보파일을 다른 개인정보와 분리하여서 저장·관리하여야 한다.

④항 개인정보의 파기방법 및 절차 등에 필요한 사항은 대통령령으로 정한다.

⑦ 개인정보 유출 통지·신고(제34조)

①항 개인정보처리자는 개인정보가 분실·도난·유출(이하 이 조에서 "유출 등"이라 한다)되었음을 알게 되었을 때는 지체 없이 해당 정보 주체에게 다음 각호의 사항을 알려야 한다. 다만, 정보 주체의 연락처를 알 수 없는 경우 등 정당한 사유가 있는 경우에는 대통령령으로 정하는 바에 따라 통지를 갈음하는 조치를 취할 수 있다.

> 1. 유출 등이 된 개인정보의 항목
> 2. 유출 등이 된 시점과 그 경위

개인정보 유출 시 정보 주체에게 고지해야 할 사항(34조 1항)

「항시주대부」

유출 등이 된 개인정보의 **항**목 / 유출 등이 된 **시**점과 그 경위 / 유출 등으로 인하여 발생할 수 있는 피해를 최소화하기 위하여 정보 **주**체가 할 수 있는 방법 등에 관한 정보 / 개인정보처리자의 **대**응조치 및 피해 구제절차 / 정보 주체에게 피해가 발생한 경우 신고 등을 접수할 수 있는 담당 **부**서 및 연락처

> 3. 유출 등으로 인하여 발생할 수 있는 피해를 최소화하기 위하여 정보 주체가 할 수 있는 방법 등에 관한 정보
> 4. 개인정보처리자의 대응조치 및 피해 구제절차
> 5. 정보 주체에게 피해가 발생한 경우 신고 등을 접수할 수 있는 담당 부서 및 연락처
>
> ②항 개인정보처리자는 개인정보가 유출 등이 된 경우 그 피해를 최소화하기 위한 대책을 마련하고 필요한 조치를 하여야 한다.
>
> ③항 개인정보처리자는 개인정보의 유출 등이 있음을 알게 되었을 때는 개인정보의 유형, 유출 등의 경로 및 규모 등을 고려하여 대통령령으로 정하는 바에 따라 제1항 각호의 사항을 지체 없이 보호위원회 또는 대통령령으로 정하는 전문기관에 신고하여야 한다. 이 경우 보호위원회 또는 대통령령으로 정하는 전문기관은 피해 확산방지, 피해 복구 등을 위한 기술을 지원할 수 있다.
>
> ④항 제1항에 따른 유출 등의 통지 및 제3항에 따른 유출 등의 신고 시기, 방법, 절차 등에 필요한 사항은 대통령령으로 정한다.

국내에서 개인정보보호법이 점차 강화되는 것처럼 유럽에서도 EU거주자의 개인정보 보호를 강화하고 표준화하기 위해 GDPR을 제정해서 법적 구속력을 강화하고 있다.

(7) 데이터 3법 기출

① 데이터 3법 개념

데이터 3법은 데이터 이용을 활성화하는「개인정보 보호법」, 「정보통신망 이용촉진 및 정보보호 등에 관한 법률(약칭: 정보통신망법)」, 「신용정보의 이용 및 보호에 관한 법률(약칭: 신용정보법)」 등 3가지 법률이다.

② 데이터 3법 주요 개정 내용

❥ 데이터 3법 주요 개정 내용

개정 내용	설명
가명 정보 도입	데이터 이용 활성화를 위한 가명 정보 개념 도입
거버넌스 체계 효율화	관련 법률의 유사·중복 규정을 정비하고 추진체계를 일원화하는 등 개인정보보호 협치(거버넌스) 체계의 효율화
책임 강화	데이터 활용에 따른 개인정보처리자의 책임 강화
기준 명확화	모호한 '개인정보' 판단 기준의 명확화

③ 데이터 3법 주요 법률

⊗ 데이터 3법 주요 법률

법률	주요 내용
개인정보 보호법	• 데이터 이용 활성화를 위한 가명 정보 개념 도입 • 동의 없이 처리할 수 있는 개인정보의 합리화 • 개인정보의 범위 명확화 • 개인정보 보호 체계 개인정보 보호법으로 일원화
정보통신망법	• 개인정보보호 관련 사항은 「개인정보 보호법」으로 이관 • 온라인상 개인정보보호 관련 규제와 감독 주체를 '개인정보보호위원회'로 변경
신용정보법	• 금융 분야 빅데이터 분석·이용의 법적 근거 명확화 • 개인정보보호위원회 기능 강화 • 「개인정보 보호법」과의 유사·중복 조항 정비 • 신용정보 관련 산업의 규제체계 선진화 • 금융 분야 마이 데이터 산업 도입 • 금융 분야 개인정보보호 강화

📎 가명 정보 기출

① 가명 정보 개념
- 가명 정보는 추가 정보의 사용 없이 특정 개인을 알아볼 수 없게 조치한 정보이다.
- 데이터 3법에서는 데이터 이용 활성화를 위해 가명 정보를 도입했으며, 개인정보 및 익명 정보와 비교하면 다음과 같다.

⊗ 개인정보, 가명 정보, 익명 정보 비교

정보	설명	활용 가능 범위
개인정보	• 특정 개인에 관한 정보 • 개인을 알아볼 수 있게 하는 정보	• 사전적이고 구체적인 동의를 받은 범위 내에서 활용 가능
가명 정보	• 추가 정보의 사용 없이는 특정 개인을 알아볼 수 없게 조치한 정보	• 다음 목적에 동의 없이 활용 가능 ① 통계작성(상업적 목적 포함) ② 연구(산업적 연구 포함) ③ 공익적 기록보존 목적 등
익명 정보	• 더 이상 개인을 알아볼 수 없게(복원 불가능한 정도로) 조치한 정보	• 개인정보가 아니기 때문에 제한 없이 자유롭게 활용

⊗ 개인정보, 가명 정보, 익명 정보 사례

개인정보	홍길동/35세/남성/경기도 분당시 불정로 12/식당운영/월소비액 154만 원
가명 정보	20번 손님/35세/자영업/경기도 분당시 거주/월소비액 150만 원
익명 정보	30대/남성/경기도 분당시 거주/월소비액 100~200만 원

 학습 POINT ★

가명정보와 관련해서 개인정보보호법 28조에 명시되어 있습니다.

제28조의2(가명정보의 처리 등)
① 개인정보처리자는 통계작성, 과학적 연구, 공익적 기록보존 등을 위하여 정보 주체의 동의 없이 가명정보를 처리할 수 있다.
② 개인정보처리자는 제1항에 따라 가명정보를 제3자에게 제공하는 경우에는 특정 개인을 알아보기 위하여 사용될 수 있는 정보를 포함해서는 아니 된다.

② 가명처리 목적 및 대상
- 가명 정보는 개인정보처리자의 정당한 처리 범위 내에서 통계작성, 과학적 연구, 공익적 기록 보존 등의 목적으로 정보 주체의 동의 없이 처리할 수 있다.

통계작성
특정 집단이나 대상 등에 관하여 작성한 수량적인 정보

과학적 연구
기술의 개발과 실증, 기초연구, 응용 연구 및 민간 투자 연구 등 과학적 방법을 적용하는 연구

공익적 기록보존
공공의 이익을 위하여 지속적으로 열람할 가치가 있는 기록정보를 보존하는 것

▲ 가명처리 목적 및 대상

◈ 가명처리 목적 및 대상

구분	목적 및 대상
통계 작성	• 특정 집단이나 대상 등에 관한 수량적인 정보를 작성 • 시장조사와 같은 상업적 목적의 통계 처리도 포함됨
과학적 연구	• 과학적 연구는 기술의 개발과 실증, 기초연구, 응용연구 및 민간 투자 연구 등 과학적 방법을 적용하는 연구
공익적 기록보존	• 공공의 이익을 위하여 지속적으로 열람할 가치가 있는 정보를 기록하여 보존하는 것

③ 가명처리 절차
- 가명처리는 사전준비, 가명처리, 적정성 검토 및 추가처리, 사후관리의 4단계로 처리된다.

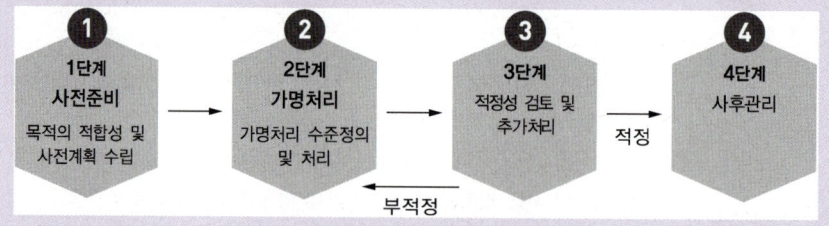

▲ 가명처리 절차

◈ 가명처리 절차

순서	절차	설명
1	사전준비	• 가명처리 대상 항목 및 처리수준을 정의하기 위해서는 처리 목적이 적합한지 여부를 확인하고 사전 계획을 수립함
2	가명처리	• 가명 정보 처리 시에도 개인정보의 최소처리원칙을 준수하여야 하며, 가명처리 방법을 정할 때에는 처리목적, 처리(이용 또는 제공)환경, 정보의 성격 등을 종합적으로 고려함

순서	절차	설명
3	적정성 검토 및 추가처리	• 목적달성을 위해 적절한 수준으로 가명처리가 이루어졌는지, 재식별 가능성은 없는지 등에 대한 최종적인 판단절차를 수행함
4	사후관리	• 적정성 검토 결과 가명처리가 적정하다고 판단되면 가명 정보를 본래 활용목적을 위해서 처리할 수 있으며, 법령에 따라 기술적·관리적·물리적 안전조치를 이행함

4 개인정보 활용 ★★★

(1) 프라이버시 보호 모델 [기출]

프라이버시 보호 모델에는 k-익명성, l-다양성, t-근접성, m-유일성 등이 있다.

❯ 프라이버시 보호 모델

프라이버시 보호 모델	설명
k-익명성 (k-Anonymity)	• 주어진 데이터 집합에서 같은 값이 적어도 k개 이상 존재하도록 하여 쉽게 다른 정보로 결합할 수 없도록 하는 모델 • 공개된 데이터에 대한 연결 공격 취약점을 방어하기 위한 모델
l-다양성 (l-Diversity)	• 주어진 데이터 집합에서 함께 비식별 되는 레코드들은(동질 집합에서) 적어도 l개의 서로 다른 민감한 정보를 가져야 하는 프라이버시 모델 • 비식별 조치 과정에서 충분히 다양한(l개 이상) 서로 다른 민감한 정보를 갖도록 동질 집합을 구성 • k-익명성의 동질성 공격, 배경 지식에 의한 공격을 방어하기 위한 프라이버시 모델
t-근접성 (t-Closeness)	• 동질 집합에서 특정 정보의 분포와 전체 데이터 집합에서 정보의 분포가 t 이하의 차이를 보여야 하는 모델 • l-다양성의 쏠림 공격, 유사성 공격을 보완하기 위해 제안된 모델
m-유일성 (m-Uniqueness)	• 원본 데이터와 동일한 속성 값의 조합이 비식별 결과 데이터에 최소 m개 이상 존재하도록 하여 재식별 가능성 위험을 낮춘 모델

프라이버시 보호 모델
「k익/다근m유」
k-익명성 / l-다양성 / t-근접성 / m-유일성

잠깐! 알고가기

연결 공격(Linkage Attack)
개인을 직접 식별할 수 있는 데이터는 삭제되어야 하나, 활용 정보의 일부가 다른 공개 되어있는 정보와 결합하여 개인을 식별하는 것을 악용한 공격이다.

잠깐! 알고가기

동질성 공격
(Homogeneity Attack)
k-익명성에 의해 레코드들이 범주화되었더라도 일부 정보들이 모두 같은 값을 가질 수 있기 때문에 데이터 집합에서 동일한 정보를 이용하여 공격 대상의 정보를 알아내는 공격이다.

배경 지식에 의한 공격
(Background Knowledge Attack)
주어진 데이터 이외 공격자의 배경 지식을 통해 공격 대상의 민감한 정보를 알아내는 공격이다.

쏠림 공격(Skewness Attack)
정보가 특정한 값에 쏠려 있을 경우 l-다양성 모델이 프라이버시를 보호하지 못하는 것을 악용한 공격이다.

유사성 공격(Similarity Attack)
비식별 조치된 레코드의 정보가 서로 비슷하다면 l-다양성 모델을 통해 비식별 된다고 할지라도 프라이버시가 노출될 수 있음을 악용한 공격이다.

k-익명성(k-Anonymity) 적용 사례
- 다음은 공개 의료데이터와 선거인명부 정보이다.

공개 의료데이터 사례

지역코드	연령	병명
13053	28	전립선염
13053	21	고혈압
13068	29	고혈압
13058	39	위암
13068	33	위암
13068	35	위암

선거인명부 사례

지역코드	이름	연령	성별
13053	김민종	28	남
13053	이지은	21	여
13068	윤민재	29	남
13058	김지민	39	남
13068	최현일	33	여
13068	허우진	35	여

- 공개 의료데이터와 선거인명부에서 지역 코드, 연령, 성별이 결합하면 개인의 민감한 정보인 병명이 드러날 수 있다.
- 선거인명부의 지역 코드 13053인 '김민종'은 공개 의료데이터와 결합한 연결 공격으로 '전립선염'이라는 병명이 노출되었다.
- k-익명성을 적용한 비식별된 의료데이터는 아래와 같다.

지역코드	연령	병명	비고
130**	< 30	전립선염	다양한 질병이 혼재되어 안전
130**	< 30	고혈압	
130**	< 30	고혈압	
130**	3*	위암	모두가 동일 질병(위암)으로 취약
130**	3*	위암	
130**	3*	위암	

- 지역 코드는 130**이고 연령은 30보다 작은 레코드와 지역 코드는 130**이고 연령은 3*대로 범주화하였다.
- k-익명성을 적용한 데이터 집합에서는 공격자가 정확히 어떤 레코드가 공격 대상인지 알아낼 수 없다.

l-다양성(l-Diversity) 적용 사례
- k-익명성은 동질성 공격과 배경 지식에 의한 공격에 취약하다.
- 동질성 공격의 예시로 지역 코드와 연령으로 범주화를 하였지만, 병명은 'k-익명성'의 대상이 아니기 때문에 30대 레코드에서는 위암이 직접적으로 노출이 된다.
- 배경 지식 공격의 예시로 30세보다 낮은 레코드에서는 '여자는 전립선염에 걸릴 수 없다'라는 배경 지식에 의해 고혈압이 쉽게 추론이 가능하다.
- 비식별 조치 과정에서 충분히 다양한 서로 다른 민감한 정보를 갖도록 동질 집합을 구성한다.

⯆ l-다양성 모델에 의해 비식별된 의료데이터의 예

지역코드	연령	병명	비고
1305*	≤ 40	전립선염	다양한 질병이 혼재되어 안전
1305*	≤ 40	고혈압	
1305*	≤ 40	위암	
1306*	≤ 40	고혈압	다양한 질병이 혼재되어 안전
1306*	≤ 40	위암	
1306*	≤ 40	위암	

t-근접성(t-Closeness) 적용 사례
- l-다양성은 쏠림 공격과 유사성 공격에 취약하다.
- 쏠림 공격의 예시로 임의의 동질집합이 99개의 레코드가 '위암 양성', 1개의 레코드가 '위암 음성'으로 구성되면 공격자는 99%의 확률로 '위암양성'이라는 것을 알 수 있다.
- 유사성 공격의 예로 위궤양, 급성 위염, 만성 위염은 공격자가 '위'에 관련된 질병을 알아낼 수 있다.
- 급여 값의 분포는 30~110이지만 '위'와 관련된 질병을 가지는 경우 공격자는 근사적인 급여 정보를 추론할 수 있다.

⯆ l-다양성 모델에 의해 비식별되었지만 유사성 공격에 취약한 사례

속성		민감한 정보		비고
지역코드	연령	급여(백만 원)	질병	
476**	2*	30	위궤양	모두 '위'와 관련된 유사 질병으로 취약
476**	2*	40	급성위염	
476**	2*	50	만성 위염	
476**	3*	70	기관지염	다양한 질병이 혼재되어 안전
476**	3*	90	폐렴	
476**	3*	110	감기	

- 아래는 민감한 정보인 급여정보와 질병정보의 분포를 조정하여 특정 값으로 쏠리거나 유사한 값들이 뭉치는 경우를 방지한다.

▼ t-근접성 모델에 의해 비식별 조치된 데이터 사례

속성		민감한 정보		비고
지역코드	연령	급여(백만원)	질병	
4767*	≤ 40	30	위궤양	급여의 분포와
4767*	≤ 40	50	만성 위염	다양한 질병으로 안전
4767*	≤ 40	90	폐렴	
4760*	≤ 40	40	급성 위염	급여의 분포와
4760*	≤ 40	70	기관지염	다양한 질병으로 안전
4760*	≤ 40	110	감기	

(2) 차등 프라이버시(Differential Privacy) 기출

차등 프라이버시는 데이터에 포함된 개인정보를 보호하기 위해서 해당 데이터 세트(Data Set)에 임의의 노이즈(Noise)를 삽입함으로써 개인정보가 제3자에게 노출되지 않도록 보호하는 기법이다.

(3) 마이 데이터

① 마이 데이터(My Data) 개념 기출

- 마이 데이터는 개인이 자신의 정보를 관리, 통제할 뿐만 아니라 이러한 정보를 신용이나 자산관리 등에 능동적으로 활용하는 일련의 과정이다.
- 마이 데이터에서 개인은 데이터 주권인 자기 정보결정권으로 개인 데이터의 활용과 관리에 대한 통제권을 개인이 가진다는 것이 핵심 원리이다.
- 마이 데이터를 통해서 개인의 동의하에 타 기업에 저장된 개인정보를 받아서 필요한 곳에 활용할 수 있게 된다.

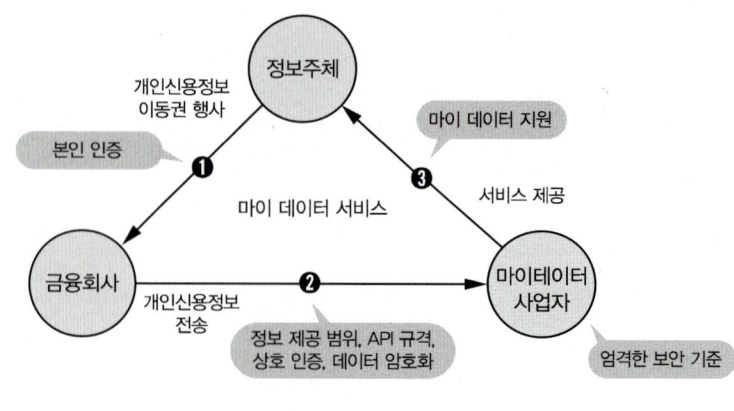

▲ 마이 데이터 구성

학습 POINT ★
차등 프라이버시는 차분 프라이버시라고도 합니다.

잠깐! 알고가기
자기 정보결정권
자신에 관한 정보를 보호받기 위하여 자신에 관련된 정보를 자율적으로 결정하고 관리할 수 있는 권리이다.

② **마이 데이터 원칙**
- 마이 데이터에서 데이터 권한, 제공, 활용에 따라 다른 원칙을 가지고 있다.

구분	원칙
데이터 권한	개인이 개인 데이터의 접근, 이동, 활용 등에 대한 통제권 및 결정권을 가져야 함
데이터 제공	개인 데이터를 보유한 기관은 개인이 요구할 때, 개인 데이터를 안전한 환경에서 쉽게 접근하여 이용할 수 있는 형식으로 제공하여야 함
데이터 활용	개인의 요청 및 승인(동의)에 의한 데이터의 자유로운 이동과 제3자 접근이 가능하여야 하며 그 활용 결과를 개인이 투명하게 알 수 있어야 함

지피지기 기출문제

01 다양한 데이터 소스를 위한 하둡(Hadoop) 기반의 ETL(Extract Transform Load) 기술을 이용해서 데이터 웨어하우스(DW)에 적재하는 시스템은 무엇인가?

① HBase
② Tajo
③ Oozie
④ Zookeeper

해설

HBase	• HDFS를 기반으로 구현된 컬럼 기반의 분산 데이터베이스
Tajo	• 다양한 데이터 소스를 위한 하둡(Hadoop) 기반의 ETL(Extract Transform Load) 기술을 이용해서 데이터 웨어하우스(DW)에 적재하는 시스템 • HDFS 및 다양한 형태의 데이터를 추출하고 분석 시스템에 전송하여 집계 및 연산, 조인, 정렬 기능을 제공
Oozie	• 하둡 작업을 관리하는 워크플로우 및 코디네이터 시스템 • 맵리듀스나 피그와 같은 특화된 액션들로 구성된 워크플로우 제어
Zookeeper	• 분산 환경에서 서버들 간에 상호 조정이 필요한 다양한 서비스를 제공하는 분산 코디네이션

02 전통적인 기계학습에 비해서 최근에 부각하고 있는 빅데이터를 활용한 인공지능의 특징으로 올바르지 않은 것은?

① 인간의 통찰을 통해 기준을 설정하여 학습에 활용한다.
② 상호보완 관계로 빅데이터는 인공지능 구현 완성도를 높여주고, 빅데이터는 인공지능을 통해 문제 해결 완성도를 높이게 되었다.
③ 빅데이터를 통해 자체 알고리즘을 가지고 학습하는 딥러닝 기술을 활용할 수 있게 되었고, 특정 분야에서 인간의 지능을 뛰어넘는 능력을 갖추게 되었다.
④ 빅데이터의 다양한 데이터를 스스로 학습하는 딥러닝 기술은 다양한 분야에서 상용화가 이루어지고 있다.

해설 최근에 부각하고 있는 빅데이터를 활용한 인공지능은 자체 알고리즘을 가지고 스스로 문제 해결 기준을 설정하여 학습하는 특징이 있다.

03 다음 비식별화 조치에 대한 설명으로 옳지 않은 것은?

① k-익명성은 주어진 데이터 집합에서 식별자 속성들이 동일한 레코드가 적어도 k개 이상 존재해야 한다.
② l-다양성은 l개의 서로 다른 민감정보를 가져야 한다.
③ t-근접성은 특정 정보의 분포와 전체 데이터 집합에서 정보의 분포가 t 이상의 차이를 보이도록 해야 한다.
④ m-유일성은 원본 데이터와 동일한 속성값의 조합이 비식별 결과 데이터에 최소 m개가 존재해야 한다.

해설 t-근접성은 특정 정보의 분포와 전체 데이터 집합에서 정보의 분포가 t 이하의 차이를 보이도록 해야 한다.

k-익명성 (k-Anonymity)	• 주어진 데이터 집합에서 같은 값이 적어도 k개 이상 존재하도록 하여 쉽게 다른 정보로 결합할 수 없도록 하는 모델 • 공개된 데이터에 대한 연결 공격 취약점을 방어하기 위한 모델
l-다양성 (l-Diversity)	• 주어진 데이터 집합에서 함께 비식별 되는 레코드들은(동질 집합에서) 적어도 l개의 서로 다른 민감한 정보를 가져야 하는 모델 • 비식별 조치 과정에서 충분히 다양한(l개 이상) 서로 다른 민감한 정보를 갖도록 동질 집합을 구성 • k-익명성에 대한 두 가지 취약점 공격인 동질성 공격, 배경지식에 의한 공격을 방어하기 위한 프라이버시 모델
t-근접성 (t-Closeness)	• 동질 집합에서 특정 정보의 분포와 전체 데이터 집합에서 정보의 분포가 t 이하의 차이를 보여야 하는 모델 • l-다양성의 쏠림 공격, 유사성 공격을 보완하기 위해 제안된 모델
m-유일성 (m-Uniqueness)	• 원본 데이터와 동일한 속성 값의 조합이 비식별 결과 데이터에 최소 m개 이상 존재하도록 하여 재식별 가능성 위험을 낮춘 모델

04 개인정보처리자가 개인정보의 수집, 이용을 위해 정보 주체의 동의를 받을 때 고지 사항이 아닌 것은 무엇인가?

① 동의를 거부할 수 있는 권리
② 개인정보의 수집 보유 및 이용 기간
③ 개인정보 파기 사유
④ 개인정보 수집 항목

> **해설** 개인정보의 파기 사유는 개인에게 통지하지 않아도 된다.

개인정보의 수집·이용을 위해 정보 주체의 동의를 받을 때 고지사항(15조 2항)	
목항기불	개인정보의 수집·이용 목적 / 수집하려는 개인정보의 항목 / 개인정보의 보유 및 이용 기간 / 동의를 거부할 권리가 있다는 사실 및 동의 거부에 따른 불이익이 있는 경우에는 그 불이익의 내용

05 개인정보 수집 시 동의를 얻지 않아도 되는 경우로 옳지 않은 것은?

① 사전 동의를 받을 수 없는 경우로서 명백히 정보 주체 또는 제3자의 급박한 생명, 신체, 재산의 이익을 위하여 필요하다고 인정되는 경우
② 입사 지원자에 대해 회사가 범죄경력을 조회하는 경우
③ 정보 주체와의 계약 체결을 위하여 불가피하게 필요한 경우
④ 요금 부과를 위해 회사가 사용자의 정보를 조회하는 경우

> **해설** 입사 지원자에 대한 신원 조회에는 개인정보 수집 및 사용에 대한 동의가 필요하다.

개인정보의 수집·이용이 가능한 경우	
동법소계 3이공	정보 주체의 동의 / 법률에 특별한 규정 / 공공기관이 법령 등에서 정하는 소관 업무의 수행 / 정보 주체와의 계약의 체결 및 이행 / 제3자의 급박한 생명, 신체, 재산의 이익 / 개인정보처리자의 정당한 이익을 달성하기 위하여 필요한 경우 / 공중위생 등 공공의 안전과 안녕을 위하여 긴급히 필요한 경우

06 다음 중 개인정보 보호 원칙에 대한 설명으로 올바르지 않은 것은?

① 개인정보처리자는 개인정보의 처리 목적에 필요한 범위에서 적합하게 개인정보를 처리하여야 하며, 그 목적 외의 용도로 활용하여서는 아니 된다.
② 개인정보처리자는 개인정보의 익명처리가 가능한 경우에는 익명에 의하여 처리될 수 있도록 하여야 한다.
③ 개인정보처리자는 수집된 개인정보를 사내 규정에 근거하여 활용하고, 그 이외는 정보 주체의 사생활 침해를 최소화하는 방법으로 개인정보를 처리하여야 한다.
④ 개인정보처리자는 개인정보의 처리 방법 및 종류 등에 따라 정보 주체의 권리가 침해받을 가능성과 그 위험 정도를 고려하여 개인정보를 안전하게 관리하여야 한다.

> **해설** 개인정보처리자는 수집된 개인정보를 필요한 목적에 의해서 활용하고, 그 이외는 원칙적으로 정보 주체의 사생활 침해를 하지 말아야 한다.

07 다음 중 2018년 5월 25일부터 시행되는 EU(유럽연합)의 개인정보보호 법령으로, 정보 주체의 권리와 기업의 책임성 강화, 개인정보의 EU 역외이전 요건 명확화 등을 주요 내용으로 용어는?

① GDPR   ② PIMS
③ ISMS   ④ ISO27001

> **해설**
> • GDPR(General Data Protection Regulation)은 2018년 5월 25일부터 시행되는 EU(유럽연합)의 개인정보보호 법령으로, 정보 주체의 권리와 기업의 책임성 강화, 개인정보의 EU 역외이전 요건 명확화 등을 주요 내용으로 한다.
> • GDPR은 EU 내 사업장을 운영하는 기업뿐만 아니라 전자상거래 등을 통해 해외에서 EU 주민의 개인정보를 처리하는 기업에도 적용될 수 있고, 위반 시 높은 과징금 부과를 규정하고 있다.

지피지기 기출문제

08 다음 중 아래 설명에 나오는 이것은 무엇인가?

> A 은행은 사용자의 가입정보를 보관하고 있고, 사용자가 B 은행의 상품 가입을 하려고 하고 있다. B 은행에서 사용자의 가입정보를 새롭게 수집하지 않고, 사용자의 동의하에 이것을 통해서 A 은행에서 가지고 있는 사용자의 가입정보를 B 은행에서 받아서 사용하려고 한다.

① 인터페이스 ② API
③ 인증정보 ④ 마이 데이터

해설
- 마이 데이터(My Data)는 개인이 자신의 정보를 관리, 통제할 뿐만 아니라 이러한 정보를 신용이나 자산관리 등에 능동적으로 활용하는 일련의 과정을 의미한다.
- 마이 데이터에서 개인은 데이터 주권인 자기 정보결정권으로 개인 데이터의 활용과 관리에 대한 통제권을 개인이 가진다는 것이 핵심 원리이다.
- 마이 데이터를 통해서 개인의 동의하에 타 기업에 저장된 개인정보를 받아서 필요한 곳에 활용할 수 있게 된다.

09 다음 중 빅데이터 플랫폼 계층 구조 중 자원 배치 모듈, 노드 관리 모듈, 데이터 관리 모듈, 자원 관리 모듈, 서비스 관리 모듈, 사용자 관리 모듈, 모니터링 모듈, 보안 모듈로 구성되어 있는 계층은?

① 인프라 스트럭처 계층
② 플랫폼 계층
③ 소프트웨어 계층
④ 자원관리 계층

해설 빅데이터 플랫폼의 계층 구조는 다음과 같다.

소프트웨어 계층 (Software Layer)	데이터 처리 및 분석 엔진, 데이터 수집 및 정제 모듈, 서비스 관리 모듈, 사용자 관리 모듈, 모니터링 모듈, 보안 모듈로 구성
플랫폼 계층 (Platform Layer)	작업 스케줄링 모듈, 데이터 자원 및 할당 모듈, 프로파일링 모듈, 데이터 관리 모듈, 자원 관리 모듈, 서비스 관리 모듈, 사용자 관리 모듈, 모니터링 모듈, 보안 모듈로 구성
인프라 스트럭처 계층 (Infrastructure Layer)	자원 배치 모듈, 노드 관리 모듈, 데이터 관리 모듈, 자원 관리 모듈, 서비스 관리 모듈, 사용자 관리 모듈, 모니터링 모듈, 보안 모듈로 구성

10 다음 중 하둡 프레임워크의 HDFS에 대한 설명으로 올바른 것은?

① 복제의 횟수는 내부에서 결정된다.
② NTFS, FAT 파일 시스템과 연계할 수 있다.
③ GFS와 동일한 함수를 적용한다.
④ 네임 노드는 삭제한 데이터 노드를 관리하는 기능이 있다.

해설
- HDFS는 수십 테라바이트 또는 페타바이트 이상의 대용량 파일을 분산된 서버에 저장하고, 저장된 데이터를 빠르게 처리할 수 있게 하는 분산 파일 시스템이다.
- HDFS는 하나의 네임 노드(Name Node)와 하나 이상의 보조 네임 노드, 다수의 데이터 노드(Data Node)로 구성된다.

네임 노드 (Name Node)	• HDFS 상의 모든 메타데이터를 관리하며 마스터/슬레이브 구조에서 마스터 역할 수행 • 네임 노드는 파일 시스템의 디렉터리, 파일명, 파일 블록 등 네임 스페이스를 관리하는 일종의 마스터 역할을 하며, 슬레이브에 해당하는 데이터 노드에게 입출력에 관련된 작업을 지시하고 데이터 노드를 관리함
보조네임 노드 (Secondary Name Node)	• HDFS 상태 모니터링을 보조 • 주기적으로 네임 노드의 파일 시스템 이미지를 스냅샷으로 생성
데이터 노드 (Data Node)	• HDFS의 슬레이브 노드로, 데이터 입출력 요청을 처리 • 데이터 유실 방지를 위해 블록을 3중으로 복제하여 저장

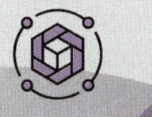

11 인 메모리 기반의 실시간 데이터 처리와 관련된 오픈소스 프로젝트는?

① 임팔라(Impala) ② 스파크(Spark)
③ 하이브(Hive)   ④ 스크라이브(Scribe)

> **해설**
> - 스파크(Spark)는 하둡 기반 대규모 데이터 분산처리시스템으로 스트리밍 데이터, 온라인 머신러닝 등 실시간 데이터 처리에 활용된다.
> - 인 메모리 기반의 실시간 데이터 처리와 관련된 오픈소스 프로젝트이다.

임팔라 (Impala)	• 하둡 기반의 실시간 SQL 질의 시스템 • 데이터 조회를 위한 인터페이스로 HiveQL을 사용 • 수초 내에 SQL 질의 결과를 확인할 수 있으며, HBase와 연동이 가능
하이브 (Hive)	• 하둡 기반의 DW 솔루션으로 SQL과 매우 유사한 HiveQL이라는 쿼리를 제공 • HiveQL은 내부적으로 맵리듀스로 변환되어 실행됨
스크라이브 (Scribe)	• 다수의 서버로부터 실시간으로 스트리밍되는 로그 데이터를 수집하여 분산 시스템에 데이터를 저장하는 대용량 실시간 로그 수집 기술 • 최종 데이터는 HDFS 외에 다양한 저장소를 활용 가능 • HDFS에 저장하기 위해서는 JNI를 이용

12 다음 중 인공지능에 대한 설명으로 올바르지 않은 것은?

① 인공지능이란 인간이 가지고 있는 지적 능력을 컴퓨터 시스템에서 구현한 기술이다.
② 강한 인공지능은 사람처럼 학습하고, 추론하며, 문제를 인식하고 이것을 해결하기 위한 범용 인공지능이다.
③ 인공지능의 암흑기를 지나 빅데이터를 통해 자체 알고리즘을 가지고 학습하는 딥러닝 기술로 특정 분야에서 인간의 지능을 뛰어넘는 능력을 갖추게 되었다.
④ 뛰어난 인공지능 알고리즘은 정확한 분석을 위해서 학습을 하지 않아도 된다.

> **해설**
> - 인공지능은 인간이 가지고 있는 지적 능력을 컴퓨터 시스템에서 구현한 기술이다.
> - 아무리 뛰어난 인공지능 알고리즘이더라도 정확한 분석을 위해서는 학습이 필요하다.
> - 강한 인공지능은 사람처럼 학습하고, 추론하며, 문제를 인식하고 이것을 해결하기 위한 범용 인공지능이다.
> - 인공지능의 암흑기를 지나 빅데이터를 통해 자체 알고리즘을 가지고 학습하는 딥러닝 기술로 특정 분야에서 인간의 지능을 뛰어넘는 능력을 갖추게 되었다.

13 다음 중 데이터에 포함된 개인정보를 보호하기 위해서 해당 데이터 세트(Data Set)에 임의의 노이즈(Noise)를 삽입함으로써 개인정보가 제3자에게 노출되지 않도록 보호하는 기법은 무엇인가?

① K-익명성
② 차등 프라이버시(Differential Privacy)
③ 가명처리
④ L-다양성

> **해설** 데이터에 포함된 개인정보를 보호하기 위해서 해당 데이터 세트(Data Set)에 임의의 노이즈(Noise)를 삽입함으로써 개인정보가 제3자에게 노출되지 않도록 보호하는 기법은 차등 프라이버시(Differential Privacy) 기법이다.

k-익명성 (k-Anonymity)	• 주어진 데이터 집합에서 같은 값이 적어도 k개 이상 존재하도록 하여 쉽게 다른 정보로 결합할 수 없도록 하는 모델 • 공개된 데이터에 대한 연결 공격 취약점을 방어하기 위한 모델
가명화 (Pseudonymisation)	• 개인 식별이 가능한 데이터에 대하여 직접 식별할 수 없는 다른 값으로 대체하는 기법
L-다양성 (l-Diversity)	• 주어진 데이터 집합에서 함께 비식별 되는 레코드들은(동질 집합에서) 적어도 l개의 서로 다른 민감한 정보를 가져야 하는 프라이버시 모델 • 비식별 조치 과정에서 충분히 다양한(l개 이상) 서로 다른 민감한 정보를 갖도록 동질 집합을 구성 • k-익명성에 대한 두 가지 취약점 공격인 동질성 공격, 배경 지식에 의한 공격을 방어하기 위한 프라이버시 모델

지피지기 기출문제

14 인공지능, 딥러닝, 머신러닝의 관계로 올바른 것은?

① 인공지능 ⊃ 딥러닝 ⊃ 머신러닝
② 머신러닝 ⊃ 인공지능 ⊃ 딥러닝
③ 머신러닝 ⊃ 딥러닝 ⊃ 인공지능
④ 인공지능 ⊃ 머신러닝 ⊃ 딥러닝

해설
- 인공지능은 사람의 지능을 모방하여 사람이 하는 것과 같이 복잡한 일을 할 수 있는 기계를 만드는 것을 말한다.
- 인공지능이 가장 넓은 개념이고, 인공지능을 구현하는 방법 중 중요한 방법이 기계학습 또는 머신러닝이다.
- 딥러닝은 머신러닝의 여러 방법 중 중요한 방법론이다.
- 인공지능 ⊃ 머신러닝 ⊃ 딥러닝 관계가 성립한다.

15 다음 중 데이터 3법에 해당하지 않는 것은?

① 신용정보의 이용 및 보호에 관한 법률
② 정보통신망 이용촉진 및 정보보호 등에 관한 법률
③ 공공데이터의 제공 및 이용 활성화에 관한 법률
④ 개인정보 보호법

해설 데이터 3법은 데이터 이용을 활성화하는 「개인정보 보호법」, 「정보통신망 이용촉진 및 정보보호 등에 관한 법률(약칭: 정보통신망법)」, 「신용정보의 이용 및 보호에 관한 법률(약칭: 신용정보법)」 등 3가지 법률이다.

16 다음 중 개인정보처리자가 개인정보를 수집하여 이용할 수 있는 경우가 아닌 것은?

① 법률에 특별한 규정이 있거나 법령상 의무를 준수하기 위하여 불가피한 경우
② 공공기관이 법령 등에서 정하는 소관 업무의 수행을 위하여 불가피한 경우
③ 사용자와 계약을 통해 이뤄진 요금 정산을 위하여 개인정보를 이용할 경우
④ 개인의 편의를 위해서 개인정보를 이용할 경우

해설 개인의 편의를 위해서는 개인정보를 수집·이용할 수 없다.

개인정보의 수집·이용이 가능한 경우(15조 1항)	
동법소개 30이공	정보 주체의 동의 / 법률에 특별한 규정 / 공공기관이 법령 등에서 정하는 소관 업무의 수행 / 정보 주체와의 계약의 체결 및 이행 / 제 3자의 급박한 생명, 신체, 재산의 이익 / 개인정보처리자의 정당한 이익을 달성하기 위하여 필요한 경우 / 공중위생 등 공공의 안전과 안녕을 위하여 긴급히 필요한 경우

17 다음 중 개인정보에 대한 설명으로 가장 올바르지 않은 것은?

① 개인정보는 개인을 알아볼 수 있는 정보이다.
② 단체, 기업에 대한 정보는 개인정보가 아니다.
③ 데이터 3법 개정을 통해 전화번호, 주소, 이메일 주소 등의 개인정보를 가명처리하여 통계 작성에 활용 시에 개인의 동의를 받아야 한다.
④ 개인정보의 처리 목적에 필요한 범위에서 최소한의 개인정보만을 적법하고 정당하게 수집할 수 있고 개인의 동의가 없어도 수집 목적의 범위에서 이용할 수 있다.

해설
- 데이터 3법 개정을 통해 전화번호, 주소, 이메일 주소 등의 개인정보를 가명처리하는 경우에는 개인의 동의 없이 통계 작성에 활용할 수 있다.
- 가명 정보가 개인의 동의 없이 활용 가능한 경우는 통계작성(상업적 목적 포함), 연구(산업적 연구 포함), 공익적 기록보존 목적 등으로 활용될 때이다.

18 다른 데이터 셋과 연결해서 처리하는 맵리듀스의 디자인 패턴은 무엇인가?

① 요약 패턴　　② 메타 패턴
③ 조인 패턴　　④ 필터링 패턴

> **해설**　맵리듀스의 디자인 패턴은 요약 패턴, 필터링 패턴, 데이터 조직화 패턴, 조인 패턴, 메타 패턴 등이 있다.

요약 패턴	데이터를 요약하고 그룹핑하여 최상위 수준의 관점을 얻는 패턴
필터링 패턴	특정 사용자가 생성한 레코드를 찾는 것처럼 데이터의 서브셋을 찾는 패턴
데이터 조직화 패턴	타 시스템으로 작업하기 위해 또는 맵리듀스 분석을 좀 더 쉽게 만들기 위해 데이터를 재조직화하는 패턴
조인 패턴	특별한 관계를 발견하기 위해 다른 데이터셋을 함께 연결하여 분석하는 패턴
메타 패턴	여러 가지 문제를 풀거나 동일 방법으로 몇 가지 분석을 수행하기 위해 몇몇 패턴을 조합하는 패턴
입출력 패턴	데이터를 로드하거나 저장하는 방식을 사용자 정의하는 패턴

19 빅데이터 플랫폼에 대한 설명으로 올바르지 않은 것은?

① 빅데이터 플랫폼 계층 구조는 소프트웨어 계층, 플랫폼 계층, 인프라 스트럭처 계층이 있다.
② 소프트웨어 계층은 빅데이터 처리 및 분석, 활용을 위한 서비스 관리 및 데이터 수집, 정제 등을 수행한다.
③ 플랫폼 계층은 데이터 처리 및 분석 서비스를 위한 응용프로그램이 실행될 수 있는 기반을 제공한다.
④ 인프라 스트럭처 계층은 데이터 수집, 저장, 분석, 활용의 기능을 제공한다.

> **해설**
> - 인프라 스트럭처 계층은 빅데이터 처리 및 분석에 필요한 자원을 제공한다.
> - 빅데이터 플랫폼 계층 구조는 다음과 같다.

소프트웨어 계층 (Software Layer)	• 빅데이터 처리 및 분석·활용을 위한 서비스 관리 및 데이터 수집, 정제 등을 수행하는 계층 • 데이터 처리 및 분석 엔진, 데이터 수집 및 정제 모듈, 서비스 관리 모듈, 사용자 관리 모듈, 모니터링 모듈, 보안 모듈로 구성
플랫폼 계층 (Platform Layer)	• 데이터 처리 및 분석 서비스를 위한 응용프로그램이 실행될 수 있는 기반을 제공하는 계층 • 작업 스케줄링 모듈, 데이터 자원 및 할당 모듈, 프로파일링 모듈, 데이터 관리 모듈, 자원 관리 모듈, 서비스 관리 모듈, 사용자 관리 모듈, 모니터링 모듈, 보안 모듈로 구성
인프라 스트럭처 계층 (Infrastructure Layer)	• 빅데이터 처리 및 분석에 필요한 자원을 제공하는 계층 • 자원 배치 모듈, 노드 관리 모듈, 데이터 관리 모듈, 자원 관리 모듈, 서비스 관리 모듈, 사용자 관리 모듈, 모니터링 모듈, 보안 모듈로 구성

정답　01 ②　02 ①　03 ③　04 ③　05 ②　06 ③　07 ①　08 ④　09 ①　10 ④　11 ②　12 ④　13 ②　14 ④　15 ③　16 ①　17 ③　18 ③　19 ④

천기누설 예상문제

01 다음은 빅데이터와 인공지능 관계에 대한 설명이다. 가장 옳지 않은 것은?

① 상호보완 관계로 빅데이터는 인공지능 구현 완성도를 높여주고, 빅데이터는 인공지능을 통해 문제 해결 완성도를 높인다.
② 빅데이터 기술이 주목을 받는 이유는 정보처리 능력이 중심이 아니라 우수한 정보처리를 바탕으로 의미 있는 솔루션을 도출할 수 있다는 점이 빅데이터가 주목받는 이유이다.
③ 인공지능의 암흑기를 지나 빅데이터를 통해 자체 알고리즘을 가지고 스스로 학습하는 지도 학습 기술로 특정 분야에서 인간의 지능을 뛰어넘는 능력을 갖추게 되었다.
④ 빅데이터 목표가 인공지능 목표와 부합하고, 인공지능 판단을 위해서는 빅데이터와 같은 기술이 필수이므로, 빅데이터는 인공지능을 위한 기술이 될 가능성이 크다.

> **해설** 자체 알고리즘을 가지고 스스로 학습하는 기술은 지도 학습이 아닌 딥러닝 기술이다.

02 다음 중에서 맵리듀스의 처리 순서로 가장 알맞은 것은?

① Input → Map → Shuffle → Reduce → Output
② Input → Map → Reduce → Shuffle → Output
③ Input → Shuffle → Map → Reduce → Output
④ Input → Shuffle → Reduce → Map → Output

> **해설** 맵리듀스(MapReduce)의 처리 순서는 Input → Map → Shuffle → Reduce → Output이다.

03 대용량 파일을 분산된 서버에 저장하고, 그 저장된 데이터를 빠르게 처리할 수 있게 하는 하둡 분산 파일 시스템은 무엇인가?

① Pig
② HDFS
③ Oozie
④ Impala

> **해설**
>
> | | |
> |---|---|
> | Pig | 대용량 데이터 집합을 분석하기 위한 플랫폼으로 하둡을 이용하여 맵리듀스를 사용하기 위한 높은 수준의 스크립트 언어인 피그 라틴이라는 자체 언어를 제공 |
> | HDFS | 대용량 파일을 분산된 서버에 저장하고, 그 저장된 데이터를 빠르게 처리할 수 있게 하는 하둡 분산 파일 시스템 |
> | Oozie | 하둡 작업을 관리하는 워크플로우 및 코디네이터 시스템 |
> | Impala | 하둡 기반의 실시간 SQL 질의 시스템 |

04 다음 중 하둡 에코시스템에 대한 설명으로 가장 옳지 않은 것은?

① Sqoop: 비정형 데이터를 수집하는 대용량 데이터 전송 솔루션
② HDFS: 대용량 파일을 분산된 서버에 저장하고, 그 저장된 데이터를 빠르게 처리할 수 있게 하는 하둡 분산 파일 시스템
③ Map Reduce: 대용량 데이터 세트를 분산 병렬 컴퓨팅에서 처리하거나 생성하기 위한 목적으로 만들어진 소프트웨어 프레임워크
④ HBase: 컬럼 기반 저장소로 HDFS와 인터페이스 제공

> **해설** 스쿱(Sqoop)은 정형 데이터를 수집하는 대용량 데이터 전송 솔루션이다.

05 다음 중 하둡 에코시스템의 주요 기술이 잘못 짝지어진 것은?

① 데이터 마이닝: Pig, Hive
② 실시간 SQL 질의: Impala
③ 워크플로우 관리: Oozie
④ 분산 코디네이션: Zookeeper

해설

데이터 가공	피그(Pig), 하이브(Hive)
데이터 마이닝	머하웃(Mahout)
실시간 SQL 질의	임팔라(Impala)
워크플로우 관리	우지(Oozie)
분산 코디네이션	주키퍼(Zookeeper)

06 다음 중 하둡 에코시스템의 Impala에 대한 설명으로 옳지 않은 것은?

① 하둡 기반의 실시간 SQL 질의 시스템이다.
② 데이터 조회를 위한 인터페이스로 HiveQL을 사용한다.
③ HBase와 연동되지는 않는다.
④ 수초 내에 SQL 질의 결과를 확인할 수 있다.

해설 Impala의 특징은 다음과 같다.
- 하둡 기반의 실시간 SQL 질의 시스템
- 데이터 조회를 위한 인터페이스로 HiveQL을 사용
- 수초 내에 SQL 질의 결과를 확인할 수 있으며, HBase와 연동이 가능

07 다음 설명이 가리키는 가장 적합한 용어는 무엇인가?

> 정보 주체(개인)의 개인정보 자기 결정권을 철저히 보장하는 활동을 의미

① 개인정보
② 보호조치
③ 비식별화
④ 개인정보보호

해설 정보 주체(개인)의 개인정보 자기 결정권을 철저히 보장하는 활동은 개인정보보호이다.

개인정보	살아 있는 개인에 관한 정보로서 성명, 주민등록번호 및 영상 등을 통하여 개인을 알아볼 수 있는 정보를 의미
보호조치	침입 차단시스템 등 접근 통제장치 설치, 접속 기록에 대한 위, 변조 방지 조치, 백신 소프트웨어 설치 운영 등 악성 프로그램에 의한 침해 방지 조치
비식별화	데이터값 삭제, 가명처리, 총계처리, 범주화, 데이터 마스킹 등을 통해 개인정보의 일부 또는 전부를 삭제하거나 대체함으로써 다른 정보와 쉽게 결합하여도 특정 개인을 식별할 수 없도록 하는 조치

08 개인정보보호 관련 법령으로 가장 거리가 먼 것은?

① 개인정보 보호법
② 전자금융 거래법
③ 정보통신망법
④ 신용정보법

해설 전자금융 거래법은 개인정보와 관련하여 개인정보 보호법을 준용하고 있다.

개인정보보호 관련 법령	
개망신위	개인정보 보호법 / 정보통신망법 / 신용정보법 / 위치정보 보호법

천기누설 예상문제

09 개인정보에 대한 설명으로 옳지 않은 것은?

① 생존 유무와 관련 없이 한 개인에 관한 정보를 말한다.
② 성명, 주민등록번호는 개인정보에 해당한다.
③ 영상 등을 통하여 개인을 알아볼 수 있는 정보도 개인정보에 해당한다.
④ 해당 정보만으로는 특정 개인을 알아볼 수 없더라도 다른 정보와 쉽게 결합하여 알아볼 수 있는 정보는 개인정보에 해당한다.

해설
- 개인정보는 살아 있는 개인에 관한 정보로 성명, 주민등록번호 및 영상 등을 통하여 개인을 알아볼 수 있는 정보를 뜻한다.
- 개인정보는 해당 정보만으로는 특정 개인을 알아볼 수 없더라도 다른 정보와 쉽게 결합하여 알아볼 수 있는 정보를 말한다.

10 개인정보처리자는 개인정보가 유출되었음을 알게 되었을 때는 지체 없이 해당 정보 주체에 알려야 하는 사항으로 옳은 것은?

Ⓐ 유출 등이 된 개인정보의 항목
Ⓑ 유출 등이 된 시점과 그 경위
Ⓒ 유출 등으로 인하여 발생할 수 있는 피해를 최소화하기 위하여 정보 주체가 할 수 있는 방법 등에 관한 정보

① Ⓐ, Ⓑ
② Ⓐ, Ⓒ
③ Ⓑ, Ⓒ
④ Ⓐ, Ⓑ, Ⓒ

해설

개인정보 유출 시 정보 주체에게 고지해야 할 사항(34조 1항)	
항시주대부	유출 등이 된 개인정보의 항목 / 유출 등이 된 시점과 그 경위 / 유출 등으로 인하여 발생할 수 있는 피해를 최소화하기 위하여 정보 주체가 할 수 있는 방법 등에 관한 정보 / 개인정보처리자의 대응조치 및 피해 구제절차 / 정보 주체에게 피해가 발생한 경우 신고 등을 접수할 수 있는 담당 부서 및 연락처

11 다음 중 개인정보를 수집할 수 없는 경우는 무엇인가?

① 법률에 특별한 규정이 있거나 법령상 의무를 준수하기 위하여 불가피한 경우
② 정보 주체와의 계약을 체결할 경우
③ 정보 주체 또는 그 법정대리인이 의사표시를 할 수 없는 상태에 있거나 주소불명 등으로 사전 동의를 받을 수 없는 경우
④ 제3자의 급박한 생명, 신체, 재산의 이익을 위하여 필요하다고 인정되는 경우

해설 개인정보보호법 제15조에 따라 개인정보를 수집·이용할 수 있는 경우

제15조(개인정보의 수집·이용) ① 개인정보처리자는 다음 각 호의 어느 하나에 해당하는 경우에는 개인정보를 수집할 수 있으며 그 수집 목적의 범위에서 이용할 수 있다.
1. 정보 주체의 동의를 받은 경우
2. 법률에 특별한 규정이 있거나 법령상 의무를 준수하기 위하여 불가피한 경우
3. 공공기관이 법령 등에서 정하는 소관 업무의 수행을 위하여 불가피한 경우
4. 정보 주체와 체결한 계약을 이행하거나 계약을 체결하는 과정에서 정보 주체의 요청에 따른 조치를 이행하기 위하여 필요한 경우
5. 명백히 정보 주체 또는 제3자의 급박한 생명, 신체, 재산의 이익을 위하여 필요하다고 인정되는 경우
6. 개인정보처리자의 정당한 이익을 달성하기 위하여 필요한 경우로서 명백하게 정보 주체의 권리보다 우선하는 경우. 이 경우 개인정보처리자의 정당한 이익과 상당한 관련이 있고 합리적인 범위를 초과하지 아니하는 경우에 한한다.
7. 공중위생 등 공공의 안전과 안녕을 위하여 긴급히 필요한 경우

12 개인정보의 수집·이용을 위해 정보 주체의 동의를 받을 때 고지사항이 아닌 것은?

① 개인정보의 수집·이용 목적
② 수집하려는 개인정보의 항목
③ 개인정보를 제공받는 자
④ 개인정보의 보유 및 이용 기간

1-60 CHAPTER 01 빅데이터의 이해

해설

	개인정보의 수집·이용을 위해 정보 주체의 동의를 받을 때 고지사항(15조 2항)
목항기불	개인정보의 수집·이용 목적 / 수집하려는 개인정보의 항목 / 개인정보의 보유 및 이용 기간 / 동의를 거부할 권리가 있다는 사실 및 동의 거부에 따른 불이익이 있는 경우에는 그 불이익의 내용

13 다음 중에서 개인정보가 유출되었을 경우 정보 주체에게 고지해야 할 사항이 아닌 것은 무엇인가?

① 유출 등이 된 개인정보의 항목
② 유출 등이 된 시점과 그 경위
③ 신고 등을 접수할 수 있는 담당부서 및 연락처
④ 유출 등이 된 사이트의 개인정보 처리 방침

해설

	개인정보 유출 시 정보 주체에게 고지해야 할 사항(34조 1항)
항시주대부	유출 등이 된 개인정보의 항목 / 유출 등이 된 시점과 그 경위 / 유출 등으로 인하여 발생할 수 있는 피해를 최소화하기 위하여 정보 주체가 할 수 있는 방법 등에 관한 정보 / 개인정보처리자의 대응조치 및 피해 구제절차 / 정보 주체에게 피해가 발생한 경우 신고 등을 접수할 수 있는 담당 부서 및 연락처

14 가명 정보에 대한 설명으로 옳지 않은 것은?

① 추가정보의 사용 없이는 특정 개인을 알아볼 수 없게 조치한 정보를 말한다.
② 더 이상 개인을 알아볼 수 없게(복원 불가능한 정도로) 조치한 정보를 말한다.
③ 통계작성(상업적 목적 포함)을 위해 동의 없이 사용할 수 있다.
④ 공익적 기록보존 목적을 위해 동의 없이 사용할 수 있다.

해설 더 이상 개인을 알아볼 수 없게(복원 불가능한 정도로) 조치한 정보는 익명 정보이다.

정보	설명	활용가능범위
개인 정보	• 특정 개인에 관한 정보 • 개인을 알아볼 수 있게 하는 정보	• 사전적이고 구체적인 동의를 받은 범위 내에서 활용 가능
가명 정보	• 추가정보의 사용 없이는 특정 개인을 알아볼 수 없게 조치한 정보	• 다음 목적에 대해 동의 없이 활용 가능 ① 통계작성(상업적 목적 포함) ② 연구(산업적 연구 포함) ③ 공익적 기록보존 목적 등
익명 정보	• 더 이상 개인을 알아볼 수 없게(복원 불가능한 정도로) 조치한 정보	• 개인정보가 아니기 때문에 제한 없이 자유롭게 활용

15 개인이 자신의 정보를 관리, 통제할 뿐만 아니라 이러한 정보를 신용이나 자산관리 등에 능동적으로 활용하는 일련의 과정은 무엇인가?

① 정형 데이터
② 마이 데이터
③ 메타데이터
④ 데이터 웨어하우스

해설

정형 데이터	정형화된 스키마(형태) 구조 기반의 형태를 가지고 고정된 필드에 저장되며 값과 형식에서 일관성을 가지는 데이터
마이 데이터	개인이 자신의 정보를 관리, 통제할 뿐만 아니라 이러한 정보를 신용이나 자산관리 등에 능동적으로 활용하는 일련의 과정
메타데이터	데이터에 관한 구조화된 데이터로서 다른 데이터를 설명해주는 데이터
데이터 웨어하우스	사용자의 의사결정에 도움을 주기 위하여, 기간 시스템의 데이터베이스에 축적된 데이터를 공통 형식으로 변환해서 관리하는 데이터베이스

천기누설 예상문제

16 다음은 공개 의료데이터와 선거인명부 정보이다. 두 가지 정보를 이용한 공격과 해결한 프라이버시 보호 모델을 알맞게 짝지은 것은?

▼ 공개 의료데이터

지역 코드	연령	병명
<u>13053</u>	<u>28</u>	<u>전립선염</u>
13053	21	고혈압
13068	29	고혈압
13058	39	위암
13068	33	위암
13068	35	위암

▼ 선거인명부

지역 코드	이름	연령	성별
<u>13053</u>	<u>김민종</u>	<u>28</u>	<u>남</u>
13053	이지은	21	여
13068	윤민재	29	남
13058	김지민	39	남
13068	최현일	33	여
13068	허우진	35	여

① 연결 공격 - k-익명성
② 동질성 공격 - k-익명성
③ 연결 공격 - l-다양성
④ 동질성 공격 - l-다양성

해설 공개 의료데이터의 지역 코드와 선거인명부의 지역 코드를 연결하면 김민종이라는 사람이 전립선염을 앓고 있다는 것을 알 수 있다. 연결 공격을 해결하기 위해 k-익명성 프라이버시 보호 모델을 이용한다.

17 동질 집합에서 특정 정보의 분포와 전체 데이터 집합에서 정보의 분포가 특정 수 이하의 차이를 보여야 하는 프라이버시 보호 모델은 무엇인가?

① k-익명성(k-Anonymity)
② l-다양성(l-Diversity)
③ t-근접성(t-Closeness)
④ m-유일성(m-Uniqueness)

해설

k-익명성 (k-Anonymity)	• 주어진 데이터 집합에서 같은 값이 적어도 k개 이상 존재하도록 하여 쉽게 다른 정보로 결합할 수 없도록 하는 모델 • 공개된 데이터에 대한 연결 공격 취약점을 방어하기 위한 모델
l-다양성 (l-Diversity)	• 주어진 데이터 집합에서 함께 비식별 되는 레코드들은(동질 집합에서) 적어도 l개의 서로 다른 민감한 정보를 가져야 하는 모델 • 비식별 조치 과정에서 충분히 다양한(l개 이상) 서로 다른 민감한 정보를 갖도록 동질 집합을 구성 • k-익명성에 대한 두 가지 취약점 공격인 동질성 공격, 배경지식에 의한 공격을 방어하기 위한 프라이버시 모델
t-근접성 (t-Closeness)	• 동질 집합에서 특정 정보의 분포와 전체 데이터 집합에서 정보의 분포가 t 이하의 차이를 보여야 하는 모델 • l-다양성의 쏠림 공격, 유사성 공격을 보완하기 위해 제안된 모델
m-유일성 (m-Uniqueness)	• 원본 데이터와 동일한 속성 값의 조합이 비식별 결과 데이터에 최소 m개 이상 존재하도록 하여 재식별 가능성 위험을 낮춘 모델

18 쏠림 공격, 유사성 공격을 보완하기 위해 제안된 프라이버시 보호 모델은 무엇인가?

① k-익명성(k-Anonymity)
② l-다양성(l-Diversity)
③ t-근접성(t-Closeness)
④ m-유일성(m-Uniqueness)

해설 t-근접성은 l-다양성의 쏠림 공격, 유사성 공격을 보완하기 위해 제안했다.

k-익명성 (k-Anonymity)	• 주어진 데이터 집합에서 같은 값이 적어도 k개 이상 존재하도록 하여 쉽게 다른 정보로 결합할 수 없도록 하는 모델 • 공개된 데이터에 대한 연결 공격 취약점을 방어하기 위한 모델
l-다양성 (l-Diversity)	• 주어진 데이터 집합에서 함께 비식별 되는 레코드들은(동질 집합에서) 적어도 l개의 서로 다른 민감한 정보를 가져야 하는 모델 • 비식별 조치 과정에서 충분히 다양한(l개 이상) 서로 다른 민감한 정보를 갖도록 동질 집합을 구성 • k-익명성에 대한 두 가지 취약점 공격인 동질성 공격, 배경지식에 의한 공격을 방어하기 위한 프라이버시 모델
t-근접성 (t-Closeness)	• 동질 집합에서 특정 정보의 분포와 전체 데이터 집합에서 정보의 분포가 t 이하의 차이를 보여야 하는 모델 • l-다양성의 쏠림 공격, 유사성 공격을 보완하기 위해 제안된 모델
m-유일성 (m-Uniqueness)	• 원본 데이터와 동일한 속성 값의 조합이 비식별 결과 데이터에 최소 m개 이상 존재하도록 하여 재식별 가능성 위험을 낮춘 모델

정답 01 ③ 02 ① 03 ② 04 ① 05 ① 06 ③ 07 ④ 08 ② 09 ① 10 ④ 11 ② 12 ① 13 ④ 14 ② 15 ② 16 ① 17 ③ 18 ③

CHAPTER 02 데이터 분석 계획

1 분석 방안 수립

1 분석 로드맵 설정

(1) 분석 로드맵 개념

분석 로드맵은 분석 단계별로 추진하고자 하는 목표를 명확히 정의하고, 선·후행 단계를 고려해 단계별 추진내용을 정렬하는 종합적인 계획이다.

(2) 분석 로드맵 단계

분석 로드맵 단계는 데이터 분석 체계 도입, 데이터 분석 유효성 검증, 데이터 분석 확산 및 고도화로 이루어진다.

▽ 분석 로드맵 단계

단계	추진과제	추진목표
데이터 분석체계 도입	• 분석 기회 발굴 • 분석 과제 정의 • 로드맵 수립	• 비즈니스 약점이 무엇인지 식별 • 분석 과제를 정의하고 로드맵 수립
데이터 분석 유효성 검증	• 분석 알고리즘 설계 • 아키텍트 설계 • 분석 과제 파일럿 수행	• 분석 과제에 대한 파일럿 수행 • 유효성, 타당성을 검증 • 기술 실현 가능성을 검증 • 분석 알고리즘 및 아키텍트 설계
데이터 분석 확산 및 고도화	• 변화관리 • 시스템 구축 • 유관 시스템 고도화	• 검증된 분석 과제를 업무 프로세스에 내재화하기 위한 변화관리 실시 • 빅데이터 분석, 활용 시스템 구축 및 유관시스템을 고도화

학습 POINT ★

분석 로드맵의 개념과 단계는 문제로 내기 어렵습니다. 대략적으로만 봐주시길 권장합니다.

잠깐! 알고가기

파일럿(Pilot)
이미 검증된 기술을 가지고, 본 프로젝트를 본격적으로 진행하기 전에 시험운영을 통해 효과를 미리 검토하고 문제점 여부를 점검하는 소규모 프로젝트이다.

2 분석 문제 정의 기출 ★★★

(1) 분석 문제의 의미

- '과제'는 처리해야 할 문제(이슈)이며, '분석'은 과제와 관련된 현상이나 원인, 해결방안에 대한 자료를 수집 및 분석하여 의사결정에 활용하는 활동이다.
- 문제는 기대 상태와 현재 상태를 동일한 수준으로 맞추는 과정이다.
- 이 과정에서 제약조건을 파악하고, 잠재 원인을 진단하고 관련된 데이터를 수집, 가공, 분석하는 활동을 수행한다.

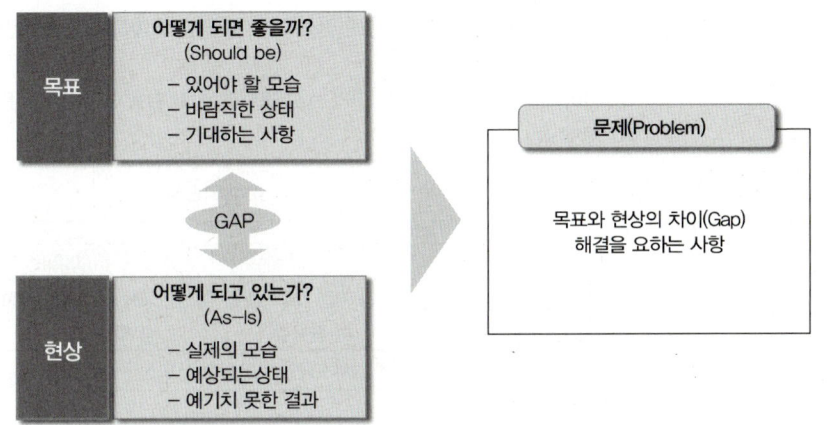

▲ 분석 문제 정의

- 하향식 접근 방식과 상향식 접근 방식을 반복적으로 수행하면서 상호 보완하여 분석 과제를 발굴한다.
- 과제 발굴 이후 '분석 과제 정의서' 산출물을 작성한다.

(2) 하향식 접근 방식

① 하향식 접근 방식(Top Down Approach) 개념

- 하향식 접근 방식은 분석 과제가 정해져 있고 이에 대한 해법을 찾기 위해 체계적으로 분석하는 방법이다.
- 하향식 접근 방식에 비즈니스 모델 캔버스를 사용한다.

② 하향식 접근 방식을 이용한 과제 발굴 절차 기출

- 문제 탐색, 문제 정의, 해결방안 탐색, 타당성 검토 과정을 거쳐 과제를 발굴한다.

> **학습 POINT ★**
>
> 하향식 접근 방식과 상향식 접근 방식은 중요개념이 많이 나옵니다. 두음쌤의 도움을 받아 학습하시길 권장합니다.

> **잠깐! 알고가기**
>
> **비즈니스 모델 캔버스**
> (Business Model Canvas)
> 기업 내·외부 환경을 포괄하고 있는 비즈니스 모델로 과제 발굴 기법에 활용된다.
> 비즈니스 모델 캔버스의 9가지 블록은 핵심 파트너, 핵심활동, 핵심자원, 가치제안, 고객 관계, 고객 세그먼트, 채널, 비용구조, 수익원이다.

하향식 접근 방법
「탐정 해타선」
문제 **탐**색 / 문제 **정**의 / **해**결
방안 탐색 / **타**당성 검토 / **선**택
→ 탐정이 밝힌 해외 타살은 선장이 범인

◉ 하향식 분석 과제 발굴 절차

순서	단계	내용
1	문제 탐색 (Problem Discovery)	• 비즈니스 모델 기반 문제 탐색(업무, 제품, 고객, 규제와 감사, 지원 인프라 5가지 영역으로 기업 비즈니스 분석) • 분석 기회 발굴의 범위 확장(거시적, 경쟁사, 시장, 역량) • 외부 참조 모델 기반 문제 탐색 (동종 사례 벤치마킹) • 분석 유스케이스 정의
2	문제 정의 (Problem Definition)	• 사용자 관점에서 비즈니스 문제를 데이터 문제로 변환하여 정의 • 필요한 데이터 및 기법 정의
3	해결방안 탐색 (Solution Search)	• 정의된 문제를 해결하기 위해 분석 기법 및 역량에 따라 다양한 방안으로 탐색 • 데이터, 시스템, 인력 등에 따라 소요되는 예산 및 활용 가능한 도구를 다양하게 고려 분석기법 및 시스템(How) / 분석 역량(Who) | 구분	확보	미확보
기존 시스템	기존 시스템을 개선에 활용함	교육 및 채용을 통해 역량 확보함
신규 도입	시스템을 고도화함	전문업체 소싱(Sourcing) | ▲ 해결방안 탐색영역
4	타당성 검토 (Feasibility Study)	• 제시된 대안에 대한 타당성 평가 수행 • 경제적 타당성(비용 대비 편익) 검토 • 데이터 및 기술적 타당성 검토(데이터 존재 여부, 분석시스템 환경 분석, 데이터 분석 역량 존재 여부) • 운영적 타당성 검토(조직의 문화, 여건 등을 감안하여 실제 운영 가능성에 대한 타당성 평가)
5	선택 (Selection)	• 여러 대안 중 타당성에 입각하여 최적 대안의 선택하여 이를 프로젝트화하고 계획단계의 입력 정보로 설정함

비용(Cost)
데이터, 시스템, 인력, 유지보수와 같은 분석비용이다.

편익(Benefit)
결과 적용에 따른 실질적 비용 절감, 매출 증대 등의 경제적 가치이다.

(3) 상향식 접근 방식

① **상향식 접근 방식(Bottom Up Approach) 개념**

- 상향식 접근 방식은 문제 정의 자체가 어려운 경우 데이터를 기반으로 문제를 지속적으로 개선하는 방식이다.
- 기존 하향식 접근법의 한계를 극복하기 위한 분석 방법론으로써 디자인 사고 접근법을 사용하여 객관적인 데이터 그 자체를 관찰하고 실제적으로 행동에 옮겨 대상을 이해하는 방식을 적용한다.

디자인 사고(Design Thinking)
인간에 대한 관찰과 공감을 바탕으로 다양한 대안을 찾는 확산적 사고와 주어진 상황에 대한 최선의 방법을 찾는 수렴적 사고의 반복을 통해 혁신적 결과를 도출하는 창의적 문제 해결 방법이다.

② 상향식 접근 방식 절차

프로세스 분류, 프로세스 흐름 분석, 분석 요건 식별, 분석 요건 정의를 거쳐 과제를 발굴한다.

◈ 상향식 접근 방식 절차

순서	단계	설명
1	프로세스 분류	전사 업무 프로세스를 가치사슬, 메가 프로세스, 메이저 프로세스, 프로세스 단계로 구조화해 업무 프로세스 정의
2	프로세스 흐름 분석	프로세스 맵을 통해 프로세스별로 업무 흐름을 상세히 표현
3	분석 요건 식별	각 프로세스 맵상의 주요 의사결정 포인트 식별
4	분석 요건 정의	각 의사결정 시점에 무엇을 알아야만 의사결정을 할 수 있는지 정의

상향식 접근 방법
「분흐식정」
프로세스 **분**류 / 프로세스 **흐**름 분석 / 분석 요건 **식**별 / 분석 요건 **정**의
→ 분수에 물이 흐르기 시작하면 손님맞이를 위해 식기를 정리한다.

(4) 대상별 분석 기획 유형

빅데이터 분석은 분석의 대상과 방법에 따라 4가지로 분류된다.

분석의 대상(What)

		Known	Un-Known
분석의 방법(How)	Known	Optimization	Insight
	Un-Known	Solution	Discovery

▲ 분석 기획 유형

학습 POINT ★
대상별 분석 기획 유형은 시험에 나왔으니 주의깊게 봐주세요!!

◈ 대상별 분석 기획 유형

유형	설명
최적화 (Optimization)	• 분석의 대상이 무엇인지를 인지(Known)하고 있고 이미 분석의 방법도 인지(Known)하고 있는 경우 사용하는 유형 • 개선을 통한 최적화 형태로 분석을 수행
솔루션 (Solution)	• 분석의 대상이 무엇인지를 인지(Known)하고 있으나 분석의 방법을 모르는 경우(Un-Known) 사용하는 유형 • 해당 분석 주제에 대한 솔루션을 찾아냄
통찰 (Insight)	• 분석의 방법은 인지(Known)하고 있으나 분석의 대상이 명확하게 무엇인지 모르는 경우(Un-Known) 사용하는 유형 • 기존 분석 방식을 활용하여 새로운 지식인 통찰을 도출
발견 (Discovery)	• 분석의 대상과 방법을 모르는 경우(Un-Known) 사용하는 유형 • 분석의 대상 자체를 새롭게 도출

대상별 분석 기획 유형
「최솔통발」
최적화 / **솔**루션 / **통**찰 / **발**견
→ 최솔어부의 통발낚시

(5) 분석 기획 시 고려 사항 [기출]

- 분석 기획 시 가용한 데이터, 적절한 유스케이스, 분석 과제수행을 위한 장애 요소에 대한 고려가 필요하다.

▽ 분석 기획 시 고려 사항

고려사항	설명
가용 데이터	• 분석을 위한 데이터의 확보가 필요 • 데이터의 유형에 따라서 적용 가능한 솔루션 및 분석 방법이 다르므로 데이터 유형에 대한 분석이 선행되어야 함 • 정형 데이터, 반정형 데이터, 비정형 데이터의 존재 여부 및 유형 파악 필요
적절한 유스케이스	• 분석을 통해서 가치가 창출될 수 있는 적절한 활용 방안과 활용 가능한 유스케이스의 탐색 필요 • 기존에 잘 구현되어 활용되고 있는 유사 분석 시나리오 및 솔루션을 최대한 활용하여 분석 모형의 안정적 성능 확보
분석 과제수행을 위한 장애 요소	• 분석을 수행할 때 발생하는 장애 요소들에 대한 사전 계획수립 필요 • 비용 대비 효과를 고려한 적정한 비용 산정 • 일회성 분석으로 그치지 않고 조직의 역량으로 내재화하기 위해서 충분하고 계속된 교육 및 활용 방안 등의 변화 관리 고려

> **두음쌤 한마디**
>
> **분석 기획 시 고려 사항**
> 「데유장」
> 가용 **데**이터 / 적절한 **유**스케이스 / 분석 과제수행을 위한 **장**애 요소

(6) 분석 마스터플랜 수립 [기출]

- 중·장기적 마스터플랜 수립을 위해 분석 과제를 대상으로 다양한 기준을 고려하여 우선순위를 설정한다.

① **IT 프로젝트의 우선순위 평가**

- 일반적인 IT 프로젝트의 우선순위는 전략적 중요도와 실행 용이성을 기준으로 평가한다.

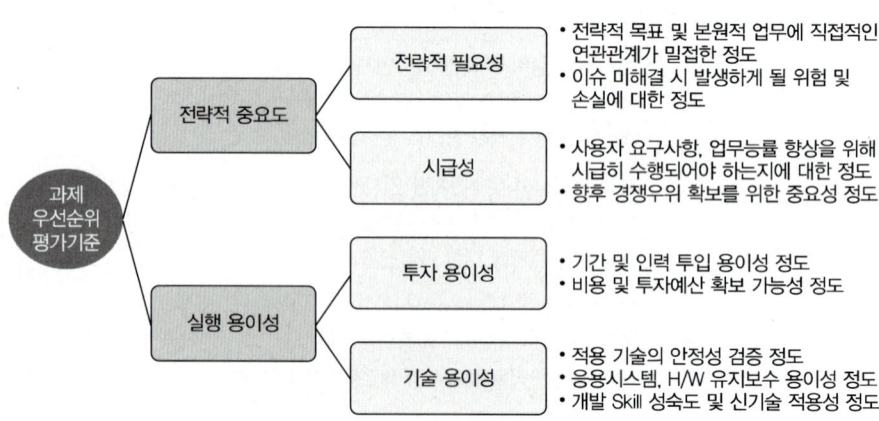

▲ 일반적인 IT 프로젝트의 우선순위 평가 예시

- 데이터 분석 과제의 우선 순위 평가 기준은 일반 IT 프로젝트에서의 우선 순위 평가 기준과 다르게 빅데이터 관점에서 검토한다.

② 분석 마스터플랜 수립 기준

- 분석 마스터플랜은 일반적인 ISP 방법론을 활용하되 데이터 분석 기획의 특성을 고려하여 수행한다.
- 중·장기적 관점의 마스터플랜 수립을 위해서는 분석 과제를 대상으로 전략적 중요도, 비즈니스 성과 및 ROI, 분석 과제의 실행 용이성 등 다양한 기준을 고려하여 적용할 우선 순위를 설정한다.

잠깐! 알고가기

ISP(정보전략계획; Information Strategy Planning)
정보기술 또는 정보시스템을 전략적으로 활용하기 위하여 조직 내·외부 환경을 분석하여 기회나 문제점을 도출하고 사용자의 요구사항을 분석하여 중장기 마스터플랜을 수립하는 절차이다.

◉ 분석 마스터플랜 수립 기준

구분	기준	설명	결과
우선 순위 고려 요소	전략적 중요도 및 목표 가치	전략적 필요성과 시급성을 고려	적용 우선순위 설정
	비즈니스 성과 및 ROI	비즈니스 성과에 따른 투자 여부 판단	
	실행 용이성	프로젝트 추진 가능 여부	
적용 범위/방식 고려 요소	업무 내재화 적용 수준	업무에 내재화하거나 별도의 분석화면으로 적용할 것인지 결정	분석 구현을 위한 로드맵 수립
	분석 데이터 적용 수준	내부 데이터/외부 데이터 범위 결정	
	기술 적용 수준	분석 기술의 범위 및 방식을 고려	

두음 쌤 한마디

데이터 분석 과제 우선 순위 고려 요소
「전비실」
전략적 중요도 / **비**즈니스 성과 및 ROI / **실**행 용이성

(7) 분석 과제 우선순위 평가 [기출]

① 우선순위 평가 기준

- 분석 과제 우선순위 평가는 정의된 데이터 과제에 대한 실행순서를 정하는 방법이다.
- 기준에 따라 평가한 후 과제의 선·후행 관계를 고려하여 적용 순위를 확정한다.
- 우선순위 평가 기준은 시급성과 난이도가 있다.

◉ 우선순위 평가 기준

구분	설명
시급성	• 목표 가치와 전략적 중요도에 부합하는지에 따른 시급성이 가장 중요한 기준 • 시급성의 판단 기준은 전략적 중요도가 핵심사항 • 분석 과제의 목표 가치와 전략적 중요도를 현재의 관점에서 둘 것인지, 미래의 관점에 둘 것인지를 함께 고려하여 시급성 여부 판단 필요
난이도	• 현재 기업의 분석 수준과 데이터를 생성, 저장, 가공, 분석하는 비용을 고려한 난이도는 중요한 기준 • 난이도는 현 시점에서 과제를 추진하는 것이 범위 측면과 적용 비용 측면에서 바로 적용하기 쉬운 것인지 또는 어려운 것인지에 대한 판단 기준으로 데이터 분석의 적합성 여부의 기준이 됨

두음 쌤 한마디

데이터 분석 과제 적용 범위/방식 고려 요소
「업분기」
업무 내재화 적용 수준 / **분**석 데이터 적용 수준 / **기**술 적용 수준

학습 POINT ★

평가 기준에서는 우선순위 선정 매트릭스 부분을 중심으로 봐주시면 되겠습니다!

시급성은 ROI 관점의 비즈니스 효과와 관련 있고, 난이도는 ROI 관점의 투자비용 요소와 관련 있다는 것을 기억해 두세요.

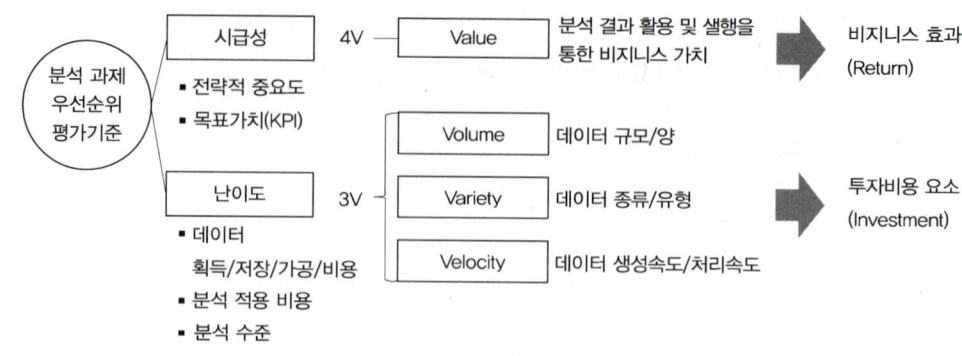

▲ 분석 과제 우선순위 평가

② 분석 과제 우선순위 선정

- 우선순위 선정 기준을 토대로 난이도 또는 시급성을 고려하여 분석 과제를 4가지 유형으로 구분하여 분석 과제의 적용 우선순위를 결정한다.

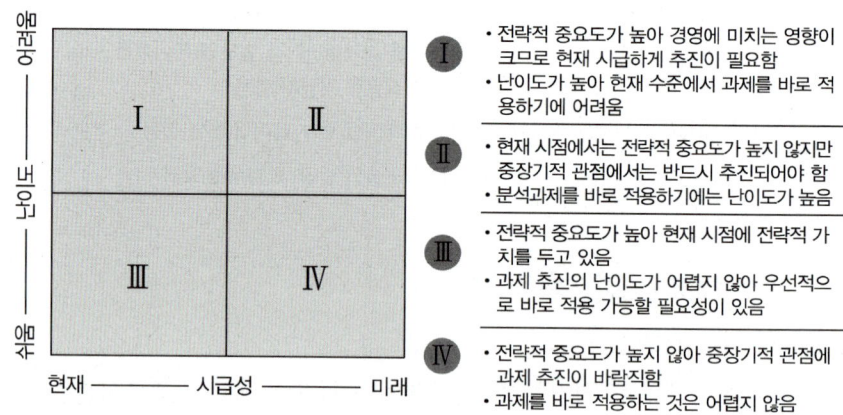

▲ 분석 과제 우선순위 선정 매트릭스

- 사분면 영역에서 가장 우선적인 분석 과제 적용이 필요한 영역은 3사분면(III 영역)이다.
- 전략적 중요도가 현재 시점에는 상대적으로 낮은 편이지만 중장기적으로는 경영에 미치는 영향도가 높고, 분석 과제를 바로 적용하기 어려워 우선순위가 낮은 영역은 2사분면(II 영역)이다.
- 분석 과제의 적용 우선순위 기준을 '시급성'에 둔다면 III → IV → II 영역 순이며, 우선순위 기준을 '난이도'에 둔다면 III → I → II 영역 순으로 의사결정을 할 수 있다.

시급성에 우선순위를 둔다는 것은 시급성이라는 특성을 우선순위에 두고 고려한다는 의미입니다. 그래서 난이도가 낮은 과제를 기준으로 시급성이 현재에서 시급성이 미래 순으로 풀게 됩니다. (그래서 어려운 문제는 나중에 고려합니다.)

3 데이터 분석 방안 ★★★

(1) 빅데이터 분석 방법론 개념

- 빅데이터를 분석하기 위한 방법론은 계층적 프로세스 모델(Stepwised Process Model)로써 3계층으로 구성된다.
- 빅데이터 분석 방법론 계층은 단계, 태스크, 스텝으로 구성되어 있다.

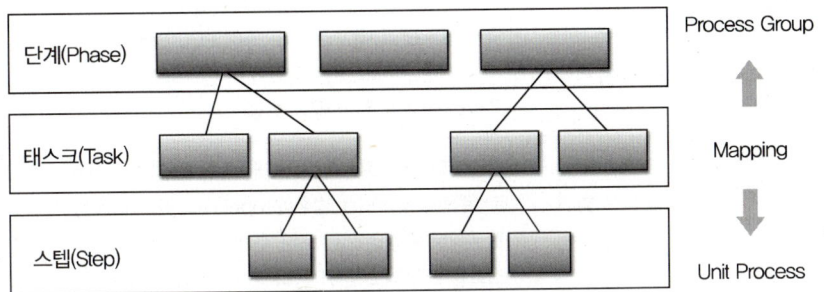

▲ 빅데이터 분석 방법론 계층

◎ 빅데이터 분석 방법론 계층

계층	설명
단계(Phase)	• 프로세스 그룹을 통하여 완성된 단계별 산출물이 생성, 기준선으로 설정 관리하며, 버전 관리 등을 통해 통제 필요 • 각 단계는 여러 개의 태스크로 구성
태스크(Task)	• 단계를 구성하는 단위 활동 • 각 태스크는 물리적 또는 논리적 단위로 품질 검토의 항목이 될 수 있음
스텝(Step)	• WBS의 워크 패키지(Work Package)에 해당 • 입력자료(Input), 처리 및 도구(Process & Tool), 출력자료(Output)로 구성된 단위 프로세스(Unit Process)

(2) 빅데이터 분석 방법론의 분석 절차 기출

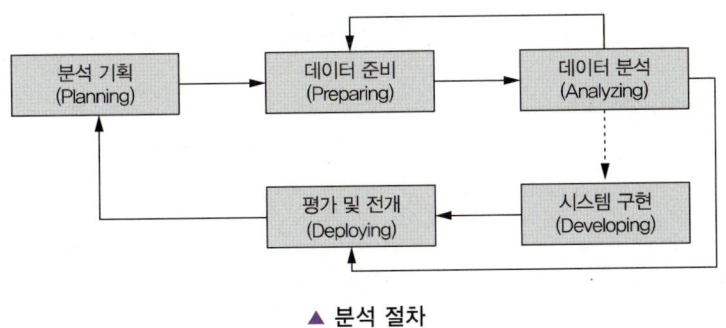

▲ 분석 절차

학습 POINT ★

빅데이터 분석 방법론에서는 분석 절차가 출제되었습니다. 개념은 가볍게 보시고 절차를 중점으로 학습하시길 권장합니다!

두음 쌤 한마디

빅데이터 분석 방법론 계층
「단태스」
단계 / 태스크 / 스텝

잠깐! 알고가기

기준선(Baseline)
소프트웨어 개발의 특정 시점에서 형상 항목이 소프트웨어 개발에 하나의 완전한 산출물로써 쓰여질 수 있는 상태의 집합이다.

버전 관리 (Configuration Management)
동일한 소스 코드에 대한 여러 버전을 관리하는 기법이다.

WBS (Work Breakdown Structure)
프로젝트 작업을 할 때, 해야 할 업무를 카테고리로 구분하고 각각의 카테고리는 세부적인 작업으로 나누어서, 일정 및 진행 사항을 체크하는 기법이다.

학습 POINT ★

분석용 데이터 세트를 추출하는 과정에서 분석에 필요한 충분한 데이터를 확보할 수가 없을 경우에는 데이터 준비 단계에서 데이터 분석 단계 구간을 반복해서 피드백을 수행하는 것을 기억해 주세요.

분석용 데이터 세트를 추출하는 과정에서 분석에 필요한 충분한 데이터를 확보할 수가 없고 추가적인 데이터 확보가 필요한 경우, 데이터 준비 단계에서 데이터 분석 단계 구간을 반복하여 수행한다.

① 분석기획(Planning) 기출

▼ 분석기획 절차

절차	세부 절차	내용
비즈니스 이해 및 범위 설정	비즈니스 이해	• 빅데이터 분석 대상인 업무 도메인을 이해하기 위해 내부 업무 매뉴얼과 관련 자료, 외부의 관련 비즈니스 자료를 조사하고 향후 프로젝트 진행을 위한 방향 설정
	프로젝트 범위 설정	• 빅데이터 분석 프로젝트의 대상인 비즈니스에 대한 이해와 프로젝트 목적에 부합되는 범위(Scope)를 명확하게 설정 • 프로젝트에 참여하는 모든 관계자의 이해를 일치시키기 위하여 구조화된 프로젝트 범위 정의서인 SOW를 작성
프로젝트 정의 및 계획수립	데이터 분석 프로젝트 정의	• 프로젝트의 목표 및 KPI, 목표 수준 등을 구체화하여 상세 프로젝트 정의서 작성 • 프로젝트의 목표를 명확화하기 위하여 모델 운영 이미지 및 평가 기준 설정
	프로젝트 수행 계획수립	• 프로젝트 수행 계획서를 작성하는 단계 • 프로젝트의 목적 및 배경, 기대효과, 수행 방법, 일정 및 추진조직, 프로젝트 관리방안 작성 • 프로젝트 산출물 위주로 WBS 작성하여 프로젝트의 범위를 명확하게 함
프로젝트 위험계획 수립	데이터 분석 위험 식별	• 빅데이터 분석 프로젝트를 진행하면서 발생 가능한 위험을 식별 • 식별된 위험은 위험의 영향도와 빈도, 발생 가능성 등을 평가하여 위험의 우선 순위 설정
	위험 대응 계획수립	• 식별된 위험은 상세한 정량적·정성적 분석을 통해 위험 대응 방안 수립 • 예상되는 위험에 대한 대응은 회피(Avoid), 전가(Transfer), 완화(Mitigate), 수용(Accept)으로 구분하여 위험 관리 계획서 작성

빅데이터 분석 방법론의 분석 절차
「기준 분시평」
분석 **기**획 / 데이터 **준**비 / 데이터 **분**석 / **시**스템 구현 / **평**가 및 전개

빅데이터 분석 방법론의 분석 기획 절차
「비정위」
비즈니스 이해 및 범위 설정 / 프로젝트 **정**의 및 계획수립 / 프로젝트 **위**험계획수립

SOW(Statement Of Work)
• 작업 명세서로 프로젝트 관리 분야에서 일상적으로 사용되는 문서이다.
• 분석기획 단계에서 작성한다.

프로젝트 위험 대응 방법
「회전완수」
회피(Avoid) / **전**가(Transfer) / **완**화(Mitigate) / **수**용(Accept)

② 데이터 준비(Preparing) 기출

데이터 준비 절차

절차	세부 절차	내용
필요 데이터 정의	데이터 정의	• 시스템, 데이터베이스, 파일, 문서 등의 다양한 내·외부 원천 데이터 소스로부터 분석에 필요한 데이터를 정의하고 데이터 정의서 작성 • 데이터 정의서는 정형·반정형·비정형 등의 내·외부 데이터와 데이터 속성, 데이터 오너, 데이터 관련 시스템 담당자를 포함
	데이터 획득 방안 수립	• 내·외부의 다양한 데이터 소스로부터 정형·반정형·비정형 데이터를 수집하기 위한 구체적인 방안 수립 • 내부·외부 데이터 획득 시 발생할 수 있는 문제점을 고려하여 상세한 데이터 획득 계획수립 **내부 데이터**: 부서 간 업무협조와 개인정보보호 및 정보보안과 관련한 문제점을 사전에 점검 **외부 데이터**: 시스템 간 다양한 인터페이스 및 법적인 문제점 고려
데이터 스토어 설계	정형 데이터 스토어 설계	• 일반적으로 관계형 데이터베이스(RDBMS)를 사용 • 데이터의 효율적 저장과 활용을 위해 데이터 스토어의 논리적·물리적 설계를 구분하여 설계
	비정형 데이터 스토어 설계	• 하둡, NoSQL 등을 이용하여 반정형·비정형 데이터를 저장하기 위한 논리적, 물리적 데이터 스토어 설계
데이터 수집 및 정합성 점검	데이터 수집 및 저장	• 크롤링 등의 데이터 수집을 위한 ETL 등의 다양한 도구와 API, 스크립트(Script) 프로그램 등을 이용하여 데이터를 수집 • 수집된 데이터를 설계된 데이터 스토어에 저장
	데이터 정합성 점검	• 데이터 스토어의 품질 점검을 통하여 데이터의 정합성을 확보 • 데이터 품질개선이 필요한 부분에 대해 보완 작업 수행

③ 데이터 분석(Analyzing) 기출

데이터 분석 절차

절차	세부 절차	내용
분석용 데이터 준비	비즈니스 룰 확인	• 세부적인 비즈니스 룰 파악과 분석에 필요한 데이터의 범위 확인
	분석용 데이터 세트 준비	• 데이터 스토어로부터 분석에 필요한 정형·비정형 데이터를 추출 • 분석을 위하여 추출된 데이터는 데이터베이스나 구조화된 형태로 구성 • 필요시 분석을 위한 작업 공간(Play Ground, Sandbox 등)과 전사 차원의 데이터 스토어로 분리할 수도 있음

잠깐! 알고가기

데이터 스토어(Data Store)
데이터베이스에 들어가는 데이터 이외에 단순 파일, 이메일 등의 단순한 스토어 타입들을 포함하는 저장소이다.

NoSQL
전통적인 RDBMS와 다른 DBMS를 지칭하기 위한 용어로 데이터 저장에 고정된 테이블 스키마가 필요하지 않고 조인(Join) 연산을 사용할 수 없으며, 수평적으로 확장이 가능한 DBMS이다.
예) MongoDB, Apache HBase, Redis 등

크롤링(Crawling)
인터넷상에서 제공되는 다양한 웹 사이트로부터 소셜 네트워크 정보, 뉴스, 게시판 등으로부터 웹 문서 및 정보 수집 기술이다.

ETL(Extract Transform Load)
다양한 시스템으로부터 필요한 원본 데이터를 추출하여 변환하는 작업 및 기술이다.

절차	세부 절차	내용
텍스트 분석	텍스트 데이터 확인 및 추출	• 텍스트 분석에 필요한 비정형 데이터를 전사 차원의 데이터 스토어(Data Store)에서 확인하고 필요한 데이터 추출
	텍스트 데이터 분석	• 데이터 스토어에서 추출된 텍스트 데이터를 분석 도구로 적재하여 오피니언 마이닝(Opinion Mining), 사회 연결망 분석(SNA; Social Network Analysis), 텍스트 마이닝(Text Mining), 웹 마이닝(Web Mining) 등 다양한 기법으로 분석하고 모델 구축
탐색적 분석	탐색적 데이터 분석	• 다양한 관점별로 기초 통계량(평균, 분산, 표준편차, 최댓값, 최솟값 등)을 산출하고 데이터의 분포와 변수 간의 관계 등 데이터 자체의 특성(중심성, 분포성, 산포성) 및 데이터의 통계적 특성을 이해하고 모델링을 위한 기초 자료로 활용
	데이터 시각화	• 데이터 시각화는 탐색적 데이터 분석을 위한 도구로 활용
모델링	데이터 분할	• 모델의 과적합 방지와 일반화를 위하여 분석용 데이터 세트를 모델 개발을 위한 훈련용, 평가용, 검증용 데이터로 분할
	데이터 모델링	• 분석용 데이터를 이용한 가설 설정을 통하여 통계 모델을 만들거나 기계학습을 이용한 데이터의 분류, 예측, 군집 등의 기능을 수행하는 모델을 만드는 과정 • 필요시 비정형 데이터 분석 결과를 통합적으로 활용하여 프로젝트 목적에 맞는 통합 모델링 수행
	모델 적용 및 운영 방안	• 모델을 가동 중인 운영 시스템에 적용하기 위하여 모델에 대한 상세한 알고리즘 설명서 작성이 필요 • 알고리즘 설명서는 시스템 구현 단계에서 중요한 입력 자료로 활용되므로 상세한 작성이 필요 • 모델의 안정적 운영을 모니터링하는 방안 수립
모델 평가 및 검증	모델 평가	• 프로젝트 정의서의 모델 평가 기준에 따라 모델을 객관적으로 평가하고 품질관리 차원에서 모델 평가 프로세스 진행
	모델 검증	• 모델의 실 적용성 검증을 위해 검증용 데이터를 이용해 모델 검증 작업을 실시하고 모델링 검증 보고서 작성 • 검증용 데이터는 실 운영용 데이터 확보 • 모델의 품질을 최종 검증하는 프로세스

모델링(Modeling)
분석용 데이터를 이용한 가설 설정으로 통계 모델을 만들거나 기계학습(Machine Learning)을 이용한 데이터의 분류, 예측, 군집 등의 기능을 수행하는 모델을 만드는 과정이다.

④ 시스템 구현(Developing)

시스템 구현 절차

절차	세부 절차	내용
설계 및 구현	시스템 분석 및 설계	• 가동 중인 시스템 분석 • 알고리즘 설명서에 근거하여 응용시스템(Application) 구축 설계 프로세스 진행
	시스템 구현	• 시스템 분석 및 설계서에 따라 설계된 모델을 구현 • BI 패키지 활용, 새롭게 시스템을 구축, 가동 중인 운영 시스템의 커스터마이징(Customizing) 등을 통하여 구현

BI(Business Intelligence)
데이터를 통합/분석하여 기업 활동에 연관된 의사결정을 돕는 프로세스이다.

절차	세부 절차	내용
시스템 테스트 및 운영	시스템 테스트	• 구축된 시스템의 검증(Verification & Validation)을 위하여 단위 테스트, 통합 테스트, 시스템 테스트 등을 실시
	시스템 운영 계획	• 구현된 시스템의 지속적인 활용을 위해 시스템 운영자, 사용자를 대상의 필요한 교육 실시, 시스템 운영 계획수립

⑤ 평가 및 전개(Deploying)

▽ 평가 및 전개 절차

절차	세부 절차	내용
모델 발전 계획수립	모델 발전 계획	• 개발된 모델의 지속적인 운영과 기능 향상을 위한 발전계획을 상세하게 수립하여 모델의 계속성 확보 필요
프로젝트 평가 및 보고	프로젝트 성과 평가	• 프로젝트의 정량적 성과, 정성적 성과로 나누어서 성과 평가서 작성
	프로젝트 종료	• 프로젝트 진행 과정의 모든 산출물 및 프로세스를 지식 자산화 하고 최종 보고서를 작성 • 의사소통 절차에 따라 보고하고 프로젝트 종료

(3) 분석 방법론 유형

① KDD 분석 방법론

㉮ KDD(Knowledge Discovery in Databases) 분석 방법론 개념

KDD는 1996년 Fayyad가 프로파일링 기술을 기반으로 통계적 패턴이나 지식을 찾기 위해 체계적으로 정리한 방법론이다.

㉯ KDD 분석 방법론의 분석 절차

• KDD 분석 방법론의 분석 절차는 데이터 세트 선택, 데이터 전처리, 데이터 변환, 데이터 마이닝, 데이터 마이닝 결과 평가 5개 단계이다.

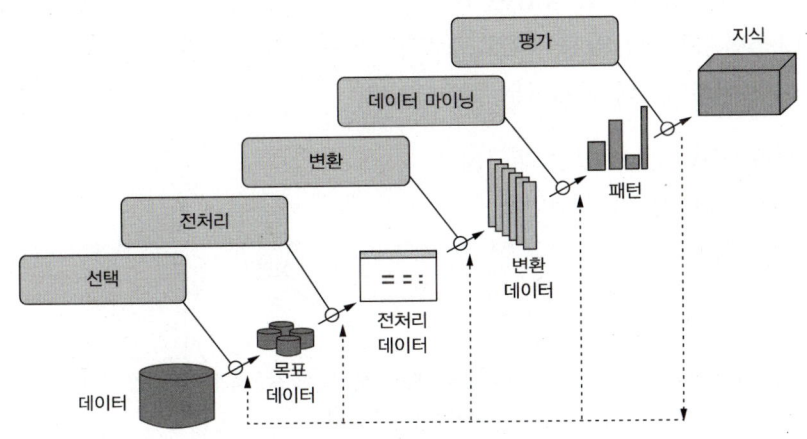

▲ KDD 분석 방법론의 분석 절차도

분석 방법론 유형은 중요도가 높다고 생각하나 아직 출제되지 않은 영역입니다. 핵심 키워드를 두음쌤의 도움을 받아 학습하고 넘어가시길 추천합니다.

- 데이터로부터 목표 데이터(Target Data), 전처리 데이터(Preprocessed Data), 변환 데이터(Transformed Data), 패턴(Patterns)을 통해 지식(Knowledge)을 생성한다.

◉ KDD 분석 방법론의 분석 절차

순서	절차	설명
1	데이터 세트 선택(Selection)	• 분석 대상의 비즈니스 도메인에 대한 이해와 프로젝트의 목표를 설정하는 단계 • 데이터베이스 또는 원시 데이터에서 선택 혹은 추가적으로 생성 • 데이터 마이닝에 필요한 목표 데이터 (Target Data) 구성
2	데이터 전처리 (Preprocessing)	• 데이터에 대한 노이즈, 이상값, 결측값 등을 제거하는 단계 • 추가로 요구되는 데이터 세트가 있을 경우 데이터 센트 선택 프로세스 반복
3	데이터 변환 (Transformation)	• 데이터의 변수를 찾고, 데이터에 대한 차원축소를 수행하는 단계 • 데이터 마이닝이 효율적으로 적용될 수 있도록 데이터 세트로 변경
4	데이터 마이닝 (Data Mining)	• 분석 목적에 맞는 데이터 마이닝 기법, 알고리즘 선택, 패턴 찾기, 데이터 분류, 예측작업을 수행하는 단계 • 필요에 따라 데이터 전처리, 변환 프로세스와 병행이 가능
5	데이터 마이닝 결과 평가(Interpretation/ Evaluation)	• 분석 결과에 대한 해석/평가, 발견된 지식을 활용하는 단계 • 필요시 선택부터 마이닝까지 프로세스의 반복을 수행

② CRISP-DM 분석 방법론

㉮ CRISP-DM(Cross Industry Standard Process for Data Mining) 분석 방법론의 개념
- CRISP-DM은 비즈니스의 이해를 바탕으로 데이터 분석 목적의 6단계로 진행되는 데이터 마이닝 방법론이다.
- 1996년 유럽연합의 ESPRIT 프로젝트에서 시작한 방법론으로 1997년 SPSS 등이 참여하였으나 현재에는 중단되었다.

㉯ CRISP-DM 분석 방법론의 구성

◉ CRISP-DM 분석 방법론의 구성

구성	설명
단계(Phase)	• 최상위 레벨
일반화 태스크 (Generic Tasks)	• 데이터 마이닝의 단일 프로세스를 완전하게 수행하는 단위 • 각 단계는 일반화 태스크 포함

KDD 분석 방법론 분석 절차
「선전변마평」
데이터 세트 **선**택 / 데이터 **전**처리 / 데이터 **변**환 / 데이터 **마**이닝 / 데이터 마이닝 결과 **평**가

차원축소
(Dimensionality Reduction)
목적에 따라 데이터의 양을 줄이는 기법이다.

데이터 마이닝(Data Mining)
대규모로 저장된 데이터 안에서 체계적이고 자동적으로 통계적 규칙이나 패턴을 찾아내는 기법이다.

구성	설명
세분화 태스크 (Specialized Tasks)	• 일반화 태스크를 구체적으로 수행하는 레벨 예) 데이터 정제의 일반화 태스크는 범주형, 연속형 데이터 정제 등으로 구체화된 세분화 태스크
프로세스 실행 (Process Instances)	• 데이터 마이닝을 위한 구체적인 실행

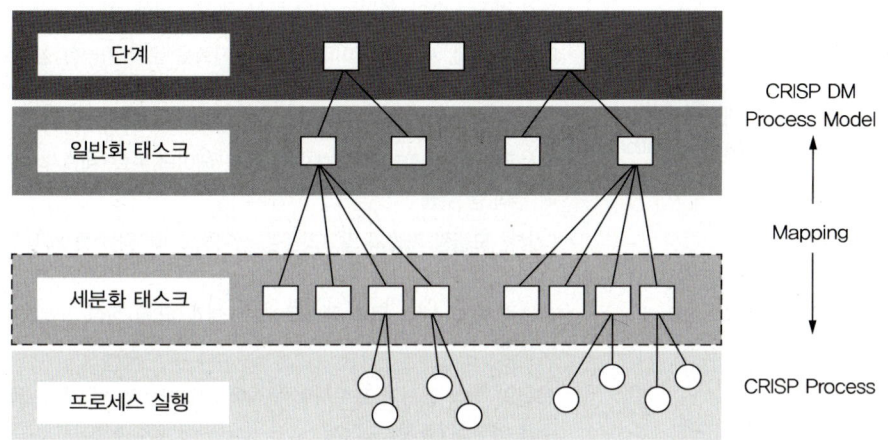

▲ CRISP-DM 구성

㉰ CRISP-DM 분석 방법론의 분석 절차 기출
- 단계 간 피드백(Feedback)을 통하여 단계별 완성도를 높인다.

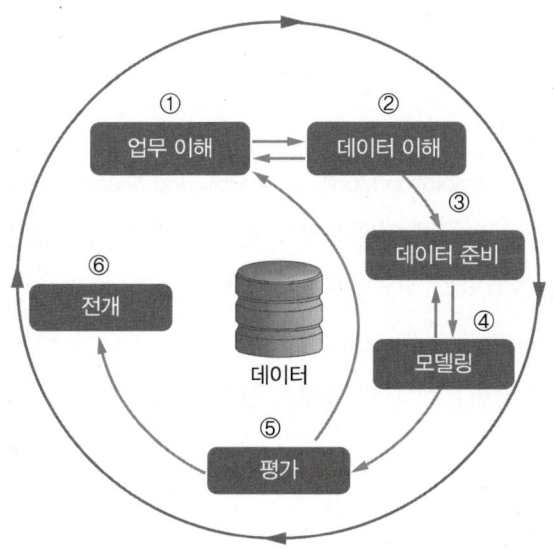

▲ CRISP-DM 분석 절차

CRISP-DM 분석 방법론의 분석 절차
「업데준 모평전」
업무 이해 / **데**이터 이해 / 데이터 **준**비 / **모**델링 / **평**가 / **전**개

◎ CRISP-DM 분석 방법론의 분석 절차

순서	절차	설명
1	업무 이해(Business Understanding)	• 각종 참고 자료와 현업 책임자와의 커뮤니케이션을 통해 비즈니스를 이해하는 단계 • 업무 목적 파악, 상황 파악, 데이터 마이닝 목표 설정, 프로젝트 계획 수립
2	데이터 이해 (Data Understanding)	• 분석을 위한 데이터를 수집 및 속성을 이해하고, 문제점을 식별하며 숨겨져 있는 인사이트를 발견하는 단계 • 초기 데이터 수집, 데이터 기술 분석, 데이터 탐색, 데이터 품질 확인
3	데이터 준비 (Data Preparation)	• 데이터 정제, 새로운 데이터 생성 등 자료를 분석 가능한 상태로 만드는 단계 • 데이터 준비에 많은 시간이 소요 • 분석용 데이터 세트 선택, 데이터 정제, 데이터 통합, 학습/검증 데이터 분리 등 수행
4	모델링 (Modeling)	• 다양한 모델링 기법과 알고리즘을 선택하고 매개변수를 최적화하는 단계 • 모델링 기법 선택, 모델 테스트 계획 설계, 모델 작성, 모델 평가를 수행함
5	평가 (Evaluation)	• 모형의 해석 결과가 프로젝트 목적에 부합하는지 평가하고 결과의 수용 여부를 판단하는 단계 • 평가에 많은 시간이 소요 • 분석 결과 평가, 모델링 과정 평가, 모델 적용성 평가를 수행
6	전개 (Deployment)	• 모델링과 평가 단계를 통해 완성된 모델을 업무에 적용하기 위한 계획을 수립하는 단계 • 전개에 많은 시간이 소요 • 전개 계획수립, 모니터링과 유지보수 계획수립, 프로젝트 종료 보고서 작성, 프로젝트 리뷰

③ SEMMA 분석 방법론

㉮ SEMMA(Sampling Exploration Modification Modeling Assessment) 분석 방법론 개념

SEMMA는 분석 솔루션 업체 SAS사가 주도한 통계 중심의 5단계(샘플링 → 탐색 → 수정 → 모델링 → 검증) 방법론이다.

㉯ SEMMA 분석 방법론의 분석 절차

SEMMA 분석 방법론의 분석 절차는 샘플링, 탐색, 수정, 모델링, 검증의 5단계로 되어 있다.

SEMMA 분석 방법론의 분석 절차

순서	절차	설명
1	샘플링 (Sampling)	• 통계적 추출, 조건 추출을 통한 분석 데이터 생성하는 단계 • 비용 절감 및 모델 평가를 위한 데이터 준비
2	탐색 (Exploration)	• 기초통계, 그래프 탐색, 요인별 분할표, 클러스터링, 변수 유의성 및 상관 분석을 통한 분석 데이터 탐색하는 단계 • 데이터 조감을 통한 데이터 오류 검색 • 모델의 효율 증대 • 데이터 현황을 통해 비즈니스 이해, 아이디어를 위해 이상현상, 변화 등을 탐색
3	수정 (Modification)	• 수량화, 표준화, 각종 변환, 그룹화를 통한 분석 데이터 수정/변환하는 단계 • 데이터가 지닌 정보의 표현 극대화 • 최적의 모델을 구축할 수 있도록 다양한 형태로 변수를 생성, 선택, 변형
4	모델링 (Modeling)	• 신경망, 의사결정나무, 로지스틱 회귀 분석, 전통적 통계를 이용한 모델을 구축하는 단계 • 데이터의 숨겨진 패턴 발견 • 하나의 비즈니스 문제 해결을 위해 특수한 모델과 알고리즘 적용 가능
5	검증 (Assessment)	• 모델에 대한 평가 및 검증을 수행하는 단계 • 서로 다른 모델을 동시에 비교 • 추가로 분석을 수행할 지 여부를 결정

두음 쌤 한마디

SEMMA 분석 방법론의 분석 절차

「샘탐 수모검」
샘플링 / 탐색 / 수정 / 모델링 / 검증

잠깐! 알고가기

신경망(Neural Network)
컴퓨터에서 사람의 두뇌와 비슷한 방식으로 정보를 처리하기 위한 알고리즘이다.

의사결정나무(Decision Tree)
데이터들이 가진 속성들로부터 분할 기준 속성을 판별하고, 분할 기준 속성에 따라 트리 형태로 모델링하는 분류 예측 모델이다.

로지스틱 회귀 분석
(Logistic Regression)
종속변수가 범주형이면서 0 또는 1인 경우 사용하는 회귀 분석이다.

지피지기 기출문제

01 다음 중 분석 문제 정의에 대한 설명으로 틀린 것은?

① '과제'는 처리해야 할 문제(이슈)이며, '분석'은 과제와 관련된 현상이나 원인, 해결방안에 대한 자료를 수집 및 분석하여 의사결정에 활용하는 활동이다.
② 분석 문제에서 '문제'라는 것은 기대 상태와 현재 상태를 동일한 수준으로 맞추는 과정이다.
③ 하향식 접근 방식과 상향식 접근 방식을 반복적으로 수행하면서 상호 보완하여 분석 과제를 발굴한다.
④ 상향식 접근 방식(Bottom Up Approach)은 분석 과제가 정해져 있고 이에 대한 해법을 찾기 위해 체계적으로 분석하는 방법이다.

> **해설**
> - 분석 과제가 정해져 있고 이에 대한 해법을 찾기 위해 체계적으로 분석하는 방법은 하향식 접근 방식(Top Down Approach)이다.
> - 상향식 접근 방식(Bottom Up Approach)은 문제 정의 자체가 어려운 경우 데이터를 기반으로 문제를 지속적으로 개선하는 방식이다.

02 다음 중 분석 마스터플랜에 대한 설명으로 올바르지 않은 것은?

① 분석 과제를 수행함에 있어 그 과제의 목적이나 목표에 따라 전체적인 방향성을 제시하는 기본 계획이다.
② 분석 마스터플랜의 우선순위 고려 요소에는 전략적 중요도, 비즈니스 성과, ROI, 실행 용이성이 있다.
③ 중·장기적 마스터플랜 수립을 위해 분석 과제를 대상으로 다양한 기준을 고려하여 우선순위를 설정한다.
④ 분석 마스터플랜 로드맵 수립 시 고려 요소에는 개인정보보호법, 분석 데이터 적용 수준, 비식별화 적용 기법이 있다.

> **해설** 분석 마스터플랜 로드맵 수립 시 고려 요소에는 업무 내재화 적용 수준, 분석 데이터 적용 수준, 기술 적용 수준이 있다.

03 다음 중 분석 과제 우선순위 평가에 대한 설명으로 올바르지 않은 것은?

① 분석 과제 우선순위 평가 기준에서 시급성도 고려해야 한다.
② 분석 과제 우선순위 평가에서 난이도는 현시점에서 과제를 추진하는 것이 범위 측면과 적용 비용 측면에서 바로 적용하기 쉬운 것인지 또는 어려운 것인지에 대한 판단 기준으로 데이터 분석의 적합성 여부의 기준이 된다.
③ 우선순위 선정 기준을 토대로 난이도 또는 시급성을 고려하여 분석 과제를 4가지 유형으로 구분하여 분석 과제의 적용 우선순위를 결정한다.
④ 분석 과제 우선순위 평가에서 투자 비용 요소에는 데이터 획득/저장/가공 비용 및 가치가 포함되어 있고, 비즈니스 효과에는 분석 적용 비용이 포함된다.

> **해설** 시급성은 ROI 관점의 비즈니스 효과(전략적 중요도와 목표 가치(KPI)와 관련 있고, 난이도는 ROI 관점의 투자비용 요소(데이터 획득/저장/가공 비용, 분석 적용 비용, 분석 수준)와 관련 있다.

04 다음 중 빅데이터 분석 기획 단계에서 수행해야 하는 작업으로 올바른 것은?

① 프로젝트 진행을 위해 비즈니스에 대한 충분한 이해와 도메인 이슈를 도출한다.
② 정형/비정형/반정형 등의 모든 내/외부 데이터와 데이터 속성, 오너, 담당자 등을 포함하는 데이터 정의서를 작성한다.
③ 비즈니스 룰을 확인하여 분석용 데이터 세트를 준비한다.
④ 테스트 데이터 세트를 이용하여 모델 검증 작업을 실시하고 보고서를 작성한다.

해설 빅데이터 분석 방법론의 분석 절차 중 분석 기획(Planning) 단계에서 수행해야 하는 작업은 아래와 같다.

비즈니스 이해 및 범위 설정	• 프로젝트 진행을 위해 비즈니스에 대한 충분한 이해와 도메인 문제점 파악 • 업무 매뉴얼 및 업무 전문가 도움 필요, 구조화된 명세서 작성
프로젝트 정의 및 계획수립	• 모델의 운영 이미지를 설계하고 모델 평가 기준을 설정, 프로젝트의 정의를 명확하게 함 • WBS를 만들고 데이터 확보계획, 빅데이터 분석 방법, 일정계획, 예산계획, 품질계획, 인력구성계획, 의사소통계획 등을 포함하는 프로젝트 수행 계획을 작성
프로젝트 위험계획 수립	• 발생 가능한 모든 위험(Risk)을 발굴하여 사전에 대응방안을 수립함으로써 프로젝트 진행의 완전성을 높임 • 위험대응 방법에는 회피(Avoid), 전가(Transfer), 완화(Mitigate), 수용(Accept)이 있음

05 다음 중 데이터 분석 업무로 올바르지 않은 것은?

① 탐색적 분석과 데이터 모델링을 수행해야 한다.
② 데이터의 수집 및 정합성 검증을 수행해야 한다.
③ 텍스트 분석을 수행해야 한다.
④ 모델 평가 및 검증을 수행한다.

해설 데이터의 수집 및 정합성 검증은 데이터 준비 업무이다.

분석 기획 (Planning)	• 비즈니스 이해 및 범위 설정 • 프로젝트 정의 및 계획수립 • 프로젝트 위험계획수립
데이터 준비 (Preparing)	• 필요 데이터 정의 • 데이터 스토어 설계 • 데이터 수집 및 정합성 검증
데이터 분석 (Analyzing)	• 분석용 데이터 준비 • 텍스트 분석 • 탐색적 분석(EDA) • 모델링 • 모델 평가 및 검증 • 모델 적용 및 운영 방안 수립
시스템 구현 (Developing)	• 설계 및 구현 • 시스템 테스트 및 운영
평가 및 전개 (Deploying)	• 모델 발전 계획수립 • 프로젝트 평가 보고

06 다음 중 빅데이터 분석 방법론의 분석 절차로 올바른 것은?

① 데이터 준비 → 데이터 분석 → 분석 기획 → 시스템 구현 → 평가 및 전개
② 데이터 준비 → 분석 기획 → 데이터 분석 → 시스템 구현 → 평가 및 전개
③ 분석 기획 → 데이터 준비 → 데이터 분석 → 시스템 구현 → 평가 및 전개
④ 분석 기획 → 데이터 준비 → 시스템 구현 → 데이터 분석 → 평가 및 전개

해설

	빅데이터 분석 방법론의 분석 절차
기준 분시평	분석 기획 / 데이터 준비 / 데이터 분석 / 시스템 구현 / 평가 및 전개

07 프로세스 분석을 통한 분석 기회 발굴 절차로 올바른 것은 무엇인가?

① 프로세스 분류 → 프로세스 흐름 분석 → 분석 요건 식별 → 분석 요건 정의
② 프로세스 흐름 분석 → 프로세스 분류 → 분석 요건 식별 → 분석 요건 정의
③ 프로세스 흐름 분석 → 프로세스 분류 → 분석 요건 정의 → 분석 요건 식별
④ 프로세스 분류 → 프로세스 흐름 분석 → 분석 요건 정의 → 분석 요건 식별

해설

	상향식 접근 방법
분흐식정	프로세스 분류 / 프로세스 흐름 분석 / 분석 요건 식별 / 분석 요건 정의

지피지기 기출문제

08 다음 중 분석의 대상이 무엇인지를 인지하고 있는 경우, 즉 해결해야 할 문제를 알고 있고 이미 분석의 방법도 알고 있는 경우 사용하는 분석 기획 유형은?

① 최적화(Optimization)
② 솔루션(Solution)
③ 통찰(Insight)
④ 발견(Discovery)

해설	대상별 분석 기획 유형은 최적화, 솔루션, 통찰, 발견 등이 있다.
최적화 (Optimization)	• 분석의 대상이 무엇인지를 인지(Known)하고 있고 이미 분석의 방법도 인지(Known)하고 있는 경우 사용하는 유형 • 개선을 통한 최적화 형태로 분석을 수행
솔루션 (Solution)	• 분석의 대상이 무엇인지를 인지(Known)하고 있으나 분석의 방법을 모르는 경우(Un-Known) 사용하는 유형 • 해당 분석 주제에 대한 솔루션을 찾아냄
통찰 (Insight)	• 분석의 방법은 인지(Known)하고 있으나 분석의 대상이 명확하게 무엇인지 모르는 경우(Un-Known) 사용하는 유형 • 기존 분석 방식을 활용하여 새로운 지식인 통찰을 도출
발견 (Discovery)	• 분석의 대상과 방법을 모르는 경우(Un-Known) 사용하는 유형 • 분석의 대상 자체를 새롭게 도출

09 다음 중 데이터 분석 로드맵 설정을 위한 우선순위 설정 시 고려해야 할 사항이 아닌 것은?

① 전략적 중요도
② 비즈니스 성과 및 ROI
③ 분석데이터의 활용
④ 분석과제의 실행 용이성

해설 데이터 분석 로드맵 설정을 위한 우선순위 설정 시 고려해야 할 사항은 전략적 중요도, 비즈니스 성과 및 ROI, 분석과제의 실행 용이성이다.

전략적 중요도	전략적 필요성과 시급성을 고려
비즈니스 성과/ROI	비즈니스 성과에 따른 투자 여부 판단
실행 용이성	실제로 프로젝트 추진이 가능한지 여부

10 데이터 분석 과제의 우선순위를 정하기 위한 고려 요소로 올바르지 않은 것은?

① 전략적 중요도 및 목표 가치
② 비즈니스 성과 및 ROI
③ 실행 용이성
④ 조직의 규모

해설

데이터 분석 과제 우선순위 고려 요소	
전비실	전략적 중요도 / 비즈니스 성과 및 ROI / 실행 용이성

11 다음 중 데이터 분석 모델링과 관련하여 수행하는 업무가 아닌 것은?

① 데이터 분할
② 데이터 모델링
③ 모델 평가 및 검증
④ 모델 적용 및 운영방안 수립

해설
• 데이터 분석 절차 중 데이터 분석 단계 – 모델 평가 및 검증 단계는 모델링 단계 다음에 수행한다.
• 데이터 분석 절차 중 데이터 분석 단계 – 모델링 단계에서는 다음과 같은 업무를 수행한다.
– 훈련용 데이터 세트와 테스트용 데이터 세트로 분리하여 과적합 방지(데이터 분할)
– 데이터 모델링
– 모델에 대한 상세한 알고리즘 작성(모델 적용 및 운영방안)

CHAPTER 02 데이터 분석 계획

12 다음 중 실제 데이터 분석을 수행하기 전에 비즈니스 이해 및 범위를 설정하고, 과제 정의 및 관리 방안을 사전에 계획하는 단계는?

① 분석 기획　　② 데이터 준비
③ 데이터 분석　　④ 시스템 구현

> **해설** 데이터 분석 절차 중 실제 데이터 분석을 수행하기 전에 비즈니스 이해 및 범위를 설정하고, 과제 정의 및 관리 방안을 사전에 계획하는 단계는 분석 기획 단계이다.

13 다음 중 빅데이터 분석 절차 중 작업 분할 구조도(Work Breakdown Structure)를 사용하는 단계로 올바른 것은?

① 비즈니스 이해 및 범위 설정 단계
② 필요 데이터 정의 단계
③ 프로젝트 정의 및 계획수립 단계
④ 모델 적용 및 운영 방안 수립 단계

> **해설**
> • 작업 분할 구조도(WBS; Work Breakdown Structure)를 작성하는 단계는 분석 기획 절차 중 프로젝트 정의 및 계획수립 단계이다.
> • 분석 기획 절차 중 프로젝트 범위 설정 단계에서는 SOW(Statement Of Work)를 작성한다.

14 다음 중 빅데이터 분석 절차 중 필요 데이터를 정의, 수집 및 검증하는 단계는?

① 분석 기획 단계
② 데이터 준비 단계
③ 데이터 분석 단계
④ 시스템 구현 단계

> **해설** 빅데이터 분석 절차 중 데이터 준비 단계에서는 필요 데이터 정의, 데이터 스토어 설계, 데이터 수집 및 정합성 점검을 수행한다.

15 다음 중 빅데이터 분석 방법론의 분석 절차 중 분석 기획 단계에 속하지 않는 것은?

① 비즈니스 이해 및 범위 설정
② 모델 발전 계획수립
③ 프로젝트 정의 및 계획수립
④ 프로젝트 위험계획 수립

> **해설** 빅데이터 분석 방법론의 분석 절차 중 분석 기획 단계에서의 세부 절차에는 비즈니스 이해 및 범위 설정, 프로젝트 정의 및 계획 수립, 프로젝트 위험계획수립이 있다.
>
> | 빅데이터 분석 방법론의 분석 기획 단계 절차 | |
> |---|---|
> | 비정위 | 비즈니스 이해 및 범위 설정 / 프로젝트 정의 및 계획수립 / 프로젝트 위험계획수립 |

16 CRISP-DM 분석 방법론의 분석 절차로 옳은 것은?

① 업무 이해 → 데이터 이해 → 데이터 준비 → 평가 → 모델링 → 전개
② 업무 이해 → 데이터 이해 → 데이터 준비 → 모델링 → 평가 → 전개
③ 업무 이해 → 데이터 준비 → 데이터 이해 → 평가 → 모델링 → 전개
④ 업무 이해 → 데이터 준비 → 데이터 이해 → 모델링 → 평가 → 전개

> **해설**
>
> | CRISP-DM 분석 방법론의 분석 절차 | |
> |---|---|
> | 업데준 모평전 | 업무 이해 / 데이터 이해 / 데이터 준비 / 모델링 / 평가 / 전개 |

지피지기 기출문제

17 다음 중 분석 마스터플랜에 대한 설명으로 올바른 것은?

① 마스터플랜 시 분석 구현을 위한 로드맵 수립을 위해서는 업무 내재화 적용 수준, 분석 데이터 적용 수준을 고려할 필요는 없다.
② 마스터플랜 수립 시 적용 우선순위 설정을 위하여 전략적 중요도, 비즈니스 성과 및 ROI를 고려해야 한다.
③ 마스터플랜 수립 시 분산 로드맵을 짧은 시간 동안 순차적으로만 진행한다.
④ 분석 과제 우선순위 평가에서 투자 비용 요소에는 데이터 획득/저장/가공 비용 및 가치가 포함되어 있고, 비즈니스 효과에는 분석 적용 비용이 포함된다.

> **해설** 분석 마스터플랜 수립 시 적용 우선순위 설정을 위하여 전략적 중요도 및 목표 가치, 비즈니스 성과 및 ROI, 실행 용이성을 고려해야 한다.

18 빅데이터 분석 방법론의 분석 절차 중 추가적인 데이터 확보가 필요한 경우 반복적인 피드백을 수행하는 구간은?

① 시스템 구현에서 평가 및 전개 구간
② 데이터 분석에서 시스템 구현 구간
③ 데이터 준비에서 데이터 분석 구간
④ 분석 기획에서 데이터 준비 구간

> **해설** 분석용 데이터 세트를 추출하는 과정에서 분석에 필요한 충분한 데이터를 확보할 수가 없을 경우에는 데이터 준비 단계에서 데이터 분석 단계 구간을 반복해서 피드백을 수행한다.

19 다음 중 빅데이터 분석 기획 시 고려 사항으로 올바르지 않은 것은?

① 가용 데이터
② 활용 가능한 유스케이스의 탐색
③ 분석을 수행할 때 발생하는 장애 요소 또는 예외 사항 고려
④ 상세 알고리즘

> **해설** 분석 기획 시 가용한 데이터, 적절한 유스케이스, 분석 과제 수행을 위한 장애 요소에 대한 고려가 필요하다.
>
> | | |
> |---|---|
> | 가용 데이터 | • 분석을 위한 데이터의 확보가 필요
• 데이터의 유형에 따라서 적용 가능한 솔루션 및 분석 방법이 다르므로 데이터 유형에 대한 분석이 선행되어야 함
• 정형 데이터, 반정형 데이터, 비정형 데이터의 존재 여부 및 유형 파악 필요 |
> | 적절한 유스케이스 | • 분석을 통해서 가치가 창출될 수 있는 적절한 활용 방안과 활용 가능한 유스케이스의 탐색 필요
• 기존에 잘 구현되어 활용되고 있는 유사 분석 시나리오 및 솔루션을 최대한 활용하여 분석 모형의 안정적 성능 확보 |
> | 분석 과제수행을 위한 장애 요소 | • 분석을 수행할 때 발생하는 장애 요소들에 대한 사전 계획수립 필요
• 비용 대비 효과를 고려한 적정한 비용 산정
• 일회성 분석으로 그치지 않고 조직의 역량으로 내재화하기 위해서 충분하고 계속된 교육 및 활용 방안 등의 변화 관리 고려 |

20 하향식 분석 과제 발굴 절차에 대한 설명으로 옳지 않은 것은?

① 문제 탐색 단계는 비즈니스 모델 기반 문제를 탐색한다.
② 문제 정의 단계는 사용자 관점에서 비즈니스 문제를 데이터 문제로 변환하여 정의한다.
③ 해결 방안 탐색 단계에서는 필요한 데이터를 정의한다.
④ 타당성 검토 단계는 경제성을 검토한다.

> **해설** 필요한 데이터 및 기법 정의는 문제 정의 단계에서 수행한다.

21 빅데이터 분석 방법론의 분석 절차인 '분석 기획 → 데이터 준비 → 데이터 분석 → 시스템 구현 → 평가 및 전개' 중 데이터 분석 단계에 수행하는 일은?

① 프로젝트 계획수립
② 탐색적 데이터 분석
③ 데이터 스토어 설계
④ 설계 및 구현

> **해설** 프로젝트 계획수립은 분석 기획 단계, 데이터 스토어 설계는 데이터 준비 단계, 설계 및 구현은 시스템 구현 단계이다.

분석 기획(Planning)	· 비즈니스 이해 및 범위 설정 · 프로젝트 정의 및 계획수립 · 프로젝트 위험계획 수립
데이터 준비(Preparing)	· 필요 데이터 정의 · 데이터 스토어 설계 · 데이터 수집 및 정합성 점검
데이터 분석(Analyzing)	· 분석용 데이터 준비 · 텍스트/탐색적 분석 · 모델링 · 모델 평가 및 검증
시스템 구현(Developing)	· 설계 및 구현 · 시스템 테스트 및 운영
평가 및 전개(Deploying)	· 모델 발전 계획수립 · 프로젝트 평가 및 보고

정답 01 ④ 02 ④ 03 ④ 04 ① 05 ② 06 ③ 07 ① 08 ① 09 ③ 10 ④ 11 ② 12 ① 13 ② 14 ② 15 ② 16 ② 17 ② 18 ③ 19 ④ 20 ③ 21 ②

천기누설 예상문제

01 다음 분석 작업 WBS 설정 단계에 대한 설명으로 옳지 않은 것은?

① 데이터 분석 과제 정의: 분석목표 정의서를 기준으로 프로젝트 전체 일정에 맞게 사전 준비를 하는 단계
② 데이터 준비 및 탐색: 데이터 처리 엔지니어와 데이터 분석가의 역할을 구분하여 세부 일정이 만들어지는 단계
③ 데이터 분석 모델링 및 검증: 데이터 분석가가 분석에 필요한 데이터들로부터 변수 후보를 탐색하고 최종적으로 도출하는 일정 수립
④ 산출물 정리: 데이터 분석단계별 산출물을 정리하고, 분석 모델링 과정에서 개발된 분석 스크립트 등을 정리하여 최종 산출물로 정리하는 단계

해설 데이터 분석 모델링 및 검증단계에서는 데이터 준비 및 탐색이 완료된 이후 데이터 분석 가설이 증명된 내용을 중심으로 데이터 분석 모델링을 진행하는 단계이다.

02 하향식 접근 방식에서 문제 탐색 단계에 대한 설명으로 가장 올바르지 않은 것은?

① 문제를 해결함으로써 발생하는 가치에 중점을 두는 것이 중요하다.
② 비즈니스 모델 캔버스는 문제 탐색 도구로 활용한다.
③ 문제 탐색은 유스케이스 활용보다는 새로운 이슈 탐색이 우선이다.
④ 빠짐없이 문제를 도출하고 식별하는 것이 중요하다.

해설 문제 탐색 단계에서 분석 유스케이스를 정의한다.

03 하향식 접근 방식을 이용한 과제 발굴 절차로 옳은 것은?

① 문제 탐색 → 문제 정의 → 해결방안 탐색 → 타당성 검토 → 선택
② 문제 정의 → 문제 탐색 → 해결방안 탐색 → 타당성 검토 → 선택
③ 문제 탐색 → 문제 정의 → 타당성 검토 → 해결방안 탐색 → 선택
④ 문제 정의 → 문제 탐색 → 타당성 검토 → 해결방안 탐색 → 선택

해설

하향식 접근 방식을 이용한 과제 발굴 절차	
탐정 해타선	문제 탐색 / 문제 정의 / 해결방안 탐색 / 타당성 검토 / 선택

04 다음 중 분석 마스터플랜을 수립할 때 적용 범위 및 방식에 대한 고려요소가 아닌 것은 무엇인가?

① 업무 내재화 적용 수준
② 분석 데이터 적용 수준
③ 투입 비용 수준
④ 기술 적용 수준

해설 분석 마스터플랜을 수립할 때 적용 범위 및 방식에 대한 고려요소로는 업무 내재화 적용 수준, 분석 데이터 적용 수준, 기술 적용 수준이 있다.

05 분석 과제가 정해져 있고 이에 대한 해법을 찾기 위해 체계적으로 분석 과제 발굴 방식으로 가장 알맞은 것은?

① 프로토타이핑
② 디자인 사고(Design Thinking)
③ 상향식 접근 방식
④ 하향식 접근 방식

> **해설**
>
> | 상향식 접근 방식 | • 객관적인 데이터 그 자체를 관찰하고 실제적으로 행동에 옮겨 대상을 이해하는 방식
• 프로토타이핑, 디자인 사고 접근법을 사용 |
> |---|---|
> | 하향식 접근 방식 | • 분석 과제가 정해져 있고 이에 대한 해법을 찾기 위해 체계적으로 분석 과제 발굴 방식 |

06 프로토타이핑(Prototyping) 접근법에 대한 설명으로 가장 알맞은 것은?

① 상향식 접근 방법으로 신속하게 해결책이나 모형을 제시함으로써 이를 바탕으로 문제를 좀 더 명확하게 인식하고 필요한 데이터를 식별하여 구체화가 가능하다.
② 문제가 정형화되어 있고 문제해결을 위한 데이터가 완벽하게 조직에 존재하는 경우 효과적이다.
③ 문제가 주어지고 이에 대한 해법을 찾기 위하여 각 과정이 체계적으로 단계화되어 수행하는 방식이다.
④ 문제 정의가 불명확하거나 이전에 접해보지 못한 새로운 문제일 경우 적용하기 어렵다.

> **해설** 상향식 접근 방법은 프로토타이핑 접근법을 사용하며 신속하게 해결책이나 모형을 제시함으로써 문제를 좀 더 명확하게 인식하고 필요한 데이터를 식별하여 구체화 가능함

07 인간에 대한 관찰과 공감을 바탕으로 다양한 대안을 찾는 확산적 사고와 주어진 상황에 대한 최선의 방법을 찾는 수렴적 사고의 반복을 통해 과제를 발굴하는 상향식 접근 방법은 무엇인가?

① 비지니스 사고
② 비지니스 모델 캔버스
③ 디자인 사고
④ 탐색적 접근

> **해설** 디자인 사고(Design Thinking)는 확산적 사고와 수렴적 사고의 반복을 통해 과제를 발굴하는 상향식 접근 방법이다.

08 상향식 접근 방법의 절차로 옳은 것은?

① 프로세스 흐름 분석 → 프로세스 분류 → 분석 요건 정의 → 분석 요건 식별
② 프로세스 흐름 분석 → 프로세스 분류 → 분석 요건 식별 → 분석 요건 정의
③ 프로세스 분류 → 프로세스 흐름 분석 → 분석 요건 식별 → 분석 요건 정의
④ 프로세스 분류 → 프로세스 흐름 분석 → 분석 요건 정의 → 분석 요건 식별

> **해설**
>
> | | 상향식 접근 방법 |
> |---|---|
> | 분호식정 | 프로세스 분류 / 프로세스 흐름 분석 / 분석 요건 식별 / 분석 요건 정의 |

천기누설 예상문제

09 빅데이터 분석은 분석의 대상과 방법에 따른 분류 중에서 분석의 대상은 인지(Known)하고 있으나 방법을 모르는 경우(Un-Known)에 사용하는 유형으로 가장 적절한 유형은?

① 솔루션(Solution)
② 최적화(Optimization)
③ 통찰(Insight)
④ 발견(Discovery)

해설 분석의 대상과 방법에 따른 분류 중에서 분석의 대상은 인지(Known)하고 있으나 방법을 모르는 경우(Un-Known)에 사용하는 유형은 솔루션 유형이다.

10 아래 (가)와 (나)에 순서대로 들어갈 내용으로 가장 알맞은 것은?

> 분석은 분석 대상 및 분석 방법에 따라서 4가지로 나눌 수 있다. 분석 대상(What)이 명확하게 무엇인지 모르는 경우에는 기존 분석 방식을 활용하여 (가)을(를) 도출해냄으로써 문제의 도출 및 해결에 기여하거나 (나) 접근법으로 분석 대상 자체를 새롭게 도출할 수 있다.

① 발견 – 솔루션
② 통찰 – 발견
③ 솔루션 – 통찰
④ 최적화 – 통찰

해설

최적화(Optimization)	분석의 대상 Known - 분석의 방법 Known
솔루션(Solution)	분석의 대상 Known - 분석의 방법 Un-Known
통찰(Insight)	분석의 대상 Un-Known - 분석의 방법 Known
발견(Discovery)	분석의 대상 Un-Known - 분석의 방법 Un-Known

11 분석 마스터플랜 수립의 수립 기준이 아닌 것은 다음 중 무엇인가?

① 투입 비용 수준
② 전략적 중요도
③ 실행 용이성
④ 비지니스 성과

해설 분석 마스터플랜 수립의 수립 기준은 전략적 중요도, 비지니스 성과, 실행 용이성, 업무 내재화 적용 수준, 분석 데이터 적용 수준, 기술 적용 수준이다.

12 다음 중 분석 기회 발굴의 범위 확장 방법에 관한 설명으로 부적절한 것은 무엇인가?

① 거시적 관점의 메가트랜드에서는 현재의 조직 및 해당 산업에 폭넓게 영향을 미치는 사회, 경제적 요인을 사회, 기술, 경제, 환경, 정치 영역으로 나누어서 좀 더 폭넓게 기회 탐색을 수행한다.
② 경쟁자 확대 관점에서는 현재 수행하고 있는 사업 영역의 직접 경쟁사 및 제품, 서비스만을 중심으로 현 상황에 대한 분석 기회 발굴의 폭을 넓혀서 탐색한다.
③ 시장의 니즈 탐색 관점에서는 현재 수행하고 있는 사업에서의 직접 고객뿐만 아니라 고객과 접촉하는 역할을 수행하는 채널 및 고객의 구매와 의사결정에 영향을 미치는 영향자들에 대한 폭넓은 관점을 바탕으로 분석 기회를 탐색한다.
④ 역량의 재해석 관점에서는 현재 해당 조직 및 기업이 보유한 역량뿐만 아니라 해당 조직의 비즈니스에 영향을 끼치는 파트너 네트워크를 포함한 활용 가능한 역량을 토대로 폭 넓은 분석 기회를 탐색한다.

해설 경쟁자 확대 관점에서는 현재 수행하고 있는 사업 영역의 직접 경쟁사 및 제품, 서비스뿐만 아니라 대체재와 신규 진입자 등으로 관점을 확대하여 위협이 될 수 있는 상황에 대한 분석 기회 발굴의 폭을 넓혀서 탐색한다.

13 다음 중 빅데이터 분석 방법론의 분석 기획 단계에서 프로젝트 위험 대응 계획을 수립할 때, 예상되는 위험을 대응하는 방법의 구분으로 부적절한 것은?

① 회피(Avoid) ② 완화(Mitigate)
③ 탐색(Explore) ④ 수용(Accept)

> **해설**
> | 프로젝트 위험 대응 방법 | |
> |---|---|
> | 회전완수 | 회피 / 전가 / 완화 / 수용 |

14 다음 중 빅데이터 분석 방법론의 분석 기획 단계에서 수행하는 주요 과업으로 가장 부적절한 것은 무엇인가?

① 위험 식별 ② 프로젝트 범위 설정
③ 프로젝트 정의 ④ 필요 데이터의 정의

> **해설** 분석 방법론의 분석 기획 단계에서는 비즈니스 이해 및 범위 설정, 프로젝트 정의 및 계획수립, 프로젝트 위험계획수립을 주요 업무로 한다. 필요 데이터 정의는 데이터 준비 단계에서 수행하는 과업이다.

15 분석 과제에 대한 난이도와 시급성을 고려했을 때 가장 우선적으로 추진해야 하는 것은?

① 난이도: 어려움(Difficult), 시급성: 현재
② 난이도: 어려움(Difficult), 시급성: 미래
③ 난이도: 쉬움(Easy), 시급성: 현재
④ 난이도: 쉬움(Easy), 시급성: 미래

> **해설** 사분면 영역에서 나이도와 시급성을 모두 고려할 때 가장 우선적인 분석 과제 적용이 필요한 영역은 난이도 : 쉬움, 시급성 : 현재를 나타내는 3사분면이다.

16 다음이 설명하는 분석 방법론은 무엇인가?

- 1996년 Fayyad가 프로파일링 기술을 기반으로 통계적 패턴이나 지식을 찾기 위해 체계적으로 정리한 방법론이다.
- 분석 절차는 데이터 세트 선택, 데이터 전처리, 데이터 변환, 데이터 마이닝, 데이터 마이닝 결과 평가의 5단계이다.

① KDD ② CRISP-DM
③ SEMMA ④ K-Means

> **해설** KDD는 통계적 패턴이나 지식을 찾기 위해 체계적으로 정리한 방법론이다.
> | KDD 분석 방법론 분석 절차 | |
> |---|---|
> | 선전변마평 | 데이터 세트 선택 / 데이터 전처리 / 데이터 변환 / 데이터 마이닝 / 데이터 마이닝 결과 평가 |

17 KDD 분석 방법론의 분석 절차로 옳은 것은?

ⓐ 데이터 전처리 ⓑ 데이터 변환
ⓒ 데이터 세트 선택 ⓓ 데이터 마이닝
ⓔ 데이터 마이닝 결과 평가

① ⓐ → ⓑ → ⓒ → ⓓ → ⓔ
② ⓑ → ⓐ → ⓒ → ⓓ → ⓔ
③ ⓒ → ⓑ → ⓐ → ⓓ → ⓔ
④ ⓒ → ⓐ → ⓑ → ⓓ → ⓔ

> **해설** KDD는 통계적 패턴이나 지식을 찾기 위해 체계적으로 정리한 방법론이다.
> | KDD 분석 방법론 분석 절차 | |
> |---|---|
> | 선전변마평 | 데이터 세트 선택 / 데이터 전처리 / 데이터 변환 / 데이터 마이닝 / 데이터 마이닝 결과 평가 |

천기누설 예상문제

18 CRISP-DM에 대한 설명으로 가장 옳지 않은 것은?

① 1996년 Fayyad가 프로파일링 기술을 기반으로 통계적 패턴이나 지식을 찾기 위해 체계적으로 정리한 방법론이다.
② 1996년 유럽연합의 ESPRIT 프로젝트에서 시작한 방법론으로 1997년 SPSS 등 참여하였으나 현재에는 중단되었다.
③ 단계 간 피드백(Feedback)을 통하여 단계별 완성도를 높인다.
④ CRISP-DM의 구성요소로는 단계, 일반화 태스크, 세분화 태스크, 프로세스 실행이 있다.

해설 1996년 Fayyad가 프로파일링 기술을 기반으로 통계적 패턴이나 지식을 찾기 위해 체계적으로 정리한 방법론은 KDD에 대한 설명이다.

19 CRISP-DM 분석 방법론의 분석 절차로 옳은 것은?

① 업무 이해 → 데이터 이해 → 데이터 준비 → 평가 → 모델링 → 전개
② 업무 이해 → 데이터 이해 → 데이터 준비 → 모델링 → 평가 → 전개
③ 업무 이해 → 데이터 준비 → 데이터 이해 → 평가 → 모델링 → 전개
④ 업무 이해 → 데이터 준비 → 데이터 이해 → 모델링 → 평가 → 전개

해설

CRISP-DM 분석 방법론의 분석 절차	
업데준 모평전	업무 이해 / 데이터 이해 / 데이터 준비 / 모델링 / 평가 / 전개

20 다음 중 CRISP-DM 방법론의 모델링 단계에서 수행하는 태스크가 아닌 것은?

① 모델 적용성 평가
② 모델 테스트 계획 설계
③ 모델 평가
④ 모델링 기법 선택

해설 모델 적용성 평가는 평가(Evaluation) 단계에서 수행한다.

21 CRISP-DM 분석 방법론에서 업무의 이해(Business Understanding)에 해당하는 태스크(Task)는 다음 중에서 무엇인가?

① 업무 목적 파악, 상황 파악, 데이터 마이닝 목표 설정, 프로젝트 계획 수립
② 초기 데이터 수집, 데이터 기술 분석, 데이터 탐색, 데이터 품질 확인
③ 분석용 데이터 세트 선택, 데이터 정제, 데이터 통합, 학습/검증 데이터 분리
④ 모델링 기법 선택, 모델 테스트 계획 설계, 모델 작성, 모델 평가

해설 CRISP-DM 분석 방법론에서 업무의 이해 단계에서 수행하는 태스크는 업무 목적 파악, 상황 파악, 데이터 마이닝 목표 설정, 프로젝트 계획 수립이다.

22 SEMMA 분석 방법론의 분석 절차로 옳은 것은?

① 샘플링 → 탐색 → 모델링 → 수정 → 검증
② 샘플링 → 탐색 → 수정 → 모델링 → 검증
③ 샘플링 → 모델링 → 수정 → 탐색 → 검증
④ 샘플링 → 수정 → 모델링 → 탐색 → 검증

해설

SEMMA 분석 방법론의 분석 절차	
샘탐수모검	샘플링 / 탐색 / 수정 / 모델링 / 검증

정답 01 ③ 02 ③ 03 ① 04 ③ 05 ④ 06 ① 07 ③ 08 ③ 09 ① 10 ② 11 ① 12 ② 13 ③ 14 ④ 15 ① 16 ① 17 ④ 18 ① 19 ② 20 ①
21 ① 22 ②

② 분석 작업 계획

1 데이터 확보 계획 ★

빅데이터 분석 목적 달성을 위해 데이터 특성에 맞는 수집 방법을 선정한다.

학습 POINT ★

데이터 확보 계획은 중요도가 낮습니다. 가볍게 읽고 넘어가세요!

(1) 데이터 획득 방안 수립

- 내외부의 다양한 시스템으로부터 정형/비정형/반정형 데이터를 수집하기 위한 구체적인 방안을 수립한다.
- 내부 데이터 획득에는 부서 간 업무협조와 개인정보보호 및 정보보안과 관련된 문제점을 사전에 점검하고, 외부 데이터 획득은 시스템 간 다양한 인터페이스 및 법적인 문제점을 고려하여 상세한 데이터 획득 계획을 수립한다.

(2) 데이터 확보 계획 수립 절차 [기출]

▼ 데이터 확보 계획 수립 절차

순서	단계	업무	내용
1	목표 정의	• 성과 목표 정의 • 성과 지표 설정	• 비즈니스 도메인 특성 적용 • 구체적인 성과목표 정의 • 성과측정을 위한 지표 도출
2	요구사항 도출	• 데이터 및 기술 지원 등과 관련된 요구사항 도출	• 필요 데이터 확보 및 관리 계획 • 데이터 정제 수준, 데이터 저장 형태 • 기존 시스템 및 도구 활용 여부 • 플랫폼 구축 여부
3	예산안 수립	• 자원 및 예산 수립	• 데이터 확보, 구축, 정비, 관리 예산
4	계획 수립	• 인력 투입 방안 • 일정 관리 • 위험 및 품질관리	• 프로젝트 관리 계획 수립 • 범위, 일정, 인력, 의사소통 방안 수립

개념 박살내기

요구사항 도출 기법
- 요구사항 도출을 위해서 다음과 같은 요구사항 수집 기법을 사용한다.

요구사항 수집 기법

기법	설명
브레인스토밍 (Brainstorming)	말을 꺼내기 쉬운 분위기로 만들어, 회의 참석자들이 내놓은 아이디어들을 비판 없이 수용할 수 있도록 하는 회의 기법
인터뷰 (Interview)	이해관계자와 직접 대화를 통해 정보를 구하는 공식적, 비공식적 정보 수집 방법
스캠퍼 (SCAMPER)	사고의 영역을 7개의 키워드로 정해 놓고 이에 맞는 새로운 아이디어를 생성한 뒤 실행 가능한 최적의 대안을 찾아내는 기법
포커스 그룹 인터뷰 (FGI; Focus Group Interview)	일정한 자격 기준에 따라 6~12명 정도 선발하여, 한 장소에 모이게 한 후, 요구사항과 관련된 토론을 함으로써 자료를 수집하는 방법

2 분석 절차 및 작업 계획 ★★★

(1) 빅데이터 분석 절차 [기출]

빅데이터 분석은 문제 인식부터 연구 조사, 모형화, 자료 수집 및 분석, 분석 결과 공유의 절차로 수행된다.

빅데이터 분석 절차

순서	절차	설명
1	문제 인식	• 비즈니스 문제와 기회를 인식하고 분석 목적을 정의 • 분석 주제 정의, 문제는 가설의 형태로 정의
2	연구 조사	• 목적 달성을 위한 각종 문헌을 조사 • 조사 내용을 해결방안에 적용 • 중요 변화요소 조사
3	모형화	• 분석 문제를 단순화하여 수치나 변수 사이의 관계로 정의하는 방법 • 복잡한 문제를 분리하고 단순화하는 과정 • 많은 변수가 포함된 현실 문제를 특징적 변수로 정의
4	자료 수집	• 데이터 수집, 변수 측정 과정 • 기존 데이터 수집, 분석이 가능한지 검토 • 기존 데이터 수집이 불가한 경우 추가 데이터 수집
5	자료 분석	• 수집된 자료에서 의미 찾기 • 수집된 자료에서 변수들 간 관계 분석 • 기초 통계부터 데이터 마이닝 기법 활용

학습 POINT ★

빅데이터 분석 절차는 기출문제로 출제된 내용으로 이 중에서는 중요도가 제일 높습니다. 두음쌤은 챙겨 가시길 권장합니다!!

빅데이터 분석 절차

「문연모수분공」

문제 인식 / **연**구 조사 / **모**형화 / 자료 **수**집 / 자료 **분**석 / 분석 결과 **공**유

→ 문을 연 모델에게 수분(물) 공유하기

순서	절차	설명
6	분석 결과 공유	• 변수 간의 관련성을 포함한 분석 결과 제시 • 의사결정자와 결과 공유 • 표, 그림, 차트를 활용하여 가시화

(2) 빅데이터 분석 작업 WBS 설정

❯ 분석 작업 WBS 설정

단계	내용
데이터 분석 과제 정의	• 분석목표 정의서를 기준으로 프로젝트 전체 일정에 맞게 사전 준비를 하는 단계 • 단계별 필요 산출물, 주요 보고 시기 등으로 구분하여 세부 단위별 일정과 전체 일정이 예측될 수 있도록 일정을 수립
데이터 준비 및 탐색	• 데이터 처리 엔지니어와 데이터 분석가의 역할을 구분하여 세부 일정이 만들어지는 단계 • 분석목표 정의서에 기재된 내용을 중심으로 데이터 처리 엔지니어가 필요 데이터를 수집하고 정리하는 일정 수립 • 데이터 분석가가 분석에 필요한 데이터들로부터 변수 후보를 탐색하고 최종적으로 도출하는 일정 수립
데이터 분석 모델링 및 검증	• 데이터 준비 및 탐색이 완료된 이후 데이터 분석 가설이 증명된 내용을 중심으로 데이터 분석 모델링을 진행하는 단계 • 데이터 분석 모델링 과정에 대해서는 실험방법 및 절차를 구분 • 기획하고 검증하는 내용에 대해 자세한 일정을 수립
산출물 정리	• 데이터 분석단계별 산출물을 정리하고, 분석 모델링 과정에서 개발된 분석 스크립트 등을 정리하여 최종 산출물로 정리하는 단계

> **학습 POINT ★**
> WBS 부분은 중요도가 높지 않습니다. WBS가 무엇인지와 흐름을 파악하시고 넘어가면 되겠습니다.

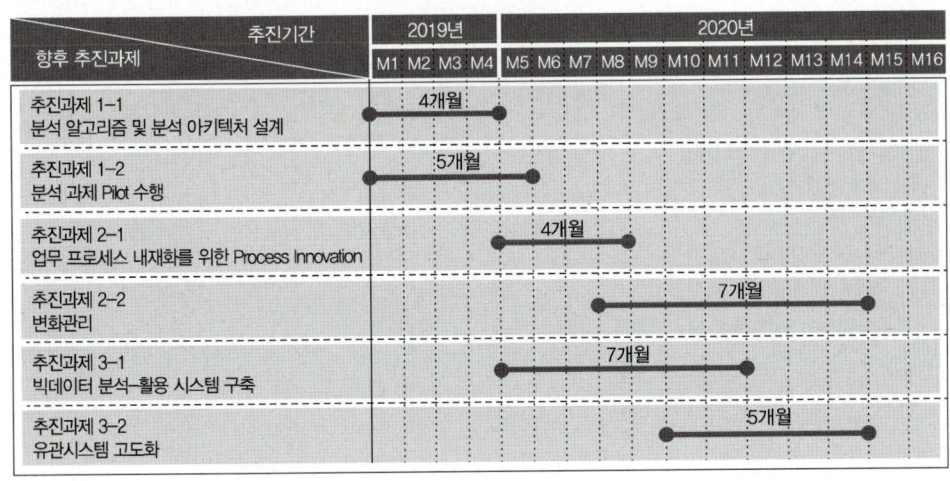

▲ WBS 예시

지피지기 기출문제

01 데이터 분석 절차로 가장 적합한 것은 무엇인가?
① 문제 인식 → 자료 수집 → 연구 조사 → 자료 분석 → 모형화 → 분석 결과 공유
② 연구 조사 → 문제 인식 → 자료 수집 → 모형화 → 자료 분석 → 분석 결과 공유
③ 문제 인식 → 연구 조사 → 모형화 → 자료 수집 → 자료 분석 → 분석 결과 공유
④ 문제 인식 → 연구 조사 → 자료 수집 → 자료 분석 → 모형화 → 분석 결과 공유

> **해설** 빅데이터 분석 절차는 문제 인식 → 연구 조사 → 모형화 → 자료 수집 → 자료 분석 → 분석 결과 공유이다.
>
> | | 빅데이터 분석 절차 |
> |---|---|
> | 문연모수 분공 | 문제 인식 / 연구 조사 / 모형화 / 자료 수집 / 자료 분석 / 분석 결과 공유 |

02 빅데이터 분석 절차에서 문제의 단순화를 통해 변수 간의 관계로 정의하는 것을 무엇이라고 하는가?
① 연구 조사
② 탐색적 데이터 분석
③ 요인 분석
④ 모형화

> **해설** 분석 문제를 단순화하여 수치나 변수 사이의 관계로 정의하는 것을 모형화라고 한다.
>
> | 연구 조사 | 목적 달성을 위한 각종 문헌을 조사 |
> |---|---|
> | 탐색적 데이터 분석 | 수집한 데이터를 분석하기 전에 그래프나 통계적인 방법을 이용하여 다양한 각도에서 데이터의 특징을 파악하고 자료를 직관적으로 바라보는 분석 방법 |
> | 요인 분석 | 모형을 세운 뒤 관찰 가능한 데이터를 이용하여 해당 잠재 요인을 도출하고 데이터 안의 구조를 해석하는 기법 |
> | 모형화 | 분석 문제를 단순화하여 수치나 변수 사이의 관계로 정의하는 방법 |

03 다음 중 사용자 요구사항 수집 기법에 대한 설명으로 올바른 것은?
① 브레인스토밍은 이해관계자와 직접 대화를 통해 정보를 구하는 공식적, 비공식적 정보 수집 방법이다.
② 인터뷰는 설문지 또는 여론조사 등을 이용해 많은 사람에게 간접적으로 정보를 수집하는 기법이다.
③ 포커스 그룹 인터뷰는 일정한 자격 기준에 따라 6~12명 정도 선발하여, 한 장소에 모이게 한 후, 요구사항과 관련된 토론을 함으로써 자료를 수집하는 방법이다.
④ 스캠퍼는 말을 꺼내기 쉬운 분위기로 만들어, 회의 참석자들이 내놓은 아이디어들을 비판 없이 수용할 수 있도록 하는 회의 기법이다.

> **해설**
>
> | 브레인스토밍 | 말을 꺼내기 쉬운 분위기로 만들어, 회의 참석자들이 내놓은 아이디어들을 비판 없이 수용할 수 있도록 하는 회의 기법 |
> |---|---|
> | 인터뷰 | 이해관계자와 직접 대화를 통해 정보를 구하는 공식적, 비공식적 정보 수집 방법 |
> | 스캠퍼 | 사고의 영역을 7개의 키워드로 정해 놓고 이에 맞는 새로운 아이디어를 생성한 뒤 실행 가능한 최적의 대안을 골라내는 기법 |
> | 포커스 그룹 인터뷰(FGI; Focus Group Interview) | 일정한 자격 기준에 따라 6~12명 정도 선발하여, 한 장소에 모이게 한 후, 요구사항과 관련된 토론을 함으로써 자료를 수집하는 방법 |

정답 01 ③ 02 ④ 03 ③

천기누설 예상문제

01 데이터 확보 계획 수립 절차로 가장 옳은 것은 무엇인가?

① 목표 정의 → 요구사항 도출 → 예산안 수립 → 계획 수립
② 목표 정의 → 계획 수립 → 예산안 수립 → 요구사항 도출
③ 목표 정의 → 요구사항 도출 → 계획 수립 → 예산안 수립
④ 목표 정의 → 계획 수립 → 요구사항 도출 → 예산안 수립

> **해설**
>
> | 목표 정의 | • 비즈니스 도메인 특성 적용
• 구체적인 성과목표 정의
• 성과측정을 위한 지표 도출 |
> |---|---|
> | 요구사항 도출 | • 필요 데이터 확보 및 관리 계획
• 데이터 정제 수준, 데이터 저장 형태
• 기존 시스템 및 도구 활용 여부
• 플랫폼 구축 여부 |
> | 예산안 수립 | • 데이터 확보, 구축, 정비, 관리 예산 |
> | 계획 수립 | • 프로젝트 관리 계획 수립
• 범위, 일정, 인력, 의사소통 방안 수립 |

02 빅데이터 분석 절차로 가장 옳은 것은 무엇인가?

① 자료 수집 → 자료 분석 → 문제 인식 → 연구 조사 → 모형화 → 분석 결과 공유
② 자료 수집 → 문제 인식 → 연구 조사 → 모형화 → 자료 분석 → 분석 결과 공유
③ 문제 인식 → 연구 조사 → 모형화 → 자료 수집 → 자료 분석 → 분석 결과 공유
④ 연구 조사 → 문제 인식 → 모형화 → 자료 수집 → 자료 분석 → 분석 결과 공유

> **해설**
>
> | 빅데이터 분석 절차 | |
> |---|---|
> | 문연모수분공 | 문제 인식 / 연구 조사 / 모형화 / 자료 수집 / 자료 분석 / 분석 결과 공유 |

03 빅데이터 분석 작업 WBS 설정 중 데이터 준비 및 탐색 단계에 대한 설명으로 옳은 것은?

① 데이터 처리 엔지니어와 데이터 분석가의 역할을 구분하여 세부 일정이 만들어지는 단계
② 분석목표 정의서를 기준으로 프로젝트 전체 일정에 맞게 사전 준비를 하는 단계
③ 데이터 준비 및 탐색이 완료된 이후 데이터 분석 가설이 증명된 내용을 중심으로 데이터 분석 모델링을 진행하는 단계
④ 데이터 분석 단계별 산출물을 정리하고, 분석 모델링 과정에서 개발된 분석 스크립트 등을 정리하여 최종 산출물로 정리하는 단계

> **해설**
>
> | 데이터 분석 과제 정의 | 분석목표 정의서를 기준으로 프로젝트 전체 일정에 맞게 사전 준비를 하는 단계 |
> |---|---|
> | 데이터 준비 및 탐색 | 데이터 처리 엔지니어와 데이터 분석가의 역할을 구분하여 세부 일정이 만들어지는 단계 |
> | 데이터 분석 모델링 및 검증 | 데이터 준비 및 탐색이 완료된 이후 데이터 분석 가설이 증명된 내용을 중심으로 데이터 분석 모델링을 진행하는 단계 |
> | 산출물 정리 | 데이터 분석 단계별 산출물을 정리하고, 분석 모델링 과정에서 개발된 분석 스크립트 등을 정리하여 최종 산출물로 정리하는 단계 |

정답 01 ① 02 ③ 03 ①

CHAPTER 03 데이터 수집 및 저장 계획

1 데이터 수집 및 전환

1 데이터 수집 ★★★

(1) 수집 데이터 대상 기출

수집 데이터 대상은 데이터의 위치에 따라 내부 데이터와 외부 데이터로 구분한다.

◈ 데이터 수집 유형

유형	설명
내부 데이터	• 조직(인프라) 내부에 데이터가 위치하며, 데이터 담당자와 수집 주기 및 방법 등을 협의하여 데이터를 수집 • 내부 조직 간 협의를 통한 데이터 수집 • 주로 수집이 용이한 정형 데이터 • 서비스의 수명 주기 관리가 용이
외부 데이터	• 조직(인프라) 외부에 데이터가 위치하며, 특정 기관의 담당자 협의 또는 데이터 전문 업체를 통해 데이터를 수집 • 공공 데이터의 경우에는 공공 데이터 포털을 통해 Open API 또는 파일을 통해 수집 • 외부 조직과 협의, 데이터 구매, 웹상의 오픈 데이터를 통한 데이터 수집 • 주로 수집이 어려운 비정형 데이터

◈ 원천 데이터 예시

구분	분야	예시
내부 데이터	서비스	SCM, ERP, CRM, 포털, 원장정보 시스템, 인증 시스템, 거래 시스템 등
	네트워크	백본, 방화벽, 스위치, IPS(침입 방지 시스템), IDS(침입 탐지 시스템)
	마케팅	VOC 접수 데이터, 고객 포털 시스템 등
외부 데이터	소셜	SNS, 커뮤니티, 게시판
	네트워크	센서 데이터, 장비 간 발생 로그(M2M)
	공공	정부 공개 경제, 의료, 지역정보, 공공 정책, 과학, 교육, 기술 등의 공공 데이터(LOD)

학습 POINT ★

빅데이터 분석 시 공공데이터 등 외부 데이터 활용하면 데이터 분석 시 다양한 데이터를 활용할 수 있고 선택의 폭이 넓어집니다.

잠깐! 알고가기

ERP(Enterprise Resource Planning; 전사적 자원 관리)
회사의 모든 정보뿐만 아니라, 공급사슬관리, 고객의 주문정보까지 포함하여 통합적으로 관리하는 시스템이다.

CRM(Customer Relationship Management; 고객 관계 관리)
소비자들을 자신의 고객으로 만들고, 이를 장기간 유지하고자 하는 경영방식으로 내부 정보를 분석하고 저장하는 데 사용하는 광대한 분야를 아우르는 방법이다.

LOD(Linked Open Data)
웹상에 존재하는 데이터를 개별 URI(Uniform Resource Identifier)로 식별하고, 각 URI에 링크 정보를 부여함으로써 상호 연결된 웹을 지향하는 오픈 데이터이다.

(2) 데이터 수집 방식 및 기술

- 수집 대상 데이터는 데이터의 구조적 관점에 따라 정형 데이터, 비정형 데이터, 반정형 데이터로 나눌 수 있다.
- 구조적 관점에 따라 분류된 데이터 유형에 따라 각각 데이터 수집 방식과 기술을 최적화하여 적용해야 한다.

① ETL(Extract Transform Load)

㉮ ETL 개념 `기출`

ETL은 데이터 분석을 위한 데이터를 데이터 저장소인 DW(Data Warehouse) 및 DM(Data Mart)으로 이동시키기 위해 다양한 소스 시스템으로부터 필요한 원본 데이터를 추출(Extract)하고 변환(Transform)하여 적재(Load)하는 작업 및 기술이다.

ETL은 중요 개념입니다. 개념과 프로세스의 역할을 잘 봐주시면 좋겠습니다.

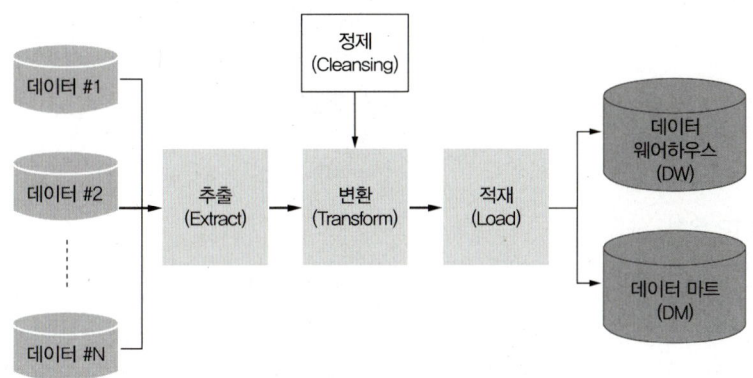

▲ ETL의 구성

㉯ ETL 프로세스

ETL 프로세스

프로세스	설명
추출(Extract)	• 동일 기종 또는 이기종 소스 데이터베이스로부터 데이터를 추출 • JDBC, ODBC, 3rd Party Tools 활용
변환(Transform)	• 조회 또는 분석을 목적으로 적절한 포맷이나 구조로 데이터를 저장하기 위해 데이터 변환 • 데이터 결합/통합, 데이터 재구성 및 중복 데이터 제거, 일관성 확보를 위한 정제 수행, Rule 적용, 데이터 표준화 수행
적재(Load)	• 추출 및 변환된 데이터를 최종 대상(DW 또는 DM)에 저장 • Insert, Delete, Update, Append 수행

JDBC(Java Database Connectivity)
자바에서 데이터베이스에 접속할 수 있도록 하는 자바 API이다.

ODBC(Open Database Connectivity)
마이크로소프트가 만든, 데이터베이스에 접근하기 위한 소프트웨어의 표준 규격이다.

② FTP(File Transfer Protocol)

㉮ FTP 개념

　　FTP는 TCP/IP 프로토콜을 기반으로 서버, 클라이언트 사이에서 파일 송수신을 하기 위한 프로토콜(TCP 프로토콜을 사용하고 20, 21번 포트 번호를 사용)이다.

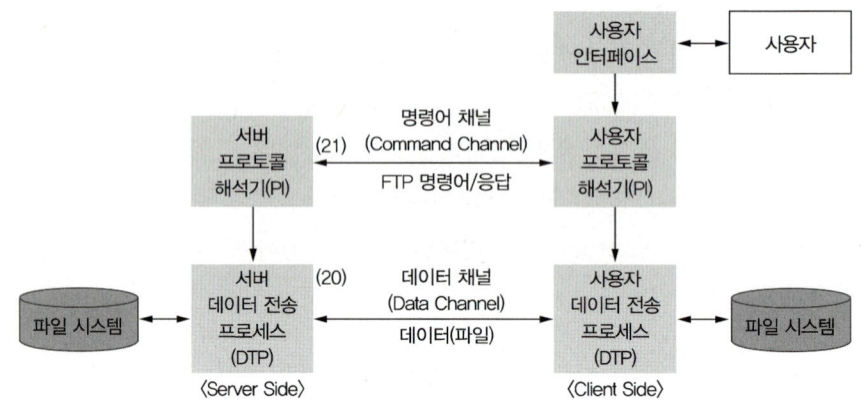

▲ FTP 구성도

㉯ FTP 유형

⊗ FTP 유형

유형	설명
Active FTP	• 클라이언트가 데이터를 수신받을 포트를 서버에 알려주면, 서버가 자신의 20번 포트를 통해 클라이언트의 임의의 포트로 데이터를 전송해 주는 방식 • 명령은 21번 포트, 데이터는 20번 포트를 사용
Passive FTP	• 서버가 데이터를 송신해줄 임의의 포트를 클라이언트에 알려주면 클라이언트가 서버의 임의의 포트로 접속해서 데이터를 가져가는 방식 • 명령은 21번 포트, 데이터는 1024 이후의 포트를 사용

③ 스쿱(Sqoop)

㉮ 스쿱 개념

- 스쿱은 커넥터(Connector)를 사용하여 관계형 데이터베이스 시스템(RDBMS)에서 하둡 파일 시스템(HDFS)으로 데이터를 수집하거나, 하둡 파일 시스템에서 관계형 데이터베이스로 데이터를 보내는 기술이다.

학습 POINT ★

스쿱은 개념을 중심으로 알아두시면 좋겠습니다. 너무 깊게는 학습하시지 않아도 좋습니다.

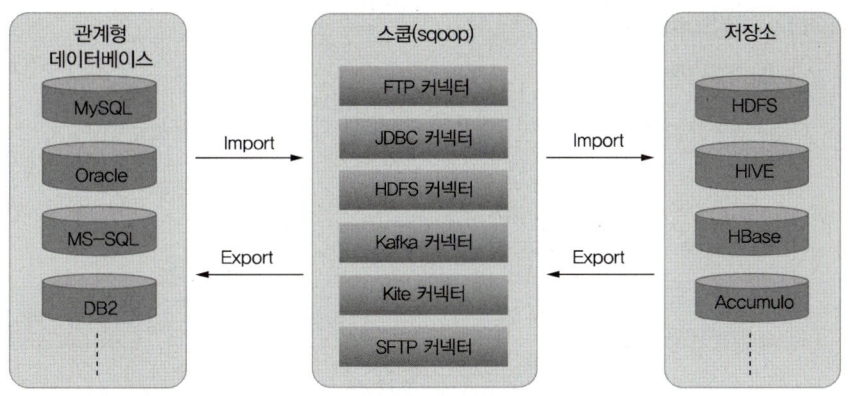

▲ 스쿱 구성도

㉯ 스쿱 특징

◈ 스쿱 특징

특징	설명
벌크 임포트 (Bulk Import) 지원	전체 데이터베이스 또는 테이블을 HDFS로 한 번에 전송 가능
데이터 전송 병렬화	시스템 사용률과 성능을 고려한 병렬 데이터 전송
직접 입력 제공	RDB에 매핑해서 HBase와 Hive에 직접 import 제공
프로그래밍 방식의 데이터 인터랙션	자바 클래스 생성을 통한 데이터 상호작용

㉰ 스쿱 구성요소

◈ 스쿱 구성요소

구성요소	설명
스쿱 클라이언트 (Sqoop Client)	스쿱 1에서 지원하며, 클라이언트 기반으로 Import와 Export를 제공
스쿱 서버 (Sqoop Server)	스쿱 2에서 지원하며, 클라이언트의 요청을 받아 작업을 수행
커넥터 (Connector)	FTP, JDBC, HDFS, 카프카 등과 연결하여 데이터의 이동을 수행하는 기술
Import	다른 저장소(RDBMS)의 데이터를 지정된 저장소(HDFS, Hive, HBase)로 가져오기 기능
Export	저장소의 데이터를 다른 저장소(RDBMS)로 내보내기 기능

 잠깐! 알고가기

인터랙션(Interaction)
입출력 장치를 매개로 디지털 시스템과 사람이 주고받는 일련의 의사소통 과정이다.

스크래파이는 상대적으로 중요도가 낮습니다. 주요 기능을 위주로 보시고 넘어가세요!

④ 스크래파이(Scrapy)

㉮ 스크래파이 개념

스크래파이는 파이썬 언어 기반의 비정형 데이터 수집 기술이다.

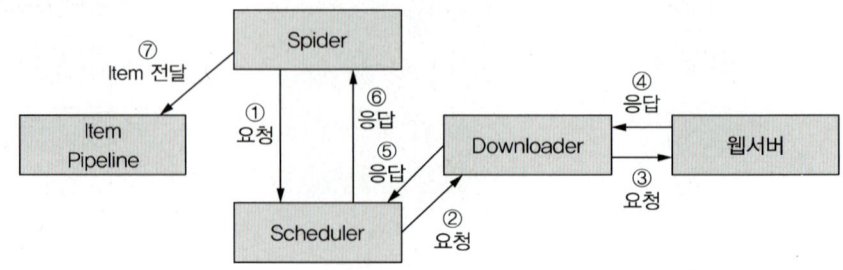

▲ 스크래파이 구조

㉯ 스크래파이 특징

◈ 스크래파이 특징

특징	설명
파이썬 기반	• 파이썬 언어 기반으로 구성, 설정이 쉬움
단순한 스크랩 과정	• 크롤링 수행 후 바로 데이터 처리 가능
다양한 부가 요소	• scrapyd, scrapinghub 등 부가 기능, 쉬운 수집, 로깅 지원

㉰ 스크래파이 구성요소

◈ 스크래파이 구성요소

구성요소	설명
Spider	• 크롤링 대상 웹 사이트 및 웹 페이지의 어떤 부분을 스크래핑할 것인지를 명시하는 기능
Selector	• 웹 페이지의 특정 HTML 요소를 선택하는 기능 • LXML 기반으로 제작 가능
Items	• 웹 페이지를 스크랩하여 저장할 때 사용되는 사용자 정의 자료 구조
Pipelines	• 스크래핑 결과물을 아이템 형태로 구성할 때 가공하거나 파일 형태로 저장 제공 기능
Settings	• Spider와 Pipeline을 동작시키기 위한 세부 설정

카프카는 개념과 구조를 중심으로 보고 넘어가시면 되겠습니다.

⑤ 아파치 카프카(Apache Kafka)

㉮ 아파치 카프카 개념

• 아파치 카프카는 대용량 실시간 로그 처리를 위한 분산 스트리밍 플랫폼이다.

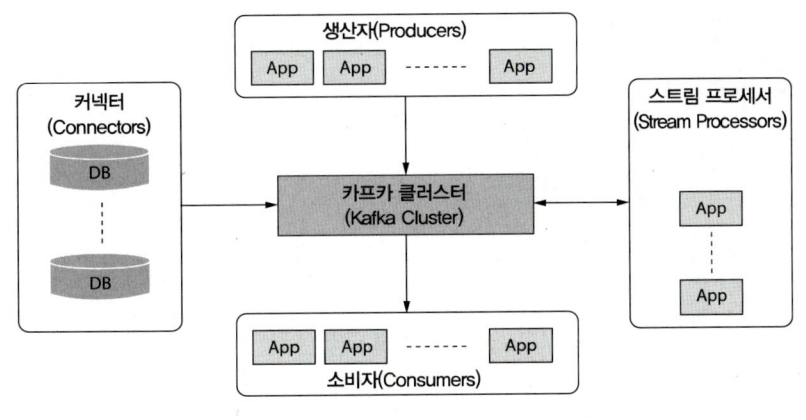

▲ 아파치 카프카 구조

④ 아파치 카프카 특징

◉ 아파치 카프카 특징

특징	설명
신뢰성(Reliability) 제공	• 메모리 및 파일 큐(Queue) 기반의 채널 지원
확장성(Scalability) 제공	• 수평 확장(Scale-Out)이 가능

④ 아파치 카프카 구성요소

◉ 아파치 카프카 구성요소

구성요소	설명
소스(Source)	• 외부 이벤트 생성, 수집 영역 • 1개로 구성되며, 복수 개의 채널(Channel) 지정 가능
채널(Channel)	• 소스(Source)와 싱크(Sink) 간 버퍼 구간 • 채널별로 1개 싱크 지정
싱크(Sink)	• 채널로부터 수집된 로그 또는 이벤트를 목적지에 전달 및 저장
인터프리터(Interpreter)	• 수집된 로그 또는 이벤트를 가공

⑥ 플럼(Flume)

㉮ 플럼 개념

플럼은 많은 양의 로그 데이터를 효율적으로 수집, 집계, 이동하기 위해 이벤트(Event)와 에이전트(Agent)를 활용하는 기술이다.

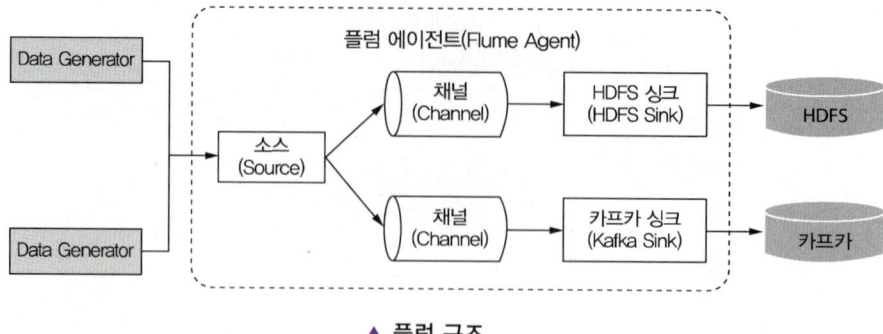

▲ 플럼 구조

㉯ 플럼 특징

◈ 플럼 특징

특징	설명
발행(Publisher) / 구독(Subscriber) 모델	• 메시지 큐와 유사한 형태의 데이터 큐를 사용 • 풀 방식으로 동작하여 부하 감소 및 고성능의 기능 제공
고가용성 제공	• 클러스터 구성을 통해 내결함성(Fault-Tolerant)이 있는 고가용성 서비스 제공 가능 • 분산 처리 통한 빠른 실시간 데이터 처리
파일 기반 저장방식	• 데이터를 디스크에 순차적으로 저장

㉰ 플럼 구성요소

◈ 플럼 구성요소

구성요소	설명
소스(Source)	• 이벤트를 전달하는 컨테이너 • 소스, 채널, 싱크로 흐름 제어 • 에이전트 간 데이터 이동이 가능하며, 1개의 에이전트가 다수의 에이전트와 연결 가능
채널(Channel)	• 이벤트를 소스와 싱크로 전달하는 통로
싱크(Sink)	• 채널로부터 받은 이벤트를 저장, 전달 • 싱크 대상을 다중 선택하거나, 여러 개의 싱크를 그룹으로 관리

⑦ 스크라이브(Scribe)

- 스크라이브는 다수의 서버로부터 실시간으로 스트리밍되는 로그 데이터를 수집하여 분산 시스템에 데이터를 저장하는 대용량 실시간 로그 수집 기술이다.
- 단일 중앙 스크라이브 서버와 다수의 로컬 스크라이브 서버로 구성되어 안정성과 확장성을 제공한다.

풀(Pull) 방식
- 사용자가 자신이 원하는 정보를 서버에게 요청할 때 정보를 전송하는 기법이다.
- 풀 방식과 반대되는 푸시 기법은 사용자가 일일이 요청하지 않아도 사용자에게 자동으로 원하는 정보를 제공하는 기법이다.

고가용성(High Availability)
서버와 네트워크, 프로그램 등의 정보시스템이 시스템의 장애에 대응하여 상당히 오랜 기간 동안 지속적으로 정상 운영이 가능한 상태를 만드는 환경이다.

스크라이브는 중요도가 높은편이 아닙니다. 개념을 중심으로 봐주시면 좋겠습니다.

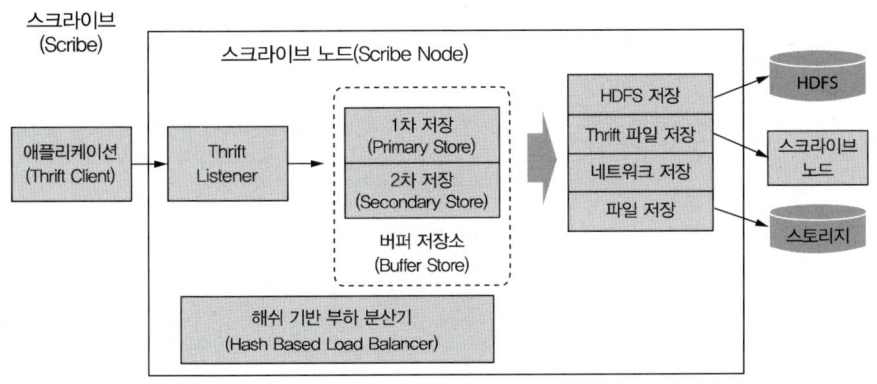

▲ 스크라이브 구조

◉ 스크라이브 특징

특징	설명
실시간 스트리밍 수집	• 다수의 서버로부터 실시간으로 스트리밍되는 로그 수집 가능
확장	• 아파치 Thrift 기반 스크라이브 API를 활용하여 확장 가능
데이터 수집 다양성	• 클라이언트 서버 타입에 상관없이 로그 수집 가능
고가용성	• 단일 중앙 스크라이브 서버와 다중 로컬 스크라이브 서버로 구성 • 중앙 스크라이브 서버 장애 시, 로컬 스크라이브 서버에 데이터를 저장한 후, 중앙 스크라이브 서버 복구 시 메시지를 전송

⑧ 척와(Chukwa)

㉮ 척와 개념

- 척와는 분산된 각 서버에서 에이전트를 실행하고, 컬렉터(Collector)가 에이전트로부터 데이터를 수집하여 하둡 파일 시스템에 저장, 실시간 분석 기능을 제공하는 기술이다.

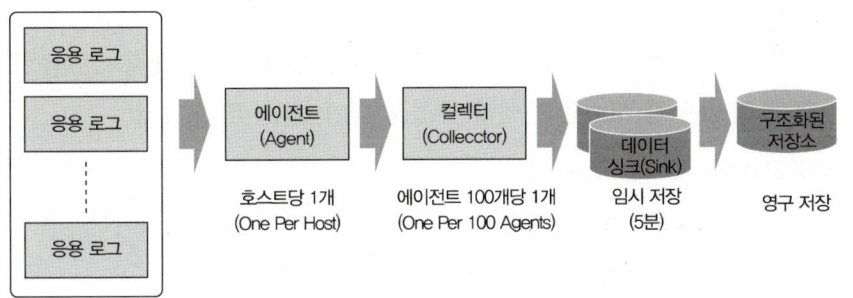

▲ 척와 구조

> **학습 POINT ★**
> 척와는 개념과 구조를 중심으로 보고 넘어가시면 되겠습니다.

잠깐! 알고가기

메타데이터(Meta Data)
데이터에 관한 구조화된 데이터로서 다른 데이터를 설명해 주는 데이터이다.

청크(Chunk)
파일이 나누어진 조각의 단위이다.

페일오버(Fail Over)
컴퓨터 서버, 시스템, 네트워크 등에서 이상이 생겼을 때 예비 시스템으로 자동 전환되는 기능이다.

파싱(Parsing)
데이터를 정제 규칙을 적용하기 위한 유의미한 최소 단위로 분할하는 작업이다.

학습 POINT ★

CEP, EAI, ODS 등의 기술이 기출문제의 보기로 출제되었습니다. 그렇다는 것은 정답으로도 충분히 출제될 가능성이 있다는 것입니다. 알아두고 가셔야겠죠?

㉯ 척와 특징

◈ 척와 특징

특징	설명
HDFS 연동	• 수집된 로그 파일을 HDFS에 저장하는 기능 지원
실시간 분석 제공	• 하둡 HDFS를 통한 실시간 분석 지원
청크(Chunk) 단위 처리	• 어댑터가 데이터를 메타데이터가 포함된 청크 단위로 전송

㉰ 척와 구성요소

◈ 척와 구성요소

구성요소	설명
에이전트 (Agent)	• 어댑터를 포함한 에이전트를 통해 데이터 수집 • 컬렉터 페일오버 기능과 체크 포인트(Check-Point)를 통해 데이터 유실 방지 기능 제공
컬렉터 (Collector)	• 에이전트로부터 수집된 데이터를 주기적으로 HDFS에 저장 • 여러 에이전트로부터 수신된 데이터를 단일 싱크(Sink) 파일에 저장 (HDFS의 Sequence File 포맷으로 저장)

⑨ **CEP(Complex Event Processing)**
- CEP는 여러 이벤트 소스로부터 발생한 이벤트를 실시간으로 추출하여 대응되는 액션을 수행하는 처리 기술이다.
- CEP를 통해 실시간 상황에서 의미 있는 이벤트를 파악하고 가능한 빨리 대응할 수 있다.

⑩ **EAI(Enterprise Application Integration)**
- EAI는 기업에서 운영되는 서로 다른 플랫폼 및 애플리케이션들 간의 정보 전달, 연계, 통합을 가능하게 해 주는 연계 기술이다.
- EAI를 사용함으로써 각 비즈니스 간 통합 및 연계성을 증대시켜 효율성을 높여 줄 수 있으며 각 시스템 간의 확장성을 높여 줄 수 있다.

⑪ **CDC(Change Data Capture)**
- CDC는 데이터 백업이나 통합 작업을 할 경우 최근 변경된 데이터들을 대상으로 다른 시스템으로 이동하는 처리 기술이다.
- 실시간 백업과 데이터 통합이 가능하여 24시간 운영해야 하는 업무 시스템에 활용된다.

⑫ ODS(Operational Data Store) 기출
- ODS는 데이터에 대한 추가 작업을 위해 다양한 데이터 원천(Source)들로부터 데이터를 추출 및 통합한 데이터베이스이다.
- ODS 내 데이터는 비즈니스 지원을 위해 타 시스템으로 이관되거나, 보고서 생성을 위해 데이터 웨어하우스(DW; Data Warehouse)로 이관된다.

⑬ 크롤링(Crawling) 기출
- 크롤링은 인터넷상에서 제공되는 다양한 웹 사이트로부터 소셜 네트워크 정보, 뉴스, 게시판 등의 웹 문서 및 콘텐츠 수집 기술이다.

⑭ RSS(Rich Site Summary) 기출
- RSS는 블로그, 뉴스, 쇼핑몰 등의 웹 사이트에 게시된 새로운 글을 공유하기 위해 XML 기반으로 정보를 배포하는 프로토콜을 활용하여 데이터를 수집하는 기술이다.

⑮ Open API
- Open API는 응용 프로그램을 통해 실시간으로 데이터를 수신할 수 있도록 공개된 API를 이용하여 데이터를 수집하는 기술이다.
- Open API를 통해 센서 데이터, 공공 데이터 등의 정보를 수집할 수 있다.

⑯ 스트리밍(Streaming)
- 스트리밍은 네트워크를 통해 오디오, 비디오 등의 미디어 데이터를 실시간으로 수집하는 기술이다.

⑰ API 게이트웨이(Gateway) 기출
- API 게이트웨이는 시스템의 전방(Front-End)에 위치하여 클라이언트로부터 다양한 서비스를 처리하고, 내부 시스템으로 전달하는 미들웨어이다.

학습 POINT
데이터 수집 방법에서 크롤링, RSS, API 게이트웨이가 문제로 출제되었습니다. 그 외 수집 기술에 대해서도 잘 알아두셔야 문제를 푸실 수 있습니다.

2 데이터 유형 및 속성 파악 ★★★

(1) 데이터 유형

빅데이터에서 활용되는 데이터의 유형은 구조, 시간, 저장 형태 관점에 따라 분류할 수 있다.

▲ 데이터 유형

① 구조 관점의 데이터 유형 기출

빅데이터 수집 시스템에서 수집 대상이 되는 데이터를 구조 관점(스키마 구조 또는 연산 가능 여부)에서 분류하면 정형 데이터, 비정형 데이터, 반정형 데이터로 나눌 수 있다.

❯❯ 구조 관점의 데이터 유형

유형	설명	종류
정형 데이터 (Structured Data)	• 정형화된 스키마(형태) 구조 기반의 형태를 가지고 고정된 필드에 저장되며 값과 형식에서 일관성을 가지는 데이터 • 컬럼(Column)과 로우(Row) 구조를 가지며, 설계된 구조 기반 목적에 맞는 정보들 예 구매, 판매, 사용자의 정보, 인기 품목 등을 저장하고 분석하는 데 사용 ▲ 정형 데이터의 구조	• 관계형 데이터베이스(RDB) • 스프레드시트

학습 POINT ★

비정형 데이터가 어떤 형태로 저장되는지 고르는 문제가 출제되었습니다. 데이터 유형별로 개념과 예시를 잘 알아두길 권장합니다!

두음 쌤 한마디

구조 관점의 데이터 유형
「정반비」
정형 / 반정형 / 비정형

유형	설명	종류
반정형 데이터 (Semi-structured Data)	• 스키마(형태) 구조 형태를 가지고 메타데이터를 포함하며, 값과 형식에서 일관성을 가지지 않는 데이터 • XML, HTML과 같은 웹 데이터가 Node 형태의 구조를 가짐 〈Parent〉 　〈Child Node〉 Value 〈/Child Node〉 　〈Child Node〉 Value 〈/Child Node〉 〈/Parent〉 ▲ 반정형 데이터의 구조	• XML • HTML • 웹 로그 • 시스템 로그 • JSON • RSS • RDF • 센서 데이터
비정형 데이터 (Unstructured Data)	• 스키마 구조 형태를 가지지 않고 고정된 필드에 저장되지 않는 데이터 | 텍스트 | 문자/문자열 형태로 저장 | | 이미지 | RGB 방식으로 저장 | | 오디오 | 시간에 따른 진폭(Amplitude) 형태로 저장 | | 비디오 | 이미지 스트리밍으로 저장 |	• SNS • 웹 게시판 • 텍스트/이미지/오디오/비디오

② 시간 관점의 데이터 유형

빅데이터 수집 시스템에서 수집 대상이 되는 데이터를 시간 관점(활용 주기)에서 분류하면 실시간 데이터, 비실시간 데이터로 나눌 수 있다.

▼ 시간 관점의 데이터 유형

유형	설명	종류
실시간 데이터 (Realtime Data)	• 생성된 이후 수 초~수 분 이내에 처리되어야 의미가 있는 현재 데이터	• 센서 데이터 • 시스템 로그 • 네트워크 장비 로그 • 알람 • 보안 장비 로그
비실시간 데이터 (Non-Realtime Data)	• 생성된 데이터가 수 시간 또는 수 주 이후에 처리되어야 의미가 있는 과거 데이터	• 통계 • 웹 로그 • 구매 정보 • 서비스 로그 • 디지털 헬스케어 정보

③ 저장 형태 관점의 데이터 유형

빅데이터 수집 시스템에서 수집 대상이 되는 데이터를 저장 형태 관점에서 분류하면 파일 데이터, 데이터베이스 데이터, 콘텐츠 데이터, 스트림 데이터 등으로 나눌 수 있다.

학습 POINT ★

공공 데이터에서 제공하는 데이터 포맷은 XML, JSON, CSV입니다.

잠깐! 알고가기

XML (Extensible Markup Language)
W3C에서 개발된 SGML(Standard Generalized Markup Language) 문서형식을 가진, 다른 특수한 목적을 갖는 마크업 언어를 만드는 데 사용하는 다목적 마크업 언어이다.

JSON(JavaScript Object Notation)
비동기 브라우저/서버 통신(AJAX)을 위해 '속성-값 쌍', '키-값 쌍'으로 이루어진 데이터 오브젝트를 전달하기 위해 인간이 읽을 수 있는 텍스트를 사용하는 자바스크립트를 토대로 개발된 개방

RDF(Resource Description Framework)
• 웹상의 자원의 정보를 표현하기 위한 XML 규격이다.
• 다른 메타데이터 간의 어의, 구문 및 구조에 대한 공통적인 규칙을 지원하고 메타데이터 간의 효율적인 교환 및 상호호환을 목적으로 한다.

학습 POINT ★

자연어 처리 기술(NLP; Natural Language Processing)은 비정형 데이터인 텍스트 분석에 활용됩니다.

잠깐! 알고가기

인메모리(In-Memory) 데이터베이스
디스크에 최적화된 데이터베이스보다 더 빠른 접근과 처리가 가능하도록 메인 메모리에 설치되어 운영되는 방식의 데이터베이스이다.

트랜잭션(Transaction)
인가받지 않은 사용자로부터 데이터를 보장하기 위해 DBMS가 가져야하는 특성이자, 데이터베이스 시스템에서 하나의 논리적 기능을 정상적으로 수행하기 위한 작업의 기본 단위이다.

⊗ 저장 형태 관점의 데이터 유형

유형	설명
파일 데이터(File)	시스템 로그, 서비스 로그, 텍스트, 스프레드시트 등과 같이 파일 형식으로 파일 시스템에 저장되는 데이터이며, 파일 크기가 대용량이거나 파일의 개수가 다수인 데이터
데이터베이스 데이터(Database)	관계형 데이터베이스(RDBMS), NoSQL(Not only SQL), 인메모리 데이터베이스 등에 의해서 데이터의 종류나 성격에 따라 데이터베이스의 컬럼(Column) 또는 테이블(Table) 등에 저장된 데이터
콘텐츠 데이터(Content)	텍스트, 이미지, 오디오, 비디오 등과 같이 개별적으로 데이터 객체로 구분될 수 있는 미디어 데이터
스트림 데이터(Stream)	센서 데이터, HTTP 트랜잭션, 알람 등과 같이 네트워크를 통해서 실시간으로 전송되는 데이터

(2) 데이터 변환 기술 기출

- 데이터 변환은 데이터의 특정 변수를 정해진 규칙에 따라 바꿔주는 기술이다.
- 데이터들에 대한 유형과 활용 목적에 따라 데이터 변환 여부와 변환 기술을 결정한다.
- 일반적인 데이터 변환 기술에는 평활화, 집계, 일반화, 정규화, 속성 생성 등이 있다.

⊗ 데이터 변환 기술

변환 기술	설명
평활화 (Smoothing)	• 데이터로부터 노이즈를 제거하기 위해 데이터 추세에 벗어나는 값들을 변환하는 기법 • 데이터 집합에 존재하는 노이즈로 인해 거칠게 분포된 데이터를 매끄럽게 만들기 위해 구간화, 군집화 등의 기법 적용
집계 (Aggregation)	• 다양한 차원의 방법으로 데이터를 요약하는 기법 • 여러 개의 표본을 하나의 표본으로 줄이는 방법, 함수를 이용해서 한꺼번에 변수 변환을 적용하여 새로운 변수로 값을 생성하는 방법 등을 활용 예) 데이터를 일별, 월별로 총합 계산
정규화 (Normalization)	• 데이터를 특정 구간으로 바꾸는 척도법 • 정규화의 유형에는 최소-최대 정규화, Z-점수 정규화 등이 있음
표준화 (Standardization)	• 값의 범위(scale)를 평균 0, 분산 1이 되도록 변환하는 척도법

변환 기술	설명
속성 생성 (Attribute/Feature Construction)	• 데이터 통합을 위해 새로운 속성이나 특징을 만드는 방법 • 주어진 여러 데이터 분포를 대표할 수 있는 새로운 속성/특징을 활용하는 기법 • 선택한 속성을 하나 이상의 새 속성으로 대체하여 데이터를 변경 처리

③ 데이터 비식별화 ★★

(1) 데이터 비식별화

① 데이터 비식별화(Data De-Identification) 개념

- 데이터 비식별화는 특정 개인을 식별할 수 없도록 개인정보의 일부 또는 전부를 변환하는 일련의 방법이다.
- 데이터를 안전하게 활용하기 위해서는 수집된 데이터의 개인정보 일부 또는 전부를 삭제하거나 다른 정보로 대체함으로써 다른 정보와 결합하여도 특정 개인을 식별하기 어렵게 데이터 비식별화 조치를 해야 한다.

② 데이터 비식별화 적용 대상 기출

◈ 데이터 비식별화 적용 대상

적용 대상	대상	예시
그 자체로 개인을 식별할 수 있는 정보	개인을 식별할 수 있는 정보	이름, 전화번호, 주소, 생년월일, 사진 등
	고유식별 정보	주민등록번호, 운전면허번호, 외국인 번호, 여권 번호
	생체 정보	지문, 홍채, DNA 정보 등
	기관, 단체 등의 이용자 계정	등록번호, 계좌번호, 이메일 주소 등
다른 정보와 함께 결합하여 개인을 알아볼 수 있는 정보	개인 특성	성별, 생년, 생일, 나이, 국적, 고향, 거주지, 시군구명, 우편번호, 병역 여부, 결혼 여부
	신체 특성	혈액형, 신장, 몸무게, 허리둘레, 혈압, 눈동자 색깔, 신체검사 결과, 장애 유형, 장애등급, 병명
	신용 특성	세금 납부액, 신용등급, 기부금, 건강보험료 납부액, 소득분위, 의료급여자 등
	경력 특징	학교명, 학과명, 학년, 성적, 학력, 직업
	전자적 특성	PC 사양, 비밀번호, 쿠키 정보, 접속일시
	가족 특성	배우자, 자녀, 부모, 형제 여부, 가족 정보
	위치 특성	GPS 데이터, RFID 리더 접속 기록, 인터넷 접속, 핸드폰 사용기록, 사진 등

> **학습 POINT ★**
>
> 데이터 비식별화는 중요한 개념이나 아직 출제되지 않았습니다. 따라서 중요도를 낮춰서 학습하셔도 됩니다. 그래도 핵심 두음인 [가총 삭범마]까지는 챙겨가시면 좋겠습니다!

개념 박살내기

🔗 민감정보와 고유식별정보

① **민감정보**(개인정보보호법 제23조에서 규정)

제23조(민감정보의 처리 제한) 개인정보처리자는 사상·신념, 노동조합·정당의 가입·탈퇴, 정치적 견해, 건강, 성생활 등에 관한 정보, 그 밖에 정보 주체의 사생활을 현저히 침해할 우려가 있는 개인정보로서 대통령령으로 정하는 정보(이하 "민감정보"라 한다)를 처리하여서는 아니 된다. 다만, 다음 각 호의 어느 하나에 해당하는 경우에는 그러하지 아니하다. (이하 생략)

> 개인정보 보호법 시행령 18조(민감정보의 범위)
> 1. 유전자검사 등의 결과로 얻어진 유전정보
> 2. 「형의 실효 등에 관한 법률」 제2조제5호에 따른 범죄경력자료에 해당하는 정보
> 3. 개인의 신체적, 생리적, 행동적 특징에 관한 정보로서 특정 개인을 알아볼 목적으로 일정한 기술적 수단을 통해 생성한 정보
> 4. 인종이나 민족에 관한 정보

② **고유식별정보**(개인정보보호법 제24조에서 규정)

제24조(고유식별정보의 처리 제한) 개인정보처리자는 다음 각 호의 경우를 제외하고는 법령에 따라 개인을 고유하게 구별하기 위하여 부여된 식별정보로서 대통령령으로 정하는 정보(이하 "고유식별정보"라 한다)를 처리할 수 없다. (이하 생략)

※ 고유식별정보에는 주민등록번호, 여권번호, 운전면허번호, 외국인등록번호 등이 있다. (시행령 규정)

※ 따라서 사원증 번호, 회원번호 등은 개인정보에는 해당할 수 있으나, 고유식별정보에는 해당하지 않는다.

③ 데이터 비식별화 처리 기법 〔기출〕

📌 데이터 비식별화 처리 기법

처리 기법	설명	처리대상 식별정보
가명처리 (Pseudonymisation)	• 개인 식별이 가능한 데이터에 대하여 직접 식별할 수 없는 다른 값으로 대체하는 기법 • 그 자체로는 완전 비식별화가 가능하며 데이터의 변형, 변질 수준이 낮음 • 일반화된 대체 값으로 가명처리함으로써 성명을 기준으로 하는 분석에 한계 존재 예) 장길산, 20세, 인천 거주, 미래대 재학 → 김식별, 20대, 인천 거주, 외국대 재학	• 성명 • 기타 고유 특징(출신학교, 근무처 등)

두음 쌤 한마디

데이터 비식별화 처리 기법

「가총 삭범마」

가명처리 / **총**계처리 / 데이터값 **삭**제 / **범**주화 / 데이터 **마**스킹

→ 가발 쓰고 총을 든 삭발한 범인을 마주하다.

처리 기법	설명	처리대상 식별정보
총계처리 (Aggregation)	• 개인정보에 대하여 통곗값을 적용하여 특정 개인을 판단할 수 없도록 하는 기법 • 민감한 정보에 대하여 비식별화가 가능하며 다양한 통계분석(전체, 부분)용 데이터 세트 작성에 유리함 • 집계 처리된 데이터를 기준으로 정밀한 분석이 어려우며 집계 수량이 적을 경우 데이터 결합 과정에서 개인정보 추출 또는 예측이 가능 • 총계처리 적용 시 개인정보를 묶어서 관리 예) 장길정 160cm, 김식별 150cm, 김콩쥐 170cm, 장길산 150cm → 물리학과 학생 키 합: 630cm, 평균 키 158cm	• 개인과 직접 관련된 날짜 정보 (생일, 자격 취득일) • 기타 고유 특징(수입지출, 신체정보, 진료기록, 병력정보 등의 개인 민감정보)
데이터값 삭제 (Data Reduction)	• 개인정보 식별이 가능한 특정 데이터값 삭제 처리 기법 • 민감한 개인 식별 정보에 대하여 완전한 삭제 처리가 가능하여 예측, 추론 등이 어렵도록 함 • 데이터 삭제로 인한 분석의 다양성, 분석 결과의 유효성, 분석 정보의 신뢰성을 저하시킬 수 있음 예) 주민등록번호 801212-1234567 → 80년대생, 남자, 개인과 관련된 날짜 정보(합격일 등)는 연 단위로 처리	• 쉽게 개인을 식별할 수 있는 정보(이름, 전화번호, 주소, 생년월일 등) • 고유식별정보(주민등록번호, 운전면허정보 등) • 생체 정보(지문, 홍채, DNA 정보 등) • 기관·단체 등의 이용자 계정 (등록번호, 계좌번호, 이메일 주소 등)
범주화 (Data Suppression)	• 단일 식별 정보를 해당 그룹의 대푯값으로 변환(범주화)하거나 구간 값으로 변환(범위화)하여 고유 정보 추적 및 식별 방지 기법 • 범주나 범위는 통계형 데이터 형식이므로 다양한 분석 및 가공이 가능 • 범주, 범위로 표현됨에 따라 정확한 수치에 따른 분석, 특정한 분석 결과 도출이 어려우며, 데이터 범위 구간이 좁혀질 경우 추적, 예측이 가능 예) 장길산, 41세 → 장 씨, 40~50세	• 쉽게 개인을 식별할 수 있는 정보(주소, 생년월일 등) • 고유식별 정보(주민등록번호, 운전면허번호 등) • 기관·단체 등의 이용자 계정 (등록번호, 계좌번호)

처리 기법	설명	처리대상 식별정보
데이터 마스킹 (Data Masking)	• 개인 식별 정보에 대하여 전체 또는 부분적으로 대체 값(공백, '*', 노이즈 등)으로 변환 기법 • 완전 비식별화가 가능하며 원시 데이터의 구조에 대한 변형이 적음 • 과도한 마스킹 적용 시 필요한 정보로 활용하기 어려우며, 마스킹의 수준이 낮을 경우 특정한 값의 추적 예측 가능함 예) 장길산, 41세, 서울 거주, 미래대학 재학 → 장○○, 41세, 서울 거주, ○○대학 재학	• 쉽게 개인을 식별할 수 있는 정보(이름, 전화번호, 주소, 생년월일, 사진 등) • 고유식별정보(주민등록번호, 운전면허번호 등) • 기관·단체 등의 이용자 계정(등록번호, 계좌번호, 이메일 주소 등)

• 개인정보 비식별 방법 중 데이터 범주화(Data Suppression) 기법의 세부 유형은 다음과 같다.

▽ 데이터 범주화 기법의 세부 유형

세부 유형	설명
감추기	• 명확한 값을 숨기기 위하여 데이터의 평균 또는 범주 값으로 변환하는 방식 • 특수한 성질을 지닌 개인으로 구성된 단체 데이터의 평균이나 범주 값은 그 집단에 속한 개인의 정보를 쉽게 추론할 수 있음
랜덤 라운딩 (Random Rounding)	• 수치 데이터를 임의의 수 기준으로 올림 또는 내림하는 방식
범위 방법 (Data Range)	• 수치 데이터를 임의의 수 기준의 범위로 설정하는 기법으로, 해당 값의 범위 또는 구간으로 표현
제어 라운딩 (Controlled Rounding)	• 랜덤 라운딩 방법에서 어떠한 특정 값을 변경할 경우, 행과 열의 합이 일치하지 않는 단점 해결을 위해 행과 열이 맞지 않는 것을 제어하여 일치시키는 기법

④ **재현 데이터(Synthetic Data)** 기출

㉮ 재현 데이터의 개념

재현 데이터는 실제로 측정된 원본 데이터를 활용하여 통계적 방법이나 기계학습 방법 등을 이용하여 새롭게 생성한 모의 데이터이다.

㉯ 재현 데이터의 특징

• 원본 데이터와 최대한 유사한 통계적 성질을 보이는 가상의 데이터를 생성하기 위해서 개인정보의 특성을 분석하여 새로운 데이터를 생성한다.
• 원본 데이터와 다르지만, 원본 데이터와 동일 분포를 따르도록 통계적으로 생성한 데이터이다.
• 모집단의 통계적 특성들을 유지하면서도 민감한 정보를 외부에 직접 공개하지 않는 특징이 있다.

㉰ 재현 데이터의 유형

재현 데이터는 원본 자료의 포함 여부에 따라 완전 재현 데이터, 부분 재현 데이터, 복합 재현 데이터로 구분된다.

❱ 재현 데이터의 유형

유형	설명
완전 재현 데이터 (Fully Synthetic Data)	• 원본 자료의 속성(Label; Feature) 정보 모두를 재현 데이터로 생성한 데이터 • 정보보호 측면에서 가장 강력한 보안성을 가짐
부분 재현 데이터 (Partially Synthetic Data)	• 모든 속성자료를 재현 데이터로 만들기가 현실적으로 어렵기 때문에, 민감하지 않은 정보는 그대로 두고, 민감한 정보에 대해서만 재현 데이터로 대체한 데이터
복합 재현 데이터 (Hybrid Synthetic Data)	• 일부 변수들의 값을 재현 데이터로 생성하고 생성된 재현 데이터와 실제 변수를 모두 이용하여 또 다른 일부 변수들의 값을 다시 도출하는 방법으로 생성한 데이터

(2) 개인정보 익명 처리 기법 〔기출〕

개인정보의 익명 처리는 가명처리, 일반화, 섭동, 치환 등을 포함한 다양한 방법으로 구현해야 한다.

❱ 개인정보 익명 처리 기법

처리 기법	설명
가명처리 (Pseudonym)	개인 식별이 가능한 데이터에 대하여 직접 식별할 수 없는 다른 값으로 대체하는 기법 예) 원래 이름을 홍길동, 임꺽정 등으로 대체
일반화 (Generalization)	더 일반화된 값으로 대체하는 것으로 숫자 데이터의 경우 구간으로 정의하고, 범주화된 속성은 트리의 계층적 구조에 의해 대체하는 기법 예) 우편번호 12345를 12000과 12999 사이의 구간으로 범주화
섭동 (Perturbation)	원래 데이터를 동일한 확률적 정보를 가지는 변형된 값으로 대체하는 기법 예) 입원 일자와 퇴원 일자를 일률적으로 100일을 추가하여 변형
치환 (Permutation)	특정 컬럼의 데이터를 무작위로 순서를 변경하는 기법 예) 월수입 컬럼의 데이터를 무작위로 순서 변경

개인정보 익명 처리 기법
「가일섭치」
가명처리 / **일**반화 / **섭**동 / **치**환
→ 과(가)일을 섭취(치)하다.

(3) 개인정보 비식별 조치 가이드라인

개인정보 비식별 조치 가이드라인은 정보의 일부 또는 전부를 삭제·대체하거나, 다른 정보와 쉽게 결합하지 못하도록 하여 특정개인을 알아볼 수 없도록 하는 수행지침이다.

① 사전검토

개인정보 해당 여부를 검토하고, 개인정보에 해당하지 않는 경우에는 별도 조치 없이 활용한다.

② 비식별 조치

▽ 비식별 조치 기준

조치 기준	설명
식별자 조치 기준	정보 집합물에 포함된 식별자는 원칙적으로 삭제 조치 예) 성명, 주민번호, 여권번호, 상세주소, 날짜정보, 전화번호
속성자 조치 기준	데이터 이용 목적과 관련이 없는 속성자의 경우 원칙적으로 삭제 예) 성별, 병역 여부, 음주 여부, 혈액형, 출신학교
비식별 조치 방법	여러 비식별 조치 방법을 이용하여 단독 또는 복합적 활용 예) 가명처리, 총계처리, 데이터 삭제/범주화/마스킹

③ 적정성 평가

▽ 적정성 평가 프로세스

평가 기준	설명
기초 자료 작성	적정성 평가가 필요한 기초자료를 작성 예) 데이터 명세, 비식별 조치현황, 이용기관의 관리수준
평가단 구성	개인정보보호 책임자가 3명 이상의 관련 분야 전문가로 구성 예) 법률전문가, 비식별 조치 방법 전문가
평가 수행	여러 프라이버시 보호 모델 활용하여 비식별 수준 적정성 평가 예) k-익명성, l-다양성, t-근접성
추가 비식별 조치	평가결과가 '부적정'인 경우, 추가 비식별 조치 실시
데이터 활용	평가결과가 '적정'인 경우, 해당 데이터를 빅데이터 분석에 이용하거나 제3자에게 제공

비식별 조치 가이드라인은 중요도가 상대적으로 낮습니다. 가볍게 이런 게 있구나 하는 정도로 알아두시길 권장합니다!

④ 사후관리

⊗ 사후관리 기준

관리 기준	설명
비식별 정보 안전조치	비식별 조치된 정보가 유출되는 경우 다른 정보와 결합하여 식별될 우려가 존재하므로 필수적 보호조치 이행 예) 관리적 보호조치, 기술적 보호조치
재식별 가능성 모니터링	비식별 정보를 이용하여 제3자에게 제공하는 경우, 정보의 재식별 가능성을 정기적으로 모니터링 수행 예) 비식별 정보와 결합하여 새로운 정보가 생성된 경우

4 데이터 품질 검증 ★★★

(1) 데이터 품질 특성 [기출]

① 데이터 품질 요소와 품질 전략 [기출]

⊗ 데이터 품질 요소와 품질 전략

요소	전략
정확성 (Accuracy)	데이터 사용 목적에 따라 데이터 정확성의 기준을 다르게 적용 예) 사용자가 접속한 사이트와 이동 지점을 분석하는 클릭 스트림 분석과 부정이나 사기를 탐지하는 경우 데이터의 품질 수준은 다름
완전성 (Completeness)	필요한 데이터의 완전한 확보보다는 필요한 데이터를 식별하는 수준으로 적용 가능
적시성 (Timeliness)	소멸성이 강한 데이터에 대해 어느 정도의 품질 기준을 적용할 것인지 결정 예) 웹 로그 데이터, 트윗 데이터, 위치 데이터 등은 하루, 몇 시간, 몇 분 동안만 타당성을 가짐
일관성 (Consistency)	같은 데이터라 할지라도 사용 목적에 따라 달라지는 데이터 수집 기준 때문에 데이터 의미가 달라질 수 있음

> **학습 POINT ★**
> 데이터 품질과 관련된 문제가 다수 출제되었습니다. 출제된 개념에 대해서는 상세하게 보고 넘어가시길 권장합니다!

> **학습 POINT ★**
> 적시성(Timeliness)은 시의성이라고도 부릅니다.

② 데이터 품질 진단의 종류 [기출]

◉ 데이터 품질 진단의 종류

종류	설명
데이터값 진단	• 데이터값과 관련된 품질 기준을 적용하여, 오류 내역을 산출하고 주요 원인을 분석하여 개선 사항을 도출하는 방법 • 데이터값과 관련된 오류는 데이터의 구조·흐름 통제·관리 프로세스와 연관되어 발생 • 데이터값 진단의 개선 사항은 그 오류 발생 원인 분석에 따라 값의 정제 외에도 구조 개선 사항·데이터 흐름 통제·관리 프로세스의 개선 사항이 포함됨
데이터 구조 진단	• 데이터 모델링 관점에서 데이터 품질을 진단하는 방법 • 특히 중요 업무 데이터베이스의 리버스 모델링(Reverse Modelling)을 통하여 논리 모델을 작성하고, 현행 데이터베이스의 구조 무결성·데이터 구조 표준화·관리 수준·변경 관리 등의 현황을 진단 • 데이터의 표준화 수준, 표준 코드, 표준 도메인, 테이블·컬럼 및 관계 정의, 정규화 수준 등을 데이터 구조 진단을 통해 발견할 수 있음
데이터 관리 프로세스 진단	• 정형·비정형 데이터에 대한 현행 데이터 관리 프로세스를 분석하여 문제점을 도출하고, 이를 개선할 수 있는 핵심 업무 프로세스를 표준화하여 재설계할 수 있는 방법 • 품질관리 정책 수립·업무 프로세스의 적절성 및 운영성 분석·프로세스별 오너쉽 등을 데이터 관리 프로세스 진단을 통해 발견할 수 있음

③ 데이터 품질 진단 절차 [기출]

◉ 데이터 품질 진단 절차

절차	설명
품질 진단 계획 수립	• 프로젝트 정의, 조직 정의 및 편성, 품질진단 절차 정의, 세부 시행 계획 확정, 품질 기준 및 진단 대상 정의의 순으로 품질진단 계획을 수립
품질 기준 및 진단 대상 정의	• 품질 기준 선정, 품질 이슈 조사, 데이터 관리 문서 수집, 진단 대상 중요도 평가, 진단 대상 선정, 핵심 데이터 항목 정의, 데이터 프로파일링, 업무규칙 정의 순으로 품질 기준 및 진단 대상을 정의한다.
데이터 품질측정	• 품질측정계획 수립, 품질측정 체크리스트 준비, 데이터 품질측정 수행, 데이터 품질측정 결과 보고 순으로 데이터 품질측정 수행 • 도출된 업무규칙과 측정항목에 대해 실 운영시스템에 적용하여 품질수준을 측정하며, 품질지수를 산출함
품질측정 결과 분석	• 오류가 발견된 컬럼 또는 측정항목에 대하여 품질 기준별, 발생 유형별 오류 원인을 분석하고, 주요 발생 사례를 정리 • 주요 오류 원인별 개선 방안을 도출 • 각 업무 분야별 변경 영향도 분석을 수행하여 시급성과 우선순위를 부여

> **학습 POINT**
> 데이터 품질 진단 단계에서는 사전에 도출한 업무 규칙을 실제 운영 데이터베이스에 적용하여 오류 데이터를 추출하고 오류율을 산출하여 오류 현황을 파악할 수 있습니다.

절차	설명
데이터 품질개선	• 도출된 개선안과 우선순위에 따라 세부 수행 일정과 책임 소재, 관련 조직 및 업무 관련자에 대한 공지 계획 등이 포함된 품질개선 계획 수립 • 수립된 품질개선 계획에 따라 개선 활동을 수행하며, 품질담당자는 개선 진행 상황을 모니터링하여 전체적인 조율 및 진행을 관리 • 오류 원인별 개선 수행 내역과 결과를 요약하여 보고함

④ 데이터 품질 기준 〔기출〕

데이터의 품질 기준은 정형 데이터의 품질 기준과 비정형 데이터의 품질 기준으로 나누어서 정의할 수 있다.

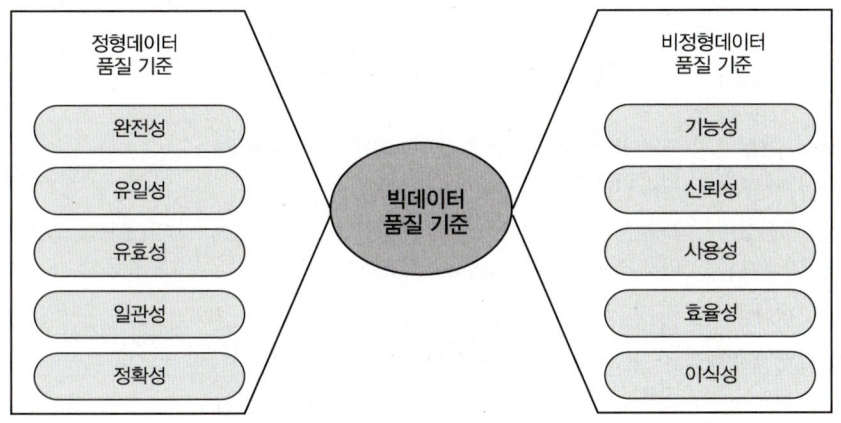

▲ 데이터 품질 기준

㉮ 정형 데이터 품질 기준 〔기출〕

정형 텍스트 데이터에 대한 품질 기준은 완전성, 유일성, 유형성, 일관성, 정확성 5개의 품질 기준으로 나눌 수 있다.

▽ 정형 데이터 품질 기준

품질 기준	설명	세부 품질 기준
완전성 (Completeness)	필수항목에 누락이 없어야 하는 성질	개별 완전성, 조건 완전성
유일성 (Uniqueness)	데이터 항목은 유일해야 하며 중복되어서는 안 되는 성질	단독, 조건 유일성
유효성 (Validity)	데이터 항목은 정해진 데이터 유효범위 및 도메인을 충족해야 하는 성질	범위, 날짜, 형식 유효성
일관성 (Consistency)	데이터가 지켜야 할 구조, 값, 표현되는 형태가 일관되게 정의되고, 서로 일치하는 성질	기준코드 일관성, 참조 무결성, 데이터 흐름 일관성, 컬럼 일관성

품질 기준	설명	세부 품질 기준
정확성 (Accuracy)	실세계에 존재하는 객체의 표현 값이 정확히 반영되어야 하는 성질	선후 관계 정확성, 계산/집계 정확성, 최신성, 업무규칙 정확성

④ 비정형 데이터 품질 기준

비정형 콘텐츠 자체에 대한 품질 기준은 콘텐츠 유형에 따라 다를 수 있다.

⊗ 비정형 데이터 품질 기준

품질 기준	설명	세부 품질 기준
기능성 (Functionality)	해당 콘텐츠가 특정 조건에서 사용될 때, 명시된 요구와 내재된 요구를 만족하는 기능을 제공하는 정도	적절성, 정확성, 상호 운용성, 기능 순응성
신뢰성 (Reliability)	해당 콘텐츠가 규정된 조건에서 사용될 때 규정된 신뢰 수준을 유지하거나 사용자로 하여금 오류를 방지할 수 있도록 하는 정도	성숙성, 신뢰 순응성
사용성 (Usability)	해당 콘텐츠가 규정된 조건에서 사용될 때, 사용자에 의해 이해되고, 선호될 수 있게 하는 정도	이해성, 친밀성, 사용 순응성
효율성 (Efficiency)	해당 콘텐츠가 규정된 조건에서 사용되는 자원의 양에 따라 요구된 성능을 제공하는 정도	시간 효율성, 자원 효율성, 효율 순응성
이식성 (Portability)	해당 콘텐츠가 다양한 환경과 상황에서 실행될 가능성	적응성, 공존성, 이식 순응성

(2) 데이터 변환 후 품질 검증 프로세스

① 메타데이터를 통한 품질 검증 기법

㉮ 메타데이터(Meta Data) 개념

메타데이터는 데이터에 관한 구조화된 데이터로서 다른 데이터를 설명해 주는 데이터이다.

㉯ 메타데이터를 통한 속성 검증 수행

⊗ 메타데이터를 통한 데이터 속성(유효성) 분석 방안

구분	분석 방안
메타데이터 수집	• 테이블 정의서, 컬럼 정의서, 도메인 정의서, 데이터 사전, ERD, 관계 정의서를 통한 메타데이터 수집 • 테이블 및 컬럼 및 관계 목록 명세화
수집된 메타데이터 분석	• 테이블, 컬럼, 관계목록을 대조하여 불일치 사항 분석 • 메타데이터 분석을 통해 불일치 정보 정리
누락 값 분석	• NULL 값, 공백 값(''), 숫자 '0' 등 분포를 통해 누락 값 분석

메타데이터의 개념 정도만 알아두고 넘어가시면 좋겠습니다.

구분	분석 방안
값의 허용 범위 분석	• 컬럼의 속성값이 가져야 할 범위 내에 속성값이 있는지 여부가 아닌, 해당 속성의 도메인 유형에 따라 범위를 결정 • 측량 단위, 자료형의 크기에 따라 값의 허용 범위 판단

허용 값 목록 분석	• 해당 컬럼의 허용값 목록이나 집합에 포함되지 않는 값을 발견하는 절차
	  - 분석 대상 컬럼의 개별 값과 발생 빈도를 조사
	  - 값의 유무나 값의 여부를 나타내는 컬럼을 조사
	  - 값이 명확히 정의되어 있는 유훗값의 컬럼을 조사
	  - 표준화되어 있지 않은 코드성 컬럼을 조사

문자열 패턴 분석	• 컬럼 속성값의 특성이 문자열로 반복되는 모형을 정형화하여 해당 컬럼의 특성을 파악
날짜 유형 분석	• DBMS 또는 시스템에서 제공하는 DATETIME 유형과 문자형 날짜 유형을 활용하여 날짜 유형 분석
유일 값 분석	• 업무적 의미에서 유일해야 하는 컬럼에 중복이 발생되었는지를 확인하는 절차 • 테이블 식별자로 활용되는 컬럼 속성값들에 대해서 유일 값 분석
구조 분석	• 잘못된 데이터 구조로 인해 데이터값에서 일관되지 못하거나, 부정확한 값이 발견되는 현상을 파악하는 절차 • 구조 결함을 발견하기 위해 관계 분석, 참조 무결성 분석, 구조 무결성 분석기법 등을 활용

② **정규 표현식을 통한 검증 기법**

㉮ 정규 표현식(Regular Expression) 개념

정규 표현식은 특정한 규칙을 가진 문자열의 집합을 표현하는 데 사용하는 형식 언어이다.

㉯ 정규 표현식을 통한 검증 수행

단순 값의 유무나 중복 여부 검증 외에도 데이터 양식이나 복잡한 규칙을 적용하기 위해 정규 표현식을 통해 유효성 검증을 할 수 있다.

• 데이터 유효성 검증 사례는 다음과 같다.

> (예) \d{3}-\d{3,4}-\d{4}$ → (전화번호) 3개의 영역으로 구성되며, 각 영역은 하이픈(-)으로 구분되고, 첫 번째는 3자리 숫자, 두 번째는 3~4자리 숫자, 마지막은 4자리 숫자

③ **데이터 프로파일링을 통한 품질 검증 기법**

㉮ 데이터 프로파일링(Data Profiling) 개념

• 데이터 프로파일링은 데이터 현황 분석을 위한 자료 수집을 통해 잠재적 오류 징후를 발견하는 방법이다.

참조 무결성 (Referential Integrity)

• 관계형 데이터베이스 모델에서 참조 관계에 있는 두 테이블의 데이터가 항상 일관된 값을 갖도록 유지되어야 하는 제약 조건이다.
• 외래키 값은 Null이거나 참조 릴레이션의 기본키 값과 동일해야 한다는 뜻으로 릴레이션은 참조할 수 없는 외래키 값을 가질 수 없다는 규정이다.

데이터 프로파일링 개념, 품질 검증 기준이 문제로 출제되었습니다. 중요도를 높게 생각하고 밀도 있게 학습해주시길 권장합니다!

㉣ 데이터 프로파일링 특징
- 데이터 프로파일링은 주로 정형 텍스트 데이터 및 비정형 콘텐츠의 메타 데이터에 대한 품질 진단에 활용되며, 통계적 기법을 활용하여 데이터의 품질과 관련된 현상을 파악하는 절차로서 데이터 소스에 존재하는 데이터의 구조, 내용, 품질을 파악하기 위해 다양한 형태로 분석하는 절차로 데이터에 대한 정보를 추출하는 방법이다.
- 데이터 프로파일링은 데이터의 저장, 연계, 가공, 활용 등 데이터의 변경이 발생하는 모든 영역에서 수행하여 오류를 사전에 파악할 수 있다.
- 데이터 프로파일링을 통해 정의된 표준 도메인에 맞는지 검증한다.

(3) 품질 검증 기준 _{기출}

◉ 품질 검증 기준

기준	설명
복잡성	• 빅데이터 수집 시스템에서 수집하는 데이터의 구조, 형식, 자료, 계층 측면에서 복잡성 기준을 정의 ◉ 수집 데이터 복잡성 기준 사례 <table><tr><td>구분</td><td>품질 검증 기준</td></tr><tr><td>구조</td><td>• 빅데이터를 사용 가능한 구조로 얼마나 쉽게 변경할 수 있는지 여부</td></tr><tr><td>형식</td><td>• 수집된 데이터가 자료 형식(XLS, XML, JSON 등)을 준수하는지 여부 • 데이터에 몇 개의 다른 형태가 포함되는지 여부 • 데이터의 변수들을 사용 가능한 형식으로 쉽게 변환할 수 있는지 여부</td></tr><tr><td>자료</td><td>• 데이터 형식에 다른 기준이 얼마나 사용되었는지 여부 • 통일되지 않는 비표준 코드가 사용되었는지 여부 • 다른 코드 형식이 데이터에 사용되었는지 여부</td></tr><tr><td>계층</td><td>• 레코드 혹은 변수 사이의 상하 구조적인 형식이 존재하는지 여부</td></tr></table>
완전성	• 수집된 빅데이터 질이 충분하고 완전한지에 대한 품질 관리 기준을 정의
유용성	• 수집된 빅데이터 처리 용이성, 하드웨어 및 소프트웨어 제약 사항 관련 품질 관리 기준을 정의
시간적 요소	• 데이터 전달과 수집 사이의 소요 시간 • 자료가 수집된 시점/자료 수집 기간 • 자료 수집 및 제공이 주기적으로 가능한지 여부 • 수집 방법의 변화가 과거 자료를 사용하는 데 제약이 될 수 있는지 여부

XML
(eXtensible Markup Language)
HTML의 단점을 보완한 인터넷 언어로, SGML의 복잡성을 개선한, 특수한 목적을 가진 마크업 언어이다.

JSON
(JavaScript Object Notation)
비동기 브라우저/서버 통신(AJAX)을 위해 '속성-값 쌍', '키-값 쌍'으로 이루어진 데이터 오브젝트를 전달하기 위해 인간이 읽을 수 있는 텍스트를 사용하는 자바스크립트를 토대로 개발된 개방형 표준 포맷이다.

기준	설명
일관성	• 수집된 빅데이터와 원천소스가 연결되지 않는 비율 정도 • 관심 사항과 연관된 변수들에 대한 평가 • 수집된 빅데이터의 이상 값, 오류 값 등이 사용하는 데 있어 결과에 영향을 미칠 수 있는 중요한 오차를 표현하는지 여부
타당성	• 수집된 빅데이터의 메타데이터를 분석한 방법이 안정성을 평가할 수 있는지 여부 • 수집된 빅데이터의 이상 값, 오류 값 등이 분석 결과에 영향을 미칠 수 있는 중요한 오차로 작용하는지 여부
정확성	• 자료의 값들이 허용 범위 내에 존재하는지 여부 • 빅데이터 출처 기준으로 너무 많거나, 너무 작게 기술되거나 누락된 영역이 있는지 여부 • 측정 도구의 타당성 및 관측의 정확성 여부

(4) 품질 통제 절차 `기출`

품질 통제 절차는 데이터의 품질을 유지하기 위해 다양한 단계에서 데이터를 검증하고 관리하는 절차이다.

◈ 품질 통제 절차

순서	절차	설명
1	진단대상 정의 (Define)	품질 이슈에 대한 수요 및 현황을 조사하여 품질 진단 대상 데이터베이스를 선정하고, 진단 방향성을 정의
2	품질진단 실시 (Measure)	품질 진단 대상에 대한 상세 수준의 품질 진단 계획 수립 후 품질 진단 영역별 진단을 실시
3	진단결과 분석 (Analyze)	오류 원인 분석, 업무 영향도 분석을 통해 개선과제를 정의(단기 개선과제, 중·장기 개선과제 등)
4	개선계획 수립 (Improvement Plan)	품질 개선 과제별 개선 방향 정의 및 개선 추진을 위한 추진 계획을 수립
5	개선 수행 (Implement)	상세 수준의 품질개선 계획 수립 및 개선 영역별 품질 개선 실시
6	품질 통제 (Control)	목표 대비 결과 분석, 평가를 통한 품질관리 목표 재설정 및 지속적 품질통제 수행

지피지기 기출문제

01 다음 중 데이터 수집 방법으로 가장 적절하지 않은 것은?

① Open API로 센서 데이터를 수집한다.
② FTP를 통해 문서를 수집한다.
③ 동영상 데이터는 스트리밍(Streaming)을 통해 수집한다.
④ DBMS로부터 크롤링한다.

해설 크롤링은 인터넷상에서 제공되는 다양한 웹 사이트로부터 소셜 네트워크 정보, 뉴스, 게시판 등의 웹 문서 및 콘텐츠 수집 기술이다.

02 다음 중 수집 대상 데이터를 추출, 가공하여 데이터 웨어하우스 및 데이터 마트에 저장하는 기술은 무엇인가?

① ETL   ② CEP
③ EAI   ④ ODS

해설 ETL에 대한 설명이다.

ETL	수집 대상 데이터를 추출, 가공하여 데이터 웨어하우스 및 데이터 마트에 저장하는 기술
CEP	CEP는 여러 이벤트 소스로부터 발생한 이벤트를 실시간으로 추출하여 대응되는 액션을 수행하는 처리 기술
EAI	EAI는 기업에서 운영되는 서로 다른 플랫폼 및 애플리케이션들 간의 정보 전달, 연계, 통합을 가능하게 해 주는 연계 기술
ODS	데이터에 대한 추가 작업을 위해 다양한 데이터 원천(Source)으로부터 데이터를 추출 및 통합한 데이터베이스

03 데이터 분석을 위한 데이터를 데이터 저장소인 DW(Data Warehouse) 및 DM(Data Mart)으로 이동시키기 위해 다양한 소스 시스템으로부터 필요한 원본 데이터를 추출하고 변환하여 저장하는 기술은 무엇인가?

① ETL   ② EAI
③ DW   ④ ODS

해설

ETL (Extract Transform Load)	데이터 분석을 위한 데이터를 데이터 저장소인 DW(Data Warehouse) 및 DM(Data Mart)으로 이동시키기 위해 다양한 소스 시스템으로부터 필요한 원본 데이터를 추출(Extract)하고 변환(Transform)하여 적재(Load)하는 작업 및 기술
EAI (Enterprise Application Integration)	기업에서 운영되는 서로 다른 플랫폼 및 애플리케이션 간의 정보 전달, 연계, 통합을 가능하게 해 주는 연계 기술
DW (Data Warehouse)	사용자의 의사결정에 도움을 주기 위하여, 기간 시스템의 데이터베이스에 축적된 데이터를 공통 형식으로 변환해서 관리하는 데이터베이스
ODS (Operational Data Store)	데이터에 대한 추가 작업을 위해 다양한 데이터 원천(Source)들로부터 데이터를 추출 및 통합한 데이터베이스

04 개인정보 비식별화 기법으로 올바르지 않은 것은?

① 가명처리   ② 총계처리
③ 데이터값 대체 ④ 데이터 마스킹

해설 데이터값 대체 기법은 개인정보 비식별화 기법에 포함되지 않는다.

05 다음 중 민감정보가 아닌 것은?

① 정치적 성향
② 개인의 사상 및 신념
③ 건강 상태
④ 취미 생활

해설 민감정보는 사상·신념, 노동조합·정당의 가입·탈퇴, 정치적 견해, 건강, 성생활 등에 관한 정보, 그 밖에 정보 주체의 사생활을 현저히 침해할 우려가 있는 개인정보로서 대통령령이 정하는 정보, 유전정보, 범죄경력에 관한 정보가 포함된다.

06 비정형 데이터에 대한 설명으로 옳지 않은 것은?

① 텍스트는 문자 데이터로 저장한다.
② 오디오는 CMYK 형태로 저장한다.
③ 이미지는 RGB 방식으로 저장한다.
④ 비디오는 이미지 스트리밍으로 저장한다.

해설 비정형 데이터는 스키마 구조 형태를 가지지 않고 고정된 필드에 저장되지 않는 데이터이며 텍스트, 이미지, 오디오, 비디오 등이 있다.

텍스트	문자/문자열 형태로 저장
이미지	RGB 방식으로 저장
오디오	시간에 따른 진폭(Amplitude) 형태로 저장
비디오	이미지 스트리밍으로 저장

07 익명화 기법이 아닌 것은?

① 가명 처리(Pseudonymisation)
② 특이화(Specialization)
③ 치환(Permutation)
④ 섭동(Perturbation)

해설 익명화 기법으로는 가명처리, 일반화, 섭동, 치환 등이 있다.

가명 처리(Pseudonymisation)	개인 식별이 가능한 데이터에 대하여 직접 식별할 수 없는 다른 값으로 대체하는 기법
일반화(Generalization)	더 일반화된 값으로 대체하는 것으로 숫자 데이터의 경우 구간으로 정의하고, 범주화된 속성은 트리의 계층적 구조에 의해 대체하는 기법
섭동(Perturbation)	동일한 확률적 정보를 가지는 변형된 값에 대하여 원래 데이터를 대체하는 기법
치환(Permutation)	속성 값을 수정하지 않고 레코드 간에 속성 값의 위치를 바꾸는 기법
개인정보 익명 처리 기법	
가일섭치	가명처리 / 일반화 / 섭동 / 치환

08 다음 중 재현 데이터(Synthetic Data)에 대한 설명으로 올바른 것은?

① 재현하는 데이터에는 원 데이터의 속성을 포함하고 있어야 한다.
② 재현 데이터는 기존 변수에 특정 조건 혹은 함수 등을 사용하여 새롭게 재정의한 파생 변수이다.
③ 재현 데이터 중 완전 재현 데이터(Fully Synthetic Data)는 민감하지 않은 정보는 그대로 두고, 민감한 정보에 대해서만 재현 데이터로 대체한 데이터이다.
④ 생성하는 방법은 단위 변환, 표현형식 변환, 요약 통계량 변환, 정보 추출, 변수 결합, 조건문 이용 등이 있다.

해설
• 재현 데이터는 실제로 측정된 원본 자료(Real Data)를 활용하여 통계적 방법이나 기계학습 방법 등을 이용하여 새롭게 생성한 모의 데이터(Simulated Data)이다.
• 재현 데이터는 원본 자료와 최대한 유사한 통계적 성질을 보이는 가상의 데이터를 생성하기 위해서 개인정보의 특성을 분석하여 새로운 데이터를 생성한다.
• 원본 자료와 다르지만, 원본 자료와 동일 분포를 따르도록 통계적으로 생성한 자료이다.
• 재현 데이터는 모집단의 통계적 특성들을 유지하면서도 민감한 정보를 외부에 직접 공개하지 않는 특징이 있다.

지피지기 기출문제

09 다음 중 데이터의 적절성, 정확성, 상호 운용성 등 명시된 요구와 내재된 요구를 만족하는 데이터 품질 기준은?

① 데이터 기능성
② 데이터 접근성
③ 데이터 일관성
④ 데이터 효율성

> 해설 데이터의 적절성, 정확성, 상호 운용성 등 명시된 요구와 내재된 요구를 만족하는 데이터 품질 기준은 데이터 기능성이다.

10 수집된 정형 데이터 품질 보증을 위한 방법으로 적합하지 않은 것은?

① 데이터 프로파일링 - 정의된 표준 도메인에 맞는지 검증한다.
② 메타데이터 분석 - 실제 운영 중인 데이터베이스의 테이블명·컬럼명·자료형·도메인·제약조건 등이며 데이터베이스 설계에는 반영되지 않은 한글 메타데이터·도메인 정보·엔티티 관계·코드 정의 등도 검증한다.
③ 데이터 표준 - 데이터 표준 준수 진단, 논리/물리 모델 표준에 맞는지 검증한다.
④ 비업무 규칙 적용 - 업무 규칙에 정의되어 있지 않은 값을 검증한다.

> 해설 업무 규칙을 프로파일 또는 VOC에 의해 도출하고 업무(규정)에 정의된 값이 업무 규칙(BR; Business Rule)으로 저장되어 있는지 검증한다.

11 수집 데이터의 메타데이터 등 설명이 누락되거나 충분하지 않을 경우 자료 활용성에 있어 어떤 문제점 및 결함이 존재하는지 여부를 확인하는 품질 검증 기준은 무엇인가?

① 유용성
② 완전성
③ 일관성
④ 정확성

> 해설 필수 항목에 누락이 없어야 하는 것은 완전성이다.

유용성	수집된 빅데이터 처리 용이성, 하드웨어 및 소프트웨어 제약 사항 관련 품질 관리 기준을 정의
완전성	수집된 빅데이터 질이 충분하고 완전한지에 대한 품질 관리 기준을 정의
일관성	수집된 빅데이터와 원천소스가 연결되지 않는 비율 정도
정확성	자료의 값들이 허용 범위 내에 존재하는지 여부

12 다음 중 값과 형식에서 일관성을 가지지 않지만, 메타데이터나 데이터 스키마 정보를 포함하는 데이터를 무엇이라고 하는가?

① 정형 데이터
② 반정형 데이터
③ 비정형 데이터
④ 로그 데이터

> 해설 값과 형식에서 일관성을 가지지 않지만, 메타데이터나 데이터 스키마 정보를 포함하는 데이터는 반정형 데이터이다.

정형 데이터 (Structured Data)	• 정형화된 스키마(형태) 구조 기반의 형태를 가지고 고정된 필드에 저장되며 값과 형식에서 일관성을 가지는 데이터 • 컬럼(Column)과 로우(Row) 구조를 가지며, 설계된 구조 기반 목적에 맞는 정보들
반정형 데이터 (Semi-structured Data)	• 스키마(형태) 구조 형태를 가지고 메타데이터를 포함하며, 값과 형식에서 일관성을 가지지 않는 데이터 • XML, HTML과 같은 웹 데이터가 Node 형태의 구조를 가짐
비정형 데이터 (Unstructured Data)	• 스키마 구조 형태를 가지지 않고 고정된 필드에 저장되지 않는 데이터

13 다음 중 시스템의 전방(Front-End)에 위치하여 클라이언트로부터 다양한 서비스를 처리하고, 내부 시스템으로 전달하는 미들웨어는 무엇인가?

① 데이터베이스
② API 게이트웨이(Gateway)
③ PaaS
④ ESB

해설 │ 시스템의 전방(Front-End)에 위치하여 다양한 서비스를 처리하고, 내부 시스템으로 전달하는 미들웨어는 API 게이트웨이(Gateway)이다.

데이터베이스 (Database, DB)	• 여러 사람이 공유하여 사용할 목적으로 체계화해 통합, 관리하는 데이터의 집합 • 작성된 목록으로써 여러 응용 시스템들의 통합된 정보들을 저장하여 운영할 수 있는 공용 데이터들의 묶음
PaaS (Platform as a Service)	• 인프라를 생성, 관리하는 복잡함 없이 애플리케이션을 개발, 실행, 관리할 수 있게 하는 플랫폼을 제공하는 서비스 • SaaS의 개념을 개발 플랫폼에도 확장한 방식으로 개발을 위한 플랫폼을 구축할 필요 없이, 필요한 개발 요소를 웹에서 빌려 쓸 수 있게 하는 모델
ESB (Enterprise Service Bus)	• 기업에서 운영되는 서로 다른 플랫폼(이기종) 및 애플리케이션들 간을 연계해서 관리 운영할 수 있도록 서비스 중심의 통합을 지향하는 기술

14 다음 중 데이터 비식별화 처리기법에 대한 설명으로 올바르지 않은 것은?

① 가명처리는 개인 식별이 가능한 데이터에 대하여 직접 식별할 수 없는 다른 값으로 대체하는 기법이다.
② 총계처리는 개인정보에 대하여 통곗값을 적용하여 특정 개인을 판단할 수 없도록 하는 기법이다.
③ 범주화는 개인정보 식별이 가능한 특정 데이터값을 삭제 처리하는 기법이다.
④ 데이터 마스킹은 개인 식별 정보에 대하여 전체 또는 부분적으로 대체 값으로 변환하는 기법이다.

해설
• 범주화는 단일 식별 정보를 해당 그룹의 대푯값으로 변환(범주화)하거나 구간 값으로 변환(범위화)하여 고유 정보 추적 및 식별을 방지하는 기법이다.
• 개인정보 식별이 가능한 특정 데이터값을 삭제 처리하는 기법은 "데이터값 삭제" 기법이다.

15 다음 중 아래에서 설명하는 것은 무엇인가?

> 수집 대상 데이터를 동일 기종 또는 타 기종의 데이터 소스로부터 데이터를 추출하여 조회 또는 분석을 목적으로 적절한 포맷이나 구조로 데이터를 저장하기 위해 데이터를 변환하고 최종 대상 데이터베이스로 변환 데이터를 적재하는 기술

① CEP
② ETL
③ EAI
④ Crawling

해설
• 데이터 분석을 위한 데이터를 데이터 저장소인 DW(Data Warehouse) 및 DM(Data Mart)으로 이동시키기 위해 다양한 소스 시스템으로부터 필요한 원본 데이터를 추출(Extract)하고 변환(Transform)하여 적재(Load)하는 작업 및 기술은 ETL이다.
• ETL 프로세스는 다음과 같다.

추출 (Extract)	• 동일 기종 또는 이기종 소스 데이터베이스로부터 데이터를 추출 • JDBC, ODBC, 3rd Party Tools 활용
변환 (Transform)	• 조회 또는 분석을 목적으로 적절한 포맷이나 구조로 데이터를 저장하기 위해 데이터 변환 • 데이터 결합/통합, 데이터 재구성 및 중복 데이터 제거, 일관성 확보를 위한 정제 수행, Rule 적용, 데이터 표준화 수행
적재 (Load)	• 추출 및 변환된 데이터를 최종 대상(DW 또는 DM)에 저장 • Insert, Delete, Update, Append 수행

지피지기 기출문제

16 다음 중 데이터 수집 방법으로 올바르지 않은 것은?

① 크롤링 - 웹 문서 수집
② RSS - 여러 이벤트 소스로부터 발생한 실시간 이벤트
③ FTP - 대용량 파일 수집
④ Open API - 실시간 데이터 수집

> **해설**
> • 여러 이벤트 소스로부터 발생한 실시간 이벤트에 대한 수집은 CEP(Complex Event Processing)를 통해서 이루어진다.
> • RSS는 블로그, 뉴스, 쇼핑몰 등의 웹 사이트에 게시된 새로운 글을 수집하여 공유하기 위해서 사용되는 방법이다.

17 다음 중 총계처리(Aggregation)에 대한 단점으로 올바르지 않은 것은?

① 집계 수량이 적을 경우 데이터 결합 과정에서 개인정보 추출 또는 예측이 가능하다.
② 집계처리된 데이터를 기준으로 정밀한 분석이 어려울 수 있다.
③ 총계처리 시 개인의 비식별화가 불가능하다.
④ 총계처리 적용 시 개인정보를 묶어서 관리해야 한다.

> **해설** 총계처리기법은 개인정보 비식별화 처리기법으로 개인의 비식별화가 가능하다.

18 다음 중 데이터 비식별화 기법에 대한 설명으로 올바르지 않은 것은?

① 가명처리(Pseudonymisation)는 개인 식별이 가능한 데이터에 대하여 직접 식별할 수 없는 다른 값으로 대체하는 기법이다.
② 총계처리(Aggregation)는 개인정보에 대하여 통곗값을 적용하여 특정 개인을 판단할 수 없도록 하는 기법이다.
③ 범주화(Data Suppression)는 단일 식별 정보를 해당 그룹의 대푯값으로 변환하거나 구간 값으로 변환하여 고유 정보 추적 및 식별을 방지하는 기법이다.
④ 데이터값 삭제(Data Reduction)는 개인정보 식별이 가능한 특정 데이터값을 대체하는 기법이다.

> **해설** 데이터값 삭제(Data Reduction)는 개인정보 식별이 가능한 특정 데이터값 삭제 처리하는 기법이다.

19 정부에서는 공공기관에서 보유하고 있는 다양한 공공 데이터를 파일 형식으로 개방하여 누구나 편리하고 손쉽게 이용할 수 있다. 다음 중 공공 데이터에서 제공하는 데이터 포맷이 아닌 것은?

① XML(eXtensible Markup Language)
② SQL(Structured Query Language)
③ JSON (JavaScript Object Notation)
④ CSV(Comma-Separated Values)

> **해설**
> • 공공 데이터에서 제공하는 데이터 포맷은 XML, JSON, CSV이다.
> • SQL(Structured Query Language)은 데이터 형식이 아니라 관계형 데이터베이스 관리 시스템(RDBMS)의 데이터를 관리하기 위해 설계된 특수 목적의 프로그래밍 언어이다.

XML (eXtensible Markup Language)	W3C에서 개발된 SGML(Standard Generalized Markup Language) 문서형식을 가진, 다른 특수한 목적을 갖는 마크업 언어를 만드는 데 사용하는 다목적 마크업 언어
JSON (JavaScript Object Notation)	비동기 브라우저/서버 통신(AJAX)을 위해 '속성-값 쌍', '키-값 쌍'으로 이루어진 데이터 오브젝트를 전달하기 위해 인간이 읽을 수 있는 텍스트를 사용하는 자바스크립트를 토대로 개발된 개방형 표준 포맷
CSV (Comma-Separated Values)	몇 가지 필드를 쉼표(,)로 구분한 텍스트 데이터 및 텍스트 파일

CHAPTER 03 데이터 수집 및 저장 계획

20 다음 중 정형 데이터와 비정형 데이터에 대한 설명으로 올바른 것은?

① 동영상, 오디오 데이터는 정형 데이터에 속한다.
② 비정형 데이터는 전처리를 할 수 없어서 분석하기 어렵다.
③ 자연어 처리 기술(Natural Language Processing)은 텍스트 분석에 활용된다.
④ 비정형 데이터는 정형 데이터에 비해 정확한 형식을 가지고 있다.

> **해설**
> - 비정형 데이터는 전처리를 할 수 있다.
> - 자연어 처리 기술(NLP; Natural Language Processing)은 비정형 데이터인 텍스트를 분석할 때 활용된다.

정형 데이터 (Structured Data)	• 정형화된 스키마(형태) 구조 기반의 형태를 가지고 고정된 필드에 저장되며 값과 형식에서 일관성을 가지는 데이터 • 컬럼(Column)과 로우(Row) 구조를 가지며, 설계된 구조 기반 목적에 맞는 정보들 • 유형은 관계형 데이터베이스(RDB), 스프레드시트
비정형 데이터 (Unstructured Data)	• 스키마 구조 형태를 가지지 않고 고정된 필드에 저장되지 않는 데이터 • 유형은 SNS, 웹 게시판, 텍스트/이미지/오디오/비디오

21 고품질 데이터 속성으로 올바르지 않은 것은?

① 정확성(Accuracy)
② 시의성(Timeliness)
③ 불편의성(Unbiasedness)
④ 일관성(Consistency)

> **해설**
> - 불편의성(Unbiasedness)은 추정량의 기댓값이 모집단의 모수와 차이가 없다는 특성이다.
> - 고품질 데이터를 유지하기 위한 속성에는 정확성(Accuracy), 적시성(=시의성)(Timeliness), 완전성(Completeness), 일관성(Consistency)이 있다.

정확성 (Accuracy)	데이터 사용 목적에 따라 데이터 정확성의 기준을 다르게 적용
완전성 (Completeness)	필요한 데이터의 완전한 확보보다는 필요한 데이터를 식별하는 수준으로 적용 가능
적시성 (Timeliness)	소멸성이 강한 데이터에 대해 어느 정도의 품질 기준을 적용할 것인지 결정
일관성 (Consistency)	같은 데이터라 할지라도 사용 목적에 따라 달라지는 데이터 수집 기준 때문에 데이터 의미가 달라질 수 있음

22 다음 중 데이터 변환 기술에 대한 설명으로 올바르지 않은 것은?

① 정규화(Normalization)는 데이터를 특정 구간으로 바꾸는 방법이다.
② 표준화(Standardization)는 값의 범위를 평균 0, 분산 1이 되도록 변환하는 척도법이다.
③ 집계(Aggregation)는 다양한 차원의 방법으로 데이터를 요약하는 방법이다.
④ 평활화(Smoothing)는 주어진 여러 데이터 분포를 대표할 수 있는 새로운 속성이나 특징을 만드는 방법이다.

> **해설** 평활화(Smoothing)는 데이터로부터 잡음을 제거하기 위해 데이터 추세에 벗어나는 값들을 변환하는 방법이다.

지피지기 기출문제

23 다음 중 계획 수립, 정의, 측정, 분석, 개선 단계로 되어 있는 데이터 품질진단 절차 중 품질을 측정하고 분석, 품질지수가 도출되는 단계는?

① 데이터 품질진단 계획 수립
② 품질 기준 및 진단 대상 정의
③ 데이터 품질측정
④ 데이터 품질측정 결과 분석

해설 데이터 품질진단 절차는 다음과 같다.

품질진단 계획 수립	• 프로젝트 정의, 조직 정의 및 편성, 품질진단 절차 정의, 세부 시행 계획 확정, 품질 기준 및 진단 대상 정의 순으로 품질진단 계획을 수립
품질 기준 및 진단 대상 정의	• 품질 기준 선정, 품질 이슈 조사, 데이터 관리 문서 수집, 진단 대상 중요도 평가, 진단 대상 선정, 핵심 데이터 항목 정의, 데이터 프로파일링, 업무규칙 정의 순으로 품질 기준 및 진단 대상을 정의한다.
데이터 품질측정	• 품질측정계획 수립, 품질측정 체크리스트 준비, 데이터 품질측정 수행, 데이터 품질측정 결과 보고 순으로 데이터 품질측정 수행 • 도출된 업무규칙과 측정항목에 대해 실 운영시스템에 적용하여 품질수준을 측정하며, 품질지수를 산출함
품질측정 결과 분석	• 오류가 발견된 컬럼 또는 측정항목에 대하여 품질 기준별, 발생 유형별 오류 원인을 분석하고, 주요 발생 사례를 정리 • 주요 오류 원인별 개선 방안을 도출 • 각 업무 분야별 변경영향도 분석을 수행하여 시급성과 우선순위를 부여
데이터 품질개선	• 도출된 개선안과 우선순위에 따라 세부 수행 일정과 책임 소재, 관련 조직 및 업무 관련자에 대한 공지 계획 등이 포함된 품질개선 계획 수립 • 수립된 품질개선 계획에 따라 개선 활동을 수행하며, 품질담당자는 개선 진행 상황을 모니터링하여 전체적인 조율 및 진행을 관리 • 오류 원인별 개선 수행 내역과 결과를 요약하여 보고함

24 다음 중 비정형 데이터가 아닌 것은 무엇인가?

① 일별 매출 데이터
② 텍스트
③ 음성
④ 블로그의 내용

해설
• 일별 매출 데이터는 정형 데이터이다.
• 텍스트, 음성, 블로그의 내용은 비정형 데이터이다.

25 개인 식별 정보에 대하여 전체 또는 부분적으로 공백, 노이즈 등의 대체 값으로 비식별화하는 기법은 무엇인가?

① 데이터값 삭제
② 가명 처리
③ 데이터 마스킹
④ 범주화

해설 비식별화 기법은 다음과 같다.

가명처리 (Pseudonymisation)	개인 식별이 가능한 데이터에 대하여 직접 식별할 수 없는 다른 값으로 대체하는 기법
총계처리 (Aggregation)	개인정보에 대하여 통곗값을 적용하여 특정 개인을 판단할 수 없도록 하는 기법
데이터값 삭제 (Data Reduction)	개인정보 식별이 가능한 특정 데이터값 삭제 처리 기법
범주화 (Data Suppression)	단일 식별 정보를 해당 그룹의 대푯값으로 변환(범주화)하거나 구간 값으로 변환(범위화)하여 고유 정보 추적 및 식별 방지 기법
데이터 마스킹 (Data Masking)	개인 식별 정보에 대하여 전체 또는 부분적으로 대체 값(공백, '*', 노이즈 등)으로 변환 기법

26 다음 중 수치 데이터를 임의의 수 기준으로 올림(Round Up) 또는 내림(Round Down)하는 비식별화 기법은?

① 데이터 가명 처리 ② 랜덤 라운딩
③ 총계 처리 ④ 데이터 마스킹

해설 개인정보 비식별 방법 중 데이터 범주화(Data Suppression) 기법의 세부 기법은 다음과 같다.

감추기	• 명확한 값을 숨기기 위하여 데이터의 평균 또는 범주값으로 변환하는 방식 • 특수한 성질을 지닌 개인으로 구성된 단체 데이터의 평균이나 범주값은 그 집단에 속한 개인의 정보를 쉽게 추론할 수 있음
랜덤 라운딩 (Random Rounding)	• 수치 데이터를 임의의 수 기준으로 올림 또는 내림하는 기법
범위 방법 (Data Range)	• 수치 데이터를 임의의 수 기준의 범위로 설정하는 기법으로, 해당 값의 범위 또는 구간으로 표현하는 기법
제어 라운딩 (Controlled Rounding)	• 랜덤 라운딩 방법에서 어떠한 특정 값을 변경할 경우, 행과 열의 합이 일치하지 않는 단점 해결을 위해 행과 열이 맞지 않는 것을 제어하여 일치시키는 기법

27 다음 중 스키마 구조를 가지고 있으나 값과 형식에서 일관성을 가지지 않는 데이터인 반정형 데이터의 종류로 올바르지 않은 것은?

① HTML(Hypertext Markup Language)
② XML(eXtensible Markup Language)
③ RDF(Resource Description Framework)
④ RDB(Relational Database)

해설
• 스키마 구조 형태를 가지고 메타데이터를 포함하며 데이터의 구조 정보를 데이터와 함께 제공하는 데이터는 반정형 데이터이다.
• 반정형 데이터의 종류에는 XML, HTML, 웹 로그, JSON, RSS, RDF 등이 있다.
• RDB는 스키마(형태) 구조 기반의 형태를 가지고 고정된 필드에 저장되며 값과 형식에서 일관성을 가지는 정형 데이터이다.

28 다음 중 정형 데이터의 품질 진단에 대한 설명으로 올바르지 않은 것은?

① 메타 데이터와 대상 소스데이터의 누락 값, 비유효 값, 유일하지 못한 값 등을 분석하는 데이터 프로파일링을 활용하여 정형 데이터의 품질 진단을 수행한다.
② 운영 데이터베이스의 테이블·컬럼·코드·관계·업무 규칙을 기준으로 데이터값에 대한 현상을 분석하는 데이터 값 진단을 통해 정형 데이터 품질 진단을 수행한다.
③ 데이터 구조 진단을 통해 데이터 모델링 관점에서 정형 데이터의 품질 진단을 수행한다.
④ 업무 규칙 검증을 통해 진단 비즈니스의 특성을 알 수 있지만 데이터 오류를 진단하지는 못한다.

해설 데이터 품질 진단 단계에서는 사전에 도출한 업무 규칙을 실제 운영 데이터베이스에 적용하여 오류 데이터를 추출하고 오류율을 산출하여 오류 현황을 파악할 수 있다.

29 정형 데이터의 품질 기준에서 데이터의 누락이 없어야 하는 성질은 무엇인가?

① 완전성 ② 일관성
③ 유효성 ④ 정확성

해설 정형 데이터의 품질 기준은 다음과 같다.

완전성 (Completeness)	필수항목에 누락이 없어야 하는 성질
유일성 (Uniqueness)	데이터 항목은 유일해야 하며 중복되어서는 안 되는 성질
유효성 (Validity)	데이터 항목은 정해진 데이터 유효범위 및 도메인을 충족해야 하는 성질
일관성 (Consistency)	데이터가 지켜야 할 구조, 값, 표현되는 형태가 일관되게 정의되고, 서로 일치하는 성질
정확성 (Accuracy)	실세계에 존재하는 객체의 표현 값이 정확히 반영되어야 하는 성질

지피지기 기출문제

30 노이즈 제거 방법으로 옳은 것은?

① 스무딩(Smoothing)
② 정규화(Normalization)
③ 이산화(Discretization)
④ 집계(Aggregation)

> **해설** 평활화(Smoothing)는 데이터로부터 노이즈를 제거하기 위해 데이터 추세에 벗어나는 값들을 변환하는 기법이다.

31 품질 통제 절차로 옳은 것은?

① 진단대상 정의 → 품질진단 실시 → 진단결과 분석 → 개선계획 수립 → 개선 수행 → 품질 통제
② 진단대상 정의 → 품질진단 실시 → 개선계획 수립 → 개선 수행 → 진단결과 분석 → 품질 통제
③ 진단대상 정의 → 품질진단 실시 → 품질 통제 → 개선계획 수립 → 개선 수행 → 진단결과 분석
④ 진단대상 정의 → 품질진단 실시 → 품질 통제 → 진단결과 분석 → 개선계획 수립 → 개선 수행

> **해설** 품질 통제 절차는 다음과 같다.
>
> | | |
> |---|---|
> | 진단대상 정의 (Define) | 품질 이슈에 대한 수요 및 현황을 조사하여 품질 진단 대상 데이터베이스를 선정하고, 진단 방향성 정의 |
> | 품질진단 실시 (Measure) | 품질 진단 대상에 대한 상세 수준의 품질 진단 계획 수립 후 품질 진단 영역별 진단을 실시 |
> | 진단결과 분석 (Analyze) | 오류 원인 분석, 업무 영향도 분석을 통해 개선 과제를 정의 (단기 개선과제, 중·장기 개선과제 등) |
> | 개선계획 수립 (Improvement Plan) | 품질 개선 과제별 개선 방향 정의 및 개선 추진을 위한 추진 계획을 수립 |
> | 개선 수행 (Implement) | 상세 수준의 품질개선 계획 수립 및 개선 영역별 품질 개선 실시 |
> | 품질 통제 (Control) | 목표 대비 결과 분석, 평가를 통한 품질관리 목표 재설정 및 지속적 품질통제 수행 |

32 다음이 설명하는 데이터 수집 기술은 무엇인가?

> 데이터에 대한 추가 작업을 위해 다양한 데이터 원천(Source)들로부터 데이터를 추출 및 통합한 데이터베이스이다.

① ODS
② OLAP
③ Data Mart
④ Data Lake

> **해설** 데이터 수집 기술의 설명은 다음과 같다.
>
> | | |
> |---|---|
> | ODS (Operational Data Store) | 데이터에 대한 추가 작업을 위해 다양한 데이터 원천(Source)으로부터 데이터를 추출 및 통합한 데이터베이스 |
> | OLAP (On-Line Analytical Processing) | 의사결정 지원 시스템으로, 사용자가 동일한 데이터를 여러 기준을 이용하는 다양한 방식으로 바라보면서 다차원 데이터 분석을 할 수 있도록 도와주는 기술 |
> | 데이터 마트 (DM: Data Mart) | 전사적으로 구축된 데이터 속의 특정 주제, 부서 중심으로 구축된 소규모 단위 주제의 데이터 웨어하우스 |
> | 데이터 레이크 (Data Lake) | 정형, 반정형, 비정형 데이터를 비롯한 모든 가공되지 않은 다양한 종류의 데이터(Raw Data)를 저장할 수 있는 시스템 또는 중앙 집중식 데이터 저장소 |

33 다음 중 비정형 데이터의 종류에 해당하지 않는 것은?

① 거래(Transaction) 데이터
② 음성(Voice) 데이터
③ 그림(Image) 데이터
④ 텍스트(Text) 데이터

> **해설**
> • 비정형 데이터는 스키마 구조 형태를 가지지 않고 고정된 필드에 저장되지 않는 데이터이다.
>
> | | |
> |---|---|
> | 텍스트 | 문자/문자열 형태로 저장 |
> | 이미지 | RGB 방식으로 저장 |
> | 오디오 | 시간에 따른 진폭(Amplitude) 형태로 저장 |
> | 비디오 | 이미지 스트리밍으로 저장 |
>
> • 거래(Transaction) 데이터는 정형 데이터이다.

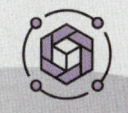

34 개인정보에 대한 설명으로 옳지 않은 것은?

① 개인정보처리자는 통계작성, 과학적 연구, 공익적 기록보존 등의 목적 내에서만 정보 주체의 동의가 없이 가명 정보를 사용할 수 있다.
② 익명정보는 주체의 동의 없이 사용할 수 없다.
③ 개인정보보호법은 개인정보, 익명정보, 가명정보로 구분되어 있다.
④ 개인정보처리자는 가명정보를 제3자에게 제공하는 경우에는 특정 개인을 알아보기 위하여 사용될 수 있는 정보를 포함해서는 안 된다.

해설
- 익명정보는 개인정보가 아니기 때문에 제한 없이 자유롭게 활용할 수 있다.
- 개인정보보호법에서는 개인정보처리자가 익명처리가 가능한 경우에는 익명에 의하여, 익명처리로 목적을 달성할 수 없는 경우에는 가명에 의하여 처리될 수 있도록 하여야 한다.

> 제28조의2(가명정보의 처리 등)
> ① 개인정보처리자는 통계작성, 과학적 연구, 공익적 기록보존 등을 위하여 정보 주체의 동의 없이 가명정보를 처리할 수 있다.
> ② 개인정보처리자는 제1항에 따라 가명정보를 제3자에게 제공하는 경우에는 특정 개인을 알아보기 위하여 사용될 수 있는 정보를 포함해서는 아니 된다.

35 다음 중 개인정보보호에 관한 설명으로 옳지 않은 것은?

① 개인정보는 살아 있는 개인에 관한 정보이다.
② 명백히 정보 주체 또는 제3자의 급박한 생명, 신체, 재산의 이익을 위하여 필요하다고 인정되는 경우는 개인정보를 수집할 수 있다.
③ 개인정보의 일부를 삭제하거나 일부 또는 전부를 대체하는 등의 방법으로 추가 정보가 없이는 특정 개인을 알아볼 수 없도록 처리하는 기술은 가명처리이다.
④ 유전정보는 개인정보처리자가 임의로 처리할 수 있다.

해설
- 개인정보보호법 제23조에 따르면 개인정보처리자는 민감정보인 유전정보를 처리할 수 없다.

> 개인정보보호법 제23조(민감정보의 처리 제한)
> 개인정보처리자는 사상·신념, 노동조합·정당의 가입·탈퇴, 정치적 견해, 건강, 성생활 등에 관한 정보, 그 밖에 정보 주체의 사생활을 현저히 침해할 우려가 있는 개인정보로서 대통령령으로 정하는 정보(이하 "민감정보"라 한다)를 처리하여서는 아니된다.
> ※ 대통령령(시행령 제18조)에 따르면 유전정보, 범죄경력에 관한 정보도 민감정보로 규정한다.

- 개인정보 보호법 시행령 제18조에 따르면 유전정보는 민감정보이다.

> 개인정보 보호법 시행령 18조(민감정보의 범위)
> 1. 유전자검사 등의 결과로 얻어진 유전정보
> 2. 「형의 실효 등에 관한 법률」 제2조제5호에 따른 범죄경력자료에 해당하는 정보
> 3. 개인의 신체적, 생리적, 행동적 특징에 관한 정보로서 특정 개인을 알아볼 목적으로 일정한 기술적 수단을 통해 생성한 정보
> 4. 인종이나 민족에 관한 정보

36 개인정보 비식별화 방법에 대한 설명으로 옳지 않은 것은?

① 마스킹은 개인 식별 정보에 대하여 공백, 노이즈 등으로 변환 기법이다.
② 주민등록번호와 같이 개인을 쉽게 식별할 수 있는 정보를 대상으로 한다.
③ 총계처리는 개인정보에 대하여 통곗값을 적용하여 특정 개인을 판단할 수 없도록 하는 기법이다.
④ 마스킹 수준이 높으면 정보를 복원하기 쉬워진다.

해설 마스킹의 수준이 낮을 경우 특정한 값의 추적 예측이 가능하고, 마스킹 수준이 높으면 특정한 값의 추적 예측이 어려우므로 정보를 복원하는 것 또한 어려워진다.

정답
01 ④ 02 ① 03 ① 04 ③ 05 ④ 06 ② 07 ② 08 ① 09 ④ 10 ④ 11 ② 12 ② 13 ② 14 ② 15 ② 16 ② 17 ② 18 ④ 19 ② 20 ② 21 ③ 22 ④ 23 ② 24 ① 25 ③ 26 ② 27 ④ 28 ④ 29 ① 30 ① 31 ① 32 ① 33 ① 34 ② 35 ④ 36 ④

천기누설 예상문제

01 다음 내용이 설명하는 내용으로 가장 적절한 용어는 무엇인가?

> 기업이 외부 공급업체 또는 제휴업체와 통합된 정보시스템으로 연계하여 시간과 비용을 최적화시키기 위한 것으로, 자재구매, 생산/재고, 유통/판매, 고객데이터로 구성된다.

① SCM(Supply Chain Management)
② ERP(Enterprise Resource Planning)
③ SOC(Social Overhead Capital)
④ DRM(Digital Rights Management)

해설
- ERP는 회사의 모든 정보뿐만 아니라, 공급 사슬관리, 고객의 주문정보까지 포함하여 통합적으로 관리하는 시스템이다.
- SOC는 경제 활동이나 일상생활을 원활하게 하기 위해 간접적으로 필요한 시설이다.
- DRM은 출판자 또는 저작권자가 그들이 배포한 디지털 자료나 하드웨어의 사용을 제어하고 이를 의도한 용도로만 사용하도록 제한하는 데 사용되는 모든 기술들을 지칭하는 용어이다.

02 기업의 내부 데이터로써 소비자들을 자신의 고객으로 만들고, 이를 장기간 유지하고자 내부 정보를 분석하고 저장하는 데 사용하는 정보시스템은 다음 중 무엇인가?

① ERP 시스템
② CRM 시스템
③ SCM 시스템
④ EDI 시스템

해설 기업의 내부 데이터로써 소비자들을 자신의 고객으로 만들고, 이를 장기간 유지하고자 내부 정보를 분석하고 저장하는 데 사용하는 정보시스템은 CRM 시스템이다.

03 데이터의 한 부분으로 특정 사용자가 관심을 갖고 있는 데이터를 담은 비교적 작은 규모의 데이터 웨어하우스(Data Warehouse)는 무엇이라고 일컫는가?

① 데이터베이스(Database)
② 데이터 마트(Data Mart)
③ 데이터 레이크(Data Lake)
④ 데이터 마이닝(Data Mining)

해설 데이터 마트는 데이터 웨어하우스 환경에서 정의된 접근계층으로, 데이터 웨어하우스에서 데이터를 꺼내 사용자에게 제공하는 역할을 한다.

04 다음 중 데이터 수집 기술 중 아래에서 설명하는 것은 무엇인가?

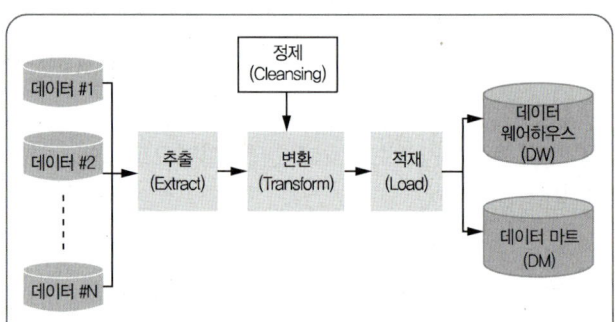

> 수집 대상 데이터를 추출, 가공(변환, 정제)하여 데이터 웨어 하우스에 저장하는 기술

① ETL
② RSS
③ Sqoop
④ Crawling

해설 수집 대상 데이터를 추출, 가공(변환, 정제)하여 데이터 웨어하우스에 저장하는 기술은 ETL(Extract Transform Load)이다.

05 다음 중 많은 양의 로그 데이터를 효율적으로 수집하고 스트리밍 데이터 흐름(Data Flow)을 비동기 방식으로 처리하기 위해 사용 가능한 가장 적합한 기술은?

① ETL
② rsync
③ Sqoop
④ Flume

> **해설** 플럼(Flume)은 많은 양의 로그 데이터를 효율적으로 수집, 집계 및 이동하기 위해 이벤트와 에이전트를 활용하고, 스트리밍 데이터 흐름을 비동기 방식으로 처리하는 분산형 로그 수집 기술이다.

06 다음 중 데이터 수집 기술 중 아래에서 설명하는 것은 무엇인가?

> 웹 사이트를 크롤링하고 구조화된 데이터를 수집하는 파이썬(Python) 기반의 애플리케이션 프레임워크로서 데이터 마이닝(Data Mining), 정보 처리, 이력 기록 같은 다양한 애플리케이션에 사용되는 수집 기술

① 아파치 카프카(Apache Kafka)
② 스크래파이(Scrapy)
③ 센싱(Sensing)
④ 스크라이브(Scribe)

> **해설** 스크래파이는 웹 사이트를 크롤링하고 구조화된 데이터를 수집하는 파이썬 기반의 애플리케이션 프레임워크로서 데이터 마이닝, 정보처리, 이력 기록 같은 다양한 애플리케이션에 사용되는 수집 기술이다.

07 데이터 백업이나 통합 작업을 할 경우 최근 변경된 데이터들을 대상으로 다른 시스템으로 이동하는 처리 기술은 무엇인가?

① CEP
② CDC
③ RSS
④ EAI

> **해설**
>
> | | |
> |---|---|
> | CEP | 여러 이벤트 소스로부터 발생한 이벤트를 실시간으로 추출하여 대응되는 액션을 수행하는 처리 기술 |
> | CDC | 데이터 백업이나 통합 작업을 할 경우 최근 변경된 데이터들을 대상으로 다른 시스템으로 이동하는 처리 기술 |
> | RSS | 블로그, 뉴스, 쇼핑몰 등의 웹 사이트에 게시된 새로운 글을 공유하기 위해 XML 기반으로 정보를 배포하는 프로토콜을 활용하여 데이터를 수집하는 기술 |
> | EAI | 기업에서 운영되는 서로 다른 플랫폼 및 애플리케이션들 간의 정보 전달, 연계, 통합을 가능하게 해 주는 연계 기술 |

08 다음 중 데이터 웨어하우스의 특징에 대한 설명으로 가장 올바르지 않은 것은?

① 기능이나 업무가 아닌 주제 중심적으로 구성됨
② 데이터의 일관성을 유지하면서 전사적 관점에서 하나로 통합됨
③ 적재가 완료되면 읽기 전용 형태의 스냅 샷 형태로 존재함
④ 시간에 따라 변경되지 않음

> **해설** 데이터 웨어하우스는 시간에 따른 변경을 항상 반영하고 있는 시계열적 특징이 있다.

09 다음 중에서 전사적으로 구축된 데이터 속의 특정 주제, 부서 중심으로 구축된 소규모 단위 주제의 데이터 웨어하우스는 무엇인가?

① Data Lake
② BI(Business Intelligence)
③ Operational Data Store
④ Data Mart

> **해설** 전사적으로 구축된 데이터 속의 특정 주제, 부서 중심으로 구축된 소규모 단위 주제의 데이터 웨어하우스는 데이터 마트(Data Mart)이다.

천기누설 예상문제

10 다음 중 데이터 수집 기술 중 아래에서 설명하는 것은 무엇인가?

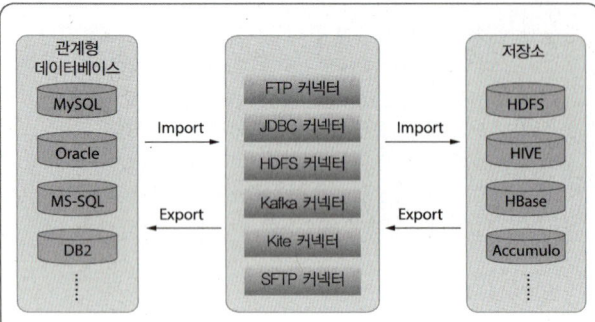

커넥터(Connector)를 사용하여 관계형 데이터베이스(RDB)와 하둡(Hadoop) 간 데이터 전송 기능을 제공하는 기술

① 스쿱(Sqoop) ② 스크래파이(Scrapy)
③ 플럼(Flume) ④ 스크라이브(Scribe)

해설 커넥터를 사용하여 관계형 데이터베이스와 하둡 간 데이터 전송 기능을 제공하는 기술은 스쿱이다.

11 다양한 데이터 유형 중 정형 데이터 - 반정형 데이터 - 비정형 데이터 순서로 가장 알맞은 것은?

① 인스타그램 게시물 - 기상청 날씨 데이터 - 웹 로그 데이터
② 물류 창고 재고 데이터 - XML - 이메일 전송 데이터
③ CRM 데이터 - 카카오톡 대화 데이터 - Twitter 상태 메시지
④ RFID - IoT 센서 데이터 - 동영상 데이터

해설

정형 데이터	ERP, CRM, SCM 등
반정형 데이터	로그 데이터, 모바일 데이터, 센싱 데이터, XML 형태의 데이터 등
비정형 데이터	영상, 음성 문자, 이메일 전송 등

12 데이터에 관한 구조화된 데이터로서 다른 데이터를 설명해주는 데이터는 다음 중 무엇인가?

① 백업 데이터 ② 마이 데이터
③ 메타데이터 ④ 데이터 마트

해설 데이터에 관한 구조화된 데이터로서 다른 데이터를 설명해주는 데이터는 메타데이터이다.

13 다음 중 빅데이터 수집 데이터를 구조 관점으로 분류할 때 가장 올바르지 않은 것은?

① 정형 데이터 ② 비정형 데이터
③ 반정형 데이터 ④ 스트림 데이터

해설 빅데이터 수집 데이터를 구조 관점으로 분류하면 정형 데이터, 비정형 데이터, 반정형 데이터로 나눌 수 있다.

구조 관점의 데이터 유형	
정반비	정형 / 반정형 / 비정형

14 다음 중 구조 관점의 데이터 유형 중 아래에서 설명하는 것은 무엇인가?

스키마(형태) 구조 형태를 가지고 XML, HTML, 웹 로그, 시스템 로그, 알람 등과 같이 메타데이터를 포함하며, 값과 형식에서 일관성을 가지지 않는 데이터

① 정형 데이터 ② 비정형 데이터
③ 반정형 데이터 ④ 스트림 데이터

해설 반정형 데이터에는 XML, HTML, 웹 로그, 알람, 시스템 로그, JSON, RSS, 센서 데이터 등이 있다.

15 다음 중 저장 형태 관점의 데이터 유형 중 아래에서 설명하는 것은 무엇인가?

> 텍스트, 이미지, 오디오, 비디오 등과 같이 개별적으로 데이터 객체로 구분될 수 있는 미디어 데이터

① 파일 데이터　　　② 데이터베이스 데이터
③ 콘텐츠 데이터　　④ 스트림 데이터

해설 콘텐츠 데이터에는 텍스트, 이미지, 오디오, 비디오 등과 같이 개별적으로 데이터 객체로 구분될 수 있는 미디어 데이터 등이 있다.

16 다음 중 데이터 유형이 다른 것은 무엇인가?

① HTML　　　　　② 웹 로그
③ 센서 데이터　　　④ 이미지 파일

해설 HTML, 웹 로그, 센서 데이터는 반정형 데이터이고, 이미지 파일은 비정형 데이터 유형이다.

17 다음 중 데이터 유형에 대한 설명으로 가장 올바르지 않은 것은?

① 정형 데이터의 유형에는 관계형 데이터베이스(RDB), 스프레드시트, 파일, 통계가 있다.
② 빅데이터 수집 데이터를 시간 관점으로 분류하면 실시간 데이터, 비실시간 데이터로 구분할 수 있다.
③ 스트림 데이터는 센서 데이터, HTTP 트랜잭션, 알람 등과 같이 네트워크를 통해서 실시간으로 전송되는 데이터이다.
④ 반정형 데이터의 유형에는 소셜 미디어(SNS), NoSQL, 웹 게시판, 텍스트, 이미지, 오디오, 비디오가 있다.

해설 소셜 미디어(SNS), NoSQL, 웹 게시판, 텍스트, 이미지, 오디오, 비디오 데이터는 비정형 데이터이다.

18 다음 중 데이터 품질 검증 기준에 대한 설명으로 가장 올바르지 않은 것은?

① 빅데이터 수집 시스템에서 수집하는 데이터의 구조, 형식, 자료, 계층 측면에서 복잡성 기준을 정의한다.
② 수집된 빅데이터 질이 충분하고 완전한지에 대한 품질 관리 기준을 정의한다.
③ 수집된 빅데이터의 이상 값, 오류 값 등이 분석 결과에 영향을 미칠 수 있는 중요한 오차로 작용하는지 여부에 따라 정확성 품질 관리 기준을 정의한다.
④ 수집된 빅데이터 처리 용이성, 하드웨어 및 소프트웨어 제약 사항 관련하여 유용성 품질 관리 기준을 정의한다.

해설 수집된 빅데이터의 이상 값, 오류 값 등이 분석 결과에 영향을 미칠 수 있는 중요한 오차로 작용하는지 여부에 따라 타당성 품질 관리 기준을 정의한다.

19 다음 중 소멸성이 강한 데이터에 대해 어느 정도의 품질 기준을 적용할 것인지 결정하는 빅데이터 품질 요소는?

① 정확성(Accuracy)　　② 완전성(Completeness)
③ 일관성(Consistency)　④ 적시성(Timeliness)

해설 소멸성이 강한 데이터에 대해 어느 정도의 품질 기준을 적용할 것인지 결정하는 빅데이터 품질 요소는 적시성이다.

20 다음 중 비정형 데이터 품질 기준 중 해당 콘텐츠가 규정된 조건에서 사용되는 자원의 양에 따라 요구된 성능을 제공하는 정도는?

① 기능성(Functionality)　② 신뢰성(Reliability)
③ 효율성(Efficiency)　　　④ 사용성(Usability)

해설 비정형 데이터 품질 기준 중 해당 콘텐츠가 규정된 조건에서 사용되는 자원의 양에 따라 요구된 성능을 제공하는 정도는 효율성이다.

천기누설 예상문제

21 다음 중 데이터 웨어하우스에 대한 설명으로 가장 부적절한 것은 무엇인가?

① 데이터 웨어하우스는 사용자의 의사결정에 도움을 주기 위해 정보를 기반으로 제공하는 하나의 통합된 데이터 저장 공간을 말한다.
② 데이터웨어하우스에서 관리하는 데이터들은 시간의 흐름에 따라 변화하는 값을 유지한다.
③ ETL은 주기적으로 내부 및 외부 데이터베이스로부터 정보를 추출하고 정해진 규약에 따라 정보를 변환하여 데이터 웨어하우스에 정보를 적재한다.
④ 데이터 웨어하우스는 재무, 생산, 운영 등과 같이 특정 조직의 업무 분야에 국한하여 구축된다.

해설 재무, 생산, 운영 등과 같이 특정 조직의 특정 업무 분야에 초점을 맞추어 구축되는 것은 데이터 마트이다.

22 다음 중 아래와 같은 형태를 가지고 있는 데이터의 유형은?

```
[{ "Sepal.Length" : 6.8,
   "Sepal.Width" : 3.2,
   "Petal.Length" : 5.9,
   "Petal.Width" : 2.3,
   "Species" : "virginica" },
 { "Sepal.Length" : 6.7,
   "Sepal.Width" : 3.3,
   "Petal.Length" : 5.7,
   "Petal.Width" : 2.5,
   "Species" : "virginica" }]
```

① 정형 데이터　② 비정형 데이터
③ 통계 데이터　④ 반정형 데이터

해설 반정형 데이터의 경우 데이터 내부의 데이터 구조에 대한 메타정보를 갖고 있기 때문에 어떤 형태를 가진 데이터 인지를 파악하는 것이 필요하다.

23 다음 중 반정형 데이터의 종류가 아닌 것은?
① XML 데이터
② JSON 데이터
③ 소셜 데이터의 텍스트
④ IoT에서 제공하는 센서 데이터

해설 소셜 데이터의 텍스트 데이터는 비정형 데이터이다.

24 다음 중 정형 데이터 수집 기술이 아닌 것은?
① ETL　② Scrapy
③ Sqoop　④ DBToDB

해설
- 정형 데이터 수집 기술에는 ETL, FTP, API, DBToDB, Rsync, 스쿱(sqoop)이 있다.
- Scrapy는 비정형 데이터 수집 기술이다.

25 다음 중 아래에서 설명하는 용어는 무엇인가?

데이터 분석을 위한 데이터를 데이터 저장소인 DW(Data Warehouse) 및 DM(Data Mart)으로 이동시키기 위해 다양한 소스 시스템으로부터 필요한 원본 데이터를 추출하고 변환, 적재하는 작업 및 기술이다.

① ETL　② FTP
③ Rsync　④ Flume

해설 ETL은 데이터 분석을 위한 데이터를 데이터 저장소인 DW 및 DM으로 이동시키기 위해 다양한 소스 시스템으로부터 필요한 원본 데이터를 추출(Extract), 변환(Transform), 적재(Load)하는 기술이다.

26 다음 중 스쿱(Sqoop)의 특징이 아닌 것은?

① 데이터 전송 병렬화
② 벌크 임포트(Bulk Import) 지원
③ 파이썬 기반
④ 프로그래밍 방식의 데이터 인터렉션

> **해설** 스쿱(Sqoop)은 벌크 임포트(Bulk Import) 지원, 데이터 전송 병렬화, RDB에 매핑해서 HBase와 Hive에 직접 import 제공, 프로그래밍 방식의 데이터 인터렉션 특징이 있다.

27 다음 중 스크래파이(Scrapy) 주요 기능으로 가장 올바르지 않은 것은?

① Spider   ② Selector
③ Pipelines   ④ Sink

> **해설**
> • 스크래파이(Scrapy) 주요 기능으로는 Spider, Selector, Items, Pipelines, Settings가 있다.
> • Sink는 채널로부터 수집된 로그 또는 이벤트를 목적지에 전달 및 저장하는 아파치 카프카, 플럼의 기능이다.

28 다음 중 범주화(Data Suppression) 세부기술이 아닌 것은?

① 랜덤 올림 방법(Random Rounding)
② 세분정보 제한 방법(Subdivide Level Controlling)
③ 공백(Blank)과 대체(Impute) 방법
④ 제어 올림 방법(Controlled Rounding)

> **해설**
> • 범주화 세부 기술에는 범주화 기본 방식, 랜덤 올림 방법, 범위 방법, 세분정보 제한 방법, 제어 올림 방법이 있다.
> • 공백과 대체 방법은 데이터 마스킹 세부 기술이다.

29 다음 중 개인정보 비식별 조치 가이드라인의 적정성 평가 프로세스로 가장 올바른 것은?

① 평가단 구성 → 기초 자료 작성 → 평가 수행 → 데이터 활용 → 추가 비식별 조치
② 평가단 구성 → 기초 자료 작성 → 평가 수행 → 추가 비식별 조치 → 데이터 활용
③ 기초 자료 작성 → 평가단 구성 → 데이터 활용 → 추가 비식별 조치 → 평가 수행
④ 기초 자료 작성 → 평가단 구성 → 평가 수행 → 추가 비식별 조치 → 데이터 활용

> **해설** 비식별 조치 가이드라인의 적정성 평가 프로세스는 기초 자료 작성 → 평가단 구성 → 평가 수행 → 추가 비식별 조치 → 데이터 활용 순으로 되어 있다.

30 다음 중 일부 변수들의 값을 재현 데이터로 생성하고 생성된 재현 데이터와 실제 변수를 모두 이용하여 또 다른 일부 변수들의 값을 다시 도출하는 방법으로 생성하는 재현 데이터는?

① Fully Synthetic Data
② Partially Synthetic Data
③ Complete Synthetic Data
④ Hybrid Synthetic Data

> **해설** 재현 데이터 유형은 다음과 같다.
>
> | | |
> |---|---|
> | 완전 재현 데이터 (Fully Synthetic Data) | 원본 자료의 속성(Label; Feature) 정보 모두를 재현 데이터로 생성한 데이터 |
> | 부분 재현 데이터 (Partially Synthetic Data) | 모든 속성자료를 재현 데이터로 만들기가 현실적으로 어렵기 때문에, 민감하지 않은 정보는 그대로 두고, 민감한 정보에 대해서만 재현 데이터로 대체한 데이터 |
> | 복합 재현 데이터 (Hybrid Synthetic Data) | 일부 변수들의 값을 재현 데이터로 생성하고 생성된 재현 데이터와 실제 변수를 모두 이용하여 또 다른 일부 변수들의 값을 다시 도출하는 방법으로 생성한 데이터 |

천기누설 예상문제

31 다음 중 개인정보에 대하여 통곗값을 적용하여 특정 개인을 판단할 수 없도록 하는 기법은 무엇인가?

① 총계처리 ② 범주화
③ 데이터 마스킹 ④ 가명처리

해설 개인정보에 대하여 통곗값을 적용하여 특정 개인을 판단할 수 없도록 하는 기법은 총계처리이다

가명처리 (Pseudony misation)	개인 식별이 가능한 데이터에 대하여 직접 식별할 수 없는 다른 값으로 대체하는 기법
총계처리 (Aggregation)	개인정보에 대하여 통곗값을 적용하여 특정 개인을 판단할 수 없도록 하는 기법
데이터값 삭제 (Data Reduction)	개인정보 식별이 가능한 특정 데이터값 삭제 처리 기법
범주화 (Data Suppression)	단일 식별 정보를 해당 그룹의 대푯값으로 변환(범주화)하거나 구간 값으로 변환(범위화)하여 고유 정보 추적 및 식별 방지 기법
데이터 마스킹 (Data Masking)	개인 식별 정보에 대하여 전체 또는 부분적으로 대체 값(공백, '*', 노이즈 등)으로 변환 기법

32 동일한 확률적 정보를 가지는 변형된 값에 대하여 원래 데이터를 대체하는 기법은 무엇인가?

① 가명(Pseudonym) ② 일반화(Generalization)
③ 치환(Permutation) ④ 섭동(Perturbation)

해설

가명 (Pseudonym)	개인 식별이 가능한 데이터에 대하여 직접 식별할 수 없는 다른 값으로 대체하는 기법
일반화 (Generalization)	더 일반화된 값으로 대체하는 것으로 숫자 데이터의 경우 구간으로 정의하고, 범주화된 속성은 트리의 계층적 구조에 의해 대체하는 기법
섭동 (Perturbation)	동일한 확률적 정보를 가지는 변형된 값에 대하여 원래 데이터를 대체하는 기법
치환 (Permutation)	속성 값을 수정하지 않고 레코드 간에 속성 값의 위치를 바꾸는 기법

33 수집된 빅데이터 처리 용이성, 하드웨어 및 소프트웨어 제약 사항 관련 품질 관리 기준은 무엇인가?

① 완전성
② 유용성
③ 일관성
④ 정확성

해설 필수 항목에 누락이 없어야 하는 것은 완전성이다.

완전성	수집된 빅데이터 질이 충분하고 완전한지에 대한 품질 관리 기준을 정의
유용성	수집된 빅데이터 처리 용이성, 하드웨어 및 소프트웨어 제약 사항 관련 품질 관리 기준을 정의
일관성	수집된 빅데이터와 원천소스가 연결되지 않는 비율 정도
정확성	자료의 값들이 허용 범위 내에 존재하는지 여부

34 다음 중 빅데이터 품질 기준 중 정형 데이터에 대한 품질 기준이 아닌 것은?

① 완전성(Completeness)
② 이식성(Portability)
③ 유일성(Uniqueness)
④ 유효성(Validity)

해설 정형 데이터의 품질 기준은 다음과 같다.

완전성 (Completeness)	필수항목에 누락이 없어야 하는 성질
유일성 (Uniqueness)	데이터 항목은 유일해야 하며 중복되어서는 안 되는 성질
유효성 (Validity)	데이터 항목은 정해진 데이터 유효범위 및 도메인을 충족해야 하는 성질
일관성 (Consistency)	데이터가 지켜야 할 구조, 값, 표현되는 형태가 일관되게 정의되고, 서로 일치하는 성질
정확성 (Accuracy)	실세계에 존재하는 객체의 표현 값이 정확히 반영되어야 하는 성질

35 데이터 현황 분석을 위한 자료 수집을 통해 잠재적 오류 징후를 발견하는 방법으로 데이터의 저장, 연계, 가공, 활용 등 데이터의 변경이 발생하는 모든 영역에서 수행하여 오류를 사전에 파악할 수 있는 품질 검증 기법은 무엇인가?

① 메타데이터를 통한 품질 검증 기법
② 정규 표현식을 통한 검증 기법
③ 데이터 프로파일링을 통한 품질 검증 기법
④ 데이터 레이크를 통한 품질 검증 기법

해설

메타데이터를 통한 품질 검증 기법	데이터에 관한 구조화된 데이터로서 다른 데이터를 설명해주는 데이터를 통한 검증
정규 표현식을 통한 검증 기법	특정한 규칙을 가진 문자열의 집합을 표현하는 데 사용하는 형식 언어를 이용한 검증
데이터 프로파일링을 통한 품질 검증 기법	데이터 현황 분석을 위한 자료 수집을 통해 잠재적 오류 징후를 발견하는 검증 기법

정답 01 ① 02 ② 03 ② 04 ① 05 ④ 06 ② 07 ② 08 ④ 09 ④ 10 ① 11 ② 12 ③ 13 ④ 14 ③ 15 ③ 16 ④ 17 ④ 18 ③ 19 ④ 20 ③ 21 ④ 22 ④ 23 ③ 24 ② 25 ① 26 ② 27 ④ 28 ② 29 ④ 30 ④ 31 ① 32 ④ 33 ② 34 ② 35 ③

2 데이터 적재 및 저장

1 데이터 저장 ★★

(1) 데이터 저장 기술

① 데이터베이스 [기출]

㉮ 데이터베이스(Database)의 정의
- 데이터베이스는 다수의 인원, 시스템 또는 프로그램이 사용할 목적으로 통합하여 관리되는 데이터의 집합이다.
- 데이터의 크기가 커지고 이용이 늘어나면서 대용량의 데이터를 저장·관리·검색·이용할 수 있는 컴퓨터 기반의 데이터베이스로 진화하게 되었다.

㉯ 데이터베이스의 장단점

▼ 데이터베이스의 장단점

장점	단점
• 데이터 중복 최소화 • 데이터 공유 • 일관성, 무결성, 보안성 유지 • 최신의 데이터 유지 • 데이터의 표준화 가능 • 데이터의 논리적, 물리적 독립성 • 쉬운 데이터 접근 • 데이터 저장 공간 절약	• 데이터베이스 전문가 필요 • 큰 비용 부담 • 데이터 백업과 복구가 어려움 • 시스템의 복잡함 • 대용량 디스크로 액세스가 집중되면 과부하 발생 • 통합된 시스템이기 때문에 일부에서 장애가 발생하면 전체 시스템이 중단되는 장애 발생

- 데이터 무결성은 데이터베이스에 저장된 데이터의 정확성, 일관성, 유효성을 지키는 것입니다.
- 데이터베이스에 저장된 데이터의 무결성을 보장하고, 데이터베이스의 상태를 일관되게 유지하기 위하여 데이터베이스의 저장, 삭제, 수정 등에 제약조건을 설정합니다.

② 데이터 웨어하우스 [기출]

㉮ 데이터 웨어하우스(DW; Data Warehouse) 개념
- 데이터 웨어하우스는 사용자의 의사결정에 도움을 주기 위하여, 기간 시스템의 데이터베이스에 축적된 데이터를 공통 형식으로 변환해서 관리하는 데이터베이스이다.
- 고도로 정제된 데이터로 스키마가 정의되어야 저장할 수 있다.

㉯ 데이터 웨어하우스 특징
- 데이터 웨어하우스는 주제 지향적, 통합적, 시계열적, 비휘발적 특징이 있다.

▼ 데이터 웨어하우스 특징

특징	내용
주제 지향적(Subject Oriented)	기능이나 업무가 아닌 주제 중심적으로 구성되는 특징
통합적(Integrated)	데이터의 일관성을 유지하면서 전사적 관점에서 하나로 통합되는 특징
시 계열적(Timevariant)	시간에 따른 변경을 항상 반영하고 있다는 특징
비휘발적(Non-Volatile)	적재가 완료되면 읽기 전용 형태의 스냅 샷 형태로 존재한다는 특징

데이터 웨어하우스, 데이터 마트, 데이터 레이크 모두 문제로 내기 너무 좋은 개념들입니다. 개념은 꼭 챙겨가세요!

잠깐! 알고가기

스키마(Schema)
데이터베이스에서 자료의 구조, 자료의 표현 방법, 자료 간의 관계를 형식 언어로 정의한 구조이다.

③ 데이터 마트

㉮ 데이터 마트(DM; Data Mart) 개념
- 데이터 마트는 전사적으로 구축된 데이터 속의 특정 주제, 부서 중심으로 구축된 소규모 단위 주제의 데이터 웨어하우스이다.

㉯ 데이터 마트 특징
- 데이터 웨어하우스(DW) 환경에서 정의된 접근계층으로, 데이터 웨어하우스에서 데이터를 꺼내 사용자에게 제공하는 역할을 한다.
- 데이터 웨어하우스의 부분이며, 대개 특정한 조직 혹은 팀에서 사용하는 것을 목적으로 한다.

④ 데이터 레이크

㉮ 데이터 레이크(Data Lake) 개념
- 데이터 레이크는 정형, 반정형, 비정형 데이터를 비롯한 모든 가공되지 않은 다양한 종류의 데이터(Raw Data)를 저장할 수 있는 시스템 또는 중앙 집중식 데이터 저장소이다.

㉯ 데이터 레이크 특징
- 구조화된 데이터는 RDBMS의 테이블에 저장되고 반구조화된 CSV, XML, JSON에 저장되고, 비정형 데이터는 바이너리 데이터 형태로 저장된다.
- 저장할 때 스키마와 상관없이 저장이 가능하다.
- schema-on-read로 읽을 때 스키마가 저장되어 데이터를 읽을 수 있다.

데이터 레이크는 데이터 호수라고도 합니다.

개념 박살내기

○ 데이터 웨어하우스, 데이터 마트, 데이터 레이크 사례

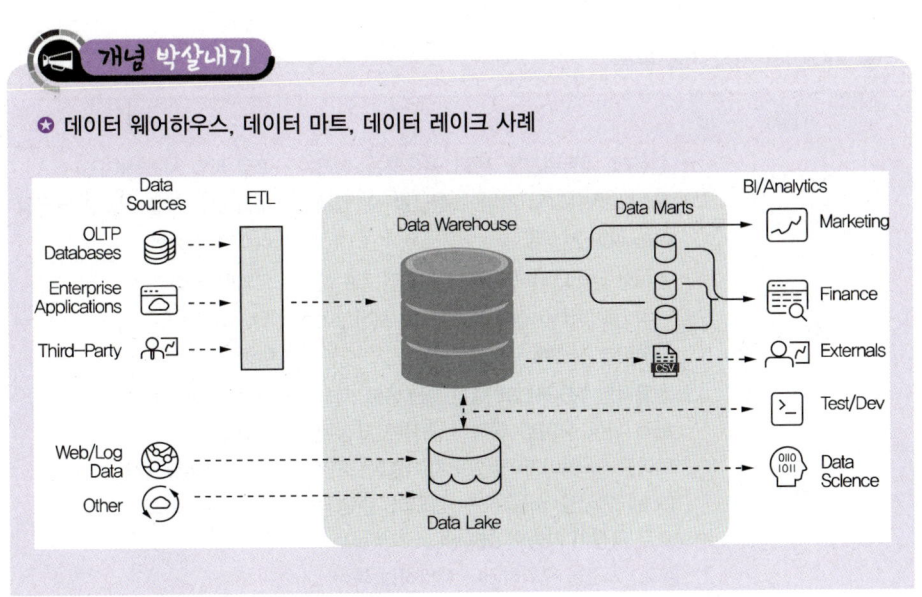

데이터 웨어하우스	• 다양한 데이터 소스(Data Sources)로부터 데이터를 수집하여 ETL 과정을 거쳐 데이터 웨어하우스에 저장함
데이터 마트	• 데이터 웨어하우스로부터 특정 주제별 또는 특정 부서별로 데이터 마트를 생성함 • 데이터 마트를 통해 마케팅(Marketing), 금융(Finance) 등의 의사결정을 지원함
데이터 레이크	• 웹/로그 데이터, 기타 데이터는 데이터 레이크에 저장되며, 저장된 데이터는 데이터 사이언스에 활용함

⑤ 데이터 댐(Data Dam) 기출

- 데이터 댐은 4차 산업혁명의 디지털 경쟁력 확보를 위해 모든 산업의 데이터를 데이터 댐에 쌓는다는 의미로 어떤 값을 포함하고 있는 가공되지 않은 1차 자료를 모아 놓은 저장소이다.

(2) 빅데이터 저장 기술 분류 기출

- 빅데이터 저장 시스템은 대용량 데이터 집합을 저장하고 관리하는 시스템으로 대용량의 저장 공간, 빠른 처리 성능, 확장성, 신뢰성, 가용성 등을 보장해야 한다.
- 메타데이터를 별도의 전용 서버로 관리하는 '비대칭형(Asymmetric) 클러스터 파일 시스템'이 개발되고 있다. 이 시스템은 메타데이터에 접근하는 경로와 데이터에 접근하는 경로가 분리된 구조를 가진다.
- 빅데이터 저장 기술은 분산 파일 시스템, 데이터베이스 클러스터, NoSQL 등으로 구분된다.

⊗ 빅데이터 저장 기술 분류

기술	내용	제품
분산 파일 시스템	• 컴퓨터 네트워크를 통해 공유하는 여러 호스트 컴퓨터의 파일에 접근할 수 있게 하는 파일 시스템	• 구글 파일 시스템(GFS) • 하둡 분산 파일 시스템(HDFS) • 러스터(Lustre)
데이터베이스 클러스터	• 관계형 데이터베이스 관리 시스템으로 하나의 데이터베이스를 여러 개의 서버상에 구축하는 시스템	• 오라클 RAC • IBM DB2 ICE • MSSQL, MySQL
NoSQL	• 전통적인 RDBMS와 다른 DBMS를 지칭하기 위한 용어로 데이터 저장에 고정된 테이블 스키마가 필요하지 않고 조인(Join) 연산을 사용할 수 없으며, 수평적으로 확장이 가능한 DBMS • ACID 요건을 완화하거나 제약하는 특징	• 구글 빅테이블 • HBase • 아마존 SimpleDB • 마이크로소프트 SSDS

ACID
트랜잭션의 특징인 원자성(Atomicity), 일관성(Consistency), 독립성(Isolation), 내구성(Durability)을 뜻한다.

(3) 빅데이터 저장 기술 - 분산 파일 시스템 상세 [기출]

① 구글 파일 시스템

㉮ 구글 파일 시스템(GFS; Google File System) 개념
- GFS는 구글의 대규모 클러스터 서비스 플랫폼의 기반이 되는 파일 시스템이다.
- 파일을 고정된 크기(64MB)의 청크들로 나누며 각 청크와 여러 개의 복제본을 청크 서버에 분산하여 저장한다.

㉯ 구글 파일 시스템(GFS) 구성요소

▼ 구글 파일 시스템(GFS) 구성요소

구분	설명
클라이언트 (Client)	• 파일에 대한 읽기/쓰기 동작을 요청하는 애플리케이션으로 POSIX 인터페이스를 지원하지 않으며, 파일 시스템 인터페이스와 유사한 자체 인터페이스를 지원 • 여러 클라이언트에서 원자적인 데이터 추가(Atomic Append) 연산을 지원하기 위한 인터페이스 지원
마스터 (Master)	• 단일 마스터 구조로 파일 시스템의 이름 공간(Name Space), 파일과 청크의 매핑 정보, 각 청크가 저장된 청크 서버들의 위치정보 등에 해당하는 모든 메타데이터를 메모리상에서 관리 • 주기적으로 청크 서버의 하트비트 메시지를 이용하여 청크를 재복제하거나 재분산하여 상태를 관리
청크 서버 (Chunk Server)	• 로컬 디스크에 청크를 저장 • 클라이언트가 청크 입출력을 요청하면 청크 서버가 처리 • 주기적으로 청크 서버의 상태를 하트비트 메시지로 마스터에게 전달

㉰ 구글 파일 시스템(GFS) 구조

클라이언트가 GFS 마스터에게 파일을 요청하면, 마스터는 저장된 청크의 매핑 정보를 찾아서 해당 청크 서버에 전송을 요청하고, 해당 청크 서버는 클라이언트에게 청크 데이터를 전송한다.

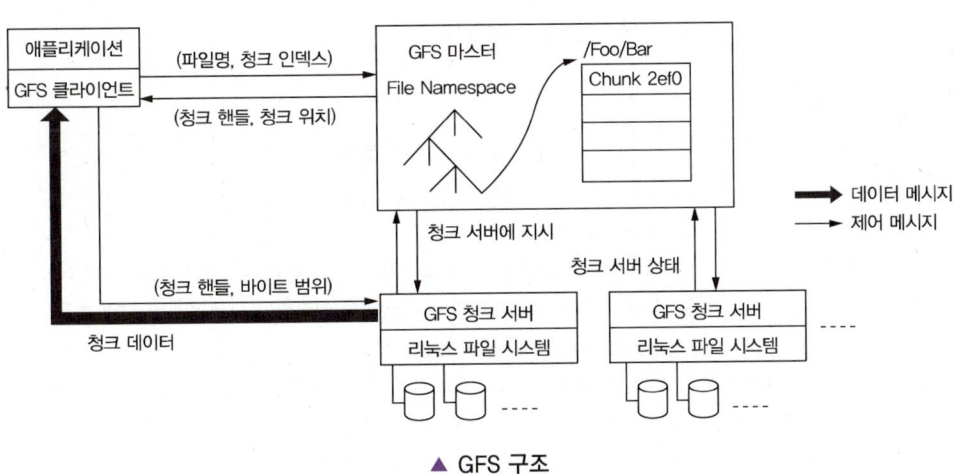

▲ GFS 구조

학습 POINT ★

분산 파일 시스템은 다수의 마이크로프로세서를 이용하여 여러 데이터베이스를 저장하고 있는 디스크의 파일을 처리하는 방식입니다.

잠깐! 알고가기

청크(Chunk)
파일이 나누어진 조각의 단위이다.

POSIX(Portable Operating System Interface)
이식 가능 운영 체제 인터페이스를 의미하는 것으로 상호 간에 다른 unix os의 공통 API를 정리해서 이식성이 높은 unix 응용 프로그램을 개발하기 위해 IEEE가 책정한 애플리케이션 인터페이스 규격이다.

하트비트(Heartbeat)
주로 이중화 장비 또는 마스터 장비에 적용되며 상대편 노드(Node)가 동작하고 있는지를 주기적으로 점검하는 작업이다.

학습 POINT ★

기출문제로 미뤄봤을 때 중요도를 낮게 봐야 하는 부분입니다. 기술별로 개념 정도를 챙겨 가시면 될 것으로 생각합니다.

② 하둡 분산 파일 시스템 [기출]

㉮ 하둡 분산 파일 시스템(HDFS; Hadoop Distributed File System) 개념
- HDFS는 수십 테라바이트 또는 페타바이트 이상의 대용량 파일을 분산된 서버에 저장하고, 저장된 데이터를 빠르게 처리할 수 있게 하는 분산 파일 시스템이다.

㉯ 하둡 분산 파일 시스템(HDFS) 특징
- 저사양의 다수의 서버를 이용해서 스토리지를 구성할 수 있어 기존의 대용량 파일 시스템(NAS, DAS, SAN 등)에 비해 비용관점에서 효율적이다.
- HDFS는 블록 구조의 파일 시스템으로 파일을 특정 크기의 블록으로 나누어 분산된 서버에 저장된다.
- 블록 크기는 64MB에서 하둡 2.0부터는 128MB로 증가되었다.

㉰ 하둡 분산 파일 시스템(HDFS) 구성요소
- HDFS는 하나의 네임 노드(Name Node)와 하나 이상의 보조 네임 노드, 다수의 데이터 노드(Data Node)로 구성된다.
- HDFS의 네임 노드는 GFS의 마스터, 데이터 노드는 청크 서버와 유사하다.

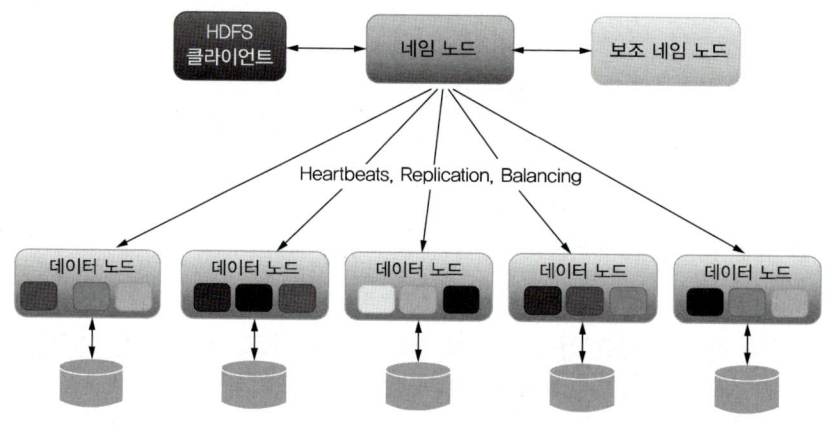

▲ HDFS 구조

◉ HDFS 구성요소

구분	설명
네임 노드 (Name Node)	• HDFS 상의 모든 메타데이터를 관리하며 마스터/슬레이브 구조에서 마스터 역할 수행 • 데이터 노드들로부터 하트비트를 받아 데이터 노드들의 상태를 체크하는데, 하트비트 메시지에 포함된 블록 정보를 가지고 블록의 상태 체크
보조네임 노드 (Secondary Name Node)	• HDFS 상태 모니터링을 보조 • 주기적으로 네임 노드의 파일 시스템 이미지를 스냅샷으로 생성
데이터 노드 (Data Node)	• HDFS의 슬레이브 노드로, 데이터 입출력 요청을 처리 • 데이터 유실 방지를 위해 블록을 3중으로 복제하여 저장

③ 러스터

㉮ 러스터(Lustre) 개념

러스터는 클러스터 파일 시스템(Cluster File System Inc.)에서 개발한 객체 기반의 클러스터 파일 시스템이다.

㉯ 러스터(Lustre) 구성요소

- 고속 네트워크로 연결된 클라이언트 파일 시스템, 메타데이터 서버, 객체 저장 서버들로 구성된다.
- 계층화된 모듈 구조로 TCP/IP, 인피니밴드 같은 네트워크를 지원한다.

인피니밴드(InifiniBand)
무한대역폭의 줄임말로 대용량 데이터 처리를 위한 고성능 컴퓨팅과 기업용 데이터 센터에서 사용되는 스위치 방식의 통신 연결 방식이다.

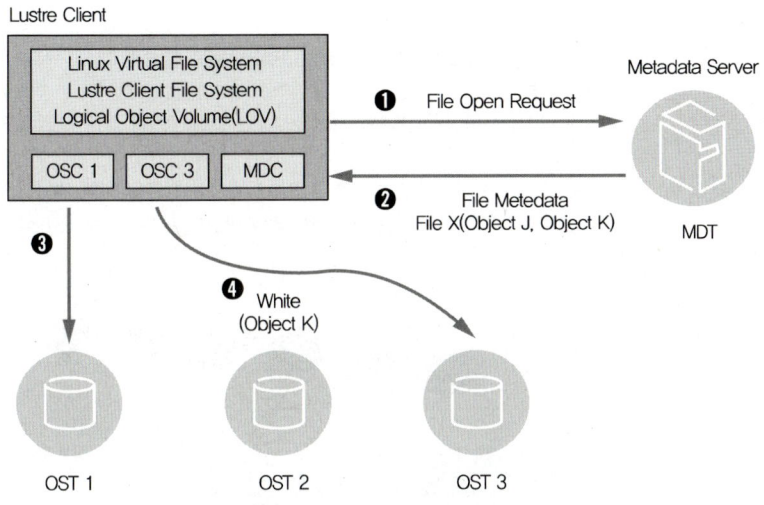

㉰ 러스터(Lustre) 구성요소

구분	설명
클라이언트 파일 시스템	• 리눅스 VFS(Virtual File System)에서 설치할 수 있는 파일 시스템 • 메타데이터 서버와 객체 저장 서버들과 통신하면서 클라이언트 응용에 파일 시스템 인터페이스를 제공
메타데이터 서버	• 파일 시스템의 이름 공간과 파일에 대한 메타데이터를 관리
객체 저장 서버	• 파일 데이터를 저장하고, 클라이언트로부터의 객체 입출력 요청을 처리 • 데이터는 세그먼트라는 작은 데이터 단위로 분할해서 복수의 디스크 장치에 분산시키는 기술인 '스트라이핑 방식'으로 분산, 저장

(4) 빅데이터 저장 기술 – 데이터베이스 클러스터 상세

① 데이터베이스 클러스터(Database Cluster) 개념

데이터베이스 클러스터는 하나의 데이터베이스를 여러 개의 서버상에 분산하여 구축하는 시스템이다.

잠깐! 알고가기

데이터베이스 파티셔닝 (Database Partitioning)
- 데이터베이스를 여러 부분으로 분할하는 것을 의미하며, 각 분할된 요소는 파티션이라고 한다.
- 각 파티션은 여러 노드로 분할 배치되므로 여러 사용자가 각 노드에서 트랜잭션을 수행할 수 있다.

② 데이터베이스 클러스터 특징
- 데이터를 통합할 때, 성능과 가용성의 향상을 위해 데이터베이스 파티셔닝 또는 클러스터링을 이용한다.
- 데이터베이스 시스템을 구성하는 형태에 따라 단일 서버 파티셔닝과 다중 서버 파티셔닝으로 구분한다.

③ 데이터베이스 클러스터 구분

리소스 공유 관점에서는 공유 디스크와 무공유 디스크로 구분한다.

◈ 데이터베이스 클러스터 종류

종류	설명
공유 디스크 클러스터 (Shared Disk Cluster)	• 데이터 파일은 논리적으로 데이터 파일을 공유하여 모든 데이터에 접근 가능하게 하는 방식 • 데이터 공유를 위해 SAN(Storage Area Network)과 같은 네트워크 장비가 있어야 함 • 모든 노드가 데이터를 수정할 수 있어, 동기화 작업을 위한 채널이 필요 • 높은 수준의 고가용성을 제공하므로 클러스터 노드 중 하나만 살아 있어도 서비스가 가능 ▲ 공유 디스크 클러스터 구조
무공유 클러스터 (Shared Nothing Cluster)	• 무공유 클러스터에서 각 데이터베이스 인스턴스는 자신이 관리하는 데이터 파일을 자신의 로컬 디스크에 저장하며, 이 파일들은 노드 간에 공유하지 않음 • 노드 확장에 제한이 없지만, 각 노드에 장애가 발생할 경우를 대비해 별도의 FTA를 구성해야 함 ▲ 무공유 디스크 클러스터 구조

잠깐! 알고가기

FTA(Fault-Tolerance Assistant)
시스템에 고장이 발생하더라도 모든 기능 또는 기능 일부를 기존과 같이 유지하는 기술이다.

(5) 빅데이터 저장 기술 - NoSQL 기출

① NoSQL(Not Only SQL)의 개념

NoSQL은 대규모 데이터를 저장하기 위하여 고정된 테이블 스키마가 없고 조인(Join) 연산을 사용할 수 없으며, 수평적으로 확장이 가능한 DBMS이다.

② NoSQL의 일반적 특성
- NoSQL은 관계형 모델을 사용하지 않는 데이터 저장소 또는 인터페이스이며, 대규모 데이터를 처리하기 위한 기술로 확장성, 가용성, 높은 성능을 제공한다.
- 스키마-리스(Schema-less)로 고정된 스키마 없이 자유롭게 데이터베이스의 레코드에 필드를 추가할 수 있다.

③ NoSQL의 특성(BASE)

◈ NoSQL의 특성(BASE)

특성	설명
Basically Available	• 언제든지 데이터는 접근할 수 있어야 하는 속성 • 분산 시스템이기 때문에 항상 가용성 중시
Soft-State	• 노드의 상태는 내부에 포함된 정보에 의해 결정되는 것이 아니라 외부에서 전송된 정보를 통해 결정되는 속성 • 특정 시점에서는 데이터의 일관성이 보장되지 않음
Eventually Consistency	• 일정 시간이 지나면 데이터의 일관성이 유지되는 속성 • 일관성을 중시하고 지향

NoSQL은 최근 빅데이터 활성화와 함께 부각되고 있기 때문에 출제 확률이 있습니다. 핵심 개념을 알고가세요!

④ NoSQL의 유형 기출
- NoSQL은 저장되는 데이터의 구조에 따라 Key-Value, Column Family Data, Document, Graph Store로 구분된다.

◈ NoSQL의 유형

유형	구성도	설명
Key-Value Store	Key — Value Key — Value Key — Value	• 고유한 Key에 하나의 Value를 가지고 있는 DB • 키 기반의 Get/Put/Delete를 이용해 빅데이터 처리 가능 DB 예) Redis, DynamoDB
Column Family Data Store		• Key 안에 (Column, Value) 조합으로 된 여러 개의 필드를 갖는 DB • 테이블 기반, 조인 미지원, 컬럼 기반, 구글의 BigTable 기반으로 구현 예) HBase, Cassandra

일반 DBMS도 NoSQL 유형처럼 Key-Value, Column Family Data, Document, Graph Store로 구분합니다.
NoSQL 유형과 DBMS 유형은 다른 특성은 비슷하지만, DBMS의 경우 정형 데이터를 저장하기 때문에 NoSQL과 다르게 값의 형태(Type)를 갖습니다.
예를 들어 일반 DBMS의 Key-Value Store 유형에서 학생이라는 스키마에 Key는 학번, Value는 나이라고 하고, Value가 정수형이라면 Value에는 정숫값만 저장할 수 있습니다.

유형	구성도	설명
Document Store		• Value의 데이터 타입이 Document 타입인 DB • Document 타입은 XML, JSON, YAML과 같이 구조화된 데이터 타입으로, 복잡한 계층 구조를 표현할 수 있음 예) MongoDB, Couchbase
Graph Store		• 시맨틱 웹과 온톨로지 분야에서 활용되는 그래프로 데이터를 표현하는 DB 예) Neo4j, AllegroGraph

잠깐! 알고가기

시맨틱 웹(Semantic Web)
온톨로지를 활용하여 서비스를 기술하고, 온톨로지의 의미적 상호 운용성을 이용해서 서비스 검색, 조합, 중재 기능을 자동화하는 웹이다.

온톨로지(Ontology)
실세계에 존재하는 모든 개념과 개념들의 속성, 그리고 개념 간의 관계 정보를 컴퓨터가 이해할 수 있도록 서술해 놓은 지식베이스이다.

개념 박살내기

NoSQL 제품

NoSQL 제품

유형	종류	설명
Key-Value Store	Redis (Remote Dictionary Server)	• 인 메모리(In-Memory) 기반의 키-값(Key-Value) 처리를 수행하는 데이터베이스 시스템 • 디스크를 읽는 속도보다 메모리를 읽는 속도가 빠르기 때문에 데이터를 Read/Write 하는 과정에서 속도가 훨씬 빠르다는 장점이 있음
	Dynamo NoSQL	• HTTP로 통신 수행하는 서버리스(Serverless) 방식으로 별도의 서버가 존재하지 않고 요청한 만큼만 비용을 지불하면서 사용하는 방식의 데이터베이스 시스템 • AWS에서 개발한 NoSQL 시스템
Column Family Data Store	HBase	• HDFS를 기반으로 구현된 컬럼 기반의 분산 데이터베이스 • 실시간 랜덤 조회 및 업데이트를 할 수 있으며, 각각의 프로세스는 개인의 데이터를 비동기적으로 업데이트할 수 있음
	Cassandra	• 마스터리스(Masterless) 아키텍처 구조로 데이터 복제를 담당하는 단일 노드가 없고 모든 노드가 동일하게 동작하는 데이터베이스 시스템 • 단일 장애점 없고 여러 데이터센터에 걸쳐 클러스터를 지원하며 수많은 서버의 대용량 데이터 관리가 가능한 특징이 있음
Document Store	MongoDB	• 스키마가 고정되지 않은 JSON 형태의 동적 스키마형 문서를 사용하는 데이터베이스 시스템 • 분산 확장을 위한 자동 샤딩(Auto-Sharding) 기능이 있음
	CouchDB	• 자바스크립트를 쿼리 언어로 사용(맵리듀스 사용)하며 API를 위해 HTTP를 사용하는 스키마 없는 데이터 모델을 사용하는 데이터베이스 시스템 • JSON 기반의 문서 지향 NoSQL 데이터베이스 시스템

유형	종류	설명
Graph Store	Neo4j	• Neo4j사가 개발한 그래프 데이터베이스 관리 시스템 • 네이티브 그래프 저장 및 처리 기능을 갖춘 ACID를 준수하는 트랜잭셔널 데이터베이스
	AllegroGraph	• 연결된 데이터의 표준 형식인 RDF 트리플을 저장하도록 설계된 데이터베이스

⑤ CAP 이론

- CAP 이론은 분산 컴퓨팅 환경의 Availability, Consistency, Partition Tolerance 3가지 특징 중에 두 가지만 만족할 수 있다는 이론이다.
- NoSQL은 CAP 이론을 기반으로 하고 있다.

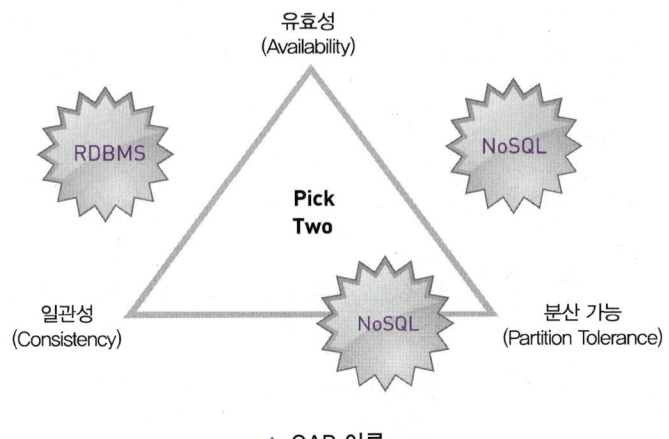

▲ CAP 이론

◉ CAP 이론 특성

특성	설명
일관성 (Consistency)	• 모든 사용자에게 같은 시간에는 같은 데이터를 보여주어야 한다는 특성
유효성 (Availability)	• 모든 클라이언트가 읽기 및 쓰기가 가능해야 한다는 특성 • 하나의 노드에 장애가 일어나더라도 다른 노드에는 영향을 미치면 안 되는 특성
분산 가능 (Partition Tolerance)	• 물리적 네트워크 분산 환경에서 시스템이 원활하게 동작해야 한다는 특성 • 네트워크 전송 중 데이터 손실 상황이 생겨도 시스템은 정상적으로 동작해야 한다는 특성

지피지기 기출문제

01 트랜잭션을 사용하는 관계형 데이터베이스와 비교했을 때 데이터 웨어하우스(DW)에 저장되어있는 데이터베이스의 특징으로 올바르지 않은 것은?

① 소멸적(Volatile)
② 시간에 따라 변화(Time-Variant)
③ 주제 지향적(Subject Oriented)
④ 통합적(Integrated)

해설 데이터 웨어하우스(DW; Data Warehouse)의 특징은 다음과 같다.

주제 지향적 (Subject Oriented)	기능이나 업무가 아닌 주제 중심적으로 구성되는 특징
통합적 (Integrated)	데이터의 일관성을 유지하면서 전사적 관점에서 하나로 통합되는 특징
시간에 따라 변화 (Time-Variant)	시간에 따른 변경을 항상 반영하고 있다는 특징
비휘발적 (Non-Volatile)	적재가 완료되면 읽기 전용 형태의 스냅 샷 형태로 존재한다는 특징

02 대규모 데이터를 저장할 수 있고, HBase, Cassandra 등의 제품이 있는 저장 기술은 무엇인가?

① Sqoop
② NoSQL
③ HDFS
④ Scribe

해설

스쿱 (Sqoop)	• 커넥터(Connector)를 사용하여 관계형 데이터베이스 시스템(RDBMS)에서 하둡 파일 시스템(HDFS)으로 데이터를 수집하거나, 하둡 파일 시스템에서 관계형 데이터베이스로 데이터를 보내는 대용량 데이터 전송 솔루션
NoSQL (Not Only SQL)	• 대규모 데이터를 저장하기 위하여 고정된 테이블 스키마가 없고 조인(Join) 연산을 사용할 수 없으며, 수평적으로 확장이 가능한 DBMS • 주요 제품으로는 HBase, Cassandra, MongoDB가 있음
HDFS (Hadoop Distributed File System)	• 수십 테라바이트 또는 페타바이트 이상의 대용량 파일을 분산된 서버에 저장하고, 저장된 데이터를 빠르게 처리할 수 있게 하는 분산 파일 시스템
스크라이브 (Scribe)	• 다수의 서버로부터 실시간으로 스트리밍되는 로그 데이터를 수집하여 분산 시스템에 데이터를 저장하는 대용량 실시간 로그 수집 기술

03 다음 중 데이터베이스의 특징으로 올바르지 않은 것은?

① 데이터 중복의 최대화
② 데이터 무결성
③ 데이터 독립성
④ 데이터 보안

해설
• 데이터베이스에서 데이터의 중복은 최소화해야 한다.
• 데이터베이스의 장단점은 다음과 같다.

장점	단점
• 데이터 중복 최소화 • 데이터 공유 • 일관성, 무결성, 보안성 유지 • 최신의 데이터 유지 • 데이터의 표준화 가능 • 데이터의 논리적, 물리적 독립성 • 쉬운 데이터 접근 • 데이터 저장 공간 절약	• 데이터베이스 전문가 필요 • 큰 비용 부담 • 데이터 백업과 복구가 어려움 • 시스템의 복잡함 • 대용량 디스크로 액세스가 집중되면 과부하 발생 • 통합된 시스템이기 때문에 일부에서 장애가 발생하면 전체 시스템이 중단되는 장애 발생

04 다음 중 빅데이터 처리 과정 중 저장 단계에 사용하는 기술은?

① Map-Reduce ② 가시화
③ 직렬화 ④ NoSQL

해설 빅데이터 저장 기술은 분산 파일 시스템, 데이터베이스 클러스터, NoSQL 등으로 구분된다.

Map-Reduce	• 대용량 데이터 세트를 분산 병렬 컴퓨팅에서 처리하거나 생성하기 위한 목적으로 만들어진 소프트웨어 프레임워크 • 모든 데이터를 키-값(Key-Value) 쌍으로 구성, 데이터를 분류 • 맵(Map) → 셔플(Shuffle) → 리듀스(Reduce) 순서대로 데이터 처리
NoSQL	• 전통적인 RDBMS와 다른 DBMS를 지칭하기 위한 용어로 데이터 저장에 고정된 테이블 스키마가 필요하지 않고 조인(Join) 연산을 사용할 수 없으며, 수평적으로 확장이 가능한 DBMS • NoSQL 제품에는 구글 빅테이블, HBase, 아마존 SimpleDB, 마이크로소프트 SSDS가 있음

05 다음 중 데이터 저장소가 아닌 것은?

① Data Warehouse ② Data Mart
③ Data Mining ④ Data Dam

해설
• 데이터 마이닝(Data Mining)은 데이터 저장소가 아니라 대규모로 저장된 데이터 안에서 체계적이고 자동적으로 통계적 규칙이나 패턴을 찾아내는 기법이다.
• 데이터 저장소에는 Data Warehouse, Data Mart, Data Lake, Data Dam이 있다.

데이터 웨어하우스 (DW; Data Warehouse)	사용자의 의사결정에 도움을 주기 위하여, 기간 시스템의 데이터베이스에 축적된 데이터를 공통 형식으로 변환해서 관리하는 데이터베이스
데이터 마트 (DM; Data Mart)	전사적으로 구축된 데이터 속의 특정 주제, 부서 중심으로 구축된 소규모 단위 주제의 데이터 웨어하우스
데이터 레이크 (Data Lake)	정형, 반정형, 비정형 데이터를 비롯한 모든 가공되지 않은 다양한 종류의 데이터(Raw Data)를 저장할 수 있는 시스템 또는 중앙 집중식 데이터 저장소
데이터 댐 (Data Dam)	4차 산업혁명의 디지털 경쟁력 확보를 위해 모든 산업의 데이터를 데이터 댐에 쌓는다는 의미로 어떤 값을 포함하고 있는 가공되지 않은 1차 자료를 모아 놓은 저장소

06 다음 중 분산 파일 시스템에 대한 설명으로 옳은 것은?

① 서로 연결되어있는 여러 컴퓨터가 하나의 작업을 처리하는 시스템이다.
② 여러 저장 디스크를 하나의 서버 환경에 연결하여 처리할 수 있는 시스템이다.
③ 하나의 처리 장치로 복수의 프로그램을 동시에 처리할 수 있는 시스템이다.
④ 네트워크를 통해 공유하는 여러 호스트 컴퓨터의 파일에 접근할 수 있게 하는 파일 시스템이다.

해설 분산 파일 시스템은 네트워크를 통해 공유하는 여러 호스트 컴퓨터의 파일에 접근할 수 있게 하는 파일 시스템이다.

07 빅데이터 플랫폼은 원천 데이터로부터 데이터를 수집, 저장, 처리, 분석, 활용 단계로 나눠질 수 있다. 다음 중 데이터 저장 단계의 기술이 아닌 것은 무엇인가?

① 텍스트 마이닝 ② HDFS
③ NoSQL ④ 데이터베이스 클러스터

해설
• 데이터 저장 단계에서는 HDFS, NoSQL, 데이터베이스 클러스터 등이 필요하다.
• 텍스트 마이닝은 데이터 분석 단계에서 활용되는 기술이다.

지피지기 기출문제

08 컴퓨터 네트워크를 통해 공유하는 여러 호스트 컴퓨터의 파일에 접근할 수 있게 하는 파일 시스템은 무엇인가?

① 분산 파일 시스템
② NoSQL
③ 네트워크 연결 시스템
④ 데이터베이스 클러스터

해설

분산 파일 시스템	• 컴퓨터 네트워크를 통해 공유하는 여러 호스트 컴퓨터의 파일에 접근할 수 있게 하는 파일 시스템 　예) 구글 파일 시스템(GFS), 하둡 분산 파일 시스템(HDFS), 러스터(Lustre)
데이터베이스 클러스터	• 관계형 데이터베이스 관리 시스템으로 하나의 데이터베이스를 여러 개의 서버상에 구축하는 시스템 　예) 오라클 RAC, IBM DB2 ICE, MSSQL, MySQL
NoSQL	• 전통적인 RDBMS와 다른 DBMS를 지칭하기 위한 용어로 데이터 저장에 고정된 테이블 스키마가 필요하지 않고 조인(Join) 연산을 사용할 수 없으며, 수평적으로 확장이 가능한 DBMS 　예) 구글 빅테이블, HBase, 아마존 SimpleDB, 마이크로소프트 SSDS

09 다음 중 분산 파일 시스템에 대한 설명으로 올바른 것은?

① 논리적으로 데이터 파일을 공유하여 모든 데이터에 접근할 수 있도록 구현하는 방식이다.
② 각 데이터베이스 인스턴스는 자신이 관리하는 데이터 파일을 자신의 로컬 디스크에 저장하며, 이 파일들은 노드 간에 공유하지 않고 자신만 활용하는 방식이다.
③ 다수의 마이크로프로세서를 이용하여 여러 데이터베이스를 저장하고 있는 디스크의 파일을 처리하는 방식이다.
④ 여러 파일에 저장되어 있는 트랜잭션이 한번에 처리될 수 있도록 구현하는 방식이다.

해설 분산 파일 시스템은 다수의 마이크로프로세서를 이용하여 여러 데이터베이스를 저장하고 있는 디스크의 파일을 처리하는 방식이다.

10 다음 중 데이터에 제한을 두어서 데이터가 임의로 변경되는 것을 방지하는 것은 데이터의 어떤 특성을 만족하기 위한 것인가?

① 데이터 완전성
② 데이터 무결성
③ 데이터 사용성
④ 데이터 이식성

해설
• 데이터 무결성은 데이터베이스에 저장된 데이터의 정확성, 일관성, 유효성을 지키는 것이다.
• 데이터 무결성은 제약조건으로 데이터베이스 시스템이 강제한다.
• 데이터베이스에 저장된 데이터의 무결성을 보장하고, 데이터베이스의 상태를 일관되게 유지하기 위하여 데이터베이스의 저장, 삭제, 수정 등에 제약조건을 설정한다.

11 비정형 데이터에 대한 설명으로 옳은 것은?

① 비정형 데이터는 스프레드시트 기반으로 데이터를 저장하며, 행은 객체, 열은 속성이다.
② 비정형 데이터는 정형 데이터에 비해 데이터를 찾기 쉽다.
③ 비정형 데이터는 스키마가 없는 NoSQL 기법을 이용해 저장한다.
④ 비정형 데이터는 스키마가 없는 데이터 웨어하우스에 저장하여 분석한다.

> **해설**
> - 비정형 데이터는 구조화되어 있지 않아 스키마나 고정된 데이터 모델이 없으며, 정형 데이터보다는 데이터를 찾기 어렵다.
> - 데이터를 저장하고 검색하기 위한 기존의 RDBMS 등의 기술로는 한계가 있으며, 대신에 NoSQL 기법을 사용하여 저장 및 처리한다.
> - 데이터 웨어하우스는 스키마가 정의되어야 저장할 수 있다.

12 다음 중 HDFS에 대한 설명으로 올바른 것은?

① HDFS는 하나의 서버에 데이터가 집중되어 관리되는 집중 구조 방식이다.
② HDFS의 보조 네임 노드는 네임 노드의 파일 시스템 이미지를 스냅샷으로 생성한다.
③ HDFS는 블록 구조의 파일 시스템으로 파일을 블록으로 나누어 저장되고 블록크기는 10MB이다.
④ HDFS의 데이터 노드는 네임 노드에 대한 모든 메타데이터를 관리한다.

> **해설**
> - HDFS의 블록 크기는 64MB에서 하둡 2.0부터는 128MB로 증가되었다.
> - HDFS는 데이터 유실 방지를 위해 블록을 3중으로 복제하여 데이터 노드에 저장한다.

13 자동 샤딩을 통해 유연한 확장성 제공하고 크로스 플랫폼 문서 지향 데이터베이스 시스템은 무엇인가?

① Dynamo NoSQL ② Redis
③ MongoDB   ④ CouchDB

> **해설**
>
> | | |
> |---|---|
> | Dynamo NoSQL | HTTP로 통신 수행하는 서버리스(Serverless) 방식으로 별도의 서버가 존재하지 않고 요청한 만큼만 비용을 지불하면서 사용하는 방식의 데이터베이스 시스템 |
> | Redis | • 인 메모리(In-Memory) 기반의 키-값(Key-Value) 처리를 수행하는 데이터베이스 시스템
• 디스크를 읽는 속도보다 메모리를 읽는 속도가 빠르기 때문에 데이터를 Read/Write 하는 과정에서 속도가 훨씬 빠르다는 장점이 있음 |
> | MongoDB | • 스키마가 고정되지 않은 JSON 형태의 동적 스키마형 문서를 사용하는 데이터베이스 시스템
• 분산 확장을 위한 자동 샤딩(Auto-Sharding) 기능이 있음 |
> | CouchDB | • 자바스크립트를 쿼리 언어로 사용(맵리듀스 사용)하며 API를 위해 HTTP를 사용하는 스키마 없는 데이터 모델을 사용하는 데이터베이스 시스템
• JSON 기반의 문서 지향 NoSQL 데이터베이스 시스템 |

14 Key-Value DBMS에 대한 설명으로 옳지 않은 것은?

① 고유한 키를 갖는다.
② 키에 해당하는 하나의 값을 가진다.
③ 값은 형태에 상관없이 저장할 수 있다.
④ Get/Put/Delete를 이용해 데이터를 처리할 수 있다.

> **해설**
> - Key-Value Store 방식은 Unique 한 Key에 하나의 Value를 가지고 있는 DB이다.
> - 일반 DBMS에서 값은 형태(Type)를 갖는다.

지피지기 기출문제

15 Cassandra, MongoDB 등과 같이 반정형, 비정형 데이터를 처리할 수 있는 저장 기술은?

① In-Memory DB
② DFS
③ NoSQL
④ RDBMS

해설

인메모리(In-Memory) 데이터베이스	디스크에 최적화된 데이터베이스보다 더 빠른 접근과 처리가 가능하도록 메인 메모리에 설치되어 운영되는 방식의 데이터베이스
NoSQL (Not Only SQL)	전통적인 RDBMS와 다른 DBMS를 지칭하기 위한 용어로서 데이터 저장에 고정된 테이블 스키마가 필요하지 않고 조인(Join) 연산을 사용할 수 없으며, 수평적 확장이 가능한 DBMS
RDBMS (Relational DBMS)	2차원 테이블인 데이터 모델에 기초를 둔 관계형 데이터베이스를 생성하고 수정하고 관리할 수 있는 소프트웨어

정답 01 ① 02 ② 03 ① 04 ④ 05 ④ 06 ③ 07 ① 08 ① 09 ③ 10 ④ 11 ③ 12 ② 13 ① 14 ① 15 ③

천기누설 예상문제

01 사용자의 의사결정에 도움을 주기 위하여, 기간 시스템의 데이터베이스에 축적된 데이터를 공통 형식으로 변환해서 관리하는 데이터베이스는 무엇인가?

① 데이터 웨어하우스 ② 데이터 레이크
③ 메타데이터 ④ 마이 데이터

해설

데이터 웨어하우스	사용자의 의사결정에 도움을 주기 위하여, 기간 시스템의 데이터베이스에 축적된 데이터를 공통 형식으로 변환해서 관리하는 데이터베이스
데이터 레이크	정형, 반정형, 비정형 데이터를 비롯한 모든 가공되지 않은 다양한 종류의 데이터(Raw Data)를 저장할 수 있는 시스템 또는 중앙 집중식 데이터 저장소
메타 데이터	데이터에 관한 구조화된 데이터로서 다른 데이터를 설명해주는 데이터
마이 데이터	개인이 자신의 정보를 관리, 통제할 뿐만 아니라 이러한 정보를 신용이나 자산관리 등에 능동적으로 활용하는 일련의 과정

02 다음은 HDFS의 서버 노드 아키텍트 정의에 대한 설명이다. 괄호 안에 들어갈 용어는 무엇인가?

> 빅데이터 서버 노드 아키텍트에서 파일 시스템의 메타데이터를 관리하는 서버로 실제 작업 대상 데이터를 블록 단위로 나누어 분배하는 역할 수행하는 (   ) 노드가 있다.

① 보조 네임 ② 데이터
③ 네임 ④ 마스터

해설 빅데이터 서버 노드 아키텍트에서 파일 시스템의 메타데이터를 관리하는 서버로 실제 작업 대상 데이터를 블록 단위로 나누어 데이터 노드에 분배하는 역할 수행하는 노드는 네임 노드이다.

03 빅데이터 저장방식이 아닌 것은?

① RDB ② 분산 파일 시스템
③ NoSQL ④ R

해설 R은 빅데이터를 처리, 분석할 수 있는 프로그램이다.

04 다음 중 NoSQL에 대한 설명으로 옳지 않은 것은?

① ACID 요건을 완화하거나 제약하는 특징을 가지고 있다.
② 전통적인 RDBMS의 장점이라고 할 수 있는 복잡한 Join 연산 기능을 지원한다.
③ 스키마 없이 동작한다.
④ 수평적으로 확장이 가능한 DBMS이다.

해설 NoSQL은 복잡한 Join 연산 기능은 지원하지 않는다.

05 다음 중 비관계형 데이터 저장소로 기존의 전통적인 방식의 RDBMS와 다르게 설계된 DB를 칭하는 용어는?

① RDB ② HDFS
③ NoSQL ④ MySQL

해설 비관계형 데이터 저장소로 RDBMS와 다르게 설계된 DB를 NoSQL이라고 한다.

06 다음 중 신뢰할 수 있고, 확장이 용이하며, 분산 컴퓨팅 환경을 지원하는 오픈 소스 소프트웨어는?

① R ② Hadoop
③ HBase ④ Map Reduce

해설 확장이 용이하며 분산 환경을 제공하는 오픈 소스는 하둡(Hadoop)이다.

정답 01 ① 02 ③ 03 ④ 04 ② 05 ③ 06 ②

선견지명 단원종합문제

01 DIKW 피라미드에서 획득한 다양한 정보를 구조화하여 유의미한 정보로 분류하고 일반화시킨 결과물에 해당하는 요소는 무엇인가?

① 데이터(Data) ② 정보(Information)
③ 지식(Knowledge) ④ 지혜(Wisdom)

해설

데이터(Data)	객관적 사실로서 다른 데이터와의 상관관계가 없는 가공하기 전의 순수한 수치나 기호
정보(Information)	가공, 처리하여 데이터 간의 연관 관계와 함께 의미가 도출된 데이터
지식(Knowledge)	획득된 다양한 정보를 구조화하여 유의미한 정보로 분류하고 일반화시킨 결과물
지혜(Wisdom)	근본 원리에 대한 깊은 이해를 바탕으로 도출되는 창의적 아이디어

02 다음 중 3V에 해당하는 것으로 나열된 것은 무엇인가?

ⓐ Volume ⓑ Value
ⓒ Variety ⓓ Velocity

① ⓐ, ⓑ, ⓒ   ② ⓐ, ⓑ, ⓓ
③ ⓐ, ⓒ, ⓓ   ④ ⓑ, ⓒ, ⓓ

해설 빅데이터는 전통적으로 3V(Volume, Variety, Velocity)의 특징이 있지만, 최근에는 5V(Veracity, Value 추가), 7V(Validity, Volatility 추가)로 확장되고 있다.

03 다음 중 TB의 크기는 얼마인가?

① 10^{12} Bytes   ② 10^{15} Bytes
③ 10^{18} Bytes   ④ 10^{21} Bytes

해설 10^{12}를 의미하는 SI(국제단위계) 접두어인 테라와 컴퓨터 데이터의 표시 단위인 바이트가 합쳐진 자료량을 의미한다. (1TB = 10^3GB = 10^{12}Bytes)

04 텍스트 문서, 이진 파일, 이미지와 같은 데이터로서 API, Crawler, RSS 등의 수집 기술을 이용하여 획득하는 데이터는 무엇인가?

① 정형 데이터
② 완전 데이터
③ 반정형 데이터
④ 비정형 데이터

해설

정형	• 정형화된 스키마 구조, DBMS에 내용이 저장될 수 있는 구조 • 고정된 필드(속성)에 저장된 데이터
반정형	• 데이터 내부의 데이터 구조에 대한 메타 정보가 포함된 구조 • 고정된 필드에 저장되어 있지만, 메타데이터나 데이터 스키마 정보를 포함하는 데이터
비정형	• 수집 데이터 각각이 데이터 객체로 구분 • 고정 필드 및 메타데이터(스키마 포함)가 정의되지 않음 • Crawler, API, RSS 등의 수집 기술을 활용

05 다음 중 빅데이터가 기업에게 주는 가치가 아닌 것은?

① 생산성 향상
② 혁신 수단 제공
③ 경쟁력 강화
④ 상황 분석

해설

기업	혁신 수단 제공, 경쟁력 강화, 생산성 향상
정부	환경 탐색, 상황 분석, 미래 대응 가능
개인	목적에 따른 활동

06 다음 중 빅데이터 조직 구조 중 분산 구조에 대한 설명으로 가장 옳지 않은 것은?

① 분석 조직 인력들을 현업 부서로 직접 배치해 분석 업무를 수행한다.
② 분석 결과에 따른 신속한 피드백이 나오고 베스트 프랙티스 공유가 가능하다.
③ 현업 부서 차원에서 과거에 국한된 분석을 수행한다.
④ 업무 과다와 이원화 가능성이 존재할 수 있기 때문에 부서 분석 업무와 역할 분담이 명확해야 한다.

> **해설** 기능 구조에서는 전사적 핵심 분석이 어려우며 과거에 국한된 분석 수행한다.

07 다음은 데이터 사이언티스트가 갖춰야 할 역량에 대한 설명이다. ㉠과 ㉡에 각각에 들어갈 용어로 가장 적합한 것은 무엇인가?

> 데이터 사이언티스트가 갖춰야 할 역량은 빅데이터의 처리 및 분석에 필요한 이론적 지식과 기술적 숙련과 관련된 능력인 (㉠)(와)과 데이터 속에 숨겨진 가치를 발견하고 새로운 발전 기회를 만들어 내기 위한 능력인 (㉡)(으)로 나누어진다.

① ㉠ 암묵지, ㉡ 형식지
② ㉠ 하드스킬, ㉡ 소프트스킬
③ ㉠ 소프트스킬, ㉡ 하드스킬
④ ㉠ 형식지, ㉡ 암묵지

> **해설** 데이터 사이언티스트가 갖춰야 할 역량으로는 분석의 통찰력, 여러 분야의 협력 능력, 설득력 있는 전달력과 관련된 소프트 스킬(Soft Skill)과 빅데이터 관련 이론적 지식, 분석기술의 숙련도와 관련된 하드 스킬(Hard Skill)로 나누어진다.

08 다음 중 개인에게 축적된 경험을 언어나 기호 등의 객관적인 데이터로 문서나 매체에 저장, 가공, 분석하는 과정으로 가장 알맞은 것은?

① 공통화(Socialization)
② 내면화(Internalization)
③ 연결화(Combination)
④ 표출화(Externalization)

> **해설**
>
> | 내면화 | 행동과 실천교육 등을 통해 형식지가 개인의 암묵지로 체화되는 단계 |
> |---|---|
> | 공통화 | 다른 사람과의 대화 등 상호작용을 통해 개인이 암묵지를 습득하는 단계 |
> | 표출화 | 형식지 요소 중 하나로 개인에게 내재된 경험을 객관적인 데이터로 문서나 매체에 저장, 가공, 분석하는 과정 |
> | 연결화 | 형식지가 상호결합하면서 새로운 형식지를 창출하는 과정 |

09 다음 중 지식 기반 자산 중 암묵지(Tacit Knowledge)의 예로 올바르지 않은 것은?

① 조선의 항아리를 만드는 비법
② 고추장의 맛을 결정한다는 어머니의 손맛
③ 연봉이 높은 자동차 판매원의 영업비밀
④ 회계규칙에 맞는 대차대조표 작성에 필요한 지식

> **해설**
> • 암묵지는 학습과 경험을 통해 개인에게 내재화되어 있지만 겉으로 들어나지 않는 지식이다.
> • 형식지는 문서나 매뉴얼처럼 형상화된 지식이다.
> • ④는 형상화된 지식으로 형식지이다.
> • ①, ②, ③은 내재화되어 겉으로 들어나지 않는 지식으로 암묵지이다.

선견지명 단원종합문제

10 다음 중 데이터에 대한 설명으로 올바르지 않은 것은?

① 1Byte는 256종류의 다른 값을 표현할 수 있다.
② 수치 데이터는 용량이 증가해도 텍스트 데이터에 비해 DBMS 관리가 용이하다.
③ 형식지란 말로는 설명할 수 없는, 개인이 내재화되어 가지고 있는 비밀스런 지식을 의미한다.
④ 인터넷 댓글은 그 형태와 형식이 정해져 있지 않은 비정형 데이터이다.

> **해설** 형식지는 문서나 매뉴얼처럼 형상화된 지식이다.

11 다음 중 Soft Skill에 해당하지 않는 것은?

① 분석의 통찰력
② 설득력 있는 전달력
③ 여러 분야의 협력 능력
④ 분석기술의 숙련도

> **해설**
> | Soft Skill | 분석의 통찰력, 여러 분야의 협력 능력, 설득력 있는 전달력 |
> |---|---|
> | Hard Skill | 빅데이터 관련 이론적 지식, 분석기술의 숙련도 |

12 데이터 거버넌스에 대한 설명으로 옳지 않은 것은?

① 데이터의 가용성, 유용성, 통합성, 보안성을 관리하기 위한 정책을 다룬다.
② 프라이버시, 보안성, 데이터품질, 관리규정 준수를 강조하는 모델이다.
③ 데이터 거버넌스의 구성 요소는 단계, 태스크, 스텝이 있다.
④ 데이터 거버넌스 체계는 데이터 표준화, 데이터 관리 체계, 데이터 저장소 관리, 표준화 활동으로 구분된다.

> **해설** 데이터 거버넌스의 구성요소는 원칙, 조직, 프로세스로 구분된다.

13 조직 평가 위한 성숙도(Maturity) 단계로 옳은 것은?

① 도입 단계 → 활용 단계 → 확산 단계 → 최적화 단계
② 도입 단계 → 활용 단계 → 최적화 단계 → 확산 단계
③ 도입 단계 → 확산 단계 → 활용 단계 → 최적화 단계
④ 도입 단계 → 확산 단계 → 최적화 단계 → 활용 단계

> **해설**
> | 조직평가 위한 성숙도 단계 | |
> |---|---|
> | 도활확최 | 도입 / 활용 / 확산 / 최적화 |

14 다음이 설명하는 빅데이터 플랫폼 구축 소프트웨어는 무엇인가?

- 하둡 작업을 관리하는 워크플로우 및 코디네이터 시스템(스케줄링/모니터링)
- 맵리듀스나 피그와 같은 특화된 액션들로 구성된 워크플로우 제어

① R
② Oozie
③ Sqoop
④ HBase

> **해설**
> | | |
> |---|---|
> | R | • 통계 프로그래밍 언어인 S 언어를 기반으로 만들어진 오픈 소스 프로그래밍 언어
• 다양한 그래프 패키지들을 통하여 강력한 시각화 기능 제공 |
> | 우지
(Oozie) | • 하둡 작업을 관리하는 워크플로우 및 코디네이터 시스템(스케줄링/모니터링)
• 맵리듀스나 피그와 같은 특화된 액션들로 구성된 워크플로우 제어 |
> | 스쿱
(Sqoop) | • 커넥터(Connector)를 사용하여 관계형 데이터베이스 시스템(RDBMS)에서 하둡 파일 시스템(HDFS)으로 데이터를 수집하거나, 하둡 파일 시스템에서 관계형 데이터베이스로 데이터를 보내는 기능 수행 |
> | HBase | • 컬럼 기반 저장소로 HDFS와 인터페이스 제공 |

PART Ⅰ 빅데이터 분석 기획

15 다음 중 얀(YARN)에 대한 설명으로 옳지 않은 것은?

① 하둡의 맵리듀스 처리 부분을 새롭게 만든 자원 관리 플랫폼이다.
② 리소스 매니저는 스케줄러 역할을 수행하고 클러스터 이용률 최적화를 수행한다.
③ 노드 매니저는 노드 내의 자원을 관리하고 리소스 매니저에게 전달 수행 및 컨테이너를 관리한다.
④ 스칼라, 자바, 파이썬, R 등을 사용할 수 있다.

> **해설** 아파치 스파크에서 스칼라, 자바, 파이썬, R 등을 사용할 수 있다.

16 다음 중 하둡 에코시스템의 기능이 잘못 짝지어진 것은?

① 비정형 데이터 수집: Chukwa, Flume, Scribe
② 정형 데이터 수집: Sqoop
③ 분산 데이터 처리: HDFS
④ 분산 데이터베이스: HBase

> **해설**
> - 분산 데이터 처리는 Map Reduce 기술이 있다.
> - HDFS는 분산 데이터 저장 기술이다.

17 Oozie에 대한 설명으로 가장 옳지 않은 것은?

① 하둡 작업을 관리하는 워크플로우 및 코디네이터 시스템이다.
② 수초 내에 SQL 질의 결과를 확인할 수 있다.
③ 자바 서블릿 컨테이너에서 실행되는 자바 웹 애플리케이션 서버이다.
④ Map Reduce나 Pig와 같은 특화된 액션들로 구성된 워크플로우를 제어한다.

> **해설** 수초 내에 SQL 질의 결과를 확인할 수 있는 것은 Impala이다.

18 다음 중 하둡 에코시스템의 시각화에 대한 설명으로 가장 옳지 않은 것은?

① Impala는 하둡 작업을 관리하는 워크플로우 및 코디네이터 시스템이다.
② Pig는 복잡한 Map Reduce 프로그래밍을 대체하기 위해 Pig Latin이라는 언어 형태로 제공한다.
③ Mahout은 하둡 기반으로 데이터 마이닝 알고리즘을 구현한 오픈 소스이다.
④ Zookeeper는 분산 환경에서 서버들 간에 상호조정이 필요한 다양한 서비스를 제공한다.

> **해설** Impala는 하둡 기반의 실시간 SQL 질의 시스템이다.

19 빅데이터와 인공지능에 대한 설명으로 가장 옳지 않은 것은?

① 인공지능을 최신 트렌드로 끌고 온 것은 '빅데이터'의 존재이다.
② 빅데이터 기술은 정보 처리 능력이 뛰어나기 때문에 주목을 받고 있다.
③ 빅데이터는 비정형 데이터를 고속으로 분석할 수 있고, 이러한 점이 인공지능이 기존에 기계가 인식하지 못했던 정보를 분석할 수 있게 한다.
④ 빅데이터 목표가 인공지능 목표와 부합하고, 인공지능 판단을 위해서는 빅데이터와 같은 기술이 필수이다.

> **해설** 빅데이터가 주목받는 이유는 우수한 정보 처리 능력을 바탕으로 의미 있는 결과를 도출할 수 있다는 점이다.

선견지명 단원종합문제

20 다음 설명 중 가장 올바르지 않은 것은?

① 가명 정보는 추가정보의 사용 없이는 특정 개인을 알아볼 수 없게 조치한 정보이다.
② 익명 정보는 더 이상 개인을 알아볼 수 없게 복원이 불가능한 정도로 조치한 정보이다.
③ 가명 정보는 통계작성, 연구, 공익적 기록 보존 목적 등의 목적에는 동의 없이 활용 가능하다.
④ 익명 정보는 자유롭게 활용하는 것이 제한적인 개인정보이다.

해설 익명정보는 개인정보가 아니기 때문에 제한없이 자유롭게 활용한다.

개인정보	• 특정 개인에 관한 정보 • 개인을 알아볼 수 있게 하는 정보
가명정보	• 추가정보의 사용 없이는 특정 개인을 알아볼 수 없게 조치한 정보
익명정보	• 더 이상 개인을 알아볼 수 없게 복원이 불가능할 정도로 조치한 정보

21 데이터 집합에서 개인을 식별할 수 있는 요소를 전부 또는 일부 삭제하거나 대체하는 등의 방법을 활용해 개인을 알아볼 수 없도록 하는 조치는 무엇인가?

① 사전검토 ② 비식별 조치
③ 적정성 평가 ④ 사후관리

해설

사전검토	• 데이터가 개인정보에 해당되는지 검토 • 개인정보가 아닐 경우 법적 규제 없이 자유롭게 활용 • 개인정보일 경우 비식별 조치를 수행
비식별 조치	• 데이터 집합에서 개인을 식별할 수 있는 요소를 전부 또는 일부 삭제하거나 대체하는 등의 방법을 활용해 개인을 알아볼 수 없도록 하는 조치
적정성 평가	• 다른 정보와 쉽게 결합하여 개인을 식별할 수 있는지를 비식별 조치, 적정성 평가단을 통해 평가
사후관리	• 비식별 정보 안전조치, 재식별 가능성 모니터링 등 비식별 정보 활용 과정에서 재식별 방지를 위해 필요한 조치 수행

22 다음 중 비식별 조치 방법에 해당하지 않는 것은 무엇인가?

① 총계처리
② 데이터 삭제
③ 표준화
④ 데이터 마스킹

해설

개인정보 비식별 조치 방법	
가총 삭범마	가명처리 / 총계처리 / 데이터 삭제 / 데이터 범주화 / 데이터 마스킹

23 다음에서 설명하는 비식별 조치 방법은 무엇인가?

장길산, 41세, 서울 거주, 미래대학 재학 → 장○○, 41세, 서울 거주, ○○대학 재학

① 총계처리
② 데이터 삭제
③ 데이터 범주화
④ 데이터 마스킹

해설

가명처리	장길산, 20세, 인천 거주, 미래대 재학 → 김식별, 20대, 인천 거주, 외국대 재학
총계처리	장길정 160cm, 김식별 150cm, 김콩쥐 170cm, 장길산 150cm → 물리학과 학생 키 합: 630cm, 평균 키 158cm
데이터 삭제	주민등록번호 801212-1234567 → 80년대 생, 남자, 개인과 관련된 날짜 정보(합격일 등)는 연 단위로 처리
데이터 범주화	장길산, 41세 → 장 씨, 40~50세
데이터 마스킹	장길산, 41세, 서울 거주, 미래대학 재학 → 장○○, 41세, 서울 거주, ○○대학 재학

24 다음이 설명하는 단계는 하향식 접근 방식을 이용한 과제 발굴 절차 중 어느 단계에 해당하는가?

- 분석 기회 발굴의 범위 확장(거시적, 경쟁사, 시장, 역량)
- 외부 참조 모델 기반 문제 탐색(동종 사례 벤치마킹)
- 분석 유스케이스 정의

① 문제 탐색
② 문제 정의
③ 해결방안 탐색
④ 타당성 검토

해설 문제 탐색 단계에 대한 내용은 다음과 같다.
- 비즈니스 모델 기반 문제 탐색(업무, 제품, 고객, 규제와 감사, 지원 인프라 5가지 영역으로 기업 비즈니스 분석)
- 분석 기회 발굴의 범위 확장(거시적, 경쟁사, 시장, 역량)
- 외부 참조 모델 기반 문제 탐색(동종 사례 벤치마킹)
- 분석 유스케이스 정의

25 분석 대상별 분석 기획 유형에 해당하지 않는 것은?

① 최적화
② 문제 정의
③ 통찰
④ 발견

해설

대상별 분석 기획 유형	
최솔통발	최적화 / 솔루션 / 통찰 / 발견

26 KDD 분석 방법론의 분석 절차로 옳은 것은?

① 데이터 세트 선택 → 데이터 변환 → 데이터 전처리 → 데이터 마이닝 → 데이터 마이닝 결과 평가
② 데이터 세트 선택 → 데이터 변환 → 데이터 마이닝 → 데이터 전처리 → 데이터 마이닝 결과 평가
③ 데이터 세트 선택 → 데이터 전처리 → 데이터 변환 → 데이터 마이닝 → 데이터 마이닝 결과 평가
④ 데이터 세트 선택 → 데이터 전처리 → 데이터 마이닝 → 데이터 변환 → 데이터 마이닝 결과 평가

해설 KDD는 통계적 패턴이나 지식을 찾기 위해 체계적으로 정리한 방법론이다.

KDD 분석 방법론 분석 절차	
선전변마평	데이터 세트 선택 / 데이터 전처리 / 데이터 변환 / 데이터 마이닝 / 데이터 마이닝 결과 평가

27 CRISP-DM 분석 방법론의 분석 절차로 옳은 것은?

ⓐ 전개   ⓑ 모델링
ⓒ 업무 이해   ⓓ 데이터 준비
ⓔ 평가   ⓕ 데이터 이해

① ⓒ → ⓕ → ⓓ → ⓑ → ⓔ → ⓐ
② ⓕ → ⓓ → ⓒ → ⓑ → ⓐ → ⓔ
③ ⓓ → ⓕ → ⓒ → ⓑ → ⓔ → ⓐ
④ ⓕ → ⓓ → ⓒ → ⓑ → ⓔ → ⓐ

해설

CRISP-DM 분석 방법론의 분석 절차	
업데준 모평전	업무 이해 / 데이터 이해 / 데이터 준비 / 모델링 / 평가 / 전개

선견지명 단원종합문제

28 SEMMA 분석 방법론의 분석 절차로 옳은 것은?

샘플링 → (ⓐ) → (ⓑ) → (ⓒ) → 검증

① ⓐ: 전처리, ⓑ: 마이닝, ⓒ: 변환
② ⓐ: 탐색, ⓑ: 모델링, ⓒ: 수정
③ ⓐ: 전처리, ⓑ: 변환, ⓒ: 마이닝
④ ⓐ: 탐색, ⓑ: 수정, ⓒ: 모델링

해설

SEMMA 분석 방법론의 분석 절차	
샘탐수모검	샘플링 / 탐색 / 수정 / 모델링 / 검증

29 여러 이벤트 소스로부터 발생한 이벤트를 실시간으로 추출하여 대응되는 액션을 수행하는 처리 기술은?

① CEP(Complex Event Processing)
② CDC(Change Data Capture)
③ ODS(Operational Data Store)
④ RSS(Rich Site Summeary)

해설 데이터 수집 방식 및 기술 중 CEP는 여러 이벤트 소스로부터 발생한 이벤트를 실시간으로 추출하여 대응되는 액션을 수행하는 처리 기술이다.

CDC	• 데이터 백업이나 통합 작업을 할 경우 최근 변경된 데이터들을 대상으로 다른 시스템으로 이동하는 처리 기술 • 실시간 백업과 데이터 통합이 가능하여 24시간 운영해야 하는 업무 시스템에 활용
ODS	• 데이터에 대한 추가 작업을 위해 다양한 데이터 원천(Source)들로부터 데이터를 추출 및 통합한 데이터베이스
RSS	• 블로그, 뉴스, 쇼핑몰 등의 웹 사이트에 게시된 새로운 글을 공유하기 위해 XML 기반으로 정보를 배포하는 프로토콜을 활용하여 데이터를 수집하는 기술

30 다음 중 빅데이터 수집 데이터를 구조 관점으로 분류할 때 가장 올바르지 않은 데이터는 무엇인가?

① 비정형 데이터
② 반정형 데이터
③ 완전 데이터
④ 정형 데이터

해설

구조 관점의 데이터 유형	
정반비	정형 / 반정형 / 비정형

31 수집 데이터의 대상 중 내부 데이터에 해당하는 것은?

① SNS
② ERP
③ 공공 데이터
④ LOD

해설

내부 데이터	서비스	SCM, ERP, CRM, 포털, 원장정보시스템, 인증시스템, 거래시스템 등
	네트워크	백본, 방화벽, 스위치, IPS, IDS
	마케팅	VOC 접수 데이터, 고객 포털 시스템 등
외부 데이터	소셜	SNS, 커뮤니티, 게시판
	네트워크	센서 데이터, 장비 간 발생 로그(M2M)
	공공	정부 공개 경제, 의료, 지역정보, 공공 정책, 과학, 교육, 기술 등의 공공 데이터(LOD)

32 커넥터를 사용하여 관계형 데이터베이스와 하둡 간의 데이터 전송 기능을 제공하는 기술은 무엇인가?

① ETL
② DBToDB
③ Sqoop
④ Rsync

해설

ETL	수집 대상 데이터를 추출, 가공(변환, 정제)하여 데이터 웨어 하우스 및 데이터 마트에 저장하는 기술
DBToDB	데이터베이스 시스템 간 데이터를 동기화하거나 전송하는 기능을 제공하는 기술
Sqoop	커넥터를 사용하여 관계형 데이터베이스와 하둡 간 데이터 전송 기능을 제공하는 기술
Rsync	서버·클라이언트 방식으로 수집 대상 시스템과 1:1로 파일과 디렉터리를 동기화하는 응용 프로그램 활용 기술

33 다음 중 고유식별정보가 아닌 것은?

① 주민등록번호
② 회원번호
③ 여권번호
④ 운전면허번호

해설
- 고유식별정보"란 개인을 고유하게 구별하기 위하여 부여된 식별정보로서 주민등록번호, 여권번호, 운전면허번호, 외국인등록번호에 해당하는 정보를 말한다.
- 사원증 번호, 회원 번호 등은 개인정보에는 해당할 수 있으나, 고유식별정보에는 해당하지 않는다.

34 ETL의 프로세스에 포함되지 않는 것은?

① 추출
② 변환
③ 적재
④ 재현

해설 ETL 프로세스는 추출(Extract), 변환(Transform), 적재(Load)가 있다.

35 스키마(형태) 구조 형태를 가지고 메타데이터를 포함하며, 값과 형식에서 일관성을 가지지 않는 데이터로 XML, JSON, RSS 등이 속하는 데이터 유형을 무엇이라고 하는가?

① 정형 데이터(Structured Data)
② 반정형 데이터(Semi-structured Data)
③ 비정형 데이터(Unstructured Data)
④ 연속형 데이터(Continuous Data)

해설
- 스키마(형태) 구조 형태를 가지고 메타데이터를 포함하며, 값과 형식에서 일관성을 가지지 않는 데이터로서 XML, JSON, RSS 등이 속하는 데이터 유형은 반정형 데이터(Semi-structured Data)이다.
- 구조 관점의 데이터 유형은 다음과 같다.

정형 데이터 (Structured Data)	• 정형화된 스키마(형태) 구조 기반의 형태를 가지고 고정된 필드에 저장되며 값과 형식에서 일관성을 가지는 데이터 • 종류: 관계형 데이터 베이스(RDB), 스프레드 시트
반정형 데이터 (Semi-structured Data)	• 스키마(형태) 구조 형태를 가지고 메타데이터를 포함하며, 값과 형식에서 일관성을 가지지 않는 데이터 • 종류: XML, HTML, 웹 로그, 알람, 시스템 로그, JSON, RSS, 센서 데이터
비정형 데이터 (Unstructured Data)	• 스키마 구조 형태를 가지지 않고 고정된 필드에 저장되지 않는 데이터 • 종류: SNS, 웹 게시판, 텍스트·이미지·오디오·비디오

36 다음 중 데이터 변환 기술에 대한 설명으로 올바르지 않은 것은?

① 평활화(Smoothing)는 데이터로부터 노이즈를 제거하기 위해 데이터 추세에 벗어나는 값들을 변환하는 기법이다.
② 집계(Aggregation)는 복수 개의 속성을 하나로 줄이거나 유사한 데이터 객체(Data Object)를 줄이고, 스케일을 변경하는 기법을 적용한다.
③ 정규화(Normalization) 기법에는 데이터에 대한 최소-최대 정규화, Z-점수 정규화 등 통계적 기법을 적용한다.
④ 일반화(Generalization)는 주어진 여러 데이터 분포를 대표할 수 있는 새로운 속성·특징을 활용하는 기법이다.

선견지명 단원종합문제

> **해설**
> - 주어진 여러 데이터 분포를 대표할 수 있는 새로운 속성·특징을 활용하는 기법은 속성 생성(Attribute/Feature Construction)이다.
> - 데이터 변환 기술은 다음과 같다.
>
> | | |
> |---|---|
> | 평활화(Smoothing) | • 데이터로부터 노이즈를 제거하기 위해 데이터 추세에 벗어나는 값들을 변환하는 기법 |
> | 집계(Aggregation) | • 다양한 차원의 방법으로 데이터를 요약하는 기법
• 복수 개의 속성을 하나로 줄이거나 유사한 데이터 객체(Data Object)를 줄이고, 스케일을 변경하는 기법 적용 |
> | 일반화(Generalization) | • 특정 구간에 분포하는 값으로 스케일을 변화시키는 기법 |
> | 정규화(Normalization) | • 데이터를 정해진 구간 내에 들도록 하는 기법
• 데이터에 대한 최소-최대 정규화, Z-점수(Z-Score) 정규화, 소수 스케일링 등 통계적 기법 적용 |
> | 속성 생성(Attribute/Feature Construction) | • 주어진 여러 데이터 분포를 대표할 수 있는 새로운 속성·특징을 활용하는 기법 |

37 다음 중 하둡 분산 파일 시스템(HDFS) 구성요소로 옳지 않은 것은?

① 마스터(Master)
② 네임 노드(Name Node)
③ 보조 네임 노드(Secondary Name Node)
④ 데이터 노드(Data Node)

> **해설** 마스터는 GFS의 구성요소이다.

38 NoSQL의 특성 중 BASE가 있다. Base의 특성 중 Soft-State가 뜻하는 것은 무엇인가?

① 노드의 상태는 내부에 포함된 정보에 의해 결정되는 것이 아니라 외부에서 전송된 정보를 통해 결정되는 속성
② 언제든지 데이터는 접근할 수 있어야 하는 속성
③ 일정 시간이 지나면 데이터의 일관성이 유지되는 속성
④ 시스템에 장애가 발생하여 이용할 수 없을 경우 대체 시스템을 작동시키는 속성

> **해설**
>
> | | |
> |---|---|
> | Basically Available | 언제든지 데이터는 접근할 수 있어야 하는 속성 |
> | Soft-State | 노드의 상태는 내부에 포함된 정보에 의해 결정되는 것이 아니라 외부에서 전송된 정보를 통해 결정되는 속성 |
> | Eventually Consistency | 일정 시간이 지나면 데이터의 일관성이 유지되는 속성 |

39 다음 중 NoSQL의 유형에 속하지 않는 것은?

① Key-Value Store
② Row Family Data Store
③ Document Store
④ Graph Store

> **해설**
>
> | NoSQL의 유형 | |
> |---|---|
> | 키컬도그 | Key-Value Store / Column Family Data Store / Document Store / Graph Store |

40 CAP 이론에 대한 설명으로 가장 옳지 않은 것은?

① 분산 컴퓨터 환경은 Consistency, Availability, Partition Tolerance 3가지 특징을 가지고 있으며, 이 중 두 가지만 만족할 수 있다는 이론이다.
② Consistency는 모든 사용자가 같은 시간에 같은 데이터가 보여야 한다는 특성이다.
③ Availability는 모든 클라이언트가 읽기 및 쓰기가 가능해야 한다는 특성이다.
④ Partition tolerance는 데이터가 각각의 저장소에 고립된 상태로 저장되어야 한다는 특성이다.

> 해설 Partition tolerance는 물리적 네트워크 분산 환경에서 시스템의 원활하게 동작해야 한다는 특성이다.

41 동질 집합에서 민감정보의 분포와 전체 데이터 집합에서의 민감정보의 분포가 유사한 차이를 보이게 하는 프라이버시 보호 모델은 무엇인가?

① k-익명성 ② t-근접성
③ l-다양성 ④ m-유일성

> 해설
> • t-근접성은 동질 집합에서 특정 정보의 분포와 전체 데이터 집합에서 정보의 분포가 t 이하의 차이를 보여야 하는 모델이다.
> • l-다양성의 쏠림 공격, 유사성 공격을 보완하기 위해 제안되었다.

42 다음 중 아래에서 설명하고 있는 용어는 무엇인가?

〈키-값〉으로 이루어진 데이터 오브젝트를 전달하기 위해 텍스트를 사용하는 개방형 표준 포맷이다.

① XML ② JSON
③ HTML ④ WSDL

> 해설 JSON은 〈키-값〉으로 이루어진 데이터 오브젝트를 전달하기 위해 텍스트를 사용하는 개방형 표준 포맷이다.

43 다음 중 플럼(Flume) 특징이 아닌 것은?

① 메시지 큐와 유사한 형태의 데이터 큐를 사용하고, 발행(Publisher)/구독(Subscriber) 형태의 모델이다.
② 다수의 서버로부터 실시간으로 스트리밍되는 로그 수집이 가능하다.
③ 클러스터 구성을 통해 내결함성(Fault-Tolerant)이 있는 고가용성 서비스 제공이 가능하다.
④ 데이터를 디스크에 순차적으로 저장한다.

> 해설 다수의 서버로부터 실시간으로 스트리밍되는 로그 수집이 가능한 기술은 스크라이브(Scribe)이다.

44 다음 중 척와(Chukwa)에 대한 설명으로 가장 올바르지 않은 것은?

① 척와의 특징에는 실시간 스트리밍 수집, 데이터 수집 다양성, 고가용성이 있다.
② 척와는 에이전트(Agent)와 컬렉터(Collector)로 구성되어 있다.
③ 척와의 데이터 처리 방식에는 아키아빙(Archiving)과 디먹스(Demux)가 있다.
④ 척와는 분산 시스템으로부터 데이터를 수집, 하둡 파일 시스템에 저장, 실시간 분석 기능을 제공한다.

> 해설 실시간 스트리밍 수집, 데이터 수집 다양성, 고가용성은 스크라이브(Scribe)의 특징이다.

선견지명 단원종합문제

45 데이터 비식별화 처리 기법에 대한 설명으로 올바르지 않은 것은?

① 가명처리 – 개인 식별이 가능한 데이터에 대하여 직접 식별할 수 없는 다른 값으로 대체하는 기법
② 총계처리 – 개인정보에 대하여 통곗값(전체 혹은 부분)을 적용하여 특정 개인을 판단할 수 없도록 하는 기법
③ 범주화 – 단일 식별 정보를 해당 그룹의 대푯값으로 변환(범주화)하거나 구간 값으로 변환(범위화)하여 고유 정보 추적 및 식별 방지하는 기법
④ 데이터값 삭제 – 개인 식별 정보에 대하여 전체 또는 부분적으로 대체 값(공백, '*', 노이즈 등)으로 변환

> **해설**
> • 데이터값 삭제는 개인정보 식별이 가능한 특정 데이터값을 삭제 처리하는 기법이다.
> • 개인 식별 정보에 대하여 전체 또는 부분적으로 대체 값(공백, '*', 노이즈 등)으로 변환하는 기법은 데이터 마스킹이다.

정답
01 ③ 02 ③ 03 ① 04 ④ 05 ④ 06 ③ 07 ② 08 ④ 09 ④ 10 ③ 11 ④ 12 ③ 13 ① 14 ② 15 ④ 16 ③ 17 ② 18 ① 19 ② 20 ④ 21 ② 22 ③ 23 ④ 24 ① 25 ② 26 ③ 27 ① 28 ④ 29 ① 30 ③ 31 ② 32 ③ 33 ② 34 ④ 35 ② 36 ④ 37 ① 38 ① 39 ② 40 ④ 41 ② 42 ② 43 ② 44 ① 45 ④

memo

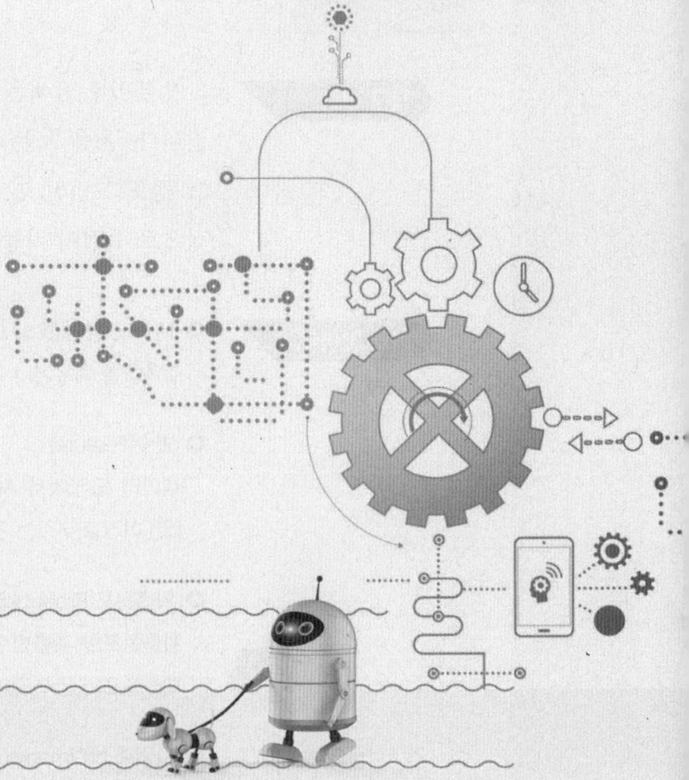

접근 전략

빅데이터 탐색은 빅데이터를 본격적으로 분석하기 위한 기본 이론들을 다루고 있습니다. 처음 보는 용어와 이론들로 복잡하게 느껴지실 것이지만 나올 문제들은 어느 정도 고정된 편입니다. 주요 개념과 문제를 중심으로 학습하신다면 합격점수 이상으로 득점이 가능한 단원이니 절대 포기하지 마세요!

미리 알아두기

- **데이터 정제(Data Cleansing)**
  결측값을 채우거나 이상값을 제거하는 과정을 통해 데이터의 신뢰도를 높이는 작업입니다.

- **변수(Feature)**
  데이터 모델에서 사용하는 예측을 수행하는 데 사용되는 입력변수입니다. RDBMS에서 '속성(열)'이라고 부르는 것을 머신러닝에서는 통계학의 영향으로 '변수(Feature)'라고 합니다.

- **확률분포(Probability Distribution)**
  확률분포란 확률변수가 특정한 값을 가질 확률을 나타내는 분포입니다. 종류에 따라 크게 이산확률분포와 연속확률분포로 나뉩니다.

- **차원축소(Dimensionality Reduction)**
  차원축소는 분석 대상이 되는 여러 변수의 정보를 최대한 유지하면서 데이터 세트 변수의 개수를 줄이는 탐색적 분석기법입니다.

- **가설검정(Statistical Hypothesis Test)**
  가설검정이란 모집단에 대한 통계적 가설을 세우고 표본을 추출한 다음, 그 표본을 통해 얻은 정보를 이용하여 통계적 가설의 진위를 판단하는 과정입니다.

핵심 키워드
베스트 일레븐(Best Eleven)

이상값, 결측값, 이산확률분포, 연속확률분포, 상관 분석, 회귀 분석, 분산 분석, 주성분 분석, 점 추정, 구간 추정, p-값

빅데이터 탐색

01 데이터 전처리
02 데이터 탐색
03 통계기법 이해

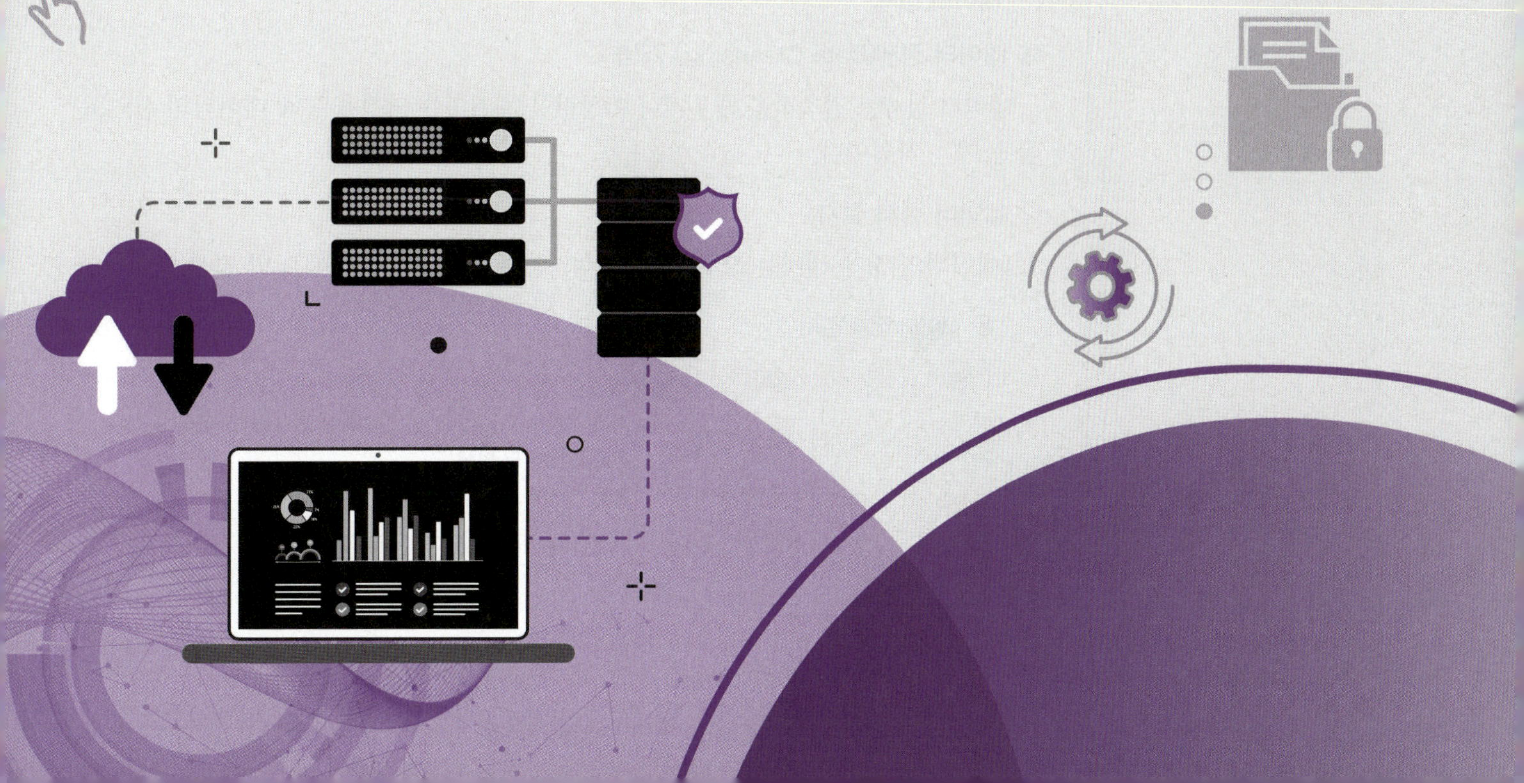

CHAPTER 01 데이터 전처리

1 데이터 정제

1 데이터 정제 기출 ★★

(1) 데이터 전처리

① 데이터 전처리 개념
- 데이터 전처리는 데이터를 분석에 적합한 형태로 만드는 과정이다.

② 데이터 전처리 특징 기출
- 전처리 결과가 분석 결과에 직접적인 영향을 주고 있어서 전처리는 반복적으로 수행해야 한다.
- 분석하려는 데이터와 유사한 데이터는 연계, 통합해서 사용한다.
- 이상 데이터는 이상값을 제거하고, 결측값을 처리하며, 노이즈를 제거하는 등의 작업을 수행한다.
- 데이터 전처리는 데이터 정제 → 결측값 처리 → 이상값 처리 → 분석 변수 처리 순서로 진행된다.

(2) 데이터 정제

① 데이터 정제(Data Cleansing) 개념

　데이터 정제는 결측값을 채우거나 이상값을 제거하는 과정을 통해 데이터의 신뢰도를 높이는 작업이다.

② 데이터 정제 절차

　데이터의 정제 절차는 오류 원인 분석, 정제 대상 선정, 정제 방법 결정 순이다.

▽ 데이터 정제 절차

순서	절차	설명
1	데이터 오류 원인 분석	원천 데이터의 오류로 인해서 발생하거나 빅데이터 플로우의 문제로부터 발생
2	데이터 정제 대상 선정	모든 데이터를 대상으로 정제 활동
3	데이터 정제 방법 결정	오류 데이터를 삭제, 대체, 예측값으로 삽입

학습 POINT ★

데이터 전처리는 중요도가 높은 단원입니다. 객관식 형태로 나오기 좋은 부분이므로 집중해서 학습하시길 권장합니다!

㉮ 데이터 오류 원인을 분석

◈ 데이터 오류 원인

원인	설명	오류 처리 방법 예
결측값 (Missing Value)	필수적인 데이터가 입력되지 않고 누락된 값	• 중심 경향값 넣기(평균값, 중위수, 최빈수) • 분포기반(랜덤에 의하여 자주 나타나는 값 넣기) 처리
노이즈 (Noise)	실제는 입력되지 않았지만 입력되었다고 잘못 판단된 값	• 일정 간격으로 이동하면서 주변보다 높거나 낮으면 평균값 대체 • 일정 범위 중간값 대체
이상값 (Outlier)	데이터의 범위에서 많이 벗어난 아주 작은 값이나 아주 큰 값	• 하한보다 낮으면 하한값 대체 • 상한보다 높으면 상한값 대체

데이터 관련 시험에서 결측값, 이상값 처리 부분은 빈번하게 출제되는 부분으로 잘 알아두세요.

데이터 오류 원인
「결노이」
결측값 / **노**이즈 / **이**상값
→ 결로 현상은 이슬이 맺힌다.

㉯ 데이터 정제 대상 선정

- 모든 데이터를 대상으로 정제 활동을 하는 것이 기본이다.
- 특히 비정형 데이터에 대해서는 더 많은 정제 활동을 수행해야 한다.
- 중복 데이터는 의미가 있을 수도 있기 때문에 중복을 무조건 제거하면 안 된다.
- 원천 데이터의 위치를 기준으로 분류한다면 내부 데이터보다 외부 데이터가 품질 저하 위협에 많이 노출되어 있으며, 정형 데이터보다는 비정형과 반정형 데이터가 품질 저하 위협에 많이 노출되어 있다.

㉰ 데이터 정제 방법 결정 `기출`

- 데이터 정제는 오류 데이터값을 정확한 데이터로 수정하거나 삭제하는 과정이다.
- 정제 여부의 점검은 정제 규칙을 이용하여 위반되는 데이터를 검색하는 방법을 사용한다.
- 노이즈와 이상값은 특히 비정형 데이터에서 자주 발생하므로 데이터 특성에 맞는 정제 규칙을 수립하여 점검한다.

◈ 데이터 정제 방법

방법	설명
삭제	• 오류 데이터에 대해 전체 또는 부분삭제 • 무작위적인 삭제는 데이터 활용의 문제를 일으킬 수 있음
대체	• 오류 데이터를 평균값, 최빈수, 중위수(중앙값)로 대체 • 오류 데이터가 수집된 다른 데이터와 관계가 있는 경우 유용할 수 있으나 그렇지 않은 경우 데이터 활용 시 왜곡이 발생
예측값 삽입	• 회귀식 등을 이용한 예측값을 생성하여 삽입 • 예측값을 적용하기 위해서는 정상 데이터 구간에 대해서도 회귀식이 잘 성립되어야 함
축소	• 원래 가지고 있는 데이터에서 최소 단위로 만들기 위해 데이터를 제거하거나 데이터의 크기를 줄이는 작업
통합	• 정제된 데이터를 합쳐서 데이터를 크게 만드는 작업

데이터 일관성 유지를 위한 정제 기법

「변파보」
변환 / **파**싱 / **보**강
→ 변기를 파보자.

㉔ 데이터 일관성 유지를 위한 정제 기법

다른 시스템으로부터 들어온 데이터에 대한 일관성을 부여하기 위해 수행한다.

◈ 데이터 일관성 유지를 위한 정제 기법

기법	설명	사례
변환 (Transform)	다양한 형태로 표현된 값을 일관된 형태로 변환하는 작업	• 코드 변환(남/여 → M/F) • 형식 변환(YYYYMMDD → YY/MM/DD)
파싱 (Parsing)	데이터에 대한 정제 규칙을 적용하기 위해 유의미한 최소 단위로 분할하는 작업	• 주민 등록 번호를 생년월일, 성별로 분할
보강 (Enhancement)	변환, 파싱, 수정, 표준화 등을 통한 추가 정보를 반영하는 작업	• 주민 등록 번호를 통해 성별을 추출한 후 추가 정보 반영

(3) 데이터 세분화

① 데이터 세분화(Data Segmentation) 개념

데이터 세분화는 데이터를 기준에 따라 나누고, 선택한 매개변수를 기반으로 유사한 데이터를 그룹화하여 효율적으로 사용할 수 있는 프로세스이다.

② 데이터 세분화 방법

- 군집화란 이질적인 집단을 몇 개의 동질적인 소집단으로 세분화하는 작업이다.
- 군집 방법은 크게 계층적 방법과 비 계층적 방법으로 구분한다.

◈ 데이터 세분화 방법

방법	설명	기법
계층적 방법	• 사전에 군집 수를 정하지 않고 단계적으로 단계별 군집결과를 산출하는 방법	• 응집분석법 • 분할분석법
비 계층적 방법	• 군집을 위한 소집단의 개수를 정해놓고 각 객체 중 하나의 소집단으로 배정하는 방법	• 인공신경망 모델 • k-평균 군집

③ 데이터 세분화 방법 상세

◈ 데이터 세분화 방법 상세

구분	기법	설명
계층적 방법	응집분석법	각 객체를 하나의 소집단으로 간주하고 단계적으로 유사한 소집단들을 합쳐 새로운 소집단을 구성해가는 기법
	분할분석법	전체 집단으로부터 시작하여 유사성이 떨어지는 객체들을 분리해가는 기법

구분	기법	설명
비 계층적 방법	인공신경망 모델	기계 학습에서 생물학의 신경망으로부터 영감을 얻은 통계학적 학습모델
	k-평균 군집	k개 소집단의 중심좌표를 이용하여 각 객체와 중심좌표 간의 거리를 산출하고, 가장 근접한 소집단에 배정한 후 해당 소집단의 중심좌표를 업데이트하는 방식으로 군집화하는 방식

❷ 데이터 결측값 처리 ★★

(1) 데이터 결측값(Data Missing Value) 개념 [기출]

- 결측값은 입력이 누락된 값이다.
- 결측값은 NA, 999999, Null 등으로 표현한다.

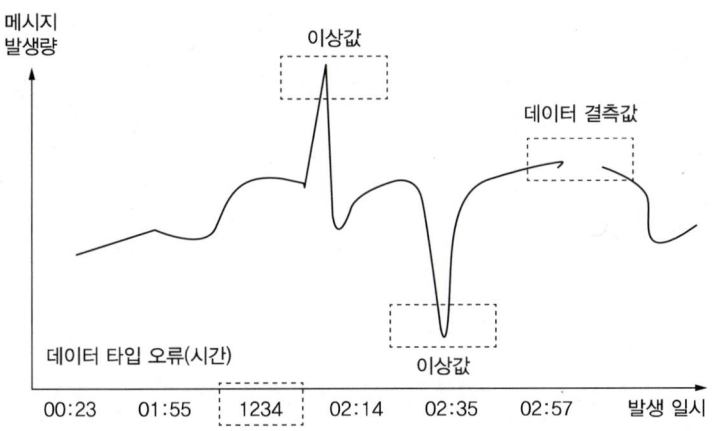

▲ 데이터의 결측값, 이상값 예시

(2) 데이터 결측값 종류

◈ 데이터 결측값 종류

종류	설명
완전 무작위 결측 (MCAR; Missing Completely At Random)	• 변수상에서 발생한 결측값이 다른 변수들과 아무런 상관이 없는 경우 ◉ 수입에서 결측 발생 시 응답자와 무응답자 간에 어떤 차이가 없다면 응답자의 수입에 관한 분포와 무응답자 수입에 관한 분포가 같음
무작위 결측 (MAR; Missing At Random)	• 누락된 자료가 특정 변수와 관련되어 일어나지만, 그 변수의 결과는 관계가 없는 경우 • 누락이 전체 정보가 있는 변수로 설명이 될 수 있음을 의미(누락이 완전히 설명될 수 있는 경우 발생)

학습 POINT ★

결측값을 제거하는 것은 데이터 분석에서 필요한 과정이지만, 결측값을 제거하면 데이터 세트의 크기가 감소하므로 분석 결과에 대한 통계적 신뢰도가 하락할 수 있습니다.

학습 POINT ★

데이터 결측값 종류, 결측값 처리 방법은 이해 기반으로 알아두세요.

두음 쌤 한마디

데이터 결측값 종류
「완무비」
완전 무작위 결측(MCAR) / **무**작위 결측(MAR) / **비** 무작위 결측(MNAR)
→ 완전 무결한 비법

종류	설명
	예) 남성은 우울증 설문 조사에 기재할 확률이 낮지만 우울함의 정도와는 상관이 없는 경우
비 무작위 결측 (MNAR; Missing Not At Random)	• 누락된 값(변수의 결과)이 다른 변수와 연관 있는 경우 예) 소득에 관한 무응답이 소득 자체와 관련(세금에 관한 정보가 주어졌더라도 소득이 높은 사람이 더 높은 무응답률을 보이는 경우)

개념 박살내기

성별(변수 X)의 함수로 키(변수 Y)를 모델링한다고 가정하고, 일부 응답자가 키를 공개하지 않아서 일부 Y값이 누락 되었다고 가정한다.

1. 완전 무작위 결측(MCAR)
일부 응답자가 키를 공개하지 않았다고 해서 다른 응답자는 키를 공개하지 않을 이유는 없다. 그렇기 때문에 Y가 누락될 확률은 X 또는 Y와 관련이 없다. 즉, 이러한 경우 데이터가 무작위로 완전히 누락되었다고 말할 수 있다.

2. 무작위 결측(MAR)
여성은 키를 공개할 가능성이 적다. 그렇기 때문에 Y가 누락될 확률은 X의 값에만 의존한다. 이러한 데이터는 무작위 결측이라고 말할 수 있다.

3. 비 무작위 결측(MNAR)
키가 작은 사람들은 키를 공개할 가능성이 적다. 이러한 경우 Y가 누락될 확률은 Y 자체의 관찰되지 않는 값에 달려 있다. 이러한 데이터는 비 무작위 결측이라고 말할 수 있다.

> **쌤 한마디**
> 데이터 결측값 처리 절차
> 「식부대」
> 결측값 **식**별 / 결측값 **부**호화 / 결측값 **대**체
> → 식사 부대

(3) 데이터 결측값 처리 절차

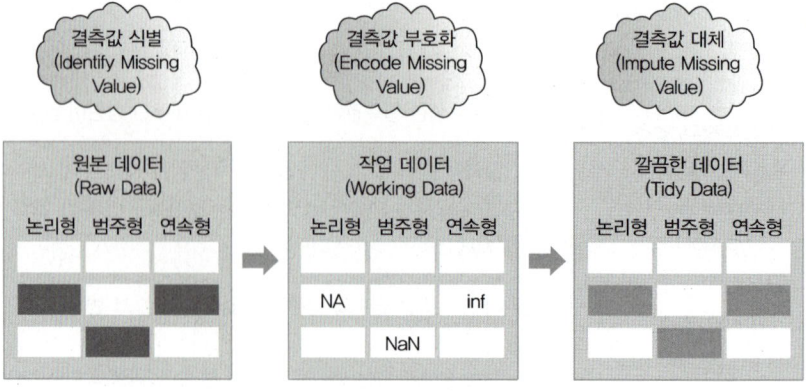

▲ 데이터 결측값 처리 절차

데이터 결측값 처리 절차

순서	절차	설명	
1	결측값 식별	원본 데이터에서 다양한 형태로 결측 정보가 표현되어 있으므로 현황 파악을 해야 함	
2	결측값 부호화	파악된 정보를 바탕으로 컴퓨터가 처리 가능한 형태로 부호화	
		NA(Not Available)	기록되지 않은 값
		NaN(Not a Number)	수학적으로 정의되지 않은 값
		inf(Infinite)	무한대
		NULL	값이 없음
3	결측값 대체	결측값을 자료형에 맞춰 대체 알고리즘을 통해 결측값을 처리	

(4) 데이터 결측값 처리 방법

① 단순 대치법

㉮ 단순 대치법(Single Imputation) 개념

- 단순 대치법은 결측값을 그럴듯한 값으로 대체하는 통계적 기법이다.
- 결측값을 가진 자료 분석에 사용하기가 쉽고, 통계적 추론에 사용된 통계량의 효율성 및 일치성 등의 문제를 부분적으로 보완해준다.
- 대체된 자료는 결측값 없이 완전한 형태를 지닌다.

㉯ 단순 대치법의 종류

단순 대치법의 종류

종류	설명
완전 분석법 (Completes Analysis)	• 불완전 자료는 모두 무시하고 완전하게 관측된 자료만 사용하여 분석하는 방법 • 분석은 쉽지만 부분적으로 관측된 자료가 무시되어 효율성이 상실되고 통계적 추론의 타당성 문제가 발생
평균 대치법 (Mean Imputation)	• 관측 또는 실험되어 얻어진 자료의 평균값으로 결측값을 대치해서 불완전한 자료를 완전한 자료로 만드는 방법 • 대표적 방법으로 비 조건부 평균 대치법과 조건부 평균 대치법이 있음
단순 확률 대치법 (Single Stochastic Imputation)	• 평균 대치법에서 관측된 자료를 토대로 추정된 통계량으로 결측값을 대치할 때 어떤 적절한 확률값을 부여한 후 대치하는 방법
회귀 대치법 (Regression Imputation)	• 결측값이 포함되어 있는 변수를 종속변수, 다른 변수들을 독립변수로 회귀 분석을 실시한 결과 얻은 추정값을 결측값의 대체 값으로 사용하는 방법

학습 POINT ★

단순 대치법과 다중 대치법이 있습니다. 각각의 개념과 중요내용을 두음쌤의 도움을 받아 알고가세요!

단순 대치법의 종류
「완평단회」
완전 분석법 / **평**균 대치법 / **단**순 확률 대치법 / **회**귀 대치법
→ 완전 평범한 단체 회식

1. 평균 대치법

관측값이 빠져있을 경우 평균으로 대치한다. 예를 들어 [10, ?, 15, 19, 12, 18, ?, ?, 16]이라는 값이 관측됐을 경우("?"는 결측값), 결측값이 아닌 관측값의 평균을 계산 $\left(\dfrac{10+15+19+12+18+16}{6}=15\right)$한다. "?"에는 평균인 15로 대치한다.

관측값	10	?	15	19	12	18	?	?	16
대치 값	10	15	15	19	12	18	15	15	16

2. 회귀 대치법

회귀 분석을 활용하여 결측값을 대치한다. 다음 표와 같이 Y_1, Y_2, Y_3의 값이 주어지고 Y_3가 Y_1과 Y_2와 관계가 있다고 가정하면 $Y_{3i} = \beta_0 + \beta_1 Y_{1i} + \beta_2 Y_{2i}$ (단, $i=1, \cdots, 7$)과 같은 수식을 만들 수 있다. β_0, β_1, β_2의 값을 찾는 것은 기사 범위를 넘기 때문에 설명을 생략한다.

회귀 분석으로 값을 구하면 $\beta_0 = 3.69$, $\beta_1 = 0.99$, $\beta_2 = 0.56$이 된다.

$Y_{3i} = 3.69 + 0.99 Y_{1i} + 0.56 Y_{2i}$이므로 $?_1$에 해당하는 $Y_1 = 40$, $Y_2 = 60$을 대입하면 $?_1 = 3.69 + 0.99 \times 40 + 0.56 \times 60 = 76.89$, $?_2$에 해당하는 $Y_1 = 42$, $Y_2 = 65$를 대입하면 $?_2 = 3.69 + 0.99 \times 42 + 0.56 \times 65 = 81.67$, $?_3$에 해당하는 $Y_1 = 50$, $Y_2 = 70$을 대입하면 $?_3 = 3.69 + 0.99 \times 50 + 0.56 \times 70 = 92.39$가 된다.

Y_1	Y_2	Y_3	대치 값
10	15	20	20
12	25	30	30
15	35	40	40
25	48	57	57
30	49	60	60
35	55	65	65
37	47	70	70
40	60	$?_1$	76.89
42	65	$?_2$	81.67
50	70	$?_3$	92.39

잠깐! 알고가기

회귀 분석
(Regression Analysis)
회귀 분석이란 연속형 변수들에 대해 두 변수 사이의 모형을 구한 뒤 적합도를 측정해 내는 분석 방법이다.

㉑ 단순 확률 대치법의 종류

▽ 단순 확률 대치법의 종류

종류	설명
핫덱 대체 (Hot-Deck Imputation)	• 무응답을 현재 진행 중인 연구에서 '비슷한' 성향을 가진 응답자의 자료로 대체하는 방법 • 표본조사에서 흔히 사용
콜드덱 대체 (Cold-Deck Imputation)	• 핫덱과 비슷하나 대체할 자료를 현재 진행 중인 연구에서 얻는 것이 아니라 외부 출처 또는 이전의 비슷한 연구에서 가져오는 방법
혼합 방법 (Hybrid)	• 몇 가지 다른 방법을 혼합하는 방법 ㉔ 회귀 대체를 이용하여 예측값을 얻고 핫덱 방법을 이용하여 잔차를 얻어 두 값을 더하는 경우

단순 확률 대치법의 종류
「핫콜혼」
핫덱(Hot-Deck) 대체 / **콜**드덱(Cold-Deck) 대체 / **혼**합 방법

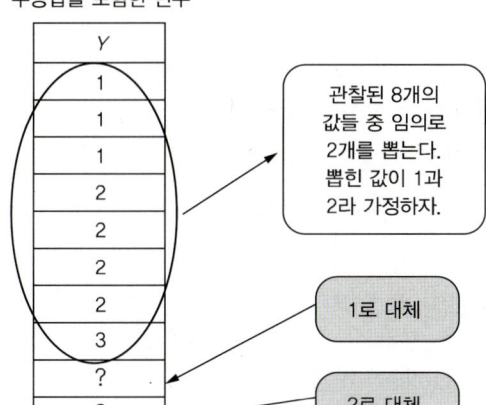

▲ 핫덱(Hot-deck) 대체 방법

② 다중 대치법

㉮ 다중 대치법(Multiple Imputation) 개념
- 다중 대치법은 단순 대치법을 한 번 하지 않고 m번 대치를 통해 m개의 가상적 완전한 자료를 만들어서 분석하는 방법이다.

㉯ 다중 대치법 단계
- 다중 대치법은 대치 → 분석 → 결합의 3단계로 구성되어 있다.

다중 대치법은 개념 수준으로 알고 가세요.

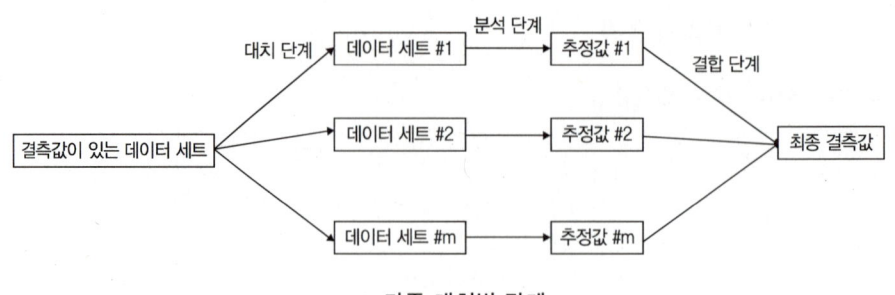

▲ 다중 대치법 단계

◈ 다중 대치법 단계

순서	단계	설명
1	대치 단계 (Imputations Step)	결측 자료의 예측분포 또는 사후분포에서 추출된 값을 이용해 m개의 대치 데이터 세트를 생성하는 단계
2	분석 단계 (Analysis Step)	생성된 데이터 세트를 분석하여 추정값, 표준 오차를 계산하는 단계
3	결합 단계 (Pooling Step)	다양한 대치 데이터 세트로부터 추정값, 표준 오차를 결합하여 최종 결측값을 생성하는 단계

- 다중 대치법은 여러 번의 대체표본으로 대체 내 분산과 대체 간 분산을 구하여 추정치의 총 분산을 추정하는 방법이다.
- 대체로 발생하는 불확실성은 대체-간 분산 부분에서 고려함으로써 과소 추정된 분산 추정치가 원 분산에 가까워지도록 해야 한다.

3 데이터 이상값 처리 ★★★

(1) 데이터 이상값(Data Outlier) 개념

- 데이터 이상값은 관측된 데이터의 범위에서 많이 벗어난 아주 작은 값이나 아주 큰 값이다.
- 데이터 이상값은 입력 오류, 데이터 처리 오류 등의 이유로 특정 범위에서 벗어난 데이터값을 의미한다.
- 이상값은 평균에 영향을 미친다.

(2) 데이터 이상값 발생 원인

◈ 데이터 이상값 발생 원인

발생 원인	설명
표본추출 오류 (Sampling Error)	• 데이터를 샘플링하는 과정에서 나타나는 오류 • 샘플링을 잘못한 경우 예) 대학 신입생들의 키를 조사하기 위해 샘플링을 하는데, 농구선수가 포함되었다면 농구선수의 키는 이상값이 될 수 있음

사후분포(Posterior Distribution)
사건 발생 후 그 사건의 원인이 발생할 수 있는 사건이 무엇인지 추정하여 그 가능성을 나타내는 변수의 분포를 의미한다.

학습 POINT ★
이상값은 경우에 따라 오류 값이 아닌 경우도 있기 때문에 데이터를 분석한 후에 대체하거나 제거해야 합니다. 그리고 이상값을 제거하면 결측값 제거하는 것과 마찬가지로 데이터 세트의 크기가 감소하므로 분석 결과에 대한 통계적 신뢰도가 하락할 수 있습니다.

두응 쌤 한마디
데이터 이상값 발생 원인
「표고 입실 측자」
표본추출 오류 / **고**의적인 이상값 / 데이터 **입**력 오류 / **실**험 오류 / **측**정 오류 / 데이터 **처**리 오류 / **자**연 오류
→ 표고버섯을 키우기 위해 비닐하우스에 입실해서 습도를 측정하는 처자

샘플링(Sampling)
기존 통계분석에서 전체 데이터를 얻기 어려울 때 부분 데이터를 추출하여 조사, 분석하고 이를 토대로 전체를 추론하는 분석 방법이다.

발생 원인	설명
고의적인 이상값 (Intentional Outlier)	• 자기 보고식 측정(Self Reported Measures)에서 나타나는 오류 • 정확하게 기입한 값이 이상값으로 보일 수도 있음 ⟨예⟩ 음주량을 묻는 조사가 있다고 가정했을 때 10대 대부분은 자신들의 음주량을 적게 기입할 것이고, 오직 일부만 정확한 값을 적는 경우 발생
데이터 입력 오류 (Data Entry Error)	• 데이터를 수집하는 과정에서 발생할 수 있는 오류 • 전체 데이터의 분포를 보면 쉽게 발견 가능 ⟨예⟩ 100을 입력해야 하는데, 1000을 입력하면 10배의 값으로 입력
실험 오류 (Experimental Error)	• 실험조건이 동일하지 않은 경우 발생하는 오류 ⟨예⟩ 100미터 달리기를 하는데, 한 선수가 '출발' 신호를 못 듣고 늦게 출발했다면 그 선수의 기록은 다른 선수들보다 늦을 것이고, 그의 경기 시간은 이상값이 될 수 있음
측정 오류 (Measurement Error)	• 데이터를 측정하는 과정에서 발생하는 오류 ⟨예⟩ 몸무게를 측정하는데, 9개의 체중계는 정상 작동, 1개는 비정상 작동을 한다고 가정할 때, 한 사용자가 비정상적으로 작동하는 체중계를 이용할 경우 에러 발생
데이터 처리 오류 (Data Processing Error)	• 여러 개의 데이터에서 필요한 데이터를 추출하거나, 조합해서 사용하는 경우에 발생하는 오류
자연 오류 (Natural Error)	• 인위적이 아닌, 자연스럽게 발생하는 오류

(3) 데이터 이상값 검출 방법 [기출]

① 통계 기법을 이용한 데이터 이상값 검출 [기출]

▽ 통계 기법을 이용한 데이터 이상값 검출 방법

검출 기법	설명
ESD(Extreme Studentized Deviation)	• 평균(μ)으로부터 3 표준편차(σ) 떨어진 값(각 0.15%)을 이상값으로 판단 $\mu - 3\sigma < \text{data} < \mu + 3\sigma$
기하평균 활용한 방법	• 기하평균으로부터 2.5 표준편차(σ) 떨어진 값을 이상값으로 판단 기하평균 $- 2.5 \times \sigma < \text{data} <$ 기하평균 $+ 2.5 \times \sigma$

잠깐! 알고가기

기하 평균
n개의 양수 값을 모두 곱한 것의 n제곱근이다.
⟨예⟩ 2와 8의 기하 평균은 4이다

잠깐! 알고가기

사분위수(Quartile)
4등분하는 위치의 수로서 전체 데이터를 순위별로 4등분하는 위치의 수 3개 Q_1, Q_2, Q_3가 있다.

제1 사분위수(Q_1)
누적 백분율이 25%에 해당하는 값, 25번째 백분위 수

제2 사분위수(Q_2)
누적 백분율이 50%에 해당하는 값, 50번째 백분위 수. 중위수와 같음

제3 사분위수(Q_3)
누적 백분율이 75%에 해당하는 값, 75번째 백분위 수

표준편차(Standard Deviation)
분산의 양(+)의 제곱근의 값으로 이 값을 통하여 평균에서 흩어진 정도를 알 수 있다.

정규분포(Normal Distribution)
연속확률분포의 하나로 일반적으로 발견되는 좌우대칭의 종 모양으로 생긴 분포이다.

단변량 자료(Univariate Data)
단위에 대해 하나의 속성만 측정하여 얻게 되는 변수에 대한 자료이다.

검출 기법	설명
사분위수를 이용한 방법	• 제1 사분위, 제3 사분위를 기준으로 사분위 간 범위($Q_3 - Q_1$)의 1.5배 이상 떨어진 값을 이상값으로 판단 $Q_1 - 1.5 \times (Q_3 - Q_1) < \text{data} < Q_3 + 1.5 \times (Q_3 - Q_1)$
Z-점수(Z-Score) 활용	• 평균이 μ이고, 표준편차가 σ인 정규분포를 따르는 관측치들이 자료의 중심(평균)에서 얼마나 떨어져 있는지를 나타냄에 따라서 이상값을 검출
딕슨의 Q 검정 (Dixon Q-Test)	• 오름차순으로 정렬된 데이터에서 범위에 대한 관측치 간의 차이의 비율을 활용하여 이상값 여부를 검정하는 방법 • 데이터 수가 30개 미만인 경우에 적절한 방법
그럽스 T-검정 (Grubbs T-Test)	• 정규분포를 만족하는 단변량 자료에서 이상값을 검정하는 방법
카이제곱 검정 (Chi-Square Test)	• 데이터가 정규분포를 만족하나, 자료의 수가 적은 경우에 이상값을 검정하는 방법
마할라노비스 거리 (Mahalanobis Distance) 활용	• 데이터의 분포를 고려한 거리 측도로, 관측치가 평균으로부터 벗어난 정도를 측정하는 통계량 기법 • 데이터의 분포를 측정할 수 있는 마할라노비스 거리를 이용하여 평균으로부터 벗어난 이상값을 검출할 수 있음 • 이상값 탐색을 위해 고려되는 모든 변수 간에 선형관계를 만족하고, 각 변수들이 정규분포를 따르는 경우에 적용할 수 있는 전통적인 접근방법

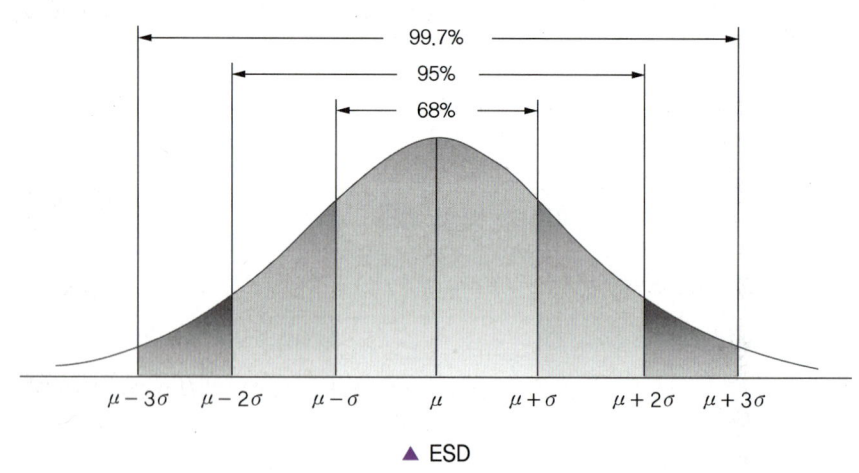

▲ ESD

학습 POINT ★

이상값 검출 방법은 객관식 형태로 틀린 답을 맞출 수 있을 정도로 보시면 되겠습니다.

② 시각화를 이용한 데이터 이상값 검출

확률밀도함수, 히스토그램, 시계열 차트 등을 이용한 데이터 시각화를 통해 이상값을 검출할 수 있다.

⊻ 시각화를 이용한 데이터 이상값 검출 방법

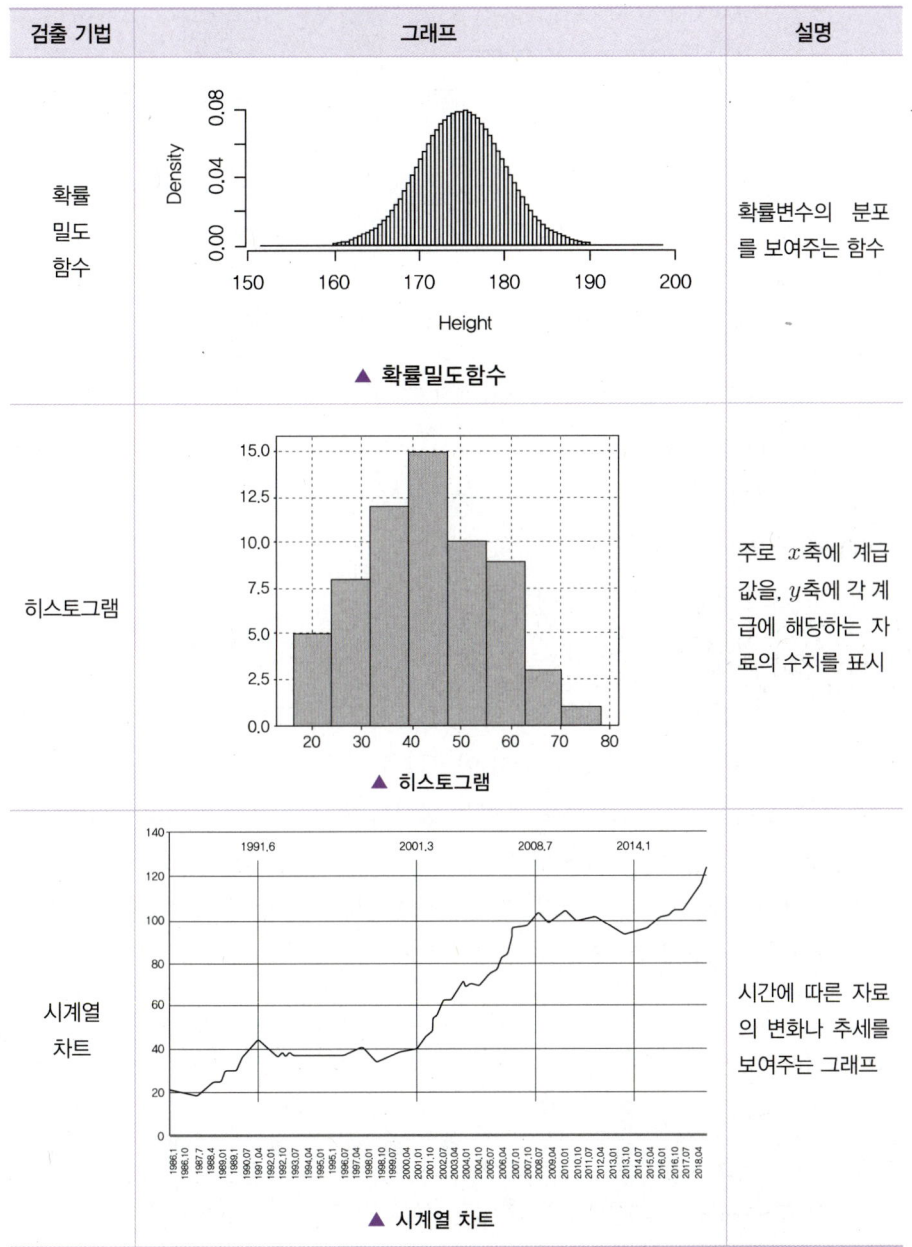

검출 기법	그래프	설명
확률 밀도 함수	▲ 확률밀도함수	확률변수의 분포를 보여주는 함수
히스토그램	▲ 히스토그램	주로 x축에 계급값을, y축에 각 계급에 해당하는 자료의 수치를 표시
시계열 차트	▲ 시계열 차트	시간에 따른 자료의 변화나 추세를 보여주는 그래프

③ 데이터 군집/분류를 이용한 데이터 이상값 검출

㉮ k-평균 군집(k-Means Clustering)
- k-평균 군집은 주어진 데이터를 k개의 클러스터로 묶는 알고리즘이다.
- 각 클러스터와 거리 차이의 분산을 최소화하는 방식으로 동작한다.
- 머신러닝 기법을 이용한 데이터를 군집화시키는 기법 등을 활용하여 이상값을 검출할 수 있다.

▲ 동일 데이터에 대해 K=2일 때와 4일 때의 k-평균 군집 결과 예시

㉯ LOF(Local Outlier Factor)
- LOF는 관측치 주변의 밀도와 근접한 관측치 주변의 밀도의 상대적인 비교를 통해 이상값을 탐색하는 기법이다.
- LOF 값이 클수록 이상값 정도가 크다.

㉰ iForest(Isolation Forest)
- iForest 기법은 관측치 사이의 거리 또는 밀도에 의존하지 않고, 데이터 마이닝 기법인 의사결정나무를 이용하여 이상값을 탐지하는 방법이다.
- 의사결정나무 기법으로 분류 모형을 생성하여 모든 관측치를 고립시켜나가면서 분할 횟수로 이상값을 탐색한다.
- 데이터의 평균적인 관측치와 멀리 떨어진 관측치일수록 적은 횟수의 공간 분할을 통해 고립시킬 수 있다.

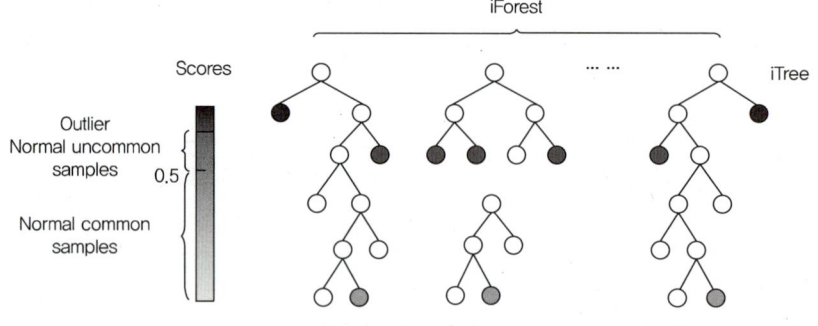

▲ 이상값 탐색을 위한 iForest 방법

- 의사결정나무 모형에서 적은 횟수로 잎(Leaf) 노드에 도달하는 관측치일수록 이상값일 가능성이 크다.

의사결정나무(Decision Tree)
데이터들이 가진 속성들로부터 분할 기준 속성을 판별하고, 분할 기준 속성에 따라 트리 형태로 모델링하는 분류 예측 모델이다.

(4) 데이터 이상값 처리

- 이상값을 반드시 제거해야 하는 것은 아니므로 이상값을 처리할지는 분석의 목적에 따라 적절한 판단이 필요하다.
- 데이터 이상값 처리 기법에는 삭제, 대체법, 변환, 박스플롯 해석을 통한 이상값 제거가 있다.

 학습 POINT ★

데이터 이상값 처리는 각 처리 방법별로 개념 정도만 알고가세요.

 학습 POINT ★

박스 플롯은 뒤에 나옵니다(Chapter 02에 Part 4에 있습니다). 박스 플롯에서도 이상값이라는 부분이 있고, 그 이상값을 제거할 수 있습니다.

① 삭제(Deleting Observations)

- 이상값으로 판단되는 관측값을 제외하고 분석하는 방법으로, 추정치의 분산은 작아지지만 실제보다 과소(또는 과대) 추정되어 편의가 발생할 수 있다.
- 이상값을 제외시키기 위해 양극단의 값을 절단(Trimming)하기도 한다.
- 이상값 자료도 실제 조사된 수치이므로 이상값을 제외하는 것은 현실을 제대로 반영하는 방법으로 적절하지 않을 수도 있다.

▽ 극단값 절단

방법	설명
기하평균을 이용한 제거	기하평균은 여러 개의 수를 연속으로 곱하여 그 개수의 거듭제곱근으로 구함 기하평균 = $\sqrt[n]{a_1 a_2 \cdots a_n}$
하단, 상단 % 이용한 제거	10% 절단(상하위 5%에 해당되는 데이터 제거)

- 극단값 절단 방법을 활용해 데이터를 제거하는 것보다는 극단값 조정 방법을 활용하는 것이 데이터 손실률도 적고, 설명력도 높아진다.

② 대체법(Imputation)

- 하한값과 상한값을 결정한 후 하한값보다 작으면 하한값으로 대체하고 상한값보다 크면 상한값으로 대체한다.

  (예) ESD를 사용할 경우 상한값은 $\mu + 3\sigma$, 하한값은 $\mu - 3\sigma$

- 이상값을 평균이나 중위수 등으로 대체하는 방법이다.
- 대체법은 '데이터의 결측값(Missing Value) 처리'에 관한 내용과 동일하다.

③ 변환(Transformation)

- 데이터의 변환은 극단적인 값으로 인해 이상값이 발생했다면 자연로그를 취해서 값을 감소시키는 방법 등으로 실젯값을 변형하는 것이다.

개념 박살내기

🔗 **데이터 이상값 변환**

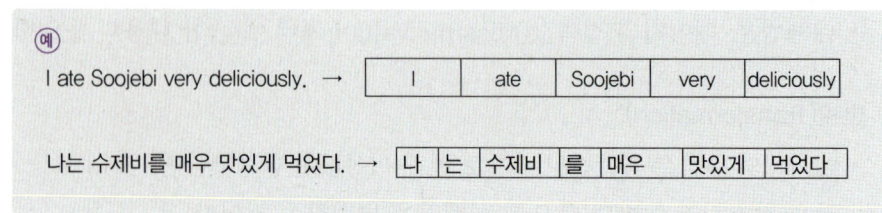

▲ 데이터 이상값 변환

- 데이터를 로그 변환하고 결과를 비교한 그림이다.
- 왼편은 극단적인 BMI 값에 의해 전체 데이터의 분포가 오른쪽으로 길게 기울어져 보이며, 오른쪽 그림은 로그변환에 의해 극단적으로 큰 값이 나타나지 않고 평균을 중심으로 대칭의 형태로 변환된 것을 볼 수 있다.

4 텍스트 전처리 [기출] ★★

자연어로 구성된 비정형 텍스트를 컴퓨터가 인식하기 위해서는 전처리를 수행해야 한다.

(1) 토큰화(Tokenization)

- 토큰화는 문장을 최소 의미 단위로 잘라서 컴퓨터가 인식하도록 하는 방법이다.
- 말뭉치(Corpus)에서 의미 있는 형태소로 분할하기 위해 토큰(Token)이라 불리는 단위로 나누는 작업이다.
- 영어는 주로 띄어쓰기 기준으로 나누고, 한글은 단어 안의 형태소를 최소 의미 단위로 인식해 적용한다.

> 예
> I ate Soojebi very deliciously. → | I | ate | Soojebi | very | deliciously |
>
> 나는 수제비를 매우 맛있게 먹었다. → | 나 | 는 | 수제비 | 를 | 매우 | 맛있게 | 먹었다 |

학습 POINT ★

해당 부분은 언어학과 관련 있는 부분이라 깊게 들어가면 어렵습니다. 텍스트 전처리에 어떤 것들이 있는지, 각각 기법들이 간단하게 어떤 의미인지만 챙겨두시면 좋겠습니다.

잠깐! 알고가기

형태소(Morpheme)
언어학에서 의미를 가지고 있는 가장 작은 말의 단위이다.

(2) 품사 태깅(POS Tagging; Part Of Speech Tagging)

품사 태깅은 형태소의 품사를 태깅하는 기법이다.

예) 품사 태깅 예제

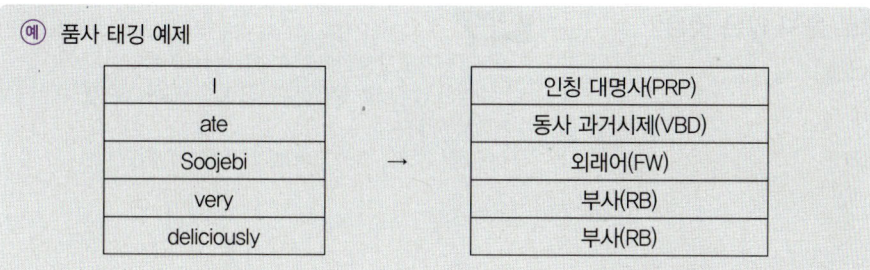

(3) 표제어 추출(Lemmatization)

표제어 추출은 단어들로부터 표제어를 찾는 기법이다.

예) am, are, is → be

표제어(Lemma)
단어가 사전에 등재된 형태이다.

(4) 어간 추출(Stemming)

어간 추출은 단어에서 접사를 제거하여 어간을 획득하는 기법이다.

예) 먹다, 먹었다, 먹는 → 먹-
    eating, ate → eat

어간(Stem)
용언 활용 시 변하지 않는 부분이다.

(5) 불용어(Stopword) 처리

불용어 처리는 조사, 접미사 같은 실제 의미 분석을 하는 데는 거의 기여하는 바가 없는 단어를 처리하는 기법이다.

지피지기 기출문제

01 데이터 이상값 발생 원인으로 옳지 않은 것은?
① 측정 오류(Measurement Error)
② 보고 오류(Reporting Error)
③ 처리 오류(Processing Error)
④ 표본 오류(Sampling Error)

> **해설** 데이터 이상값 발생 원인에는 표본추출 오류, 고의적인 이상값, 데이터 입력 오류, 실험 오류, 측정 오류, 데이터 처리 오류, 자연 오류가 있다.
>
> | 데이터 이상값 발생 원인 | |
> |---|---|
> | 표고 입실측
처자 | 표본추출 오류 / 고의적인 이상값 / 데이터 입력 오류 /
실험 오류 / 측정 오류 / 데이터 처리 오류 / 자연 오류 |

02 이상값에 대한 설명으로 옳은 것은?
① 이상값은 필수적인 데이터가 입력되지 않고 누락된 값이다.
② 이상값은 평균에 영향을 미친다.
③ 통계에 활용하기 위해서는 이상값을 반드시 제거해야 한다.
④ 이상값으로만 구성되어 있을 수 있다.

> **해설** • 결측값은 필수적인 데이터가 입력되지 않고 누락된 값이다.
> • 이상값을 반드시 제거해야 하는 것은 아니므로 이상값을 처리할지는 분석의 목적에 따라 적절한 판단이 필요하다.
> • 이상값은 관측된 데이터의 범위에서 많이 벗어난 값이기 때문에 이상값끼리 구성되어 있을 수 없다.

03 다음 중 정제 과정에서 수행하는 내용은 무엇인가?
① 데이터의 결측값을 처리하고 데이터를 탐색한다.
② 수집된 데이터를 통합한다.
③ 데이터를 분석 목적에 맞게 데이터 검증을 한다.
④ ETL 프로그램을 개발한다.

> **해설** • 데이터 정제 과정에서는 결측값, 노이즈, 이상값인 오류 데이터값을 정확한 데이터로 수정하거나 삭제한다.
> • 수집된 데이터를 통합하거나 ETL 프로그램 개발은 데이터 수집 단계에서 수행한다.
> • 데이터 검증은 분석 모형 평가 단계에서 수행한다.

04 이상값을 찾는 방법으로 옳지 않은 것은?
① 단변량이면 박스플롯(Boxplot)을 다변량이면 산점도(Scatter Plot)를 이용해서 파악한다.
② 평균으로부터 3시그마 떨어진 곳의 값을 파악한다.
③ 물리적으로 불가능한 값이나 도메인의 범위를 이용해서 파악한다.
④ 노이즈 값을 계산하여 찾는다.

> **해설** • 이상값은 시각화를 이용해(단변량일 때 박스플롯, 다변량일 때 산점도 등) 파악할 수 있고, 통계적 기법인 ESD(평균으로부터 3 시그마 떨어진 값)로 파악할 수 있다.
> • 도메인의 범위를 벗어나거나 가능하지 않은 값도 이상값으로 판단할 수 있다.

05 비정형 텍스트 전처리에 대한 설명으로 옳지 않은 것은?
① 의미 있는 형태소로 분할하기 위해 토큰화(Tokenization)한다.
② 불필요한 품사를 제거하기 위해 품사 태깅(POS Tagging)을 한다.
③ 조사, 접미사 같은 실제 의미 분석을 하는 데는 거의 기여하는 바가 없는 불용어(Stopword)를 처리한다.
④ 어간 추출(Stemming)을 통해 단어들로부터 표제어를 찾는다.

> **해설** 어간 추출(Stemming)은 단어에서 접사를 제거하여 어간을 획득하는 방법이다.

06 전처리에 대한 설명으로 옳지 않은 것은?

① 전처리를 위해서 레거시 데이터(Legacy Data)만 사용한다.
② 비정형 데이터는 정제해서 사용한다.
③ 분석하려는 데이터와 유사한 데이터는 연계, 통합해서 사용한다.
④ 이상 데이터는 이상값을 제거하고, 결측값을 처리하며, 노이즈를 제거하는 등의 작업을 수행한다.

> **해설** 과거의 데이터인 레거시 데이터(Legacy Data)는 분석과 관련이 있다면 사용할 수 있지만, 그렇지 않은 경우 사용하지 않을 수도 있다.

07 다음 중 데이터 전처리 기법 중 데이터 일관성 유지를 위한 방법으로 올바르지 않은 것은?

① 데이터 정제 – 데이터의 결측값을 채우거나 이상값을 제거하는 과정에서 데이터의 신뢰도를 높이는 작업
② 데이터 축소 – 데이터에 포함되어 있는 노이즈를 삭제하고 일반화하는 작업
③ 데이터 변환 – 다양한 형태로 표현된 값을 일관된 형태로 변환하는 작업
④ 데이터 통합 – 정제된 데이터를 통합하는 작업

> **해설** 데이터 축소는 원래 가지고 있는 데이터에서 최소 단위로 만들기 위해 데이터를 제거하거나 데이터의 크기를 줄이는 작업이다.

08 데이터 정제에 대한 설명으로 옳은 것은?

① 중복 데이터에서 중복은 무조건 제거한다.
② 구분자가 있을 수 있으므로 구분자를 고려한다.
③ 데이터는 데이터베이스 관리 시스템이 자동으로 처리하므로 데이터를 정제할 필요가 없다.
④ 입력 데이터는 모두 옳은 데이터라고 가정하고 사용한다.

> **해설**
> • 중복 데이터는 의미가 있을 수도 있기 때문에 중복을 무조건 제거하면 안 된다.
> • 데이터에 구분자가 포함되어 있다면, 데이터를 구분자(쉼표, 공백, 세미콜론 등) 단위로 분리하여 각각의 데이터 요소를 추출하거나 처리한다.
> • 데이터베이스 관리 시스템(DBMS; Database Management System)은 데이터를 저장하고 관리하는 데 도움을 주지만, 데이터의 처리나 분석을 자동으로 수행하지는 않는다.
> • 입력 데이터가 항상 옳다고 가정하는 것은 일반적으로 부적절하다.

09 결측값 처리 방법에 대한 설명으로 옳지 않은 것은?

① 완전 분석법은 결측값이 있는 모든 자료를 포함하여 분석하는 방법이다.
② 회귀 대치는 회귀분석을 실시한 결과 얻은 추정값을 결측값의 대체값으로 사용하는 방법이다.
③ 평균 대치법은 결측값이 있는 변수의 관측값이 없는 경우, 해당 변수의 다른 관측값들의 평균값으로 결측값을 대체하는 방법이다.
④ 다중 대치법은 단순 대치법을 한 번 하지 않고 m번 대치를 통해 m개의 가상적 완전한 자료를 만들어서 분석하는 방법이다.

> **해설** 완전 분석법은 불완전 자료(대표적으로 결측값)는 모두 무시하고 완전하게 관측된 자료만 사용하여 분석하는 방법이다.

지피지기 기출문제

10 이상값에 대한 설명으로 옳지 않은 것은?

① 오타, 측정 오류 등에 의해서 발생한다.
② 이상값은 특히 비정형 데이터에서 자주 발생하므로 데이터 특성에 맞는 정제 규칙을 수립하여 점검한다.
③ 이상값을 처리할 때 변수를 제거하거나 이상값을 대체하는 등의 방법을 고려한다.
④ 이상값을 제거하는 경우 결측값을 제거하는데 발생하는 신뢰도 문제가 생기지 않는다.

> **해설** 이상값을 제거하면 데이터 세트의 크기가 감소하므로 분석 결과에 대한 통계적 신뢰도가 하락할 수 있다.

11 일변량 데이터에서 이상값을 판별할 수 있는 방법으로 옳지 않은 것은?

① 산점도에서 추세 패턴에 속해있는 값을 이상값으로 판별한다.
② IQR을 이용해 이상값을 판별한다.
③ 표준 편차를 이용해 이상값을 판별한다.
④ 상자그림을 이용해 이상값을 판별한다.

> **해설** 산점도의 추세 패턴은 변수 간의 상관 관계를 나타내며, 일변량 데이터에서 이상값을 판별하는 데 직접적으로 사용되지는 않는다.

12 정제에 대한 설명으로 옳지 않은 것은?

① 결측값은 데이터를 평균값, 최빈수, 중위수(중앙값)로 대체한다.
② 이상값은 오류 값이므로 값이 항상 대체되거나 제거되어야 한다.
③ 노이즈는 데이터의 정확성을 해치므로 제거하는 것이 좋다.
④ 데이터를 분석하기 쉽게 변환하는 것이 중요하다.

> **해설** 이상값은 경우에 따라 오류 값이 아닌 경우도 있기 때문에 데이터를 분석한 후에 대체하거나 제거해야 한다.

13 그래프를 통해서 확인할 수 없는 통계량으로 가장 적합한 것은?

① 이상값
② 결측값
③ 검정 통계량
④ 데이터의 분포

> **해설** 그래프에서 데이터가 매우 크거나 매우 작은 값은 이상값으로 판단할 수 있고, 그래프 중간에 값이 표현이 안 되어 있는 경우 결측값으로 판단할 수 있고, 그래프의 모양을 통해 데이터의 분포 형태를 알 수 있다.

정답 01 ② 02 ② 03 ① 04 ④ 05 ④ 06 ① 07 ② 08 ② 09 ① 10 ④ 11 ① 12 ② 13 ③

천기누설 예상문제

01 다음 중 데이터 정제에 대한 설명으로 가장 옳지 않은 것은?

① 결측값을 채우거나 이상값을 제거하는 과정을 통해 데이터의 신뢰도를 높이는 작업이다.
② 데이터 오류 원인 분석 후에 데이터를 정제한다.
③ 데이터 오류의 원인으로는 ESD(Extreme Studentized Deviation)가 있다.
④ 데이터 품질 저하의 위험이 있는 데이터는 더 많은 정제 활동을 수행한다.

> **해설**
> • 오류의 원인으로는 결측값, 노이즈, 이상값이 있다.
> • ESD는 이상값을 측정하기 위한 기법이다.

02 다음 중 데이터의 정제 절차로 옳은 것은?

① 데이터 오류 원인 분석 → 데이터 정제 대상 선정 → 데이터 정제 방법 결정
② 데이터 오류 원인 분석 → 데이터 정제 방법 결정 → 데이터 정제 대상 선정
③ 데이터 정제 대상 선정 → 데이터 오류 원인 분석 → 데이터 정제 방법 결정
④ 데이터 정제 대상 선정 → 데이터 정제 방법 결정 → 데이터 오류 원인 분석

> **해설** 데이터의 정제 절차는 오류 원인 분석, 정제 대상 선정, 정제 방법 결정 순이다.

03 다음 중 데이터 오류의 원인에 대한 설명으로 가장 옳지 않은 것은?

① 결측값은 필수적인 데이터가 입력되지 않고 누락된 값이다.
② 노이즈는 실제로 입력되지 않았지만 입력되었다고 잘못 판단된 값이다.
③ 이상값은 데이터값이 일반적인 값보다 편차가 큰 값이다.
④ 파싱은 데이터 타입이 맞지 않게 입력된 값이다.

> **해설** 파싱은 데이터를 정제 규칙을 적용하기 위한 유의미한 최소 단위로 분할하는 작업이다.

04 데이터 정제 대상 선정에 대한 설명으로 가장 옳지 않은 것은?

① 특별히 데이터 품질 저하의 위협이 있는 데이터에 대해서는 더 많은 정제 활동을 수행한다.
② 모든 데이터를 대상으로 정제 활동을 하는 것이 기본이다.
③ 내부 데이터보다 외부 데이터가 품질 저하 위협에 많이 노출되어 있다.
④ 비정형과 반정형 데이터보다는 정형 데이터가 품질 저하 위협에 많이 노출되어 있다.

> **해설** 정형 데이터보다는 비정형과 반정형 데이터가 품질 저하 위협에 많이 노출되어 있다.

05 다음 중 데이터 일관성을 유지하기 위한 정제 기법으로 가장 옳지 않은 것은?

① 변환(Transformation)
② 파싱(Parsing)
③ 결측(Missing)
④ 보강(Enhancement)

> **해설** 데이터 일관성을 유지하기 위한 정제 기법으로 변환, 파싱, 보강이 있다.

천기누설 예상문제

06 다음은 데이터 일관성을 유지하기 위한 정제 기법에 대한 사례이다. 다음이 설명하는 알맞은 데이터 정제 기법은 무엇인가?

- 코드: 남/여 → M/F
- 날짜 형식: YYYYMMDD → YY/MM/DD

① 변환(Transformation)
② 파싱(Parsing)
③ 결측(Missing)
④ 보강(Enhancement)

해설 다양한 형태로 표현된 값을 일관된 형태로 변경하는 작업은 변환이다.

07 데이터 결측값에 대한 설명으로 옳지 않은 것은?

① 결측값이란 입력이 누락된 값을 의미한다.
② 결측값은 관측된 데이터의 범위에서 많이 벗어난 아주 작은 값이다.
③ 결측값은 NA, Null 등으로 표현한다.
④ 완전 무작위 결측, 무작위 결측, 비 무작위 결측이 있다.

해설 관측된 데이터의 범위에서 많이 벗어난 아주 작은 값은 이상값이다.

08 다음이 설명하는 데이터 결측값의 종류는 무엇인가?

누락된 자료가 특정 변수와 관련되어 일어나지만, 그 변수의 결과는 관계가 없는 경우

① 완전 무작위 결측
② 무작위 결측
③ 부분 무작위 결측
④ 비 무작위 결측

해설

완전 무작위 결측	변수상에서 발생한 결측값이 다른 변수들과 아무런 상관이 없는 경우
무작위 결측	누락된 자료가 특정 변수와 관련되어 일어나지만, 그 변수의 결과는 관계가 없는 경우
비 무작위 결측	누락된 값(변수의 결과)이 다른 변수와 연관 있는 경우

09 데이터 결측값 처리 절차로 옳은 것은?

① 결측값 식별 → 결측값 부호화 → 결측값 대체
② 결측값 식별 → 결측값 대체 → 결측값 부호화
③ 결측값 부호화 → 결측값 식별 → 결측값 대체
④ 결측값 부호화 → 결측값 대체 → 결측값 식별

해설 데이터 결측값 처리 절차는 결측값 식별 → 결측값 부호화 → 결측값 대체 순이다.

10 결측값을 처리하는 단순 대치법의 종류에 해당하지 않는 것은?

① 완전 분석법(Completes Analysis)
② 평균 대치법(Mean Imputation)
③ 단순 확률 대치법(Single Stochastic Imputation)
④ ESD(Extreme Studentized Deviation)

해설 ESD는 이상값을 측정하기 위한 기법이다.

11 통계 기법을 이용한 데이터 이상값 검출 방법이 아닌 것은?

① 평균 대치법(Mean Imputation)
② ESD(Extreme Studentized Deviation)
③ 기하평균 활용한 방법
④ 사분위수를 이용한 방법

해설 평균 대치법(Mean Imputation)은 결측값 처리 방법이다.

12 ESD(Extreme Studentized Deviation)에 대한 설명으로 옳은 것은?

① 평균으로부터 0 표준편차 떨어진 값(각 50.00%)을 이상값으로 판단한다.
② 평균으로부터 1 표준편차 떨어진 값(각 15.85%)을 이상값으로 판단한다.
③ 평균으로부터 2 표준편차 떨어진 값(각 2.25%)을 이상값으로 판단한다.
④ 평균으로부터 3 표준편차 떨어진 값(각 0.15%)을 이상값으로 판단한다.

해설 ESD는 평균(μ)으로부터 3 표준편차(3σ) 떨어진 값을 이상값으로 판단한다.

13 다음이 설명하는 시각화를 이용한 데이터 이상값 검출 방법은 무엇인가?

> 시간에 따른 자료의 변화나 추세를 보여주는 그래프

① 확률밀도함수 ② 히스토그램
③ 시계열 차트 ④ 상자 수염 그림

해설

확률밀도함수	확률변수의 분포를 보여주는 함수
히스토그램	주로 x축에 계급값을, y축에 각 계급에 해당하는 자료의 수치를 표시
시계열 차트	시간에 따른 자료의 변화나 추세를 보여주는 그래프

14 데이터 이상값 처리에 대한 설명으로 가장 옳지 않은 것은?

① 데이터 이상값 처리 기법에는 삭제, 대체법, 변환, 박스플롯 해석을 통한 이상값 제거 방법이 있다
② 이상값은 분석에 방해되기 때문에 반드시 제거해야 한다.
③ 하한값과 상한값을 결정한 후 하한값보다 작으면 하한값으로 대체하고 상한값보다 크면 상한값으로 대체한다.
④ ESD 기법으로 이상값을 탐색했을 경우 상한값은 $\mu + 3\sigma$이다.

해설 이상값을 반드시 제거해야 하는 것은 아니므로 이상값을 처리할지는 분석의 목적에 따라 적절한 판단이 필요하다.

15 다음이 설명하는 데이터 결측값 처리 방법은 무엇인가?

> • 무응답(결측값 자료)을 현재 진행 중인 연구에서 '비슷한' 성향을 가진 응답자의 자료로 대체하는 방법
> • 표본조사에서 흔히 사용

① 핫덱(Hot-Deck) 대체 ② 콜드덱(Cold-Deck) 대체
③ 혼합 방법 사용 ④ 비조건부 평균 대체

해설 단순 확률 대치법 중 핫덱 대체는 무응답(결측값 자료)을 현재 진행 중인 연구에서 '비슷한' 성향을 가진 응답자의 자료로 대체하는 방법이다.

천기누설 예상문제

16 다음이 설명하는 데이터 이상값 발생 원인은 무엇인가?

> 몸무게를 측정하는데, 9개의 체중계는 정상 작동, 1개는 비정상 작동을 한다고 가정할 때, 한 사용자가 비정상적으로 작동하는 체중계를 이용할 경우 에러가 발생

① 측정 오류(Measurement Error)
② 보고 오류(Reporting Error)
③ 처리 오류(Processing Error)
④ 표본 오류(Sampling Error)

해설 데이터 이상값 발생 원인은 다음과 같다.

표본추출 오류	데이터를 샘플링하는 과정에서 나타나는 오류
고의적인 이상값	자기 보고식 측정에서 나타나는 오류
데이터 입력 오류	데이터를 수집, 기록 또는 입력하는 과정에서 발생할 수 있는 오류
실험 오류	실험조건이 동일하지 않은 경우 발생하는 오류
측정 오류	데이터를 측정하는 과정에서 발생하는 오류
데이터 처리 오류	여러 개의 데이터에서 필요한 데이터를 추출하거나, 조합해서 사용하는 경우에 발생하는 오류
자연 오류	인위적이 아닌, 자연스럽게 발생하는 이상값

17 다음 중 다중 대치법에 대한 설명이다. 가장 올바르지 않은 것은?

① 다중 대치법은 여러 번의 대체표본으로 대체 내 분산과 대체 간 분산을 구하여 추정치의 총 분산을 추정하는 방법이다.
② 다중 대치 방법은 원표본의 결측값을 한 번 이상 대치하여 여러 개($D \geq 2$)의 대치된 표본을 구하는 방법이다.
③ 다중 대치 방법은 D개의 대치된 표본을 만들어야 하므로 항상 같은 값으로 결측 자료를 대치할 수 있다.
④ 다중 대치법 적용방식에는 대치, 분석, 결합이 있다.

해설 다중 대치 방법은 D개의 대치된 표본을 만들어야 하므로 항상 같은 값으로 결측 자료를 대치할 수 없다.

18 다음 중 데이터 이상값 발생 원인으로 가장 올바르지 않은 것은?

① 데이터 수집 과정에서 발생할 수 있는 입력 오류
② 데이터를 측정하는 과정에서 발생하는 측정 오류
③ 고의적인 이상값
④ 데이터 입력이 누락된 값

해설 데이터 입력이 누락된 값은 결측값이다.

19 다음 중 데이터 이상값 발생 원인에 대한 설명으로 가장 올바르지 않은 것은?

① 데이터 입력 오류(Data Entry Error)는 데이터를 수집하는 과정에서 발생할 수 있는 오류이며, 전체 데이터의 분포를 보면 쉽게 발견 가능하다.
② 표본추출 오류(Sampling Error)는 데이터를 샘플링하는 과정에서 나타나는 오류이다.
③ 측정 오류(Measurement Error)는 데이터 마이닝을 할 때, 여러 개의 데이터에서 필요한 데이터를 추출하거나, 조합해서 사용하는 경우에 발생하는 오류이다.
④ 자연 오류(Natural Outlier)는 인위적이 아닌, 자연스럽게 발생하는 이상값이다.

해설 데이터 이상값 발생 원인은 다음과 같다.

표본추출 오류	데이터를 샘플링하는 과정에서 나타나는 오류
고의적인 이상값	자기 보고식 측정에서 나타나는 오류
데이터 입력 오류	데이터를 수집, 기록 또는 입력하는 과정에서 발생할 수 있는 오류
실험 오류	실험조건이 동일하지 않은 경우 발생하는 오류
측정 오류	데이터를 측정하는 과정에서 발생하는 오류
데이터 처리 오류	여러 개의 데이터에서 필요한 데이터를 추출하거나, 조합해서 사용하는 경우에 발생하는 오류
자연 오류	인위적이 아닌, 자연스럽게 발생하는 이상값

20 다음 중 이상값 검출 방법 중 평균이 μ이고, 표준편차가 σ인 정규분포를 따르는 관측치들이 자료의 중심(평균)에서 얼마나 떨어져 있는지를 나타냄으로써 이상값을 검출하는 방법은?

① 카이제곱 검정을 활용한 방법
② Z-점수(Z-Score)를 활용한 방법
③ 사분위수를 이용한 방법
④ 통계적 가설검정을 활용한 방법

> **해설** 평균이 μ이고, 표준편차가 σ인 정규분포를 따르는 관측치들이 자료의 중심(평균)에서 얼마나 떨어져 있는지를 나타냄으로써 이상값을 검출하는 방법은 Z-점수(Z-Score)를 활용한 방법이다.

21 다음 중 관측치 주변의 밀도와 근접한 관측치 주변의 밀도의 상대적인 비교를 통해 이상값을 탐색하는 기법은 무엇인가?

① 마할라노비스 거리(Mahalanobis Distance)를 활용한 이상값 탐색 기법
② iForest(Isolation Forest) 기법
③ 시각화를 이용한 데이터 이상값 탐색 기법
④ LOF(Local Outlier Factor) 기법

> **해설** 관측치 주변의 밀도와 근접한 관측치 주변의 밀도의 상대적인 비교를 통해 이상값을 탐색하는 기법은 LOF 기법이다.

정답 01 ③ 02 ① 03 ④ 04 ④ 05 ③ 06 ① 07 ② 08 ② 09 ① 10 ④ 11 ① 12 ④ 13 ③ 14 ② 15 ① 16 ① 17 ③ 18 ④ 19 ③ 20 ② 21 ④

학습 POINT ★

변수는 Variable이 아닌 Feature입니다. 알고 있던 것과 조금 다르죠? 기본이 되는 내용이므로 꼼꼼하게 읽어나가시길 권장합니다!

머신러닝(Machine Learning; 기계학습)

인공지능의 분야 중 하나로, 인간의 학습 능력과 같은 기능을 컴퓨터에서 실현하고자 하는 기술이다.

② 분석 변수 처리

1 변수 선택 ★★

(1) 변수(Feature) 개념

- 변수는 데이터의 특징을 나타내는 데 사용되는 가변적인 요소이다.
- RDBMS에서 '속성 (열)'이라고 부르는 것을 머신러닝에서는 통계학의 영향으로 '변수(Feature)'라고 한다.

> 예 '키와 체중' 값으로 '성별' 예측할 때 데이터 세트에는 변수가 3개(키, 체중, 성별) 있다.

개념 박살내기

🔗 알려진 값/예측값 명칭

키, 체중처럼 값이 알려진 값과 성별처럼 값을 예측해야 되는 값은 다른 유형으로 구분한다.

⌄ 알려진 값/예측값

유형	명칭
알려진 값	변수(Feature), 속성(Attribute), 예측변수(Predictor), 차원(Dimension), 관측치(Observation), 독립변수(Independent Variable)
예측 값	라벨(Label), 클래스(Class), 목푯값(Target), 반응(Response), 종속변수(Dependent Variable)

(2) 변수 유형

변수 유형은 독립변수, 종속변수가 있다.

① 독립변수(Independent Variable)

- 독립변수는 종속변수(결과변수)의 값에 영향을 미쳐 종속변수가 특정한 값을 갖게 되는 원인이 된다고 가정한 변수이다.
- 독립변수는 연구자가 의도적으로 변화시키는 변수이다.
- 독립변수는 예측변수(Predictor Variable), 회귀자(Regressor), 통제변수(Controlled Variable), 조작변수(Manipulated Variable), 노출변수(Exposure Variable), 리스크 팩터(Risk Factor), 설명변수(Explanatory Variable), 입력변수(Input Variable)라고 불린다.
- 기계 학습 혹은 패턴 인식에서는 변수(Feature)라고도 한다.

학습 POINT ★

독립변수와 종속변수의 의미를 정확히 알고 가시는 것이 중요합니다.

② 종속변수(Dependent Variable)
- 종속변수는 독립변수에 영향을 받아서 변화하는 종속적인 변수이다.
- 독립변수(실험변수)의 영향을 받아 그 값이 변할 것이라고 가정한 변수이다.

개념 박살내기

변수 간 관계
- 독립변수와 종속변수는 인과 관계를 가지고 있다.
- 독립변수가 연속형 자료라면 공변량(Covariate)이라 하고, 범주형 자료라면 요인(Factor)이라 한다.

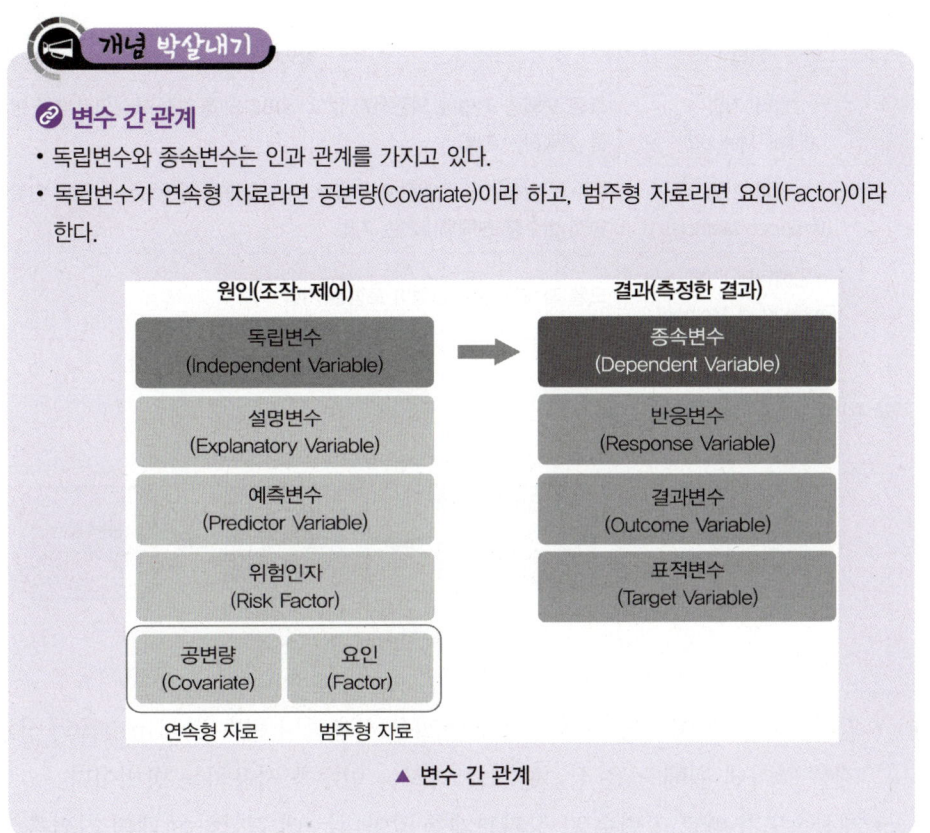

▲ 변수 간 관계

(3) 변수 선택

① 변수 선택(Feature Selection) 개념

변수 선택은 데이터의 독립변수(x) 중 종속변수(y)에 가장 관련성이 높은 변수(Feature)만을 선정하는 방법이다.

② 변수 선택 특징 [기출]

- 변수 선택은 사용자가 해석하기 쉽게 모델을 단순화해주고 훈련 시간 축소, 차원의 저주 방지, 과적합을 줄여 일반화를 해주는 장점이 있다.
- 변수 선택을 통하여 모델의 정확도 향상 및 성능 향상을 기대할 수 있다.
- 예측 변수를 선택하는 것은 모델의 종류와 데이터에 따라 다르며, 최적의 변수를 선택하기 위해 교차 검증 등의 방법을 사용해야 한다.

잠깐! 알고가기

차원의 저주 (Curse of Dimensionality)
데이터의 차원이 증가할수록 해당 공간의 크기(부피)가 기하급수적으로 증가하기 때문에 동일한 개수의 데이터의 밀도는 차원이 증가할수록 급속도로 희박해진다. 따라서, 차원이 증가할수록 데이터의 분포 분석 또는 모델추정에 필요한 샘플 데이터의 개수가 기하급수적으로 증가하게 되는 현상을 말한다.

과적합(Over-fitting)
제한된 훈련 데이터 세트에 너무 과하게 특화되어 새로운 데이터에 대한 오차가 매우 커지는 현상이다.

③ 변수 선택 기법

변수 선택은 예측대상이 되는 분류를 참고하지 않고 변수들만으로 수행하는 비지도 방식과 분류를 참고하여 변수를 선택하는 지도 방식으로도 분류할 수 있다.

⌄ 변수 선택 기법

기법	설명
필터 기법 (Filter Method)	특정 모델링 기법에 의존하지 않고 데이터의 통계적 특성으로부터 변수를 선택하는 기법
래퍼 기법 (Wrapper Method)	변수의 일부만을 모델링에 사용하고 그 결과를 확인하는 작업을 반복하면서 변수를 선택해나가는 기법
임베디드 기법 (Embedded Method)	모델 자체에 변수 선택이 포함된 기법

㉮ 필터 기법(Filter Method)

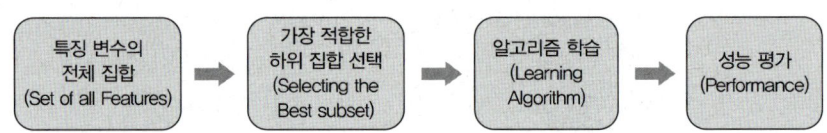

▲ 필터 기법

- 필터 기법은 데이터의 통계적 측정 방법을 사용하여 변수(Feature)들의 상관관계를 알아낸 뒤에 높은 상관관계를 가지는 변수를 사용하는 방법이다.
- 계산속도가 빠르고 변수 간 상관관계를 알아내는 데 적합하여 래퍼 기법을 사용하기 전에 전처리하는 데 사용한다.

⌄ 필터 기법 사례

기법	설명
정보 이득 (Information Gain)	• 전체 엔트로피에서 분류 후 엔트로피를 뺀 값 • 불순도가 낮으면 정보 획득량이 높고, 정보 획득량이 높은 속성을 선택
카이제곱 검정 (Chi-Square Test)	• 관찰된 빈도가 기대되는 빈도와 의미있게 다른지 여부를 검증하기 위해 사용되는 검증 방법 • 카이제곱분포에 기초한 통계적 방법
피셔 스코어 (Fisher Scoring)	• 변수의 분포에 대해 유추할 수 있는 수치 • 뉴턴의 방법을 사용
상관계수 (Correlation Coefficient)	• 두 변수 사이의 통계적 관계를 표현하기 위해 특정한 상관관계의 정도를 수치적으로 나타낸 계수

④ 래퍼 기법(Wrapper Method) 기출

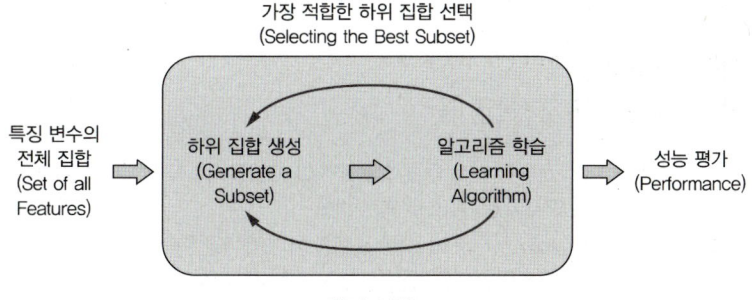

▲ 래퍼 기법

- 래퍼 방법은 예측 정확도 측면에서 가장 좋은 성능을 보이는 하위 집합을 선택하는 기법이다.
- 검색 가능한 방법으로 하위 집합을 반복해서 선택하여 테스트하는 것이므로 그리디 알고리즘에 속한다.
- 반복하여 선택하는 방법으로 시간이 오래 걸리고 부분집합의 수가 기하급수적으로 늘어 과적합의 위험이 발생할 수 있다.
- 일반적으로 래퍼 방법은 필터 방법보다 예측 정확도가 높다.
- 변수 선택을 위한 알고리즘과 선택기준을 결정해야 한다.

▼ 변수 선택을 위한 알고리즘 유형

알고리즘	설명
전진 선택법 (Forward Selection)	• 모형을 가장 많이 향상시키는 변수를 하나씩 점진적으로 추가하는 방법 • 비어 있는 상태에서 시작하며 변수 추가 시 선택기준이 향상되지 않으면 변수 추가를 중단
후진 소거법 (Backward Elimination)	• 모두 포함된 상태에서 시작하며 가장 적은 영향을 주는 변수부터 하나씩 제거 • 더 이상 제거할 변수가 없다고 판단될 때 변수의 제거를 중단
단계적 방법 (Stepwise Method)	• 전진 선택과 후진 소거를 함께 사용하는 방법

㉰ 임베디드 기법(Embedded Method)

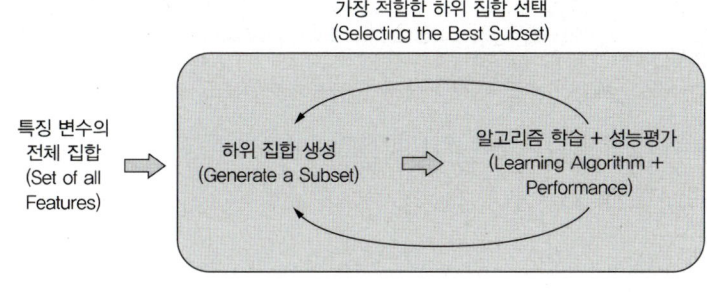

▲ 임베디드 기법

학습 POINT ★

래퍼 기법에서 변수 선택을 위한 기법을 묻는 문제가 출제되었습니다. 전진 선택법, 후진 소거법, 단계적 방법에 대해 잘 알아두고 넘어가세요!

잠깐! 알고가기

그리디 알고리즘
(Greedy Algorithm)
문제를 해결하는 과정에서 그 순간순간마다 최적이라고 생각되는 결정을 하는 방식으로 진행하여 최종 해답에 도달하는 문제 해결 방식이다.

두음 쌤 한마디

변수 선택 방법
「전후단」
전진 선택법 / **후**진 소거법 / **단**계적 방법
→ 전선 후 (뒤에 있는) 제단

- 임베디드 기법은 모델의 정확도에 기여 하는 변수를 학습한다.
- 좀 더 적은 계수를 가지는 회귀식을 찾는 방향으로 제약조건을 주어 이를 제어한다.

◈ 임베디드 기법 사례

기법	설명
라쏘 (LASSO; Least Absolute Shrinkage and Selection Operator)	• 가중치의 절댓값의 합을 최소화하는 것을 추가적인 제약조건으로 하는 방법 • L1 노름 규제를 통해 제약을 주는 방법
릿지 (Ridge)	• 가중치들의 제곱 합을 최소화하는 것을 추가적인 제약조건으로 하는 방법 • L2 노름 규제를 통해 제약을 주는 방법
엘라스틱 넷 (Elastic Net)	• 가중치 절댓값의 합과 제곱 합을 동시에 추가적인 제약조건으로 하는 방법 • 라쏘(LASSO)와 릿지(Ridge) 두 개를 선형 결합한 방법

> **잠깐! 알고가기**
>
> **노름(Norm)**
> 벡터의 크기(혹은 길이)를 측정하는 방법이다.
>
> **L1 노름(L1 Norm)**
> 두 점 간 차의 절댓값을 합한 값이다.(맨하탄 거리)
>
> **L2 노름(L2 Norm)**
> 두 점 간 차를 제곱하여 모두 더한 값의 양의 제곱근한 값이다. (유클리디안 거리)

④ 변수 선택 접근 방식 기출

- 변수 선택 접근 방식은 분산에 따른 변수 선택, 단일 변수 선택, 모델 기반 변수 선택, 반복적 특성 선택 방식이 있다.

◈ 변수 선택 접근 방식

방식	설명
분산에 따른 변수 선택	• 분산이 기준치보다 낮은 변수를 제거하는 방법 예) 남학교에서 성별 변수는 모두 남자이므로 분산이 0이 되어 변수를 제거
단일 변수 선택	• 각각의 변수를 하나만 사용했을 때의 예측 모델의 성능을 평가하여, 정확도, 상관관계 등이 좋은 변수를 선택하는 방법 예) 몸무게(y)를 예측하기 위한 특성(X)에 키, 나이, 성별이 있다면 키-몸무게, 나이-몸무게, 성별-몸무게를 어떤 특정지표(정확도, 카이제곱값 등)로써 평가하여 가장 좋은 특성을 선별
모델 기반 변수 선택	• 변수들을 모델에 학습시킨 뒤, 특성 중요도가 기준치보다 높은 변수를 선택하는 방법
반복적 특성 선택	• 변수들의 모든 조합을 시도해보고 가장 좋은 변수 조합을 찾는 방법 • 래퍼 기법과 관련이 있음

2 차원축소 ★★

(1) 차원축소(Dimensionality Reduction) 개념
- 차원축소는 분석 대상이 되는 여러 변수의 정보를 최대한 유지하면서 데이터 세트 변수의 개수를 줄이는 탐색적 분석기법이다.
- 원래의 데이터를 최대한 효과적으로 축약하기 위해 종속변수는 사용하지 않고 독립변수만 사용하기 때문에 비지도 학습 머신러닝 기법이다.

(2) 차원축소 특징 [기출]

▽ 차원축소 특징

특징	설명
정보 유지	• 차원축소를 수행할 때, 축약되는 변수 세트는 원래의 전체 데이터의 변수들의 정보를 최대한 유지 • 변수들 사이의 관계를 분석하여 이들을 잘 표현할 수 있는 새로운 선형 혹은 비선형 결합을 만들어내서 해당 결합변수만으로도 전체변수를 적절히 설명할 수 있어야 함
학습의 모델링 용이	• 차원 축소된 데이터로 학습할 경우, 과적합 발생 확률이 낮아지고, 머신러닝 알고리즘이 더 잘 작동 • 저차원에 대해 모델이 안정적일수록 차원 축소가 더 효율적
결과 해석의 용이	• 차원이 적어지면 모델의 이해도가 높아지고, 시각화하기도 쉬워짐

(3) 차원축소 방법
차원축소 방법은 변수 선택, 변수 추출이 있다.

▽ 차원축소 방법

방법	설명
변수 선택 (Feature Selection)	• 가지고 있는 변수들 중에 중요한 변수만 몇 개 고르고 나머지는 버리는 방법 • 상관계수가 높거나 VIF(분산팽창지수; Variance Inflation Factor)가 높은 변수 중 하나를 선택
변수 추출 (Feature Extraction)	• 모든 변수를 조합하여 이 데이터를 잘 표현할 수 있는 중요 성분을 가진 새로운 변수를 추출 • 기존 변수를 조합해 새로운 변수를 만드는 기법

(4) 차원축소 기법 기출

차원축소 기법에는 주성분 분석, 특잇값 분해, 요인 분석, 독립 성분 분석, 다차원 척도법이 있다.

▼ 차원축소 기법

기법	설명
주성분 분석 (PCA; Principal Component Analysis)	• 변수들의 공분산 행렬이나 상관행렬을 이용 • 원래 데이터 특징을 잘 설명해주는 성분을 추출하기 위하여 고차원 공간의 표본들을 선형 연관성이 없는 저차원 공간으로 변환하는 기법 • 행의 수와 열의 수가 같은 정방행렬에서만 사용
특잇값 분해 (SVD; Singular Value Decomposition)	• $M \times N$ 차원의 행렬데이터에서 특잇값을 추출하고 이를 통해 주어진 데이터 세트를 효과적으로 축약할 수 있는 기법 **공식 특잇값 분해** $$U\Sigma V^*$$ • U: $M \times M$ 크기를 가지는 행렬 • Σ: $M \times N$ 크기를 가지며, 대각선상에 있는 원소의 값은 음수가 아니며 나머지 원소의 값이 모두 0인 대각 행렬 • V^*: $N \times N$ 행렬
요인 분석 (Factor Analysis)	• 데이터 안에 관찰할 수 없는 잠재적인 변수(Latent Variable)가 존재한다고 가정 • 모형을 세운 뒤 관찰 가능한 데이터를 이용하여 해당 잠재 요인을 도출하고 데이터 안의 구조를 해석하는 기법 • 주로 사회과학이나 설문 조사 등에서 많이 활용
독립 성분 분석 (ICA; Independent Component Analysis)	• 주성분 분석과는 달리, 다변량의 신호를 통계적으로 독립적인 하부 성분으로 분리하여 차원을 축소하는 기법 • 독립 성분의 분포는 비정규분포를 따르게 되는 차원축소 기법
다차원 척도법 (MDS; Multi-Dimensional Scaling)	• 개체들 사이의 유사성, 비유사성을 측정하여 2차원 또는 3차원 공간 상에 점으로 표현하여 개체들 사이의 집단화를 시각적으로 표현하는 분석 방법

학습 POINT ★

실제 현업에서는 PCA, SVD, ICA, MDS는 약어로 많이 표현하니 약어를 눈여겨보시기 바랍니다.

(5) 차원축소 기법 주요 활용 분야

- 차원축소 기법은 탐색적 데이터 분석부터 정보 결과의 시각화까지 다양하게 활용되고 있다.
- 분석하려는 데이터가 많은 차원으로 구성되어 있을 때 좀 더 쉽게 데이터를 학습하고 모델을 생성하고자 할 때 주로 활용된다.

- 대상에 대한 패턴인식이나 추천시스템 구현 결과의 성능 등을 개선할 때도 사용한다.

▽ 차원축소 기법 주요 활용 분야

- 탐색적 데이터 분석
- 변수 집합에서 주요 특징을 추출하여 타 분석기법의 설명변수로 활용
- 텍스트 데이터에서 주제나 개념 추출
- 이미지 및 사운드 등의 비정형 데이터에서 특징 패턴 추출
- 기업의 판매데이터에서 상품 추천시스템 알고리즘 구현
- 다차원 공간의 정보를 저차원으로 시각화
- 공통 요인(Factor)을 추출하여 잠재된 데이터 규칙 발견

3 파생변수 생성  ★★

(1) 파생변수(Derived Variable) 개념

- 파생변수는 기존 변수에 특정 조건 혹은 함수 등을 사용하여 새롭게 재정의한 변수이다.
- 데이터에 들어 있는 변수만 이용해서 분석할 수도 있지만, 변수를 조합하거나 함수를 적용해서 새 변수를 만들어 분석한다.
- 변수를 생성할 때에는 논리적 타당성과 기준을 가지고 생성하도록 한다.

(2) 파생변수 생성 방법 기출

- 파생변수를 생성하는 방법은 단위 변환, 표현형식 변환, 요약 통계량 변환, 정보 추출, 변수 결합, 조건문 이용이 있다.

▽ 파생변수 생성 방법

방법	설명
단위 변환	• 주어진 변수의 단위 혹은 척도를 변환하여 새로운 단위로 표현하는 방법 예) 하루 24시간을 12시간으로 변환
표현형식 변환	• 단순한 표현 방법으로 변환하는 방법 예) 날짜로 요일 변환, 남/여 데이터를 0/1 이진 변수로 변환
요약 통계량 변환	• 요약 통계량 등을 활용하여 생성하는 방법 예) 고객별 누적 방문 횟수 집계

학습 POINT ★

파생변수는 유도변수라고도 합니다. 파생변수 생성방법에 대해 묻는 문제가 출제되었으니 두음쌤의 도움을 받아 상세히 알아두고 넘어가시길 권장합니다!

파생변수 유형
「단표요정결조」
단위 변환 / **표**현형식 변환 / **요**약통계량 변환 / **정**보 추출 / 변수 **결**합 / **조**건문 이용

방법	설명
정보 추출	• 하나의 변수에서 정보를 추출해서 새로운 변수를 생성하는 방법 예) 주민등록번호에서 나이와 성별 추출
변수 결합	• 다양한 함수 등 수학적 결합을 통해 새로운 변수를 정의하는 방법 • 한 레코드의 값을 결합하여 파생변수 생성 예) 매출액과 방문 횟수 데이터로 1회 평균 매출액 추출
조건문 이용	• 조건문을 이용해서 파생변수를 생성하는 방법 예) 기준값을 정하고 조건문을 통해 평균에 따라 TRUE, FALSE를 구분한 파생변수를 생성

(3) 인코딩(Encoding) 개념

- 인코딩은 문자열 값들을 숫자형으로 변경하는 방식이다.
- 인코딩 종류는 원-핫 인코딩(One-Hot Encoding), 레이블 인코딩(Labeled Encoding), 카운트 인코딩(Count Encoding), 대상 인코딩(Target Encoding)이 있다.

(4) 인코딩 종류

① 원-핫 인코딩(One-Hot Encoding)

- 원-핫 인코딩은 표현하고 싶은 단어의 인덱스에 1의 값을 부여하고, 다른 인덱스에는 0을 부여하는 방식이다.

Species	Versicolor	Setosa	Virginica
Versicolor	1	0	0
Setosa	0	1	0
Virginica	0	0	1
Setosa	0	1	0
Setosa	0	1	0

- Species 변수의 값이 Versicolor이면 Versicolor 변수에 1을, 그렇지 않으면 0을 부여
- Species 변수의 값이 Setosa이면 Setosa 변수에 1을, 그렇지 않으면 0을 부여
- Species 변수의 값이 Virginica이면 Virginica 변수에 1을, 그렇지 않으면 0을 부여

▲ 원-핫 인코딩 예제

학습 POINT ★

원-핫 인코딩에서 0, 1로 표현한 변수를 벡터라고 합니다. 예제에서 Versicolor 단어를 0과 1로 표현한 [1, 0, 0, 0, 0]이 하나의 벡터가 됩니다. 0, 1과 같이 이산형 값을 가지고 있기 때문에 이산형 벡터라고 합니다.
원-핫 인코딩은 분석하기 편하지만, 저장 공간이 많이 필요로 합니다.
그리고 원-핫 인코딩은 서로 다른 단어에 대한 내적은 무조건 0입니다. 원-핫 인코딩 예제를 기반으로 설명하면 Versicolor의 벡터는 [1, 0, 0, 0, 0]이고, Setosa의 벡터는 [0, 1, 0, 1, 1], Virginica의 벡터는 [0, 0, 1, 0, 0]입니다.
내적은 간단하게 같은 위치에 있는 값끼리 곱하고, 곱한 값을 합한 값이라고 보시면 됩니다. 그러면 첫 번째 값들끼리 곱하면 1×0×0=0, 두 번째 값들끼리 곱하면 0×1×0=0, 세 번째 값들끼리 곱하면 0×0×1=0, 네 번째 값들끼리 곱하면 0×1×0=0, 다섯 번째 값들끼리 곱하면 0×1×0=0이므로 다 합치면 0+0+0+0+0=0이 됩니다.

② 레이블 인코딩(Labeled Encoding)
- 레이블 인코딩은 범주형 변수의 문자열을 수치형으로 변환하는 방식이다.

Species		Species
Versicolor		1
Setosa	→	2
Virginica		3
Setosa		2
Setosa		2

- Species 변수의 값이 Versicolor이면 1, Setosa이면 2를, Virginica이면 3을 부여

▲ 레이블 인코딩 예제

③ 카운트 인코딩(Count Encoding)
- 카운트 인코딩은 각 범주의 개수를 집계한 뒤 그 값을 인코딩하는 방식이다.

Species		Species	Species Count
Versicolor		Versicolor	1
Setosa	→	Setosa	3
Virginica		Virginica	1
Setosa		Setosa	3
Setosa		Setosa	3

- Species 변수에 Versicolor는 1개이므로 Species Count는 1을, Setosa는 3개이므로 Species Count는 3을, Virginica는 1개이므로 Species Count는 1을 부여

▲ 카운트 인코딩 예제

④ 대상 인코딩(Target Encoding)
- 대상 인코딩은 범주형 자료의 값들을 훈련 데이터에서 목표에 해당하는 값으로 바꿔주는 방식이다.
- 대상 인코딩은 원-핫 인코딩의 변수의 값이 많아지는 문제를 해결한다.

Petal.Length	Species		Species
2.0	Versicolor	→	2.0
0.2	Setosa		0.3
1.4	Virginica		1.4
0.4	Setosa		0.3
0.3	Setosa		0.3

- Species 변수가 Versicolor일 때 Petal.Length의 평균값이 2.0이므로 Species 변수의 Versicolor 값이 2.0이 됨
- Species 변수가 Setosa일 때 Petal.Length의 평균값이 0.30이므로 Species 변수의 Setosar 값이 0.30이 됨
- Species 변수가 Virginica일 때 Petal.Length의 평균값이 1.40이므로 Species 변수의 Virginica 값이 1.4가 됨

▲ 대상 인코딩 예제

변수 변환은 가볍게 중요 개념 위주로 보고 가시면 되겠습니다.

4 변수 변환 ★★

(1) 변수 변환(Variable Transformation) 개념

- 변수 변환은 분석을 위해 변수에 대해 변형 작업을 수행하는 과정이다.
- 변수들이 선형관계가 아닌 로그, 제곱, 지수 등의 모습을 보일 때 변수 변환을 통해 선형관계로 만들면 분석하기 쉽다.

(2) 변수 변환 종류

① 박스-콕스 변환(Box-Cox Transformation) 기출

- 박스-콕스 변환은 Box와 Cox에 의해 소개되었으며, 데이터를 정규분포에 가깝게 만들기 위한 목적으로 사용하는 변환 방법이다.
- 선형회귀모형에서 정규성 가정이 성립한다고 보기 어려울 경우에 종속변수를 정규분포에 가깝게 변환시키기 위하여 사용하는 기법이다.
- $\lambda = 0$일 때 로그 변환(Log Transformation)과 $\lambda \neq 0$일 때 멱 변환(Power Transformation)하는 기법이다.

공식	$y = \begin{cases} \dfrac{x^\lambda - 1}{\lambda}, & \lambda \neq 0 \\ \ln(x), & \lambda = 0 \end{cases}$ (단, $x > 0$)
박스-콕스 변환 공식	

- x: 변환 전 데이터
- y: 변환 후 데이터

◉ 박스-콕스 변환 활용

λ값	변환	박스-콕스 공식
$\lambda = 0$	로그 변환	$\ln(x)$
$\lambda = 0.5$	제곱 루트 변환	$\dfrac{x^{0.5} - 1}{0.5} = \dfrac{\sqrt{x} - 1}{0.5}$
$\lambda = 2$	제곱 변환	$\dfrac{x^2 - 1}{2}$

② 비닝(Binning)

- 비닝은 데이터값을 몇 개의 Bin(혹은 Bucket)으로 분할하여 계산하는 방법이다.
- 데이터 평활화에서도 사용되는 기술이며, 기존 데이터를 범주화하기 위해서도 사용한다.

> **잠깐! 알고가기**
>
> 데이터 평활화(Smoothing)
> 데이터로부터 잡음을 제거하기 위해 데이터 추세에 벗어나는 값들을 변환하는 기법이다.

개념 박살내기

데이터값을 정렬하고 결과를 빈(Bin)의 수인 버킷(Bucket)의 수만큼 나눈다. 예를 들어, 가격 데이터를 정렬한 후 각 빈(Bin)이 3개 데이터를 갖도록 나눈다. 나눈 데이터는 근접한 값끼리 정렬하거나 평균으로 대체할 수 있다. 또는 중위수로 대체할 수 있다.

가격으로 정렬 : 4, 8, 15, 21, 21, 24, 25, 28, 34

동일빈도 빈으로 분할	Bin1: 4, 8, 15 Bin2: 21, 21, 24 Bin3: 25, 28, 34
빈 평균으로 평활화(Smooth)	Bin1: 9, 9, 9(4, 8, 15의 평균 → 9) Bin2: 22, 22, 22(21, 21, 24의 평균 → 22) Bin3: 29, 29, 29(25, 28, 34의 평균 → 29)

③ 정규화(Normalization)
- 정규화는 데이터를 특정 구간으로 바꾸는 척도법이다.
- 최소-최대 정규화, Z-점수 정규화 유형이 있다.

㉮ 최소-최대 정규화(Min-Max Normalization) 기출
- 최소-최대 정규화는 모든 변수(Feature)에 대해 최솟값은 0, 최댓값은 1로, 최솟값 및 최댓값을 제외한 다른 값들은 0과 1 사이의 값으로 변환하는 방법이다.
- 최소-최대 정규화는 모든 변수(Feature)의 스케일이 같지만 이상값(Outlier)에 영향을 많이 받는 단점이 있다.

> **학습 POINT ★**
> 예를 들어, 최소-최대 정규화에서 변수의 최솟값이 20이고 최댓값이 40인 경우, 30은 중간이므로 0.5로 변환됩니다.

공식 최소-최대 정규화	$x_n = \dfrac{x - x_{\min}}{x_{\max} - x_{\min}}$

- $x_{\min}$: 최솟값
- $x_{\max}$: 최댓값

㉯ Z-점수 정규화(Z-Score Normalization; 표준화; Standardization) 기출
- Z-점수 정규화는 변수(Feature)의 값이 평균과 일치하면 0으로 정규화되고, 평균보다 작으면 음수, 평균보다 크면 양수로 변환하는 방법이다.
- Z-점수 정규화는 이상값(Outlier)은 잘 처리하지만, 정확히 같은 척도로 정규화된 데이터를 생성하지는 못한다는 단점이 있다.

> **학습 POINT ★**
> Z-점수 정규화는 이상값(Outlier) 문제를 피하는 데이터 정규화 전략입니다.

공식 Z-점수 정규화	$Z = \dfrac{x - \overline{X}}{s}$

- $\overline{X}$: 평균
- s: 표준편차

㉰ 분위수 정규화(Quantile Normalization) 기출
- 분위수 정규화는 여러 집단의 분포를 완전히 동일하게 만드는 방법이다.
- 분위수 정규화는 비교하려는 샘플들의 분포를 완전히 동일하게 만들고 싶을 때 사용한다.
- 분위수 정규화는 고차원의 데이터를 분석할 때 사용된다.
- 분위수 정규화는 집단 간 같은 개수의 데이터를 가져야 한다.

분위수 정규화 예제

두 데이터 세트를 분위수 정규화한다.

1번 데이터 세트	7, 1, 5, 9, 2
2번 데이터 세트	7, 5, 1, 2, 4

① 오름차순으로 정렬

1번, 2번 데이터 세트를 낮은 값에서 높은 값 순으로 정렬한다.

데이터 등수	1번 데이터 세트	2번 데이터 세트
1	1	1
2	2	2
3	5	4
4	7	5
5	9	7

② 같은 등수의 값을 평균

가장 작은 값끼리 평균, 두 번째로 작은 값끼리 평균, …, 가장 큰 값끼리 평균을 계산한다.

데이터 등수	1번 데이터 세트	2번 데이터 세트	평균
1	1	1	$\frac{1+1}{2}=1$
2	2	2	$\frac{2+2}{2}=2$
3	5	4	$\frac{5+4}{2}=4.5$
4	7	5	$\frac{7+5}{2}=6$
5	9	7	$\frac{9+7}{2}=8$

③ 원본 데이터 세트값을 같은 등수의 값의 평균값으로 대체

- 원본 데이터의 값을 등수에 해당하는 평균값으로 대체한다.

항목	원본 데이터	분위수 정규화 데이터
1번 데이터 세트	7, 1, 5, 9, 2	6, 1, 4.5, 8, 2
2번 데이터 세트	7, 5, 1, 2, 4	8, 6, 1, 2, 4.5

- 1번 데이터 세트의 원본 데이터 7은 4등이므로 4등의 평균값인 6으로 대체, 1번 데이터 세트의 원본 데이터 1은 1등이므로 1등의 평균값인 1로 대체한다.
- 2번 데이터 세트의 원본 데이터 5는 4등이므로 4등의 평균값인 6으로 대체한다.

학습 POINT ★

불균형 데이터 처리의 주요 기법들의 설명을 읽고 틀린 내용을 찾을 수 있어야 합니다. 잘 읽어두시길 바랍니다!

학습 POINT ★

불균형 문제를 해결하지 않으면 모델은 다수의 클래스로 예측하려고 하기 때문에 정확도(Accuracy)는 높아지지만, 소수 클래스에 대한 정밀도(Precision)와 재현율(Recall)이 낮아지는 문제가 발생할 수 있습니다.

잠깐! 알고가기

F1 지표(F1 Score)
정밀도(Precision)와 재현율(Recall)을 하나로 합한 성능 평가 지표이다.

학습 POINT ★

정확도, F1 지표, 정밀도, 재현율, AUC 모두 4과목 혼동 행렬 쪽에 나오는 내용입니다. 지금은 F1 지표, 정밀도, 재현율, AUC가 불균형 데이터 성능 지표라고만 기억하시기 바랍니다.

학습 POINT ★

과소 표집(Under Sampling)은 다운 샘플링(Down Sampling)이라고도 부르고, 과대 표집(Over Sampling)은 업 샘플링(Up Sampling)이라고도 합니다.

5 불균형 데이터 처리  ★★★

(1) 불균형 데이터 처리 기법 개념

- 불균형 데이터 처리 기법은 데이터 집합에서 한 클래스의 샘플 수가 다른 클래스에 비해 적을 때 분류 모델의 성능을 향상시키고 정확성을 유지하기 위한 기법이다.

> **개념 박살내기**
>
> 🔗 **불균형 데이터 처리**
> - 불균형한 데이터는 성능 평가를 위해 혼동 행렬의 정밀도(Precision), 재현율(Recall), F1 지표, AUC(Area Under the ROC Curve; AUROC)를 활용한다.
>
> > 예) 건물에서 화재가 발생할 확률은 1% 이하이다. 이와 같이 불균형 데이터에서는 정확도(Accuracy)가 높아도 재현율(Recall)이 급격히 작아지는 현상이 발생한다. 100개의 데이터 중 1개가 화재이면, 모두 정상으로 예측해도 정확도가 99%이다.

(2) 불균형 데이터 처리 기법 종류

불균형 데이터 처리 기법으로는 과대 표집, 과소 표집, 임곗값 이동(Cut-Off Value Moving), 비용 민감 학습(Cost Sensitive Learning), 앙상블(Ensemble) 기법이 있다.

① 과소 표집(Under-Sampling) 기출

- 과소 표집은 다수 클래스의 데이터를 일부만 선택하여 데이터의 비율을 맞추는 방법이다.
- 과소 표집의 경우 데이터의 소실이 매우 크고, 때로는 중요한 정상 데이터를 잃을 수 있다.
- 과소 표집의 대표적인 기법에는 랜덤 과소 표집, ENN, 토멕링크 방법, CNN, OSS 등이 있다.

◎ 과소 표집 기법

기법	설명
랜덤 과소 표집 (Random Under-Sampling)	• 무작위로 다수 클래스 데이터의 일부만 선택하는 방법
ENN (Edited Nearest Neighbor)	• 소수 클래스 주위에 인접한 다수 클래스 데이터를 제거하여 데이터의 비율을 맞추는 방법
토멕 링크 방법 (Tomek Link Method)	• 토멕 링크(Tomek Link)는 클래스를 구분하는 경계선 가까이에 존재하는 데이터 • 다수 클래스에 속한 토멕 링크를 제거하는 방법
CNN (Condensed Nearest Neighbor)	• 다수 클래스에 밀집된 데이터가 없을 때까지 데이터를 제거하여 데이터 분포에서 대표적인 데이터만 남도록 하는 방법
OSS (One Sided Selection)	• 토멕 링크 방법과 CNN 기법의 장점을 섞은 방법 • 다수 클래스의 데이터를 토멕 링크 방법으로 제거한 후 CNN을 이용하여 밀집된 데이터 제거

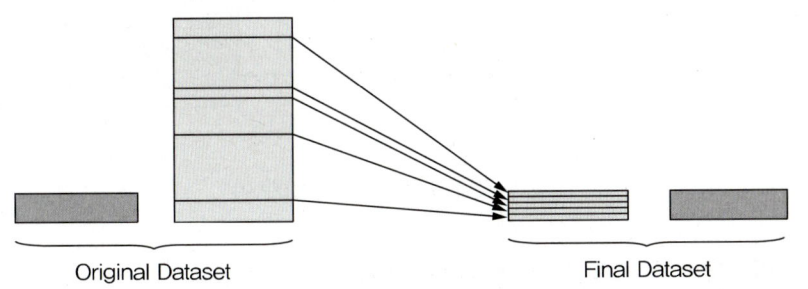

▲ 과소 표집(Under-Sampling)

② **과대 표집(Over-Sampling)**

- 과대 표집은 소수 클래스의 데이터를 복제 또는 생성하여 데이터의 비율을 맞추는 방법이다.
- 정보가 손실되지 않는다는 장점이 있으나 과적합(Over-fitting)을 초래할 수 있다.
- 알고리즘의 성능은 높으나 검증의 성능은 나빠질 수 있다.
- 과대 표집의 대표적인 기법에는 랜덤 과대 표집, SMOTE, Borderline-SMOTE, ADASYN 등이 있다.

> **학습 POINT ★**
>
> 과소 표집, 과대 표집, 임곗값 이동 모두 출제되었습니다. 그만큼 중요도가 높은 부분이니 집중해서 학습하시길 권장합니다!

◎ 과대 표집 기법

기법	설명
랜덤 과대 표집 (Random Over-Sampling)	• 무작위로 소수 클래스 데이터를 복제하여 데이터의 비율을 맞추는 방법
SMOTE(Synthetic Minority Over-sampling TEchnique)	• 소수 클래스에서 중심이 되는 데이터와 주변 데이터 사이에 가상의 직선을 만든 후, 그 위에 데이터를 추가하는 방법
Borderline-SMOTE	• 다수 클래스와 소수 클래스의 경계선에서 SMOTE를 적용하는 방법
ADASYN(ADAptive SYNthetic)	• 모든 소수 클래스에서 다수 클래스의 관측비율을 계산하여 SMOTE를 적용하는 방법

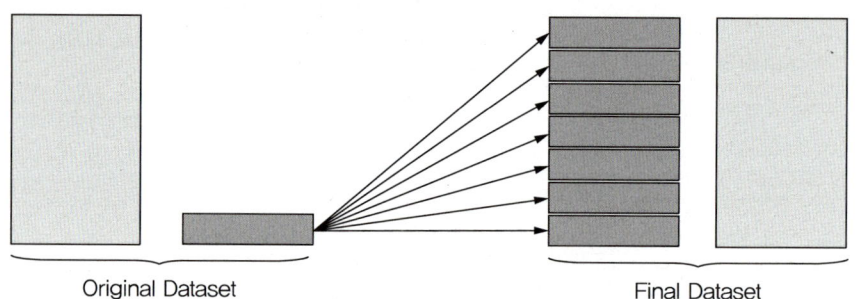

▲ 과대 표집(Over-Sampling)

③ 임곗값 이동(Cut-Off Value Moving) 기출

- 임곗값 이동은 임곗값을 데이터가 많은 쪽으로 이동시키는 방법이다.
- 학습 단계에서는 변화 없이 학습하고 테스트 단계에서 임곗값을 이동한다.

> 예 • 수학 점수가 80점 이상이면 우수, 80점 미만이면 미흡일 때, 우수는 5명, 미흡이 95명이라고 했을 때 80점이 현재의 임계치이다.
> • 미흡이 샘플 수가 많으므로 미흡에 가깝도록 임계치인 수학 점수를 낮춰 우수와 미흡의 비율을 맞춘다.

> 예 양성 90개, 음성 10개의 데이터 세트 샘플이 있다.
>
> | 과소 표집 | 양성 클래스의 샘플을 10개로 만들기 |
> | --- | --- |
> | 과대 표집 | 음성 클래스의 샘플을 90개로 만들기 |
> | 임곗값 이동 | 분류 시행할 때 사용되는 임곗값을 양성과 음성의 비율로 조정 |

④ 비용 민감 학습(Cost Sensitive Learning)
- 비용 민감 학습은 소수 클래스에 높은 가중치를 부여하는 방법이다.
- 비용 민감 학습은 과소 표집처럼 데이터를 일부만 선택하거나, 과대 표집처럼 데이터를 생성하지 않는다.

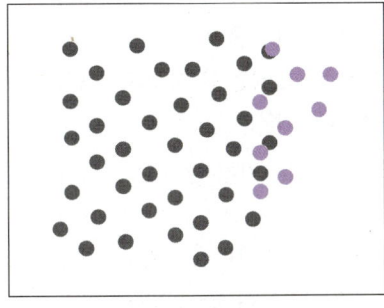
▲ 일반 학습

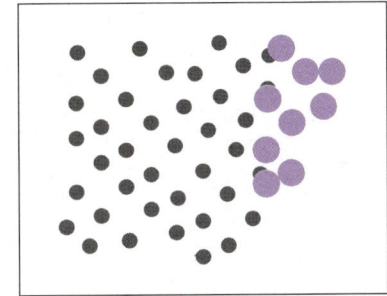
▲ 비용 민감 학습

> **학습 POINT ★**
> 비용 민감 학습에서 가중치 조정(Weight Balancing)을 통해 불균형한 클래스에 높은 가중치를 부여하여 학습에 반영할 수도 있습니다.

⑤ 앙상블 기법(Ensemble Technique)
- 앙상블은 같거나 서로 다른 여러 가지 모형들의 예측/분류 결과를 종합하여 최종적인 의사 결정에 활용하는 기법이다.
- 앙상블 알고리즘은 여러 개의 학습 모델을 훈련하고 투표 및 평균을 통해 최적화된 예측을 수행하고 결정한다.
- 주어진 자료로부터 여러 개의 예측 모형을 만든 후 예측 모형들을 조합하여 하나의 최종 예측 모형을 만드는 방법으로 다중 모델 조합(Combining Multiple Models), 분류기 조합(Classifier Combination)이 있다.
- 과소 표집, 과대 표집, 임곗값 이동을 조합하여 앙상블을 만들 수 있다.

지피지기 기출문제

01 모든 변수가 포함된 모형에서 시작하여 영향력이 가장 작은 변수를 하나씩 삭제하는 변수 선택 기법은 다음 중 무엇인가?

① 후진 소거법 ② 전진 선택법
③ 단계적 방법 ④ 필터 기법

> **해설**
>
> | 전진 선택법 | 영향력이 가장 큰 변수를 하나씩 추가하는 변수 선택 기법 |
> |---|---|
> | 후진 소거법 | 모든 변수가 포함된 모형에서 시작하여 영향력이 가장 작은 변수를 하나씩 삭제하는 변수 선택 기법 |
> | 단계적 방법 | 후진 소거법과 전진 선택법의 절충적인 형태의 기법 |

02 다음 중 머신 러닝에서 훈련 데이터의 클래스가 불균형한 문제를 처리하는 방법에 대한 설명으로 가장 옳지 않은 것은 무엇인가?

① 과소 표집(Under-Sampling)은 많은 클래스의 데이터 일부만 선택하는 기법으로 정보가 유실되는 단점이 있다.
② 과대 표집(Over-Sampling)은 소수 데이터를 복제해서 많은 클래스의 양만큼 증가시키는 기법이다.
③ 불균형 문제를 처리하지 않으면 정확도(Accuracy)는 낮아지고 작은 클래스의 재현율(Recall)은 높아진다.
④ 클래스가 불균형한 훈련 데이터를 그대로 이용할 경우 과대 적합 문제가 발생할 수 있다.

> **해설** 불균형 문제를 처리하지 않으면 모델은 가중치가 더 높은 클래스를 더 예측하려고 하므로 정확도(Accuracy)는 높아질 수 있지만, 분포가 작은 클래스의 재현율(Recall)은 낮아지는 문제가 발생할 수 있다.

03 스케일링에 대한 설명으로 옳지 않은 것은?

① 범주형에 대해 정규화를 수행할 수 있다.
② 최소-최대 정규화는 -1과 1 사이의 값을 가진다.
③ 평균이 0, 분산이 1인 Z-점수 정규화를 수행한다.
④ 편향된 데이터에 대해 스케일링할 수 있다.

> **해설** 최소-최대 정규화는 변수의 값 범위를 모두 일정한 수준으로 맞춰주기 위해 모든 값을 0과 1 사이의 값으로 변환한다.

04 불균형 데이터 세트(Imbalanced Dataset)로 이진 분류 모형을 생성 시 불균형을 해소하기 위한 방법으로 옳지 않은 것은 무엇인가?

① 다수 클래스의 데이터를 일부만 선택하여 데이터의 비율을 맞춘다.
② 임곗값을 데이터가 적은 쪽으로 이동시킨다.
③ 서로 다른 여러 가지 모형들의 예측 결과를 종합한다.
④ 소수 클래스의 데이터를 복제 또는 생성하여 데이터의 비율을 맞춘다.

> **해설** 임곗값 이동(Cut-Off Value Moving)은 임곗값을 데이터가 많은 쪽으로 이동시키는 방법이다.

05 다음 중 과소 표집(Under-Sampling)에 대한 설명으로 가장 옳지 않은 것은?

① 정보가 손실되지 않는다는 장점이 있으나 과적합(Over-Fitting)을 초래할 수 있다.
② 과소 표집의 경우 데이터의 소실이 매우 크고, 때로는 중요한 정상 데이터를 잃을 수 있다.
③ 과소 표집의 대표적인 기법에는 랜덤 과소 표집, ENN, 토멕 링크 방법, CNN, OSS 등이 있다.
④ 과소 표집은 다수 클래스의 데이터를 일부만 선택하여 데이터의 비율을 맞추는 방법이다.

> **해설** 정보가 손실되지 않는다는 장점이 있으나, 과적합(Over-Fitting)을 초래할 수 있는 것은 과대 표집(Over-Sampling)에 대한 설명이다.

06 다음 중 불균형 데이터 처리 중 과소 표집(Under-Sampling)에 대한 설명으로 올바르지 않은 것은?

① 과소 표집(Under-Sampling)은 다수 클래스의 데이터를 일부만 선택하여 데이터의 비율을 맞추는 방법이다.
② 토멕 링크 방법(Tomek Link Method)은 다수 클래스에 속한 토멕 링크를 제거하는 방법이다.
③ CNN(Condensed Nearest Neighbor)은 소수 클래스에서 중심이 되는 데이터와 주변 데이터 사이에 가상의 직선을 만든 후, 그 위에 데이터를 추가하는 방법이다.
④ ENN(Edited Nearest Neighbor)은 소수 클래스 주위에 인접한 다수 클래스 데이터를 제거하여 데이터의 비율을 맞추는 방법이다.

해설 과소 표집 기법은 다음과 같다.

랜덤 과소 표집 (Random Under-Sampling)	• 무작위로 다수 클래스 데이터의 일부만 선택하는 방법
ENN (Edited Nearest Neighbor)	• 소수 클래스 주위에 인접한 다수 클래스 데이터를 제거하여 데이터의 비율을 맞추는 방법
토멕 링크 방법 (Tomek Link Method)	• 토멕 링크(Tomek Link)는 클래스를 구분하는 경계선 가까이에 존재하는 데이터 • 다수 클래스에 속한 토멕 링크를 제거하는 방법
CNN (Condensed Nearest Neighbor)	• 다수 클래스에 밀집된 데이터가 없을 때까지 데이터를 제거하여 데이터 분포에서 대표적인 데이터만 남도록 하는 방법
OSS (One Sided Selection)	• 토멕 링크 방법과 Condensed Nearest Neighbor 기법의 장점을 섞은 방법 • 다수 클래스의 데이터를 토멕 링크 방법으로 제거한 후 Condensed Nearest Neighbor를 이용하여 밀집된 데이터 제거

07 각 클래스의 데이터에 불균형이 발생한 경우 학습 단계에서의 처리 방법으로 가장 옳지 않은 것은?

① 과소 표집(Under-Sampling)
② 과대 표집(Over-Sampling)
③ 임곗값 이동(Cut-Off Value Moving)
④ 가중치(Weight) 적용

해설 임곗값 이동(Cut-Off Value Moving)은 데이터가 많은 클래스로 임곗값을 이동시키는 방법으로서 학습 단계에서는 그대로 학습하고 테스트 단계에서 임곗값을 이동한다.

08 정확한 데이터 분석을 위해서는 불균형 데이터를 처리하는 것이 필요하다. 다음 중 불균형 데이터 처리에 대한 설명 중 올바르지 않은 것은?

① 불균형 데이터 처리 방법 중 과소 표집(Undersampling)은 데이터양을 감소시켜서 불균형 데이터를 처리하는 방법이고, 과대 표집(Oversampling)은 데이터양을 증가시켜서 불균형 데이터를 처리하는 방법이다.
② 앙상블 기법(Ensemble Technique)은 같거나 서로 다른 여러 가지 모형들의 예측/분류 결과를 종합하여 최종적인 의사 결정에 활용하는 기법이다.
③ SMOTE(Synthetic Minority Over-sampling TEchnique)는 소수 클래스에서 중심이 되는 데이터와 주변 데이터 사이에 가상의 직선을 만든 후, 그 위에 데이터를 추가하는 방법이다.
④ 임곗값 이동(Cut-Off Value Moving)은 임곗값을 데이터가 많은 쪽으로 이동시키는 방법으로 학습 단계에서부터 임곗값을 이동한다.

해설 임곗값 이동(Cut-Off Value Moving)은 임곗값을 데이터가 많은 쪽으로 이동시키는 방법으로서 학습 단계에서는 변화 없이 학습하고 테스트 단계에서 임곗값을 이동한다.

지피지기 기출문제

09 불균형 데이터에 대한 설명으로 옳지 않은 것은?
① 데이터가 적으면 민감도는 낮아진다.
② 불균형 데이터에서는 정확도(Accuracy)가 낮아지는 경향이 있다.
③ 과소 표집은 무작위로 정상 데이터의 일부만 선택하는 방법으로 유의미한 데이터만을 남기는 방식으로 데이터의 소실이 매우 크고, 때로는 중요한 정상 데이터를 잃게 될 수 있다.
④ 과대 표집으로 데이터를 복제하면 일반화 오류가 발생한다.

> **해설** 불균형 데이터에서는 정확도(Accuracy)는 높지만 분포가 작은 데이터에 대하여 정밀도(Precision)와 재현율(=민감도)이 낮아지는 문제가 발생할 수 있다.

10 Box-Cox 변환에 대한 설명으로 옳지 않은 것은?
① 변수변환이 가능하다.
② 로그변환을 포함한다.
③ 파생변수를 생성한다.
④ 데이터를 정규분포에 가깝게 만들기 위한 목적으로 사용한다.

> **해설**
> • 박스-콕스 변환은 Box와 Cox에 의해 소개되었으며, 데이터를 정규분포에 가깝게 만들기 위한 목적으로 사용하는 변환 방법이다.
> • $\lambda = 0$일 때 로그 변환(Log Transformation)과 $\lambda \neq 0$일 때 멱 변환(Power Transformation)을 둘 다 포함하는 변환 기법이다.

11 차원 축소에 대한 설명으로 옳지 않은 것은?
① 차원 축소의 방법에는 변수 선택과 변수 추출이 있다.
② 여러 변수의 정보를 최대한 유지하기 위해 데이터 세트 변수의 개수를 유지한다.
③ 차원 축소 후 학습할 경우, 회귀나 분류, 클러스터링 등의 머신러닝 알고리즘이 더 잘 작동된다.
④ 새로운 저차원 변수 공간에서 시각화하기 쉽다.

> **해설** 차원 축소는 분석 대상이 되는 여러 변수의 정보를 최대한 유지하면서 데이터 세트 변수의 개수를 줄이는 탐색적 분석기법이다.

정보 유지	• 차원 축소를 수행할 때, 축약되는 변수 세트는 원래의 전체 데이터의 변수들의 정보를 최대한 유지 • 변수들 사이에 내재한 특성이나 관계를 분석하여 이들을 잘 표현할 수 있는 새로운 선형 혹은 비선형 결합을 만들어내서 해당 결합 변수만으로도 전체 변수를 적절히 설명할 수 있어야 함
모델 학습의 용이	• 고차원 변수(Feature)보다 변환된 저차원으로 학습할 경우, 회귀나 분류, 클러스터링 등의 머신러닝 알고리즘이 더 잘 작동
결과 해석의 용이	• 새로운 저차원 변수(Feature) 공간에서 시각화하기도 쉬움

12 표준화에 대한 설명으로 옳은 것은?
① 표준화는 입력값에서 평균을 뺀 값에 분산을 나눠 계산한다.
② 정규분포를 표준화하면 표준정규분포가 된다.
③ 표준화의 최댓값은 1이다.
④ 표준화의 표준편차는 0이다.

> **해설**
> • 표준화는 입력값에서 평균을 뺀 값에 표준편차를 나눠 계산한다.
> • 최소-최대 정규화의 최댓값이 1이다.
> • 표준화의 평균은 0, 표준편차는 1이다.

13 다음 중 아래에서 설명하고 있는 데이터 변환 기법은 무엇인가?

- Feature의 값이 평균과 일치하면 0으로 정규화되고, 평균보다 작으면 음수, 평균보다 크면 양수로 변환하는 방법
- 이상값(Outlier) 문제를 피하는 데이터 정규화로 이상값은 잘 처리하지만, 정확히 같은 척도로 정규화된 데이터를 생성하지는 못한다는 단점이 있음

① 행렬 변환(Matrix Transformation)
② 지수 변환(Exponential Transformation)
③ 최소-최대 정규화(Min-Max Normalization)
④ Z-점수 정규화(Z-Score Normalization)

> **해설**
> - Z-점수 정규화는 Feature의 값이 평균과 일치하면 0으로 정규화되고, 평균보다 작으면 음수, 평균보다 크면 양수로 변환하는 방법이다.
> - Z-점수 정규화는 이상값(Outlier) 문제를 피하는 데이터 정규화로 이상값은 잘 처리하지만, 정확히 같은 척도로 정규화된 데이터를 생성하지는 못한다는 단점이 있다.

14 인코딩에 대한 설명으로 옳지 않은 것은?

① One-Hot Encoding은 표현하고 싶은 단어의 인덱스에 1의 값을 부여하고, 다른 인덱스에는 0을 부여하는 방식이다.
② Labeled Encoding은 수치형의 값을 범주형 변수의 문자열로 변환하는 방식이다.
③ Count Encoding은 범주에서 데이터의 등장 횟수를 그 범주의 수치 부분에 할당하는 방식이다.
④ Target Encoding은 범주형 자료의 값들을 훈련 데이터에서 목표에 해당하는 변수로 바꿔주는 방식이다.

> **해설**
>
> | 원-핫 인코딩 (One-Hot Encoding) | 표현하고 싶은 단어의 인덱스에 1의 값을 부여하고, 다른 인덱스에는 0을 부여하는 방식 |
> |---|---|
> | 레이블 인코딩 (Labeled Encoding) | 범주형 변수의 문자열을 수치형으로 변환하는 방식 |
> | 카운트 인코딩 (Count Encoding) | 각 범주의 개수를 집계한 뒤 그 값을 인코딩하는 방식 |
> | 대상 인코딩 (Target Encoding) | 범주형 자료의 값들을 훈련 데이터에서 목표에 해당하는 값으로 바꿔주는 방식 |

15 정규화에 대한 설명으로 옳지 않은 것은?

① 최소-최대 정규화는 0과 1 사이의 값을 가진다.
② Z-스코어 정규화의 공식은 $Z = \dfrac{X - 평균}{표준편차}$ 이다.
③ Quantile 정규화는 비교하려는 샘플들의 분포를 완전히 동일하게 만들고 싶을 때 사용한다.
④ 최소-최대 정규화는 이상값에 영향을 적게 받는다.

> **해설** 최소-최대 정규화는 이상값에 영향을 많이 받기 때문에 Z-점수 정규화를 사용한다.
>
> | 최소-최대 정규화 | 모든 변수(Feature)에 대해 최솟값은 0, 최댓값은 1로, 최솟값 및 최댓값을 제외한 다른 값들은 0과 1 사이의 값으로 변환하는 방법 |
> |---|---|
> | Z-점수 정규화 | 변수(Feature)의 값이 평균과 일치하면 0으로 정규화되고, 평균보다 작으면 음수, 평균보다 크면 양수로 변환하는 방법 |
> | 분위수 정규화 | 여러 집단의 분포를 완전히 동일하게 만드는 방법 |

지피지기 기출문제

16 불균형 데이터에 대한 척도에 해당하지 않는 것은?
① 정밀도(Precision)
② 재현율(Recall)
③ 오보율(False Alarm Rate)
④ 곡선 아래 면적(AUC; Area Under the Curve)

> **해설** 불균형한 데이터는 성능 평가를 위해 혼동 행렬의 정밀도(Precision), 재현율(Recall), F1 지표, AUC(Area Under the ROC Curve; AUROC)를 활용한다.

17 다음과 같은 데이터가 있을 때 전처리 과정에서 수행할 것은 무엇인가?

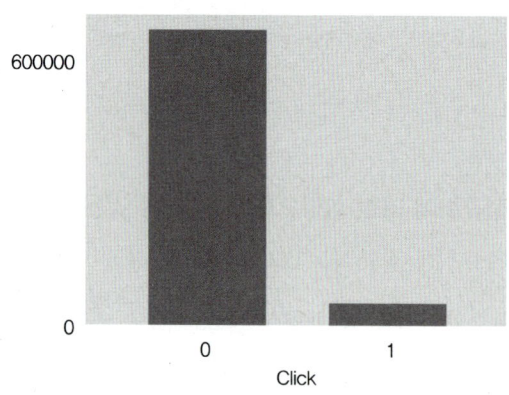

① 데이터 정제
② 결측값 제거
③ 초매개변수 최적화
④ 클래스 불균형 처리

> **해설**
> • 탐색하는 타깃 데이터의 수가 매우 극소수인 경우에 불균형 데이터 처리를 한다.
> • 클래스가 불균형한 훈련 데이터를 그대로 이용할 경우 과대 적합 문제가 발생할 수 있다.
> • 불균형 데이터 처리 기법으로는 과대 표집, 과소 표집, 임곗값 이동(Cut-Off Value Moving), 비용 민감 학습(Cost Sensitive Learning), 앙상블(Ensemble) 기법이 있다.

18 불균형 데이터 처리 방법으로 옳지 않은 것은?
① 언더 샘플링
② 경곗값 이동
③ 비용 민감 학습
④ 정규화

> **해설** 정규화는 데이터를 특정 구간으로 바꾸는 척도법으로 변수 변환에 해당한다.
>
> | | |
> |---|---|
> | 언더 샘플링 | 다수 클래스의 데이터를 일부만 선택하여 데이터의 비율을 맞추는 방법 |
> | 경곗값 이동 | 임곗값을 데이터가 많은 쪽으로 이동시키는 방법 |
> | 비용 민감 학습 | 소수 클래스에 높은 가중치를 부여하는 방법 |

19 다음 중 예측 모델에서 예측 변수를 선택하는 방법에 대한 설명으로 올바른 것은 무엇인가?
① 예측 변수를 모두 사용하여 모델을 학습시키는 것이 가장 좋다.
② 정규화를 통해서 예측 변수를 선택할 수 있다.
③ 변수 일부만을 모델링에 사용하고 그 결과를 확인하는 작업을 반복하면서 변수를 선택해 나가는 기법은 필터 기법이다.
④ 예측 변수를 선택하는 것은 모델의 종류와 데이터에 따라 다르며, 최적의 변수를 선택하기 위해 교차 검증 등의 방법을 사용해야 한다.

> **해설**
> • 예측 변수를 모두 사용할 경우 과대 적합(Overfitting)의 위험이 있고, 상관관계가 높은 예측 변수를 제거할 경우에는 정보 손실 문제가 발생할 수 있다.
> • 변수의 일부만을 모델링에 사용하고 그 결과를 확인하는 작업을 반복하면서 변수를 선택해 나가는 기법은 래퍼(Wrapper) 기법이다.

20 변수 선택에 대한 설명으로 옳지 않은 것은?

① 분산에 따른 변수 선택은 분산이 기준치보다 높은 변수를 제거하는 방법이다.
② 단일 변수 선택은 각각의 변수를 하나만 사용했을 때의 예측 모델의 성능을 평가하여, 정확도, 상관관계 등이 좋은 변수를 선택하는 방법이다.
③ 모델 기반 변수 선택은 변수들을 모델에 학습시킨 뒤, 특성 중요도가 기준치보다 높은 변수를 선택하는 방법이다.
④ 반복적 특성 선택은 변수들의 모든 조합을 시도해 보고 가장 좋은 변수 조합을 찾는 방법이다.

해설

분산에 따른 변수 선택	• 분산이 기준치보다 낮은 변수를 제거하는 방법 (예) 남학교에서 성별 변수는 모두 남자이므로 분산이 0이 되어 변수를 제거
단일 변수 선택	• 각각의 변수를 하나만 사용했을 때의 예측 모델의 성능을 평가하여, 정확도, 상관관계 등이 좋은 변수를 선택하는 방법 (예) 몸무게(y)를 예측하기 위한 특성(x)에 키, 나이, 성별이 있다면 키-몸무게, 나이-몸무게, 성별-몸무게를 어떤 특정지표(정확도, 카이제곱값 등)로써 평가하여 가장 좋은 특성을 선별
모델 기반 변수 선택	• 변수들을 모델에 학습시킨 뒤, 특성 중요도가 기준치보다 높은 변수를 선택하는 방법
반복적 특성 선택	• 변수들의 모든 조합을 시도해보고 가장 좋은 변수 조합을 찾는 방법

21 차원 축소에 대한 설명으로 옳은 것은?

가. 저장 변수가 증가한다.
나. 저차원에 대해 모델이 안정적일수록 차원 축소가 더 효율적이다.
다. 과적합 발생 확률이 높다.
라. 차원이 적어지면 모델의 이해도가 높아진다.

① 가, 나　　② 가, 라
③ 나, 다　　④ 나, 라

해설
• 차원 축소의 대표적인 목적 중 하나가 변수의 개수를 줄이는 것이기 때문에 일반적으로 차원 축소를 하면 저장 변수가 감소한다.
• 차원 축소를 하면 변수 간의 상관관계를 줄여서 과적합 발생 확률을 낮출 수 있다.

22 다음 중 특잇값 분해(Singular Value Decomposition)에 대한 설명으로 옳지 않은 것은?

① 3개의 행렬의 곱으로 분해한다.
② 특잇값을 추출하고 이를 통해 주어진 데이터 세트를 효과적으로 축약할 수 있다.
③ 분해된 행렬 중에 대각 행렬이 존재한다.
④ 특잇값 분해를 위해서는 정방향 행렬을 사용해야 한다.

해설
• 특잇값 분해는 $M \times N$ 차원의 행렬 데이터에서 특잇값을 추출하고 이를 통해 주어진 데이터 세트를 효과적으로 축약할 수 있는 기법이다.

특잇값 분해 공식	
$U\Sigma V^*$	• U: $M \times M$ 크기를 가지는 행렬 • Σ: $M \times N$ 크기를 가지며, 대각선상에 있는 원소의 값은 음수가 아니며 나머지 원소의 값이 모두 0인 대각 행렬 • V^*: $N \times N$ 행렬

• 정방향 행렬은 행의 개수와 열의 개수가 같은 행렬인데, 특잇값 분해는 행의 개수와 열의 개수가 달라도($M \times N$) 가능하다.

지피지기 기출문제

23 파생 변수로 옳지 않은 것은?
① 날짜 데이터를 통해 계절을 계산한다.
② 매출 레코드를 통해 연간 총계를 생성한다.
③ 결측값이 발생한 센서 데이터는 주변에 있는 결측값으로 대체한다.
④ 멤버십 가입 일자를 통해 기간을 생성한다.

> **해설**
> • 파생 변수는 기존 변수를 기반으로 새로운 변수를 만드는 것을 의미한다.
> • 결측값을 다른 값으로 대체하는 것은 결측값을 다루는 방식으로 파생 변수 생성과는 직접적으로 관련이 없다.

24 다음 중 파생 변수로 옳지 않은 것은?
① 데이터의 단위를 변환한다.
② 컬럼 간 데이터를 더한다.
③ 컬럼 간 데이터를 나눈다.
④ 기존 컬럼의 값을 무작위로 재배열하여 새로운 컬럼을 만든다.

> **해설**
> • 파생 변수는 기존 변수의 데이터를 활용하여 새로운 값을 생성하는 변수이다.
> • 데이터의 단위를 변환하는 것은 파생변수 생성 방법 중 단위 변환, 컬럼 간 데이터를 더하거나 나눈 것은 파생변수 생성 방법 중 변수 결합이다.

25 원-핫 인코딩에 대한 설명으로 옳지 않은 것은?
① 텍스트 단어에 대해서 벡터를 생성할 수 있다.
② 서로 다른 단어에 대한 내적은 0이다.
③ 저장 공간이 효율적이다.
④ 원-핫 인코딩은 이산형 벡터이다.

> **해설**
> • 원-핫 인코딩은 표현하고 싶은 단어의 인덱스에 1의 값을 부여하고, 다른 인덱스에는 0을 부여하는 방식이다.
> • 벡터의 크기는 전체 단어나 카테고리의 개수와 동일하며, 하나의 단어나 카테고리에 대한 벡터는 해당 인덱스만 1이고 나머지는 모두 0으로 채워지므로 저장 공간 효율은 낮다.

26 다음 데이터의 인코딩 방법은 무엇인가?

차수	값
1차	1
2차	2
3차	1

↓

차수	1
1차	1
2차	0
3차	1

차수	2
1차	0
2차	1
3차	0

① 레이블 인코딩(Label Encoding)
② 원-핫 인코딩(One-Hot Encoding)
③ 카운트 인코딩(Count Encoding)
④ 대상 인코딩(Target Encoding)

> **해설**
>
> | 레이블 인코딩 (Labeled Encoding) | 범주형 변수의 문자열을 수치형으로 변환하는 방식 |
> |---|---|
> | 원-핫 인코딩 (One-Hot Encoding) | 표현하고 싶은 단어의 인덱스에 1의 값을 부여하고, 다른 인덱스에는 0을 부여하는 방식 |
> | 카운트 인코딩 (Count Encoding) | 각 범주의 개수를 집계한 뒤 그 값을 인코딩하는 방식 |
> | 대상 인코딩 (Target Encoding) | 범주형 자료의 값들을 훈련 데이터에서 목표에 해당하는 값으로 바꿔주는 방식 |

27 최소-최대 정규화를 수행했을 때 총합은 얼마인가?

> 60, 70, 80

① 1.0
② 1.5
③ 2.0
④ 3.0

해설

$$x_n = \frac{x - x_{\min}}{x_{\max} - x_{\min}}$$

$x_{\max} = 80$, $x_{\min} = 60$이므로 $x_n = \frac{x - 60}{80 - 60}$

$x = 60$이면 $x_1 = \frac{60 - 60}{80 - 60} = 0$이고,

$x = 70$이면 $x_2 = \frac{70 - 60}{80 - 60} = 0.5$이고,

$x = 80$이면 $x_n = \frac{80 - 60}{80 - 60} = 1$이므로

$0 + 0.5 + 1 = 1.5$이다.

28 평균은 10이고, 표준 편차는 60인 분포에서 X가 70인 Z-분포 값은 얼마인가?

① 0
② 1
③ 3
④ 6

해설 평균은 10($\mu = 10$), 표준 편차는 60($\sigma = 60$), X가 70($X = 70$)일 때 Z-분포는 다음과 같이 계산한다.

$$Z = \frac{X - \mu}{\sigma} = \frac{70 - 10}{60} = 1$$

29 불균형 데이터에 대한 설명으로 옳지 않은 것은?

① 불균형 데이터로 인해 성능 저하가 발생한다.
② Weight Balancing을 통해 데이터 불균형 문제를 해결할 수 없다.
③ 언더 샘플링과 오버 샘플링을 통해 해결할 수 있다.
④ 클래스 개수가 무관하다.

해설
- 비용 민감 학습에서 가중치 조정(Weight Balancing)을 통해 불균형한 클래스에 높은 가중치를 부여하여 학습에 반영할 수도 있다.
- 불균형 데이터의 클래스는 2개일 수도 있고, 여러 개일 수도 있다.

30 다음 중 불균형 데이터 처리 기법으로 옳지 않은 것은?

① 가중치 조절(Weight Balancing)
② 과소 표집(Under Sampling)
③ 과대 표집(Over Sampling)
④ 군집화(Clustering)

해설 불균형 데이터 처리 기법으로는 과대 표집, 과소 표집, 임곗값 이동, 비용 민감 학습(가중치 조정 이용), 앙상블 기법이 있다.

비용 민감 학습 (Cost Sensitive Learning)	가중치 조정(Weight Balancing)을 통해 불균형한 클래스에 높은 가중치를 부여
과소 표집 (Under-Sampling)	다수 클래스의 데이터를 일부만 선택하여 데이터의 비율을 맞추는 방법
과대 표집 (Over-Sampling)	소수 클래스의 데이터를 복제 또는 생성하여 데이터의 비율을 맞추는 방법

정답 01 ① 02 ③ 03 ② 04 ② 05 ① 06 ③ 07 ② 08 ④ 09 ② 10 ③ 11 ② 12 ③ 13 ④ 14 ② 15 ④ 16 ② 17 ④ 18 ④ 19 ④ 20 ① 21 ④ 22 ④ 23 ③ 24 ④ 25 ③ 26 ② 27 ② 28 ② 29 ② 30 ④

천기누설 예상문제

01 아래의 정의가 가리키는 변수 선택 기법으로 가장 적절한 것은?

> 데이터의 통계적 특성으로부터 변수를 선택하는 방법으로 계산속도가 빠르고 변수(Feature) 간 상관관계를 알아내는 데 적합한 방법이다.

① 필터 기법　　② 래퍼 기법
③ 로그 기법　　④ 임베디드 기법

해설 데이터의 통계적 특성으로부터 변수를 선택하는 방법은 필터 기법(Filter Method)이다.

02 다음 중 임베디드 기법(Embedded Method)으로 가장 적절하지 않은 것은?

① LASSO
② Ridge
③ Information Gain
④ Elastic Net

해설 정보 이득(Information Gain)은 필터 기법(Filter Method)에 속한다.

03 아래의 변수 선택 기법 중 필터 기법(Filter Method)으로 가장 적절하지 않은 것은?

① 정보 이득(Information Gain)
② 카이제곱 검정(Chi-Squared Test)
③ 피셔 스코어(Fisher Score)
④ 라쏘(LASSO)

해설 라쏘(LASSO) 기법은 임베디드 기법(Embedded Method)에 속한다.

04 다음 중 주성분 분석에 대한 설명으로 가장 부적절한 것은 무엇인가?

① 상관관계가 있는 고차원 자료를 자료의 변동을 최대한 보존하는 저차원 자료로 변환하는 차원축소 방법이다.
② 변수들의 공분산 행렬이나 상관행렬을 이용한다.
③ 행의 수와 열의 수가 같은 정방행렬에서만 사용한다.
④ 다변량의 신호를 통계적으로 독립적인 하부 성분으로 분리하여 차원을 축소하는 기법이다.

해설 다변량의 신호를 통계적으로 독립적인 하부 성분으로 분리하여 차원을 축소하는 기법은 독립 성분 분석이다.

05 다음 설명에 해당하는 차원축소기법으로 가장 적절한 것은?

> 개체들 사이의 유사성, 비유사성을 측정하여 2차원 또는 3차원 공간상에 점으로 표현하여 개체들 사이의 집단화를 시각적으로 표현하는 분석 방법

① 다차원 척도법(MDS)
② 특잇값 분해(SVD)
③ 독립 성분 분석(ICA)
④ 주성분 분석(PCA)

해설 다차원 척도법(MDS; Multi-Dimensional Scaling)은 개체들 사이의 유사성, 비유사성을 측정하여 2차원 또는 3차원 공간상에 점으로 표현하여 개체들 사이의 집단화를 시각적으로 표현하는 분석 방법이다.

06 아래의 설명에 해당하는 차원축소기법으로 가장 적절한 것은?

> 데이터 안에 관찰할 수 없는 잠재적인 변수(Latent Variable)가 존재한다고 가정한다. 모형을 세운 뒤 관찰 가능한 데이터를 이용하여 해당 요인을 도출하고 데이터 안의 구조를 해석하는 기법이다.

① 주성분 분석(PCA)
② 특잇값 분해(SVD)
③ 독립 성분 분석(ICA)
④ 요인 분석(Factor Analysis)

해설 모형을 세운 뒤 관찰 가능한 데이터를 이용하여 해당 요인을 도출하고 데이터 안의 구조를 해석하는 기법은 요인 분석(Factor Analysis)이다.

07 아래의 특잇값 분해(SVD) 설명으로 가장 적절한 것은?

① 행의 수와 열의 수가 같은 정방행렬에서만 사용한다.
② 데이터 안에 관찰할 수 없는 잠재적인 변수가 존재한다고 가정한다.
③ 일반적인 M×N 차원의 행렬데이터에서 특잇값을 추출한다.
④ 관찰 가능한 데이터를 이용하여 해당 요인을 도출한다.

해설 특잇값 분해(SVD)는 일반적인 M×N 차원의 행렬데이터에서 특잇값을 추출하고 이를 통해 주어진 데이터 세트를 효과적으로 축약할 수 있는 기법이다.

08 다음 파생변수를 적용한 사례로 적절하지 않은 것은?

① 하루 24시간을 12시간으로 변환
② 날짜로 요일 변환
③ 남녀 데이터를 삭제
④ 고객별 누적 방문 횟수 집계

해설
• 파생변수는 기존 변수에 특정 조건 혹은 함수 등을 사용하여 새롭게 재정의한 변수를 의미하므로 삭제하는 방법은 아니다.
• ①은 단위 변환, ②는 표현형식 변환, ④는 요약통계량 변환 방법이다.

09 다음 중 박스-콕스 변환에 대한 설명으로 옳지 않은 것은?

① $\lambda = 0$일 때 멱 변환(Power Transformation), $\lambda \neq 0$일 때 로그 변환(Log Transformation)하는 기법이다.
② 종속변수를 정규분포에 가깝게 만들기 위한 목적으로 사용하는 변환 방법이다.
③ 로그 변환을 포함한다.
④ 제곱 루트 변환을 포함한다.

해설
• $\lambda = 0$일 때 로그 변환(Log Transformation)과 $\lambda \neq 0$일 때 멱 변환(Power Transformation)하는 기법이다.
• 박스-콕스 변환은 정규성 가정이 성립한다고 보기 어려울 경우에 종속변수를 정규분포에 가깝게 변환시키기 위하여 사용하는 기법이다.

10 다음 중 불균형 데이터 처리 기법으로 적절하지 않은 것은?

① 과소 표집(Under-Sampling)
② 특잇값 분해(Singular Value Decomposition)
③ 과대 표집(Over-Sampling)
④ 임곗값 이동(Cut-Off Value Moving)

해설 불균형 데이터 처리 기법에는 과소 표집, 과대 표집, 임곗값 이동, 앙상블 기법이 있다.

천기누설 예상문제

11 다음 중 불균형 데이터 처리에 대한 설명으로 적절하지 않은 것은?

① 탐색하는 데이터의 타깃의 수가 매우 극소수인 경우에 사용한다.
② 불균형 데이터 처리를 수행하면 소수 클래스에 대한 정밀도(Precision)가 향상된다.
③ 불필요한 변수를 제거하고 새로운 변수를 생성시키는 작업이다.
④ 과소 표집이나 소수 클래스 데이터를 증가시키는 과대 표집을 사용한다.

해설 불필요한 변수를 제거하고 새로운 변수를 생성시키는 작업은 변수 변환 기법이다.

정답 01 ① 02 ③ 03 ④ 04 ④ 05 ① 06 ④ 07 ③ 08 ③ 09 ① 10 ② 11 ③

CHAPTER 02 데이터 탐색

1 데이터 탐색 기초

1 데이터 탐색 개요 ★★

(1) 데이터 탐색의 개념 기출

- 데이터 탐색은 수집한 데이터를 분석하기 전에 그래프나 통계적인 방법을 이용하여 다양한 각도에서 데이터의 특징을 파악하고 자료를 직관적으로 바라보는 분석 방법이다.
- 탐색적 분석은 데이터 분석 초기에 데이터 세트를 조사하기 위해서 활용된다.
- 데이터 탐색은 데이터가 가지고 있는 특성을 파악하기 위해 해당 변수의 분포 등을 시각화하여 분석하는 분석 방식이다.
- 데이터 탐색의 도구로는 도표, 그래프, 요약 통계를 이용한다.

(2) 탐색적 데이터 분석

① **탐색적 데이터 분석(EDA; Exploratory Data Analysis) 개념** 기출

- 탐색적 데이터 분석은 데이터를 탐색하고 이해하기 위한 분석 과정을 의미하며, 데이터의 특성, 패턴, 관계를 파악하고 시각화하여 데이터를 탐색하는 과정이다.
- 탐색적 데이터 분석은 데이터 분석의 초기로, 데이터를 이해하고 전처리, 모델링 등의 후속 분석에 대한 방향성을 제시하는 중요한 단계이다.

② **탐색적 데이터 분석 필요성**

- 탐색적 데이터 분석은 다양한 각도에서 살펴보는 과정을 통해 문제 정의 단계에서 미처 발생하지 못했을 다양한 패턴을 발견하고, 이를 바탕으로 기존의 가설을 수정하거나 새로운 가설을 세울 수 있다.
- 탐색적 데이터 분석은 데이터의 분포 및 값을 검토함으로써 데이터가 표현하는 현상을 더 잘 이해하고, 데이터에 대한 잠재적인 문제를 발견할 수 있다.

데이터 탐색은 중요도가 높은 영역으로, 주요 개념과 4가지 주제에 대해 잘 알아두시기 바랍니다!

EDA 4가지 주제

「저잔재현」

저항성 / **잔**차 해석 / 자료의 **재**표현 / **현**시성

→ 저자는(잔) 내 친구 재현이다.

잔차
관찰 값들이 주 경향으로부터 얼마나 벗어난 정도이다.

(3) 탐색적 데이터 분석(EDA)의 4가지 주제(특징)

저항성의 Resistance, 잔차 해석의 Residual, 자료 재표현의 Re-expression, 현시성의 Representation의 앞 글자 R을 따서 Four R's로 명명한다.

◎ 탐색적 데이터 분석의 4가지 주제

주제(특징)	내용
저항성 (Resistance)	• 수집된 자료에 오류점, 이상값이 있을 때에도 영향을 적게 받는 성질 • 저항성 있는 통계 또는 통계적 방법은 데이터의 부분적 변동에 민감하게 반응하지 않음 • 탐색적 데이터 분석은 저항성이 큰 통계적 데이터를 이용 예) 탐색적 데이터 분석에서는 평균보다 저항성이 큰 중위수(Median)를 대푯값으로 선호
잔차(Residual) 해석	• 관찰 값들이 주 경향으로부터 얼마나 벗어난 정도인 잔차를 해석 • 잔차를 통해 데이터의 특징을 탐색
자료 재표현 (Re-expression)	• 데이터 분석과 해석을 단순화할 수 있도록 원래 변수를 적당한 척도(로그 변환, 제곱근 변환, 역수 변환 등)로 바꾸는 과정 • 분포의 대칭성, 분포의 선형성, 분산의 안정성 등에 대한 데이터 구조 파악과 해석에 도움
현시성 (Graphic Representation)	• 데이터 분석 결과를 쉽게 이해할 수 있도록 시각적으로 표현하고 전달하는 과정 • 자료 안에 숨어있는 정보를 시각적으로 나타내줌으로써 자료의 구조를 효율적으로 파악 • Display, Visualization, 데이터 시각화로도 불림

(4) 개별 변수 탐색 방법 [기출]

• 개별 변수에 대한 탐색은 범주형, 수치형일 경우로 나누어 탐색한다.

◎ 개별 변수 탐색 방법

데이터 유형	설명
범주형 데이터 (질적 데이터)	• 명목 척도와 순위 척도에 대한 데이터 탐색 • 빈도수, 최빈수, 비율, 백분율 등을 이용하여 데이터의 분포 특성을 중심성, 변동성 측면에서 파악 • 시각화는 막대형 그래프(Bar Plot)를 주로 이용
수치형 데이터 (양적 데이터)	• 등간 척도와 비율 척도에 대한 데이터 탐색 • 평균, 분산, 표준편차, 첨도, 왜도 등을 이용하여 데이터의 분포 특성을 중심성, 변동성, 정규성 측면에서 파악 • 시각화는 박스플롯이나 히스토그램 주로 이용

자료 측정 척도 종류 [기출]

자료 측정 척도 종류

구분	설명
명목 척도 (Nominal Scale)	• 관측 대상을 범주로 나누어 분류한 후 이에 따라 기호나 숫자를 부여하는 방법 • 단순히 집단의 분류를 목적으로 사용된 척도 • 직업의 구분, 출신 국가 분류, 고객의 구분, 주택 보유 여부 등을 나타낼 때 활용
순서 척도 / 서열 척도 / 순위 척도 (Ordinal Scale)	• 비계량적인 변수를 관측하기 위하여 여러 관측 대상을 적당한 기준에 따라 상대적인 비교 및 순위화를 통해 관측하는 방법 • 서열의 순서화로 척도 값이 분류 및 서열 순서를 가짐 • 순서만 의미가 있고, 수치의 크기나 차이는 의미가 없는 방법
등간 척도 / 구간 척도 / 간격 척도 / 거리 척도 (Interval Scale)	• 주로 비계량적인 변수를 정량적인 방법으로 측정하기 위하여 사용 • 서열 척도는 여러 대상을 같이 놓고 이들을 상대적으로 평가하는 방법인 데 반해, 등간 척도는 각각의 대상을 별도로 평가하는 방법 • 동일 간격화로 크기 간의 차이를 비교할 수 있게 만든 척도 예) 지능 지수
비율 척도 (Ratio Scale)	• 균등 간격에 절대 영점(0)이 있고, 비율 계산이 가능한 척도 • 가장 전형적인 양적 변수로 쓰임 예) 금액, 거리, 몸무게, 시간, 나이, 소득, 강수량 등 → 이 경우 평균 금액, 평균 거리 등 평균치가 의미가 있으며, 금액의 비율, 무게의 비율 등도 의미가 있음

• 범주형 데이터에는 명목형, 순서형 데이터가, 수치형 데이터에는 이산형, 연속형 데이터가 있다.

데이터 속성 상세

구분	종류	설명
범주형	명목형 (Nominal)	명사형으로 변수나 변수의 크기가 순서와 상관없고, 의미가 없이 이름만 의미를 부여할 수 있는 경우 예) 성별(남자=1, 여자=2), 자동차 브랜드(현대=1, 기아=2, 르노삼성=3, GM=4), 혈액형(A형, B형, O형, AB형)
	순서형 (Ordinal)	변수가 어떤 기준에 따라 순서에 의미를 부여할 수 있는 경우 예) 교육수준(초졸=1, 중졸=2, 고졸=3, 대졸 이상=4), 상태(양호=3, 보통=2, 나쁨=1), 동수(1동, 2동, 3동)

구분	종류	설명
수치형	이산형 (Discrete)	변수가 취할 수 있는 값을 하나하나 셀 수 있는 경우 예) 방 개수, 퀴즈 문제 중 맞힌 개수, 보험 설계사가 계약 전까지 만난 사람 수
	연속형 (Continuous)	변수가 구간 안의 모든 값을 가질 수 있는 경우 예) 실수 구간 안의 모든 값, 신생아의 키

연속형은 계량형이라고도 하고 부품의 길이, 대금이 결제된 날짜 및 직원의 연령, 편의점 매출 등의 예도 포함됩니다.

summary 함수 기출

- R 언어에서 summary 함수를 통해 데이터 세트의 기초 통계량을 확인할 수 있다.
- 각 변수의 최솟값(Min.), 제1 사분위수(1st Qu.), 중위수(Median), 평균(Mean), 제3 사분위수(3rd Qu), 최댓값(Max.), 결측값(NA's)을 파악할 수 있다.

```
   Solar.R           Wind
Min.   :  7.0     Min.   : 1.700
1st Qu.:115.8     1st Qu.: 7.400
Median :205.0     Median : 9.700
Mean   :185.9     Mean   : 9.958
3rd Qu.:258.8     3rd Qu.:11.500
Max.   :334.0     Max.   :20.700
NA's   :  7
```

- Solar.R 변수의 최솟값은 7.0, 제1 사분위수는 115.8, 중위수는 205.0, 평균은 185.9, 제3 사분위수는 258.8, 최댓값은 334.0, 결측값은 7개이다.
- Wind 변수의 최솟값은 1.7000, 제1 사분위수는 7.400, 중위수는 9.7000, 평균은 9.958, 제3 사분위수는 11.500, 최댓값은 20.700, 결측값은 없다.

(5) 다차원 데이터 탐색 방법

주어진 데이터의 조합에 따라 범주형-범주형, 수치형-수치형, 범주형-수치형 데이터를 탐색하는 방법이 있다.

다차원 데이터 탐색 방법

데이터 조합	설명
범주형-범주형	• 빈도수와 비율을 활용한 교차 빈도, 비율, 백분율 분석 등을 활용하여 데이터 간의 연관성을 분석 • 시각화는 막대형 그래프(Bar Plot)를 주로 이용
수치형-수치형	• 수치형 데이터 간에는 산점도와 기울기를 통하여 변수 간의 상관성을 분석 • 수치형 변수 간의 상관성과 추세성 여부는 산점도를 이용하여 시각화 • 공분산을 통하여 방향성 파악 • 상관계수를 통하여 방향과 강도 파악
범주형-수치형	• 범주형 데이터의 항목들을 그룹으로 간주하고 각 그룹에 따라 수치형 변수의 기술 통계량 차이를 상호 비교 • 그룹 간 비교를 위하여 주로 박스플롯을 이용하여 시각화

2 상관관계 분석 ★★★

(1) 상관관계 분석(Correlation Analysis)의 개념

• 상관관계 분석은 두 개 이상의 변수 사이에 존재하는 상호 연관성의 존재 여부와 연관성의 강도를 측정하여 분석하는 방법이다.

> 예) A 기업에서 광고비 지출이 매출액의 증가에 어느 정도의 영향이 있는 지를 파악

(2) 변수 사이의 상관관계의 종류

변수 사이의 상관관계의 종류

종류	설명
양(+)의 상관관계	• 한 변수의 값이 증가할 때 다른 변수의 값도 증가하는 경향을 보이는 상관관계 • 강도에 따라 강한 양의 상관관계, 약한 양의 상관관계가 있음
음(-)의 상관관계	• 한 변수의 값이 증가할 때 다른 변수의 값은 반대로 감소하는 경향을 보이는 상관관계 • 강도에 따라 강한 음의 상관관계, 약한 음의 상관관계가 있음
상관관계 없음	• 한 변수의 값의 변화에 무관하게 다른 변수의 값이 변하는 상관관계

(3) 상관관계의 표현 방법 – 산점도(Scatter Plot)를 통한 표현 방법 `기출`

- 산점도는 직교 좌표계를 이용해 두 개 변수 간의 관계를 나타내는 방법이다.

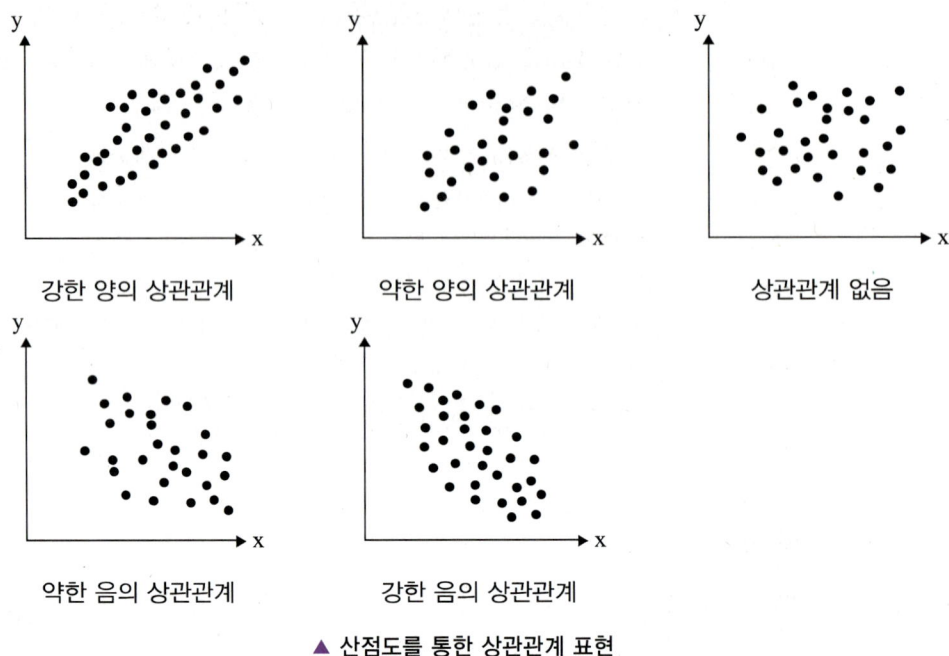

▲ 산점도를 통한 상관관계 표현

3 기초통계량 추출 및 이해 ★★★

- 데이터 탐색에서는 통계적인 방법을 통하여 데이터를 여러 각도에서 관찰하므로 기초통계량에 대한 이해가 중요하다.
- 기초통계량을 중심 경향성, 산포도, 분포 측면으로 구분한다.

(1) 중심 경향성의 통계량 `기출`

데이터의 중심 경향성을 나타내는 통계량에는 평균, 중위수(또는 중위수), 최빈수 등이 있다.

◎ 중심 경향성의 통계량

통계량	설명
평균값(Mean)	자료를 모두 더한 후 자료 개수로 나눈 값
중위수(Median)	모든 데이터값을 순서대로 배열하였을 때 중앙에 위치한 데이터값
최빈수(Mode)	데이터값 중에서 빈도수가 가장 높은 데이터값
사분위수(Quartile)	모든 데이터값을 순서대로 배열하였을 때 4등분한 지점에 있는 값
백분위수(Percentile)	모든 데이터값을 순서대로 배열하였을 때 100등분한 지점에 있는 값

학습 POINT ★

산점도의 개념을 묻는 문제가 출제되었습니다. 산점도와 관련된 내용들은 나올 때마다 집중해서 보시길 추천합니다.

학습 POINT ★

기초 통계량에서는 설명을 주고 어떤 통계량인지 묻는 문제가 출제되었습니다. 평균값, 중위수, 최빈수, 사분위수 등 용어에 익숙해지시기 바랍니다.

(2) 산포도 통계량

데이터의 흩어진 정도인 산포도를 표현하는 기초 통계량에는 분산, 표준편차, 범위, IQR, 사분편차, 변동계수 등이 있다.

▽ 산포도 통계량

통계량	설명
분산(Variance)	평균으로부터 얼마나 떨어져 있는지를 나타내는 값
표준편차(Standard Deviation)	분산에 양의 제곱근을 취한 값
범위(Range)	데이터값 중에서 최댓값과 최솟값의 차
IQR(InterQuartile Range)	3사분위수와 1사분위수의 차이 값
사분편차(Quartile Deviation)	3사분위수와 1사분위수 차이인 IQR의 절반 값
변동계수(Coefficient of Variation)	표준편차를 평균으로 나눈 값

산포도의 통계량에서는 풀이 형태의 문제가 출제될 가능성이 있습니다. 변동계수, 사분위수 범위를 잘 봐두시길 바랍니다.

(3) 분포 통계량

데이터의 분포가 좌·우로 치우친 정도에 따른 왜도와 정규분포보다 뾰족한 정도를 나타내는 첨도로 데이터의 분포를 파악할 수 있다.

▽ 분포 통계량

통계량	설명
첨도(Kurtosis)	데이터 분포의 뾰족한 정도를 설명하는 통계량
왜도(Skewness)	데이터 분포의 기울어진 정도를 설명하는 통계량

4 시각적 데이터 탐색 ★★

데이터 탐색에서 주로 사용되는 시각화 도구는 히스토그램, 막대형 그래프, 파레토 다이어그램, 박스플롯, 산점도이다.

(1) 히스토그램 〔기출〕

① 히스토그램(Historgram) 개념

히스토그램은 자료 분포의 형태를 직사각형 형태로 시각화하여 보여주는 그래프이다.

히스토그램의 막대는 서로 붙어 있고, 막대형 그래프의 막대는 서로 떨어져 있는 특징이 있습니다.

② 히스토그램 특징
- 히스토그램의 가로축은 수치형 데이터이다.

- 히스토그램의 막대는 서로 붙어 있고, 막대 너비는 일정하다.
- 히스토그램은 연속형 데이터의 분포를 시각화하는데 사용한다.

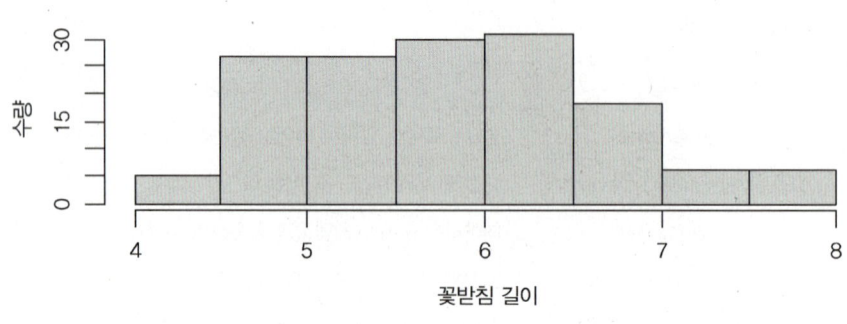

▲ 히스토그램 예

(2) 막대형 그래프

① 막대형 그래프(Barplot) 개념

막대형 그래프는 여러 가지 항목들에 대한 많고 적음을 비교하기 쉽도록 수량을 막대의 길이로 표현하는 그래프이다.

② 막대형 그래프 특징

- 막대형 그래프의 가로축은 수치형 데이터가 아니어도 된다.
- 막대형 그래프의 막대는 서로 떨어져 있다.
- 막대형 그래프의 막대 너비는 같지 않을 수 있다.

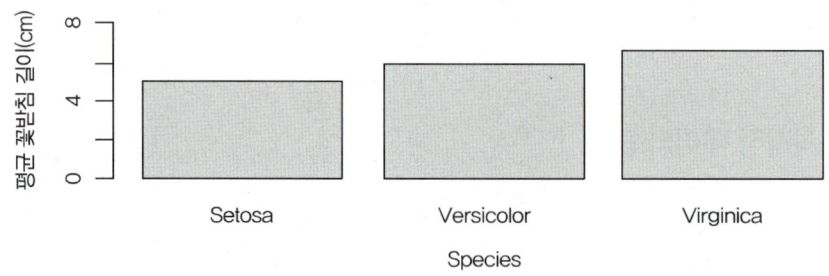

▲ 막대형 그래프의 예

(3) 파레토 다이어그램

① 파레토 다이어그램(Pareto Diagram) 개념

- 파레토 다이어그램은 빈도가 높은 범주부터 낮은 범주 순서로 막대 그래프로 표현하고, 누적 비율을 꺾은선으로 표현한 다이어그램이다.

② 파레토 다이어그램 특징

- 파레토 다이어그램은 빈도가 높은 범주부터 빈도가 낮은 범주 순서로 정렬된다.

본서의 개정 전 중요하다고 말씀 드렸던 박스플롯이 문제로 출제되었습니다. 박스플롯의 구성요소가 어떤 것이 있는지를 잘 알아두시기 바랍니다!

- 누적 백분율 곡선이 함께 표시된다.

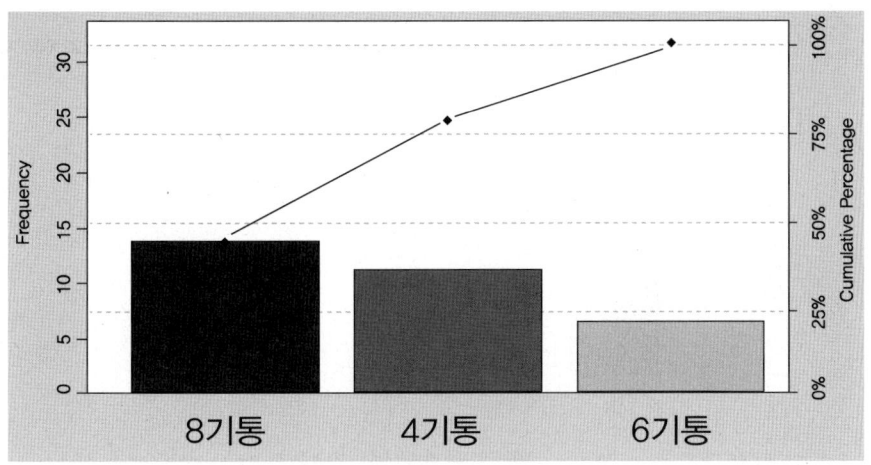

(4) 박스플롯 [기출]

① 박스플롯(Boxplot)의 개념

- 박스플롯은 많은 데이터를 그림을 이용하여 집합의 범위와 중위수를 빠르게 확인할 수 있으며, 통계적으로 이상값이 있는지 빠르게 확인이 가능한 시각화 기법이다.
- 박스플롯은 상자 수염 그림(Box-and-Whisker Plot), 상자 그림 등 다양한 이름으로 불린다.

② 박스플롯의 구성요소

▼ 박스플롯의 구성요소

구성요소	설명
하위 경계(Lower Fence)	• 제1 사분위에서 1.5 IQR을 뺀 위치
최솟값(Minimum)	• 하위 경계 내의 관측치의 최솟값
제1 사분위(Q_1)	• 자료들의 하위 25%의 위치를 의미
제2 사분위(Q_2; 중위수)	• 자료들의 50%의 위치로 중위수(Median)을 의미 • 두꺼운 막대로 가시성을 높여서 표현
제3 사분위(Q_3)	• 자료들의 하위 75%의 위치를 의미
최댓값(Maximum)	• 상위 경계 내의 관측치의 최댓값
상위 경계(Upper Fence)	• 제3 사분위에서 IQR의 1.5배 위치
수염(Whiskers)	• Q_1, Q_3로부터 IQR의 1.5배 내에 있는 가장 멀리 떨어진 데이터까지 이어진 선
이상값(Outlier)	• 수염보다 바깥쪽에 데이터가 존재한다면, 이것은 이상값으로 분류

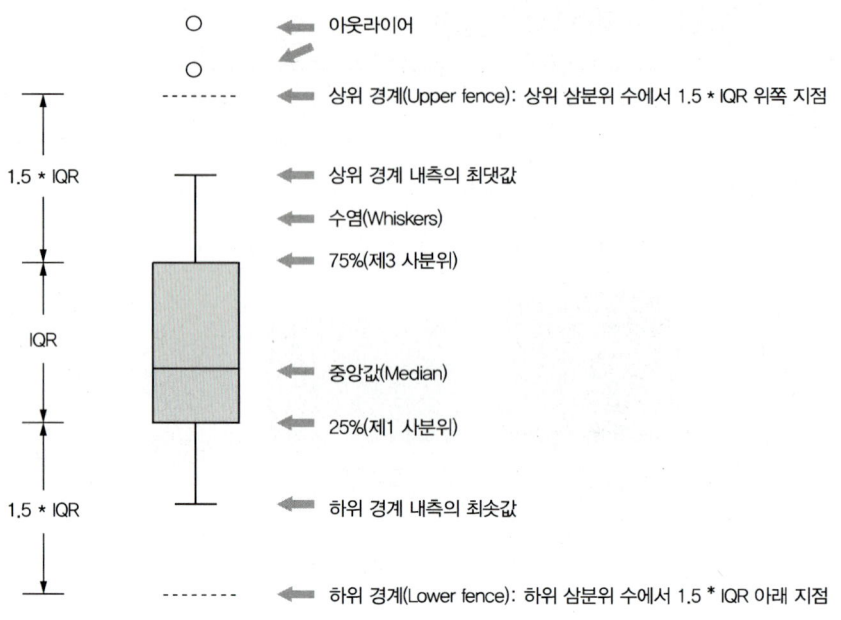

▲ 박스플롯 구성의 요소 설명

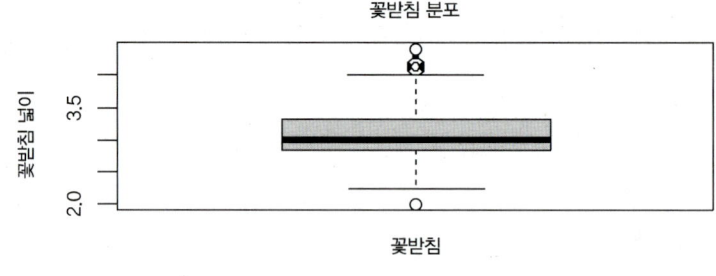

▲ 박스플롯의 예

(5) 산점도(Scatter Plot) 기출

- 산점도는 가로축과 세로축의 좌표평면상에서 각각의 관찰점들을 표시하는 시각화 방법이다.
- 2개의 연속형 변수 간의 관계를 보기 위하여 사용된다.

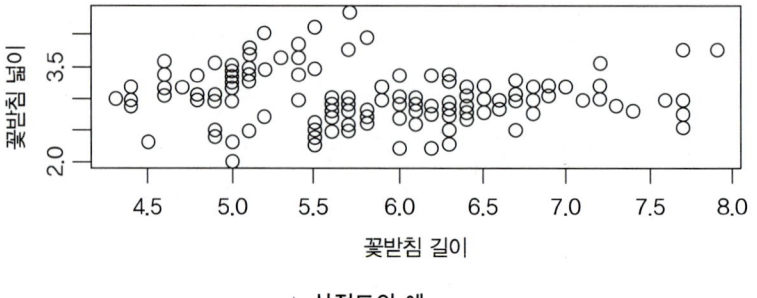

▲ 산점도의 예

지피지기 기출문제

01 데이터가 가지고 있는 특성을 파악하기 위해 해당 변수의 분포 등을 시각화하여 분석하는 분석 방식은 무엇인가?

① 전처리 분석
② 탐색적 데이터 분석(EDA)
③ 공간 분석
④ 다변량 분석

> **해설** 탐색적 데이터 분석(EDA; Exploratory Data Analysis)은 수집한 데이터를 분석하기 전에 그래프나 통계적인 방법을 이용하여 다양한 각도에서 데이터의 특징을 파악하고 자료를 직관적으로 바라보는 분석 방식이다.

02 산점도에 대한 설명으로 옳은 것을 모두 고른 것은?

가. 관계 시각화의 유형이다.
나. 직교 좌표계를 이용하여 좌표상의 점들을 표현하는 시각화 기법이다.
다. 두 변수 사이의 상관관계를 알 수 있다.

① 가
② 나
③ 다
④ 가, 나, 다

> **해설** 산점도는 직교 좌표계를 이용하여 좌표상의 점들을 표현하는 관계 시각화 유형으로서 두 변수 사이의 상관관계를 알 수 있다.

03 시각적 데이터 탐색에서 자주 사용되는 박스플롯(Boxplot)으로 알 수 없는 통계량은 무엇인가?

① 평균
② 분산
③ 이상값
④ 최댓값

> **해설**
> - 평균과 분산은 박스플롯으로 알 수 없다.
> - 박스플롯의 구성요소는 아래의 표와 같다.
>
> | 하위 경계 | 제1 사분위에서 1.5 IQR을 뺀 위치 |
> |---|---|
> | 최솟값 | 하위 경계 내의 관측치의 최솟값 |
> | 제1 사분위 | 자료들의 하위 25%의 위치를 의미 |
> | 제2 사분위 (중위수) | 자료들의 50%의 위치로 중위수(Median)를 의미 |
> | 제3 사분위 | 자료들의 하위 75%의 위치를 의미 |
> | 최댓값 | 상위 경계 내의 관측치의 최댓값 |
> | 상위 경계 | 제3 사분위에서 IQR의 1.5배 위치 |
> | 수염 | 제1 사분위, 제3 사분위로부터 IQR의 1.5배 내에 있는 가장 멀리 떨어진 데이터까지 이어진 선 |
> | 이상값 | 수염보다 바깥쪽에 데이터가 존재한다면, 이상값으로 분류 |

04 탐색적 데이터 분석에 대한 설명으로 가장 옳지 않은 것은?

① 데이터에 대한 전체적인 분포를 검토하는 과정이다.
② 데이터 분석 과정에서 결과를 도출한다.
③ 데이터에 대한 잠재적 문제를 발견할 수 있다.
④ 탐색적 데이터 분석은 패턴을 찾는 과정이다.

> **해설** 탐색적 데이터 분석(데이터 탐색)은 수집한 데이터를 분석하기 전에 그래프나 통계적인 방법을 이용하여 다양한 각도에서 데이터의 특징을 파악하고 자료를 직관적으로 바라보는 분석 방법이다.

지피지기 기출문제

05 상자 수염(Box Plot)에 대한 설명으로 옳지 않은 것은?

① IQR은 $Q_3 - Q_1$이다.
② 수염은 IQR의 1.5배와 3배 사이에서 가장 멀리 떨어진 데이터까지 연결한 선이다.
③ 이상값은 수염 밖에 위치한다.
④ 상자 수염에 표시된 이상값을 통해 이상값의 처리 여부를 판단할 수 있다.

> **해설** 수염(Whiskers)은 Q_1, Q_3로부터 IQR의 1.5배 내에 있는 가장 멀리 떨어진 데이터까지 이어진 선이다.

06 다음 박스플롯에 대한 설명으로 옳지 않은 것은?

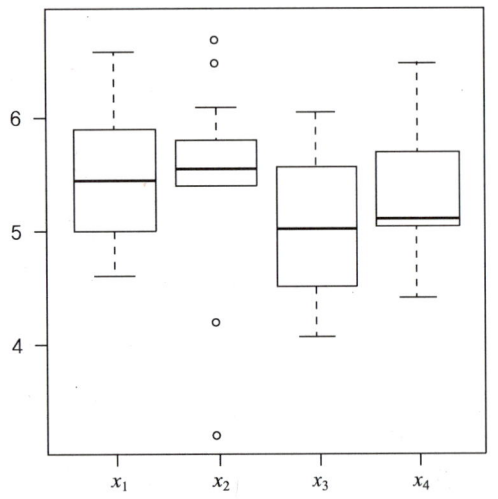

① X2는 X3보다 분산이 작다.
② X3의 평균은 5이다.
③ X1의 1사분위수는 5 근처이다.
④ X2는 이상값이 있다.

> **해설**
> - X2의 박스플롯이 X3보다 좁으므로 분산이 작다.
> - X3의 중위수는 5이나 평균은 알 수 없다.
> - X1의 1사분위수는 박스의 아래쪽의 값이므로 5와 가깝다.
> - X2에 o로 표시된 값들은 이상값이다.

07 다음 중 범주형, 수치형에 대한 설명으로 옳지 않은 것은?

① 연속형은 연속된 수치들로 이루어져있다.
② 범주형 변수는 빈도수, 비율 등을 이용하여 데이터의 분포 특성을 파악할 수 있다.
③ 연속형 변수는 구간 안의 모든 값을 가질 수 있다.
④ 명목형, 연속형 모두 평균, 표준편차를 계산하여 분석할 수 있다.

> **해설** 명목형은 현대=1, 기아=2, 르노삼성=3, GM=4와 같이 변수가 크기와 순서와 상관없기 때문에 평균, 표준편차를 계산하는 것이 의미가 없다.

범주형 데이터	\- 명목 척도와 순위 척도에 대한 데이터 탐색 - 빈도수, 최빈수, 비율, 백분율 등을 이용하여 데이터의 분포 특성을 중심성, 변동성 측면에서 파악 - 명목형, 순서형이 있음		
	명목형 (Nominal)	명사형으로 변수나 변수의 크기가 순서와 상관없고, 의미가 없이 이름만 의미를 부여할 수 있는 경우	
	순서형 (Ordinal)	변수가 어떤 기준에 따라 순서에 의미를 부여할 수 있는 경우	
수치형 데이터	\- 등간 척도와 비율 척도에 대한 데이터 탐색 - 평균, 분산, 표준편차, 첨도, 왜도 등을 이용하여 데이터의 분포 특성을 중심성, 변동성, 정규성 측면에서 파악 - 이산형, 연속형이 있음		
	이산형 (Discrete)	변수가 취할 수 있는 값을 하나하나 셀 수 있는 경우	
	연속형 (Continuous)	변수가 구간 안의 모든 값을 가질 수 있는 경우	

08 다음 중 탐색적 분석에 대한 설명으로 올바르지 않은 것은?

① 데이터 분석 초기에 사용한다.
② 데이터 시각화를 통해 데이터 세트의 분석 및 조사에 사용한다.
③ 데이터 세트의 분석과 요약에 사용한다.
④ 데이터 결과 분석에 활용한다.

> 해설 │ 탐색적 분석은 데이터 분석 초기에 데이터 세트를 조사하기 위해서 활용된다.

09 다음 중 탐색적 데이터 분석에 대한 설명으로 올바른 것은?

① 데이터의 특징을 잘 설명해 주는 주성분을 추출할 수 있는 주성분 분석은 탐색적 데이터 분석에 사용된다.
② 탐색적 데이터 분석을 통해 데이터의 품질 확인이 가능하다.
③ 탐색적 데이터 분석은 데이터가 가지고 있는 특성을 파악하기 위해 해당 변수의 분포 등을 시각화하여 분석하는 분석 방식으로 탐색적 데이터 분석을 통해 데이터의 구조를 가정한다.
④ 탐색적 데이터 분석을 통해 데이터들의 다변량 신호를 파악하여 분리할 수 있다.

> 해설 │ 탐색적 데이터 분석은 데이터가 가지고 있는 특성을 파악하기 위해 해당 변수의 분포 등을 시각화하여 분석하는 분석 방식으로 탐색적 데이터 분석을 통해 데이터의 구조를 가정한다.

10 다음 중 연속형 데이터가 아닌 것은?

① 키
② 온도
③ 혈액형
④ 책의 두께

> 해설 │ 수치형 데이터는 연속형 데이터와 이산형 데이터가 있다.
>
> | | |
> |---|---|
> | 연속형 데이터 (Continuous Data) | 변수가 구간 안의 모든 값을 가질 수 있는 데이터 |
> | 이산형 데이터 (Discrete Data) | 변수가 취할 수 있는 값을 하나하나 셀 수 있는 데이터 |

11 다음 중 계량형 변수의 유형으로 올바르지 않은 것은?

① 부품의 길이
② 편의점 매출
③ 직원의 연령
④ 고객의 의견

> 해설 │
> - 계량형 변수는 두 값 사이에 무한한 개수의 값이 있는 숫자 변수이다.
> - 계량형 변수의 사례는 부품 길이, 대금이 결제된 날짜 및 직원의 연령, 편의점 매출 등이 있다.

12 다음 변수 요약값에 대한 설명으로 옳지 않은 것은?

```
    Ozone         Solar.R        Wind         Temp
Min.   : 1.00   Min.   :  7.0   Min.   : 1.700   Min.   :56.00
1st Qu.: 18.00  1st Qu.:115.8   1st Qu.: 7.400   1st Qu.:72.00
Median : 31.50  Median :205.0   Median : 9.700   Median :79.00
Mean   : 42.13  Mean   :185.9   Mean   : 9.958   Mean   :77.88
3rd Qu.: 63.25  3rd Qu.:258.8   3rd Qu.:11.500   3rd Qu.:85.00
Max.   :168.00  Max.   :334.0   Max.   :20.700   Max.   :97.00
NA's   :37      NA's   :7
```

① Ozone, Solar.R 변수는 결측값이 존재한다.
② 모든 변수가 Numeric이다.
③ Ozone 변수의 분포는 오른쪽으로 긴 꼬리를 갖는다.
④ Temp 변수는 최댓값보다 더 큰 이상값을 갖는다.

해설
- NA's는 결측값의 개수를 나타내므로 Ozone, Solar.R 변수는 결측값이 존재한다.
- 모든 변수에 최솟값(Min), 1사분위수(1st Qu.), 중위수(Median), 평균(Mean), 3사분위수(3st Qu.), 최댓값(Max)값이 모두 존재하므로 수치형 변수이다.
- Ozone 변수는 3사분위수와 최댓값의 차이가 크므로 오른쪽으로 긴 꼬리를 갖는 분포를 갖는다.
- 최댓값이 가장 큰 값이므로 최댓값보다 더 큰 이상값은 가질 수가 없다.

13 범주형 데이터를 나타내는 시각화 도구로 옳지 않은 것은?

① 막대 그래프 ② 원형 그래프
③ 파레토 그림 ④ 히스토그램

해설 히스토그램은 주로 연속형 데이터의 분포를 시각화하는 데 사용한다.

14 다음 그림에 해당하는 그래프는 무엇인가?

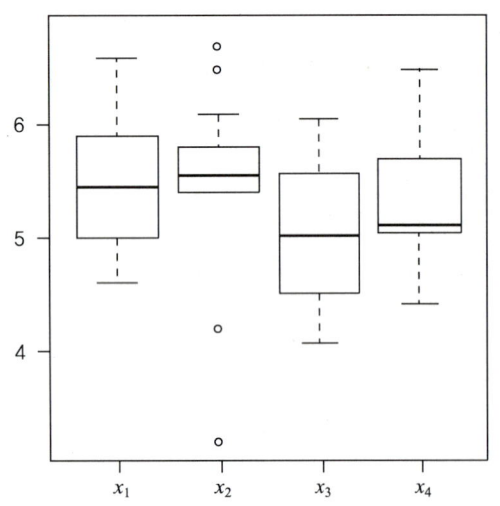

① 히스토그램
② 박스플롯
③ 막대형 그래프
④ 산점도

해설

히스토그램	자료 분포의 형태를 직사각형 형태로 시각화하여 보여주는 그래프
박스플롯	많은 데이터를 그림을 이용하여 집합의 범위와 중위수를 빠르게 확인할 수 있으며, 또한 통계적으로 이상값이 있는지 빠르게 확인이 가능한 시각화 기법
막대형 그래프	여러 가지 항목들에 대한 많고 적음을 비교하기 쉽도록 수량을 막대의 길이로 표현하는 그래프
산점도	가로축과 세로축의 좌표평면상에서 각각의 관찰점들을 표시하는 시각화 방법

15 데이터들을 점 (x_i, y_i)의 형태로 2차원 그래프로 나타내는 시각화 방법은?

① 산점도
② 히트맵
③ 인포그래픽
④ 스타차트

해설

히트맵	• 여러 가지 변수를 비교할 수 있는 시각화 그래프 • 별로 색상을 구분하여 데이터값을 표현
인포그래픽	• 중요 정보를 하나의 그래픽으로 표현해서 보는 사람들이 쉽게 정보를 이해할 수 있도록 만드는 시각화 방법
스타차트	• 각 변수를 표시 지점을 연결선을 통해 그려 별 모양의 도형으로 나타낸 차트

16 다음 중 척도에 대한 설명으로 옳지 않은 것은?

① 비율 척도 – 나이
② 명목 척도 – 성별
③ 서열 척도 – 매출액
④ 등간 척도 – 기온

> **해설** 매출액은 비율 계산이 가능한 척도이므로 비율 척도(Ratio Scale)에 해당한다.

17 다음 중 기초 통계량에 해당하지 않은 것은?

① 평균
② 중위수
③ 최댓값
④ 사분위수

> **해설** 평균, 중위수, 사분위수는 중심 경향성을 나타내는 기초 통계량이다.

정답 01 ② 02 ④ 03 ①, ② 04 ② 05 ② 06 ② 07 ④ 08 ④ 09 ② 10 ③ 11 ④ 12 ④ 13 ④ 14 ② 15 ① 16 ③ 17 ③

천기누설 예상문제

01 다음 중 EDA(Exploratory Data Analysis) 4가지 주제에 대한 설명으로 올바르지 않은 것은?

① 저항성(Resistance)은 자료의 일부가 파손되었을 때 영향을 적게 받는 성질로 데이터의 부분적 변동에 민감하게 반응한다.
② 잔차(Residual) 해석은 관찰 값들이 주 경향으로부터 얼마나 벗어난 정도이다.
③ 자료 재표현(Re-expression)은 데이터 분석과 해석을 단순화할 수 있도록 원래 변수를 적당한 척도(로그 변환, 제곱근 변환, 역수 변환)로 바꾸는 것이다.
④ 현시성(Graphic Representation)은 자료 안에 숨어 있는 정보를 시각적으로 나타내줌으로써 자료의 구조를 효율적으로 잘 파악하게 된다는 것이다.

해설 저항성은 데이터의 부분적 변동에 민감하게 반응하지 않는다.

02 다음 중 탐색적 데이터 분석의 4가지 주제(특징)가 아닌 것은?

① 저항성(Resistance)
② 잔차 해석(Residual)
③ 정확도(Accuracy)
④ 현시성(Graphic Representation)

해설

탐색적 데이터 분석의 4가지 주제	
저잔재현	저항성 / 잔차 해석 / 자료 재표현 / 현시성

03 데이터 탐색에서 개별 변수에 대한 탐색 방법의 설명으로 가장 옳지 않은 것은?

① 질적 데이터는 명목 척도와 순위 척도에 대하여 데이터를 탐색한다.
② 수치형 데이터는 빈도수, 최빈수, 비율, 백분율 등을 이용하여 데이터의 분포 특성을 중심성, 변동성, 정규성 측면에서 파악한다.
③ 범주형 데이터의 시각화는 막대형 그래프를 주로 이용한다.
④ 수치형 데이터의 시각화는 박스플롯이나 히스토그램을 주로 이용한다.

해설
• 개별 변수에 대한 탐색은 범주형, 수치형일 경우로 나누어 탐색한다.
• 범주형 데이터 유형일 경우 빈도수, 최빈수, 비율, 백분율 등을 이용하여 데이터의 분포 특성을 중심성, 변동성, 정규성 측면에서 파악한다.

04 데이터 탐색에서 수치형-수치형 데이터 조합에 대한 탐색 방법의 설명으로 가장 옳지 않은 것은?

① 수치형 데이터 간에는 산점도와 기울기를 통하여 변수 간의 상관성을 분석한다.
② 수치형 변수 간의 상관성과 추세성 여부는 산점도를 이용하여 시각화한다.
③ 공분산을 통하여 방향성과 강도를 파악한다.
④ 피어슨 상관계수를 통하여 상관성을 파악한다.

해설 공분산을 통하여 강도는 파악할 수 없다.

05 측정 대상이 어느 집단에 속하는지 분류할 때 사용되는 척도로, 성별(남,여) 구분, 출생지(서울시, 부산시, 대전시 등) 구분 등을 할 때 사용되는 척도는?

① 순서 척도　　② 명목 척도
③ 구간 척도　　④ 비율 척도

해설

명목 척도	단순히 집단의 분류를 목적으로 사용된 척도
순서 척도	측정대상 사이의 대소 관계를 나타내기 위한 척도
구간 척도	등간 척도라고도 하며 서열과 의미 있는 차이를 가지는 척도
비율 척도	구간 척도의 성질을 가지며 척도 간의 비율(Ratio)도 의미가 있는 척도

06 변수가 취할 수 있는 값을 하나하나 셀 수 있는 경우로 가장 알맞은 것은?

① 명목형　　② 순서형
③ 연속형　　④ 이산형

해설 변수가 취할 수 있는 값을 하나하나 셀 수 있는 경우로 가장 알맞은 것은 이산형이다.

명목형 (Nominal)	명사형으로 변수나 변수의 크기가 순서와 상관없고, 의미가 없이 이름만 의미를 부여할 수 있는 경우
순서형 (Ordinal)	변수가 어떤 기준에 따라 순서에 의미를 부여할 수 있는 경우
이산형 (Discrete)	변수가 취할 수 있는 값을 하나하나 셀 수 있는 경우

07 다음 중 단순히 집단의 분류를 목적으로 사용된 척도로 가장 알맞은 것은?

① 명목 척도　　② 순서 척도
③ 구간 척도　　④ 비율 척도

해설 명목 척도는 질적 속성으로 단순히 집단의 분류를 목적으로 사용되는 척도이다.

08 다음 중에서 연속형 변수로 구성하기 어려운 것은 무엇인가?

① 몸무게　　② 키
③ 소득　　　④ 인종

해설 인종은 명목형 변수이다.

09 표본조사나 실험을 실시하는 과정에서 추출된 원소들이나 실험 단위로부터 주어진 목적에 적합하도록 관측해 자료를 얻는 것을 측정(Measurement)이라 한다. 다음 중 자료의 종류에 대한 설명으로 가장 부적절한 것은 무엇인가?

① 명목 척도 - 측정 대상이 어느 집단에 속하는지 분류할 때 사용하는 척도이다.
② 순서 척도 - 측도 대상의 특성이 가지는 서열관계를 관측하는 척도로 특정 서비스의 선호도 등이 해당된다.
③ 비율 척도 - 절대적 기준인 원점이 존재하지 않으며 모든 사칙연산이 가능하다.
④ 구간 척도 - 측정 대상이 갖는 속성의 양을 측정하는 것으로 온도 등이 해당된다.

해설 비율 척도는 간격(차이)에 대한 비율이 의미를 가지는 자료, 절대적 기준인 0이 존재하고 사칙연산이 가능하며 제일 많은 정보를 가지는 척도(무게, 나이, 시간, 거리)이다.

천기누설 예상문제

10 모든 데이터값을 순서대로 배열하였을 때 4등분한 지점에 있는 값으로 가장 알맞은 것은?

① 평균값(Mean) ② 중위수(Median)
③ 최빈수(Mode) ④ 사분위수(Quartile)

해설 모든 데이터값을 순서대로 배열하였을 때 4등분한 지점에 있는 값은 사분위수(Quartile)이다.

평균값(Mean)	자료를 모두 더한 후 자료 개수로 나눈 값
중위수(Median)	모든 데이터값을 순서대로 배열하였을 때 중앙에 위치한 데이터값
최빈수(Mode)	데이터값 중에서 빈도수가 가장 높은 데이터값

11 다음 중 산포도 통계량으로 가장 알맞지 않은 것은?

① 평균값(Mean)
② 분산(Variance)
③ 표준편차(Standard Deviation)
④ 변동계수(Coefficient of Variation)

해설 평균값은 중심 경향성을 나타내는 통계량이다.

12 다음에서 설명하는 시각적 데이터 탐색 기법은 무엇인가?

- 가로축과 세로축의 좌표평면상에서 각각의 관찰점들을 표시하는 시각화 방법이다.
- 2개의 연속형 변수 간의 관계를 보기 위하여 사용된다.

① 히스토그램 ② 산점도
③ 박스플롯   ④ 막대형 그래프

해설 가로축과 세로축의 좌표평면상에서 각각의 관찰점들을 표시하는 시각화 방법은 산점도이다.

13 다음 중 박스플롯에 대한 설명으로 가장 알맞지 않은 것은?

① 많은 데이터를 그림을 이용하여 집합의 범위와 중위수를 빠르게 확인할 수 있다.
② 수염(Whiskers)은 제1 사분위에서 1.5IQR을 뺀 위치이다.
③ 통계적으로 이상값이 있는지 빠르게 확인이 가능하다.
④ 상자 수염 그림(Box-and-Whisker Plot)이라고도 한다.

해설
- 수염(Whiskers)은 Q_1, Q_3로부터 IQR의 1.5배 내에 있는 가장 멀리 떨어진 데이터까지 이어진 선이다.
- 제1 사분위에서 1.5 IQR을 뺀 위치는 하위 경계이다.

14 다음 히스토그램의 설명 중 가장 옳지 않은 것은?

① 히스토그램은 자료 분포의 형태를 직사각형 형태로 시각화하여 보여주는 그래프이다.
② 히스토그램의 막대는 서로 떨어져 있다.
③ 히스토그램의 가로축은 수치형 데이터이다.
④ 히스토그램의 막대 너비는 일정하다.

해설 히스토그램의 막대는 서로 붙어 있다.

15 다음 막대형 그래프의 설명 중 가장 옳지 않은 것은?

① 막대형 그래프의 막대 너비는 일정해야 한다.
② 여러 가지 항목들에 대한 많고 적음을 비교하기 쉽도록 수량을 막대의 길이로 표현하는 그래프이다.
③ 막대형 그래프의 가로축은 수치형 데이터가 아니어도 된다.
④ 막대형 그래프의 막대는 서로 떨어져 있다.

해설 막대형 그래프의 막대 너비는 일정하지 않을 수 있다.

16 다음 중 박스플롯의 구성요소가 아닌 것은?

① 최솟값　　　　② 최댓값
③ 평균　　　　　④ 제1 사분위

해설　평균은 박스플롯의 구성 요소가 아니다.

17 다음 중 상자 그림(Boxplot)의 수치적 자료로 가장 올바르지 않은 것은?

① 제3 사분위(Q_3)　　② 최댓값
③ 제4 사분위(Q_4)　　④ 최솟값

해설　제4 사분위는 상자 그림의 수치적 자료에 포함되지 않는다.

18 다음 중 도수분포표를 가로축에 계급, 세로축에 도수로 사상하여 나타낸 그래프로 가장 알맞은 것은?

① 막대그래프　　　② 파레토 차트
③ 히스토그램　　　④ 산점도

해설
- 막대그래프는 범주별 빈도를 요약해서 나타낸 그래프이다.
- 히스토그램은 연속형 자료에 대한 도수분포표를 시각화한 그래프이다.
- 파레토 차트는 자료들이 어떤 범주에 속하는지를 나타내는 계수형 자료일 때 각 범주에 대한 빈도를 막대의 높이로 나타낸 차트이다.
- 산점도(Scatter Plot)는 관측된 자료를 직교 좌표계를 이용하여 두 변수 간의 관계를 나타내는 방법이다.

19 박스플롯의 구성요소 중 자료들의 하위 25%의 위치를 의미하는 것은?

① 최솟값　　　　② 제1 사분위
③ 최댓값　　　　④ 수염

해설　자료들의 하위 25%의 위치를 의미하는 것은 제1 사분위이다.

구성요소	설명
하위 경계	• 제1 사분위에서 1.5 IQR을 뺀 위치
최솟값	• 하위 경계 내의 관측치의 최솟값
제1 사분위(Q_1)	• 자료들의 하위 25%의 위치를 의미
제2 사분위 (Q_2; 중위수)	• 자료들의 50%의 위치로 중위수(Median)을 의미 • 두꺼운 막대로 가시성을 높여서 표현
제3 사분위(Q_3)	• 자료들의 하위 75%의 위치를 의미
최댓값	• 상위 경계 내의 관측치의 최댓값
상위 경계	• 제3 사분위에서 IQR의 1.5배 위치
수염(Whiskers)	• Q_1, Q_3로부터 IQR의 1.5배 내에 있는 가장 멀리 떨어진 데이터까지 이어진 선
이상값(Outlier)	• 수염보다 바깥쪽에 데이터가 존재한다면, 이것은 이상값으로 분류

20 다음 그림과 가로축과 세로축의 좌표평면상에서 각각의 관찰점들을 표시하는 시각화 그래프는?

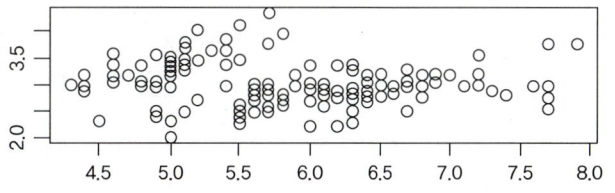

① 히스토그램　　　② 막대형 그래프
③ 박스플롯　　　　④ 산점도

해설　가로축과 세로축의 좌표평면상에서 각각의 관찰점들을 표시하는 시각화 그래프는 산점도이다.

정답　01 ① 02 ③ 03 ② 04 ③ 05 ② 06 ④ 07 ① 08 ④ 09 ② 10 ④ 11 ① 12 ③ 13 ② 14 ② 15 ① 16 ③ 17 ③ 18 ③ 19 ② 20 ④

2 고급 데이터 탐색

> **학습 POINT ★**
> 고급 데이터 탐색에서는 굵직한 개념 중심으로 봐주시길 바랍니다.

1 시공간 데이터 탐색 ★

(1) 시공간 데이터

① **시공간 데이터(Spatio-Temporal Data)의 개념**

시공간 데이터는 공간적 객체에 시간의 개념이 추가되어 시간에 따라 위치나 형상이 변하는 데이터이다.

② **시공간 데이터의 특징** `기출`

- 시공간 데이터는 데이터를 공간과 시간의 흐름상에 위치시킬 수 있는 거리 속성과 시간 속성을 가지고 있다.
- 시공간 데이터는 시간 데이터와 공간 데이터로 추출이 가능하다.
- 공간 데이터는 다차원 데이터를 통해 구성한다.

▽ 시공간 데이터의 특징

특징	설명
이산적 변화	• 데이터 수집의 주기가 일정하지 않은 데이터를 이용하여 표현함 • 시간의 변화에 따라 데이터가 추가됨
연속적 변화	• 일정한 주기로 수집되는 데이터를 이용하여 연속적으로 표현함 • 연속적인 변화를 일종의 함수를 이용하여 표현함

③ **시공간 데이터의 타입**

▽ 시공간 데이터의 타입

타입	내용
포인트 타입	하나의 노드로 구성되는 공간 데이터 타입
라인 타입	서로 다른 두 개의 노드와 두 노드를 잇는 하나의 세그먼트로 구성
폴리곤 타입	n개($n \geq 3$)의 노드와 n개의 세그먼트로 구성
폴리라인 타입	n개($n \geq 3$)의 노드와 $n-1$개의 세그먼트로 구성

2 다변량 데이터 탐색 ⭐

(1) 다변량 데이터

① 변량(Variate)의 개념
- 변량은 조사 대상의 특징, 성질을 숫자 또는 문자로 나타낸 값이다.

② 변량 데이터의 유형
- 변량에는 크게 일변량, 이변량, 다변량으로 구분한다.

⦿ 변량 데이터의 유형

유형	설명
일변량 데이터	• 단위에 대해 하나의 특성을 측정하여 얻게 되는 변수에 대한 자료 • 단변량 자료라고도 함
이변량 데이터	• 각 단위에 대해 두 개의 특성을 측정하여 얻게 되는 두 개의 변수에 대한 자료
다변량 데이터	• 하나의 단위에 대해 두 개 이상의 특성을 측정하여 얻게 되는 변수에 대한 자료 • 이변량 데이터도 다변량 데이터

(2) 변량 데이터 탐색

⦿ 변량 데이터 탐색

구분	설명
일변량 데이터 탐색	• 일변량 데이터 탐색 방법에는 기술통계량, 그래프 통계량 두 가지 종류가 있음 | 기술통계량 | 평균, 분산, 표준편차 등이 있음 | | 그래프 통계량 | 히스토그램, 상자 그림 등이 있음 |
이변량 데이터 탐색	• 조사 대상의 각 개체로부터 두 개의 특성을 동시에 관측함 • 일반적으로 두 변수 사이의 관계를 밝히려는 것이 관심의 대상
다변량 데이터 탐색	• 데이터 분석을 시행하기 이전에 산점도 행렬, 별 그림, 등고선 그림 등을 통해 시각적으로 자료를 탐색

(3) 다변량 데이터 탐색 도구

① 산점도 행렬(Scatterplot Matrix)
- 산점도 행렬은 여러 변수 간의 산점도를 행렬로 나타내 변수 간의 연관성을 표현한 그래프이다.
- 산점도 행렬은 그림 행렬과 개별 Y대 개별 X행렬로 2가지 유형이 있다.

㉮ 그림 행렬(Plot Matrix)
- 그림 행렬은 최대 20개의 변수를 사용할 수 있으며, 가능한 모든 조합의 그래프를 만들 수 있는 산점도 행렬이다.
- 변수가 여러 개 있을 경우 변수쌍 간의 관계를 보려면 그림 행렬을 사용하는 것이 효율적이다.

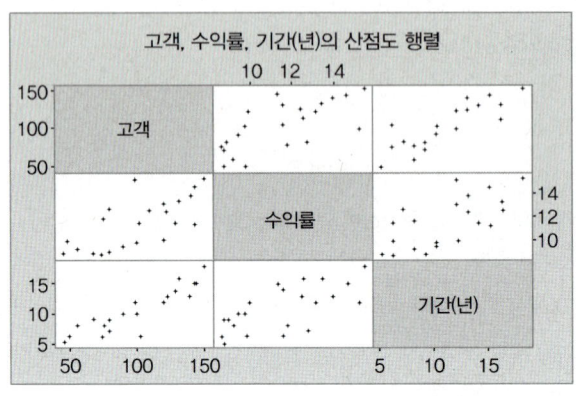

— 변수는 고객, 수익률, 기간(년)
— 그림 행렬을 이용하여 각 변수 간의 쌍의 관계를 볼 수 있음

▲ 그림 행렬 예시

㉯ 개별 Y대 개별 X 산점도 행렬

개별 Y대 개별 X 산점도 행렬은 y축 및 x축 변수를 사용하여 가능한 각 xy 조합의 그래프를 만든다.

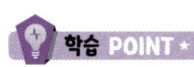

각각의 그림을 보고 어떤 도구인지 맞출 수 있을 정도로 보시면 되겠습니다.

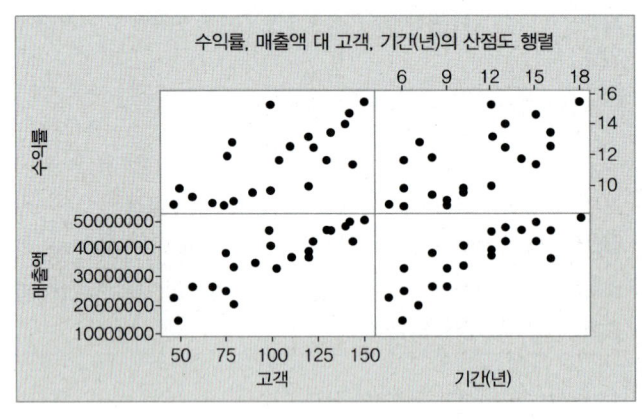

— y축 변수로는 수익률, 매출액, x축 변수로는 고객, 기간(년)을 사용하여 각 조합을 그래프로 만듦

▲ 개별 Y대 개별 X 산점도 행렬 예시

② **스타 차트(Star Chart; Star Plot)**

스타 차트는 별 모양의 점을 각각의 변수에 대응되도록 한 뒤 각각의 변숫값에 비례하도록 반경을 나타내도록 하여 관찰 값을 그림으로 표시한 그래프이다.

스타 차트는 별 그림(Star Plot)이라고도 불립니다.

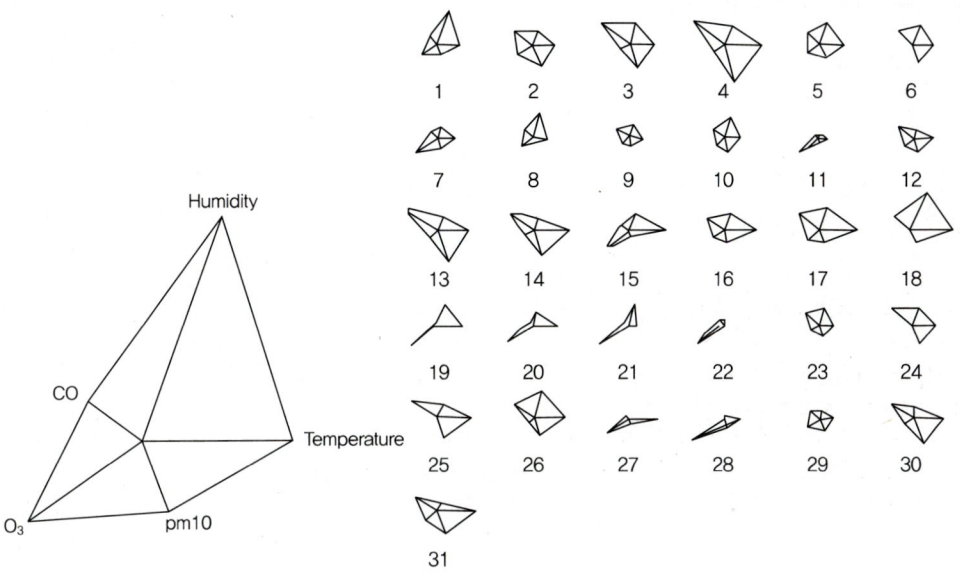

▲ 별의 축 표시 예시   ▲ 별 그림 예시

지피지기 기출문제

01 시공간 데이터에 대한 설명으로 옳지 않은 것은?

① 시공간 데이터는 시간 데이터와 공간 데이터로 구성되어 있다.
② 시공간 데이터로부터 시간 데이터와 공간 데이터 추출이 가능하다.
③ 공간 데이터는 다차원 데이터를 통해 구성한다.
④ 시간 데이터는 공간 데이터로 변환이 가능하다.

> **해설**
> • 시간 데이터는 시각이나 시간 간격, 시간의 경과를 기록하는 데 사용되고, 공간 데이터는 위치나 좌표를 나타내는 다차원 데이터로 서로 다른 특성을 가진다.
> • 시간 데이터는 공간 데이터와는 다른 특성을 가지며, 둘 사이에 직접적인 변환이 불가능하다.

정답 01 ④

천기누설 예상문제

01 다음 중 시공간 데이터에 대한 설명으로 가장 올바르지 않은 것은?

① 공간적 객체에 시간의 개념이 추가되어 시간에 따라 위치나 형상이 변하는 데이터이다.
② 데이터를 공간과 시간의 흐름상에 위치시킬 수 있는 거리속성과 시간속성을 가지고 있다.
③ 연속적 변화는 데이터 수집의 주기가 일정하지 않은 데이터를 이용하여 표현한다.
④ 이산적 변화는 시간의 변화에 따라 데이터가 추가된다.

해설 연속적 변화는 일정한 주기로 수집되는 데이터를 이용하여 연속적으로 표현한다.

02 다음 중 코로플레스 지도에 대한 설명으로 가장 올바르지 않은 것은?

① 등치지역도라고도 한다.
② 어떤 데이터 수치에 따라 지정한 색상 스케일로 영역을 색칠해서 표현한다.
③ 영역별 데이터를 표현하는 가장 보편적인 방법이다.
④ 위도와 경도를 사용하여 좌표를 원으로 정의한다.

해설 시공간 데이터 탐색에서 버블 플롯맵은 위도와 경도를 사용하여 좌표를 원으로 정의한다.

03 다음 중 특정한 데이터값의 변화에 따라 지도의 면적이 왜곡되는 지도로 올바른 것은?

① 카토그램
② 버블 플롯맵
③ 박스플롯
④ 히스토그램

해설 카토그램은 변량비례도라고도 하며 지도의 형태를 왜곡시켜 데이터 지각의 왜곡을 방지하도록 보정한다.

04 다음 중 변량 데이터에 대한 설명으로 가장 올바르지 않은 것은?

① 일변량 데이터 탐색 방법에는 기술 통계량, 그래프 통계량이 있다.
② 이변량 데이터는 각 단위에 대해 두 개의 특성을 측정하여 얻어진 두 개의 변수에 대한 자료이다.
③ 일변량, 이변량 데이터도 다변량 데이터이다.
④ 다변량 데이터는 하나의 단위에 대해 두 가지 이상의 특성을 측정하는 경우 얻어지는 변수에 대한 자료이다.

해설 일변량 데이터는 다변량 데이터가 아니다.

정답 01 ③ 02 ④ 03 ① 04 ③

통계기법 이해

1 기술통계 기출

- 기술통계는 데이터 분석의 목적으로 수집된 데이터를 확률·통계적으로 정리·요약하는 기초적인 통계이다.
- 기술통계는 분석의 초기 단계에서 데이터 분포의 특징을 파악하려는 목적으로 산출한다.

> **학습 POINT ★**
>
> 기술통계에서 기술은 Technology가 아닌 Descriptive입니다. 기술통계의 주요 개념들은 꼭 챙겨 가시길 권장합니다!

1 데이터 요약 ★★★

(1) 대푯값 기출

대푯값은 주어진 자료 전체에서 중심 위치를 나타내는 값이다.

① **평균(Mean; Average)** 기출

- 평균은 산술 평균, 기하 평균, 조화 평균이 있다.
- 평균이라고 하면 일반적으로 산술 평균을 의미한다.

㉮ 산술 평균(Arithmetic Mean)

- 산술 평균은 자료를 모두 더한 후 자료 개수로 나눈 값이다.
- 산술 평균은 전부 같은 가중치를 두며 이상값에 민감하다.

◎ 산술 평균 종류

구분	공식	내용
모평균	$\mu = \dfrac{1}{N}\sum\limits_{i=1}^{N} X_i$	모집단의 데이터가 N개일 때 $X_1, X_2, \ldots, X_N$에 대한 평균 • X_i: i번째 데이터 • N: 모집단의 데이터 수
표본평균	$\overline{X} = \dfrac{1}{n}\sum\limits_{i=1}^{n} X_i$	표본집단의 데이터가 n개일 때 $X_1, X_2, \ldots, X_n$에 대한 평균 • X_i: i번째 데이터 • n: 표본집단의 데이터 수

> **학습 POINT ★**
>
> 모집단에서 추출한 값을 이용한 통계량인 모평균(μ), 모분산(σ^2), 모표준편차(σ)는 그리스 문자로 나타내고, 표본에서 추출한 값을 이용한 통계량인 표본평균($\overline{X}$), 표본분산(s^2), 표본표준편차(s)는 영어 문자로 나타냅니다.

㉮ 기하 평균 (Geometric Mean)
- 기하 평균은 숫자들을 모두 곱한 후 거듭제곱근을 취해서 얻는 평균이다.
- 기하 평균은 성장률, 백분율과 같이 자료가 비율이나 배수와 같이 곱의 관계일 때 사용한다.

평균과 관측치의 단위는 같습니다. 예를 들어 수학 점수가 80점, 70점이 있을 때, 단위가 '점'이고, 80과 70의 평균인 75도 동일하게 단위가 '점'이 됩니다.

공식 기하 평균

$$\sqrt[N]{\prod_{i=1}^{N} X_i} = \sqrt[N]{X_1 \times X_2 \cdots X_N}$$

- X_i: i번째 데이터
- N: 데이터의 수

㉯ 조화 평균 (Harmonic Mean)
- 조화 평균은 자료들의 역수에 대해 산술 평균을 구한 후 그것을 역수로 취한 평균이다.
- 조화 평균은 속도의 평균, 여러 곳의 평균 성장률과 같은 곳에 사용한다.

공식 조화 평균

$$\left(\frac{1}{N}\sum_{i=1}^{N}\frac{1}{X_i}\right)^{-1} = \frac{N}{\frac{1}{X_1}+\frac{1}{X_2}+\cdots+\frac{1}{X_N}}$$

- X_i: i번째 데이터
- N: 데이터의 수

⭐ 8개의 데이터가 있는 집합에서 평균값 계산

90, 75, 45, 100, 85, 70, 65, 70

추출된 데이터라고 명시되어 있지 않으므로 모집단으로 보고 계산한다.
데이터 개수는 8개이므로 $N=8$이고, 1번째 값인 $X_1=90$부터 8번째 값인 $X_8=70$까지 합한 값($\sum_{i=1}^{8}X_i = X_1+X_2+X_3+X_4+X_5+X_6+X_7+X_8$)은 600이므로 모평균 $\mu = \frac{1}{N}\sum_{i=1}^{n}X_i = \frac{1}{8}\sum_{i=1}^{8}X_i = \frac{1}{8} \times 600 = 75$이다.

이상값에 의한 영향은 중위수보다 평균이 영향을 더 많이 받습니다.

② 중위수(중윗값) 기출

㉮ 중위수(Median) 개념
- 중위수는 모든 데이터값을 오름차순으로 순서대로 배열하였을 때 중앙에 위치한 데이터값이다.
- 중위수는 이상값에 영향을 받지 않는다.

㉯ 중위수 공식

| 공식 중위수 | $d_{median} = \frac{n+1}{2}$ 번째 값 |

- n: 데이터의 개수

중위수는 데이터값의 수가 홀수일 경우에는 중위수가 하나가 되지만, 데이터값의 수가 짝수일 경우에는 중앙에 있는 두 개의 값을 평균으로 하여 정한다.

개념 박살내기

★ 8개의 데이터가 있는 집합에서 중위수 계산

90, 75, 45, 100, 85, 70, 65, 70

중위수를 구하기 위해서는 데이터를 오름차순으로 정렬해야 하고, 정렬하면 다음과 같다.

45, 65, 70, 70, 75, 85, 90, 100

이때, 데이터의 개수가 총 8개($n=8$)이므로 중위수의 위치는 $d_{median} = \frac{n+1}{2} = \frac{8+1}{2} = 4.5$ 번째이다. 4번째 값은 70이고, 5번째 값은 75이므로 두 값의 평균인 72.5가 중위수가 된다.

③ 최빈수(Mode) 기출

- 최빈수는 데이터값 중에서 빈도수가 가장 높은 데이터값이다.
- 관측된 데이터값 중에서 가장 여러 번 나타난 값이다.
- 이산형 데이터, 범주형 데이터를 처리하기에 적합하지만, 연속형 데이터를 적용하기에는 적합하지 않다.

개념 박살내기

★ 8개의 데이터가 있는 집합에서 평균값 계산

90, 75, 45, 100, 85, 70, 65, 70

> 90이 1번, 75가 1번, 45가 1번, 100이 1번, 85가 1번, 70이 2번, 65가 1번으로 70이 가장 많이 나왔기 때문에 최빈수는 70이다.

④ **사분위수** 〔기출〕

㉮ 사분위수(Quartile) 개념

사분위수는 모든 데이터값을 순서대로 배열하였을 때 4등분한 지점에 있는 값이다.

㉯ 사분위수 공식

❖ 사분위수

제1 사분위수	데이터를 오름차순을 했을 때 첫 번째 사등분점
제2 사분위수 (중위수)	데이터를 오름차순을 했을 때 두 번째 사등분점
제3 사분위수	데이터를 오름차순을 했을 때 세 번째 사등분점

⑤ **백분위수** 〔기출〕

㉮ 백분위수(Percentile) 개념

- 백분위수는 모든 데이터값을 순서대로 배열하였을 때 100등분한 지점에 있는 값이다.

㉯ 백분위수와 사분위수

❖ 백분위수와 사분위수

백분위수	사분위수
25백분위수	1사분위수
50백분위수(중앙값)	2사분위수
75백분위수	3사분위수

(2) 산포도

산포도는 주어진 자료가 흩어진 정도를 나타내는 값이다.

① **분산(Variance)** 〔기출〕

- 분산은 평균으로부터 얼마나 떨어져 있는지를 나타내는 값이다.
- 양의 편차와 음의 편차를 더할 경우 0이 될 수 있으므로 각 데이터값을 제곱 후 모두 더한다.

▼ 분산의 종류

구분	공식	내용
모분산	$\sigma^2 = \dfrac{\sum_{i=1}^{N}(X_i - \mu)^2}{N}$	• 모집단의 데이터가 N개일 때 $X_1, X_2, ..., X_N$에 대한 분산 • 모집단은 N으로 나눔 • 모집단에 대한 분산은 σ^2으로 정의 • μ: 모평균 • X_i: i번째 데이터 • N: 모집단의 데이터 수
표본분산	$s^2 = \dfrac{\sum_{i=1}^{n}(X_i - \overline{X})^2}{n-1}$	• 표본집단의 데이터가 n개일 때 $X_1, X_2, ..., X_n$에 대한 분산 • 표본집단은 $(n-1)$로 나눔 • 표본집단에 대한 분산은 s^2으로 정의 • $\overline{X}$: 표본평균 • X_i: i번째 데이터 • n: 표본집단의 데이터 수

> **수험생의 궁금증**
>
> **Q** 왜 표본분산은 n이 아니라 $n-1$로 나누나요?
>
> **A** $(n-1)$로 나누는 이유를 이해하기가 쉽지 않기 때문에 이런 게 있구나 하고 읽어보시면 좋습니다.
> 먼저 자유도(Degree of Freedom)의 개념에 대해서 알아야 하는데, 자유도라는 것은 독립적으로 움직이는 변수의 개수입니다. 표본의 분산 공식을 보면 표본 데이터를 표본평균($\overline{X}$)에서 빼주는데, 표본평균을 구해서 분산을 구하는 과정으로 인해 자유도가 1이 감소하게 됩니다.
> 정확하게 이해하려면 편의 추정량(Unbiased Estimate)이라는 내용을 이해해야 하는데, 빅데이터분석기사 시험 범위를 뛰어넘으므로 여기까지 말씀드리겠습니다.

② **표준편차(Standard Deviation)**

표준편차는 분산에 양의 제곱근을 취한 값이다.

▼ 표준편차 종류

구분	공식	내용
모 표준편차	$\sigma = \sqrt{\dfrac{\sum_{i=1}^{N}(X_i - \mu)^2}{N}}$	모분산에 양의 제곱근을 취함 • μ: 모평균 • X_i: i번째 데이터 • N: 모집단의 데이터 수
표본 표준편차	$s = \sqrt{\dfrac{\sum_{i=1}^{n}(X_i - \overline{X})^2}{n-1}}$	표본의 분산에 양의 제곱근을 취함 • $\overline{X}$: 표본평균 • X_i: i번째 데이터 • n: 표본집단의 데이터 수

③ 범위(Range)

㉮ 범위(Range) 개념

범위는 자료 중에서 최댓값과 최솟값의 차이다.

㉯ 범위 공식

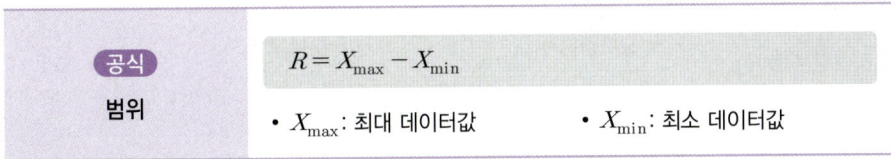

공식 - 범위
$$R = X_{\max} - X_{\min}$$
- $X_{\max}$: 최대 데이터값
- $X_{\min}$: 최소 데이터값

④ IQR(사분 범위, 사분위수 범위) 기출

㉮ IQR(InterQuartile Range) 개념

IQR은 제3 사분위수와 제1 사분위수의 차이 값이다.

㉯ IQR 공식

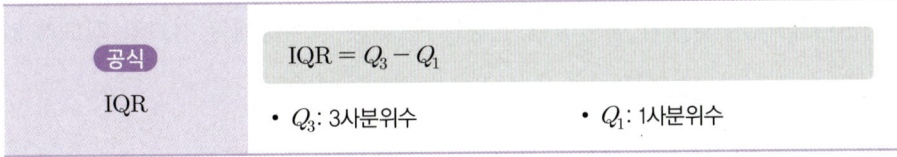

공식 - IQR
$$IQR = Q_3 - Q_1$$
- Q_3: 3사분위수
- Q_1: 1사분위수

⑤ 사분편차

㉮ 사분편차(Quartile Deviation) 개념

사분편차는 제3 사분위수와 제1 사분위수 차이인 IQR의 절반 값이다.

㉯ 사분편차 공식

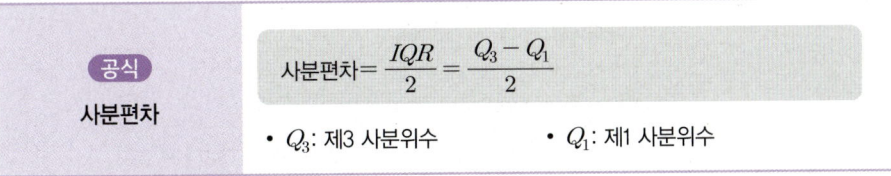

공식 - 사분편차
$$사분편차 = \frac{IQR}{2} = \frac{Q_3 - Q_1}{2}$$
- Q_3: 제3 사분위수
- Q_1: 제1 사분위수

⑥ 변동계수(변이계수; CV)

㉮ 변동계수(Coefficient of Variation) 개념

- 변동계수는 표준편차를 평균으로 나눈 값이다.
- 데이터가 모두 양수이면서 단위가 다른 그룹 또는 단위는 같지만, 평균 차이가 클 때의 흩어진 정도를 비교할 때 사용한다.

학습 POINT ★

변동계수에서 구하는 표준편차와 평균은 모집단의 표준편차, 평균일 수도 있고, 표본집단의 표준편차, 평균일 수도 있습니다.

㉡ 변동계수 공식

공식 변동계수

모집단일 경우
$CV = \dfrac{\sigma}{\mu}$

- σ: 모표준편차
- μ: 모평균

표본집단일 경우
$CV = \dfrac{s}{\overline{X}}$

- s: 표본 표준편차
- $\overline{X}$: 표본평균

(3) 데이터 분포

데이터 분포의 형태와 대칭성을 설명할 수 있는 통계량에는 첨도와 왜도가 있다.

① 첨도(Kurtosis) 기출

- 첨도는 데이터 분포의 뾰족한 정도를 설명하는 통계량이다.

⊗ 첨도

첨도	그래프	내용
첨도=0		• 집단의 분포가 표준정규분포와 뾰족한 정도와 같음
첨도>0		• 첨도가 0보다 큰 분포 • 첨용이라고도 함
첨도<0		• 첨도가 0보다 작은 분포 • 평용이라고도 함

② 왜도(Skewness)

- 왜도는 데이터 분포의 기울어진 정도를 설명하는 통계량이다.
- 비대칭성을 나타내는 통계량이다.

◎ 왜도

왜도	그래프	내용
왜도=0	최빈수=중위수=평균 (좌우대칭 종모양)	좌우대칭 최빈수 = 중위수 = 평균
왜도>0	최빈수 < 중위수 < 평균 (우측으로 긴 꼬리)	우측으로 긴 꼬리 최빈수 < 중위수 < 평균
왜도<0	평균 < 중위수 < 최빈수 (좌측으로 긴 꼬리)	좌측으로 긴 꼬리 최빈수 > 중위수 > 평균

> **학습 POINT ★**
>
> 그래프에서 최빈수는 값이 가장 많은 곳을 의미하므로 가장 높은 곳이 최빈수이고, 평균의 경우 왜도 > 0일 때는 값이 비정상적으로 큰 값들에 의해 중위수보다 오른쪽에 있고, 왜도 < 0일 때는 값이 비정상적으로 작은 값들에 의해 중위수보다 왼쪽에 있습니다.

(4) 공분산

① 공분산(Covariance)의 개념

공분산은 2개의 변수 사이의 관련성을 나타내는 통계량이다.

② 공분산 종류

◎ 공분산 종류

구분	공식	내용
모공분산	$Cov(X, Y) = \sigma_{XY}$ $= \dfrac{1}{N}\sum_{i=1}^{N}(X_i - \mu_X)(Y_i - \mu_Y)$	모집단 X, 모집단 Y 변수 사이의 상관 정도를 나타내는 값 • X_i: X 모집단의 i번째 데이터 • Y_i: Y 모집단의 i번째 데이터 • μ_X: X 모집단의 평균 • μ_Y: Y 모집단의 평균 • N: X, Y 모집단 각각의 데이터 수

> **학습 POINT ★**
>
> 공분산은 값의 크기를 보고 강한 상관관계를 가졌는지 아닌지를 판단하기 힘듭니다. 그래서 X, Y 공분산에 X, Y 변수들의 표준편차를 나눈 상관관계를 통해 X, Y가 얼마나 상관이 있는지를 알 수 있게 합니다.

> **학습 POINT ★**
>
> - 공분산에서 두 변수가 같으면 분산과 같습니다.
> - 모공분산에서 두 변수가 모두 X라면 $Cov(X, X)$
> $= \dfrac{1}{N}\sum_{i=1}^{N}(X_i - \mu_X)(X_i - \mu_X)$
> $= \dfrac{1}{N}\sum_{i=1}^{N}(X_i - \mu_X)^2 = \sigma_X^2$이 됩니다.

구분	공식	내용
표본공분산	$s_{XY} = \dfrac{1}{n-1}\sum_{i=1}^{n}(X_i - \overline{X})(Y_i - \overline{Y})$	표본집단 X, 표본집단 Y 변수 사이의 상관 정도를 나타내는 값 • X_i: X 표본집단의 i번째 데이터 • Y_i: Y 표본집단의 i번째 데이터 • $\overline{X}$: X 표본집단의 평균 • $\overline{Y}$: Y 표본집단의 평균 • n: X, Y 표본집단 각각의 데이터 수

③ 공분산 해석

❤ 공분산 해석

공분산 값	내용
$(Cov > 0)$	2개의 변수 중 하나의 값이 상승하는 경향을 보일 때, 다른 값도 상승하는 경향을 보인다면 공분산의 값은 양수가 됨
$(Cov < 0)$	2개의 변수 중 하나의 값이 상승하는 경향을 보일 때, 다른 값이 하강하는 경향을 보인다면 공분산의 값은 음수가 됨

④ 공분산의 특징

- 상관관계의 상승 혹은 하강하는 경향을 이해할 수 있다.
- 공분산 값의 크기는 측정 단위에 따라 달라지므로 선형관계의 강도를 나타내지는 못한다.

🟣 공분산 예제

모집단 X가 2, 1, 3이고, 모집단 Y가 4, 2, 6일 때

모집단 X의 평균 $\mu_X = \dfrac{2+1+3}{3} = 2$, 모집단 Y의 평균 $\mu_Y = \dfrac{4+2+6}{3} = 4$이다.

$$\begin{aligned}\sigma_{XY} &= \frac{1}{N}\sum_{i=1}^{N}(X_i - \mu_X)(Y_i - \mu_Y)\\ &= \frac{1}{3}\sum_{i=1}^{3}(X_i - 2)(Y_i - 4)\\ &= \frac{1}{3}\{(X_1-2)(Y_1-4)+(X_2-2)(Y_2-4)+(X_3-2)(Y_3-4)\}\\ &= \frac{1}{3}\{(2-2)(4-4)+(1-2)(2-4)+(3-2)(6-4)\}\\ &= \frac{4}{3}\end{aligned}$$

> 공분산은 0보다 크므로 두 변수가 같은 경향을 보인다. (모집단 X에서는 값이 2에서 1로 감소했다가 3으로 증가, 모집단 Y에서는 값이 4에서 2로 감소했다가 6으로 증가)

⑤ **공분산 행렬** 기출

- 공분산 행렬은 각 변수 간의 분산을 나타내는 행렬이다.
- 공분산 행렬에서 대각선 요소는 해당 변수의 분산이고, 비대각 요소는 변수 간의 공분산이다.

개념 박살내기

🔗 **공분산 행렬**

변수＼변수	X_1	X_2	...	X_j	...	X_n
X_1	$Cov(X_1, X_1)$ $= Var(X_1)$	$Cov(X_1, X_2)$		$Cov(X_1, X_j)$		$Cov(X_1, X_n)$
X_2	$Cov(X_2, X_1)$	$Cov(X_2, X_2)$ $= Var(X_2)$		$Cov(X_2, X_j)$		$Cov(X_2, X_n)$
...						
X_i	$Cov(X_i, X_1)$	$Cov(X_i, X_2)$		$Cov(X_i, X_j)$		$Cov(X_i, X_n)$
...						
X_n	$Cov(X_n, X_1)$	$Cov(X_n, X_2)$		$Cov(X_n, X_j)$		$Cov(X_n, X_n)$ $= Var(X_n)$

(5) 상관계수 기출

① **상관계수(Correlation Coefficient) 개념**

- 상관계수는 두 변수 사이의 연관성을 수치상으로 객관화하여 두 변수 사이의 방향성과 강도를 표현하는 방법이다.
- 모집단을 대상으로 계산된 상관계수를 모상관계수(Population Correlation Coefficient)라고 한다.
- 표본 집단(Sample)을 대상으로 계산된 상관계수를 표본상관계수(Sample Correlation Coefficient)라고 하며, 두 변수 간에 직선 관계가 있는지를 나타내는 통계량이다.
- 상관계수만으로 통계적 유의성을 알 수 없다.
- 상관계수 행렬(Correlation Matrix)은 두 변수 간의 선형 상관관계를 계량화한 행렬이다.

② **상관계수 특징** 기출
- 두 변수가 같이 커지거나 같이 작아지는 경향이 있으면 상관 계수가 높다.
- 상관 계수가 높은 변수가 여럿 존재하면 파라미터 수가 불필요하게 증가하여 차원 저주(Curse of Dimensionality)에 빠질 우려가 있다.
- 선형 모델, 신경망 등의 기계 학습 모델은 상관 계수가 큰 예측 변수들이 있을 경우 성능이 떨어지거나 모델이 불안정해질 수 있으므로 상관 계수가 큰 변수들을 제거할 수 있다.

③ **상관계수 해석** 기출

상관계수는 -1 이상, 1 이하의 값을 가진다.

▽ 상관계수 해석

상관계수	산점도	설명
+0.7 ~ +1.0		강한 양의 선형관계
+0.3 ~ +0.7		뚜렷한 양의 선형관계
+0.1 ~ +0.3		약한 양의 선형관계
-0.1 ~ +0.1		거의 무시될 수 있는 선형관계
-0.3 ~ -0.1		약한 음의 선형관계

상관계수	산점도	설명
−0.7 ~ −0.3		뚜렷한 음의 선형관계
−1.0 ~ −0.7		강한 음의 선형관계

④ 상관계수 공식

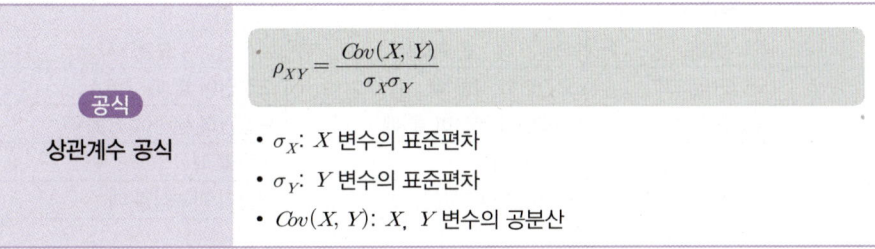

공식
상관계수 공식

$$\rho_{XY} = \frac{Cov(X, Y)}{\sigma_X \sigma_Y}$$

- σ_X: X 변수의 표준편차
- σ_Y: Y 변수의 표준편차
- $Cov(X, Y)$: X, Y 변수의 공분산

⑤ 상관계수 종류

◉ 상관계수 종류

종류	설명
피어슨 상관계수 (Pearson Correlation Coefficient)	• 수치적 데이터일 경우에 두 변수 사이의 연관성을 계량적으로 산출하여 분석하는 방법 예 키와 몸무게
스피어만 순위상관계수 (Spearman Correlation Coefficient)	• 순서적 데이터일 경우에 두 변수 사이의 연관성을 계량적으로 산출하여 분석하는 방법 예 언어 영역 순위(1등, 2등, 3등)와 수리 영역 순위(1등, 2등, 3등)
카이제곱 검정 (Chi-Squared Test)	• 명목적 데이터일 경우에 두 변수 사이의 연관성을 분석하는 방법 예 지역(서울, 대구, 부산)과 종교(불교, 기독교, 천주교)

2 표본추출 ★★

(1) 표본추출(Sampling) 개념
- 표본추출은 모집단 일부를 일정한 방법에 따라 표본으로 선택하는 과정이다.
- 표본추출은 표본 표집, 표본 선정이라고도 불린다.

조사 방법 〔기출〕

① 조사 종류

종류	설명
전수 조사	모집단으로부터 직접적으로 정보를 입수하는 방법
표본 조사	표본집단으로부터 간접적으로 정보를 입수하는 방법

② 조사 방법 비교

항목	전수조사	표본조사
모집단의 크기	모집단이 작을 때	모집단이 클 때
모집단의 분산	모집단의 분산이 클 때	모집단의 분산이 작을 때
시간과 비용	충분할 때	부족할 때
측정 형태	대상이 비파괴성일 때	대상이 파괴성일 때

(2) 표본추출 기법 〔기출〕

표본추출 기법에는 단순 무작위 추출, 계통 추출, 층화 추출, 군집 추출 기법 등이 있다.

표본추출 기법

기법	설명
단순 무작위 추출 (Simple Random Sampling)	• 모집단에서 정해진 규칙 없이 표본을 추출하는 방식 • 표본의 크기가 커질수록 정확도가 높아지며, 추정값이 모수에 근접하므로 추정값의 분산이 줄어듦 예) 100개의 전구에서 무작위로 10개의 전구를 추출
계통 추출 (Systematic Sampling)	• 모집단을 일정한 간격으로 추출하는 방식 예) 100명의 사람에게 번호표를 나눠주고 끝자리가 7로 끝나는 사람들을 선정
층화 추출 (Stratified Sampling)	• 모집단을 여러 계층으로 나누고, 계층별로 무작위 추출을 수행하는 방식 • 층내는 동질적이고, 층간은 이질적
군집 추출 (Cluster Random Sampling)	• 모집단을 여러 군집으로 나누고, 일부 군집의 전체를 추출하는 방식 • 집단 내부는 이질적이고, 집단 외부는 동질적

표본추출 기법
「단계층군」
단순 무작위 추출 / **계**통 추출 / **층**화 추출 / **군**집 추출
→ 단일 계층군을 형성함

동질성 검정을 수행할 때 집단 내부는 동질적이어야 하므로 층화 추출을 사용해야 합니다.

표본추출 종류

모집단은 세모, 네모, 동그라미 그룹으로 총 6개가 있고, 모집단으로부터 단순 무작위 추출, 계통 추출, 층화 추출, 군집 추출을 통해 3개의 표본을 추출하려고 한다.

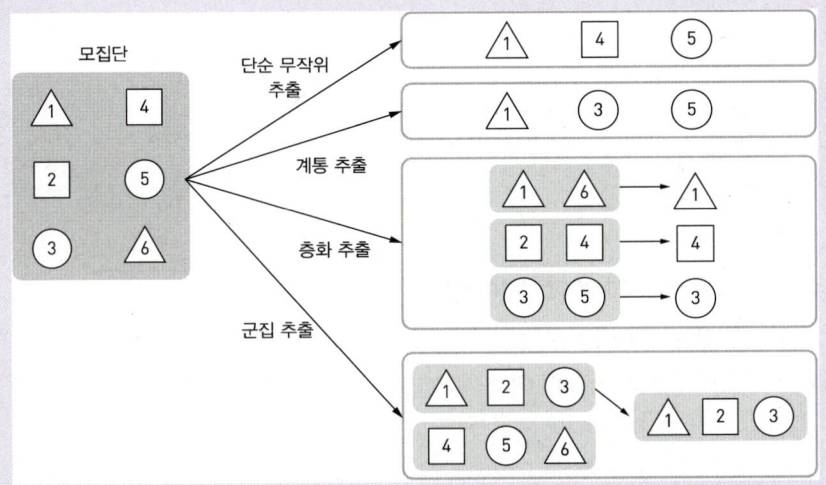

단순 무작위 추출의 경우 6개 중에 임의로 3개를 뽑는다. 계통 추출의 경우 1, 3, 5와 같이 일정한 간격(해당 예제에서는 1부터 2씩 떨어진 숫자)으로 추출한다. 층화 추출의 경우 집단 내부는 동질적이고, 집단 외부는 이질적이어야 하므로 세모끼리, 네모끼리, 동그라미끼리 모아놓고 세모에서 1개, 네모에서 1개, 동그라미에서 1개를 추출한다. 군집 추출의 경우 집단 내부는 이질적이고, 집단 외부는 동질적이어야 하므로 세모, 네모, 동그라미가 한 집단이 되도록 뽑은 후에 그 중 한 집단을 선택한다.

3 확률분포 ★★★

(1) 확률 및 기본 통계 이론

① 확률

㉮ 확률(Probability)의 개념

확률은 비슷한 현상이 반복해서 일어날 경우에 어떤 사건이 발생할 가능성을 0과 1 사이의 숫자로 표현하는 방법이다.

㉯ 확률의 계산

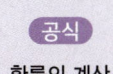
공식
확률의 계산

$$P(A) = \frac{n_A}{n_S} = \frac{A\text{의 개수}}{S\text{의 개수}}$$

- S: 표본공간(Sample Space) = 전체 개수
- A: 사건(Event) = 관심 있는 부분

확률분포에서는 풀이형 문제가 빈출되어 나올 가능성이 높습니다. 예제로 나와 있는 문제를 풀 수 있는 정도로 잘 학습해두시길 권장합니다.

㉰ 교사건(Intersection of Events)

교사건은 사건 A와 B에 동시에 속하는 기본 결과들의 모임(A∩B)이다.

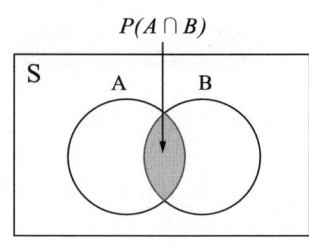

▲ 교사건

> 예) 52장의 카드 중에서 빨간색(R)이면서 퀸(Q)인 카드를 뽑을 확률
> $P(R \cap Q) = \dfrac{2}{52}$

② **조건부 확률(Conditional Probability)**

- 조건부 확률은 어떤 사건이 일어난다는 조건에서 다른 사건이 일어날 확률이다.
- 두 개의 사건 A와 B에 대하여 사건 A가 일어난다는 선행조건 아래에 사건 B가 일어날 확률이다.

사건 A가 조건으로 일어났을 때 사건 B의 조건부 확률	$P(B|A) = \dfrac{P(A \cap B)}{P(A)}, \ P(A) \neq 0$
사건 B가 조건으로 일어났을 때 사건 A의 조건부 확률	$P(A|B) = \dfrac{P(A \cap B)}{P(B)}, \ P(B) \neq 0$

개념 박살내기

A가 비가 오는 경우, B는 교통사고가 나는 경우라고 하면 $P(A)$는 비가 올 확률, $P(B)$는 교통사고가 날 확률, $P(A \cap B)$는 비도 오고 교통사고도 나는 확률이다.

🔗 조건부 확률 사례

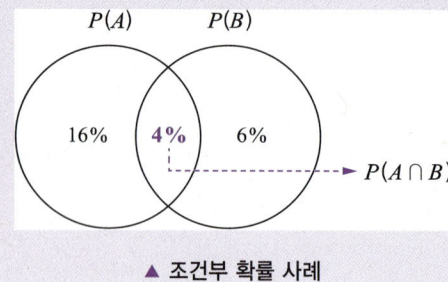

▲ 조건부 확률 사례

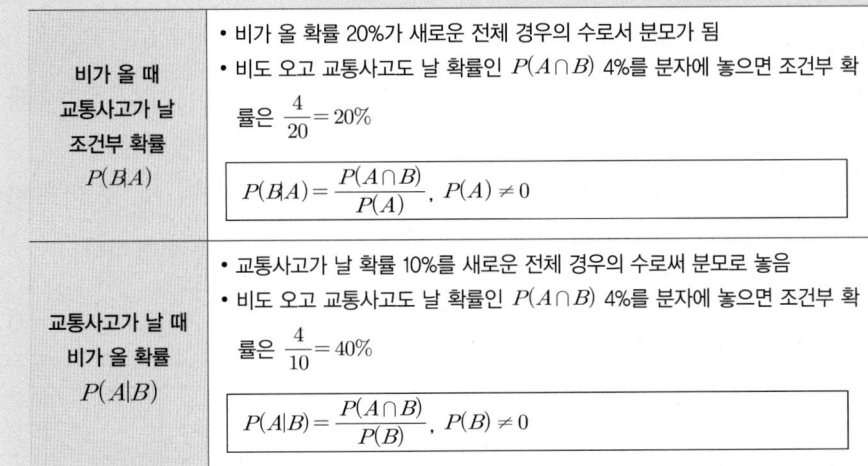

비가 올 때 교통사고가 날 조건부 확률 $P(B|A)$	• 비가 올 확률 20%가 새로운 전체 경우의 수로서 분모가 됨 • 비도 오고 교통사고도 날 확률인 $P(A \cap B)$ 4%를 분자에 놓으면 조건부 확률은 $\frac{4}{20} = 20\%$ $P(B|A) = \frac{P(A \cap B)}{P(A)}$, $P(A) \neq 0$
교통사고가 날 때 비가 올 확률 $P(A|B)$	• 교통사고가 날 확률 10%를 새로운 전체 경우의 수로써 분모로 놓음 • 비도 오고 교통사고도 날 확률인 $P(A \cap B)$ 4%를 분자에 놓으면 조건부 확률은 $\frac{4}{10} = 40\%$ $P(A|B) = \frac{P(A \cap B)}{P(B)}$, $P(B) \neq 0$

- 위의 사례를 통해 비가 올 때 교통사고가 날 확률 $P(B|A)$는 20%이고, 교통사고가 날 때 비가 올 확률 $P(A|B)$는 40%이다.
- 따라서 $P(B|A) \neq P(A|B)$이다.

③ 전 확률의 정리

㉮ 전 확률의 정리(Law of Total Probability) 개념

전 확률의 정리는 나중에 주어지는 사건 A의 확률을 구할 때 그 사건의 원인을 여러 가지로 나누어서, 각 원인에 대한 조건부 확률 $P(A|B_i)$와 그 원인이 되는 확률 $P(B_i)$의 곱에 의한 가중합(Σ)으로 구할 수 있다는 법칙이다.

㉯ 전 확률의 정리 공식

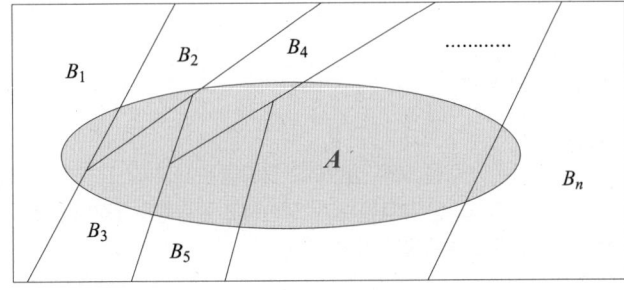

▲ 전 확률의 정리 공식

$$P(A) = P(B_1 \cap A) + P(B_2 \cap A) + \cdots + P(B_n \cap A)$$
$$= P(B_1)P(A|B_1) + P(B_2)P(A|B_2) + \cdots + P(B_n)P(A|B_n)$$
$$= \sum_{i=1}^{n} P(B_i)P(A|B_i)$$

④ 베이즈 정리 기출

㉮ 베이즈 정리(Bayes' Theorem) 개념
- 베이즈 정리는 어떤 사건에 대해 관측 전(사전확률) 원인에 대한 가능성과 관측 후(사후 확률)의 원인 가능성 사이의 관계를 설명하는 확률이론이다.
- 베이즈 확률은 어떤 사건 B가 서로 배반인 A_1, A_2, A_3, …, A_n 중 어느 한 가지 경우로 발생하는 경우 실제 B가 일어날 때, A_i가 발생할 확률이다.

㉯ 베이즈 정리 공식

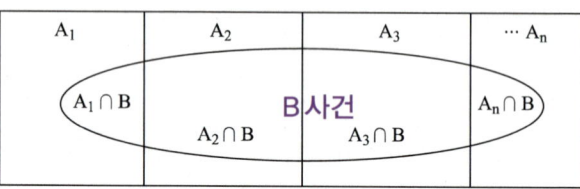

공식

베이즈 정리

$$P(A_i|B) = \frac{P(A_i \cap B)}{P(B)} = \frac{P(A_i \cap B)}{\sum_{i=1}^{n} P(A_i \cap B)}$$

$$= \frac{P(A_i)P(B|A_i)}{P(A_1)P(B|A_1) + P(A_2)P(B|A_2) + \cdots + P(A_n)P(B|A_n)}$$

$$= \frac{P(A_i)P(B|A_i)}{\sum_{i=1}^{n} P(A_i)P(B|A_i)}$$

$P(B) = P(A_1 \cap B) + P(A_2 \cap B) + \cdots + P(A_n \cap B)$
$P(A \cap B) = P(A)P(B|A)$

개념 박살내기

🔹 **베이즈 정리 예제**

한 회사에서 A 공장은 부품을 50% 생산하고 불량률은 1%이다. B 공장은 부품을 30% 생산하고 불량률은 2%이고, C 공장은 부품을 20% 생산하고 불량률은 3%이다. 부품을 선택했을 때 C 공장에서 생산한 불량품일 확률을 구하시오.

A_1: A 공장, A_2: B 공장, A_3: C 공장, B: 불량률

- $P(A_1)$: A 공장에서 부품 생산할 확률(50%), $P(B|A_1)$: A 공장에서의 불량률(1%)
- $P(A_2)$: B 공장에서 부품 생산할 확률(30%), $P(B|A_2)$: B 공장에서의 불량률(2%)
- $P(A_3)$: C 공장에서 부품 생산할 확률(20%), $P(B|A_3)$: C 공장에서의 불량률(3%)

- $P(A_3|B)$: 불량품이 C 공장에서 생산될 확률

$$P(A_3|B) = \frac{P(A_3)P(B|A_3)}{P(A_1)P(B|A_1) + P(A_2)P(B|A_2) + P(A_3)P(B|A_3)}$$

$$= \frac{20\% \times 3\%}{50\% \times 1\% + 30\% \times 2\% + 20\% \times 3\%} = \frac{60}{50+60+60} = \frac{6}{17}$$

(2) 확률분포 및 확률변수

① 확률분포 개념

- 확률분포는 확률변수가 특정한 값을 가질 확률을 나타내는 분포이다.
- 확률분포는 확률변수의 종류에 따라 크게 이산확률분포와 연속확률분포로 나뉜다.

② 확률변수

㉮ 확률변수(Random Variable)의 개념

- 확률변수는 특정 확률로 발생하는 결과를 수치적 값으로 표현하는 변수이다.
- 확률변수는 확률에 의해 그 값이 결정되는 변수이다.
- 확률변수는 주로 대문자 X로 표시한다.

> 예 한 개의 동전을 두 번 던지는 실험에서 전체 표본 공간은 {(앞, 앞), (앞, 뒤), (뒤, 앞), (뒤, 뒤)}이다.
> 앞면이 나올 개수를 X라고 할 경우 X가 가질 수 있는 값은 0, 1, 2이다.
> 확률(1/4, 1/2, 1/4)에 의해서 앞면의 수 X의 값이 결정되므로 X를 확률변수라고 할 수 있다.
>
> | 앞면의 수(X) | 0 | 1 | 2 | 계 |
> |---|---|---|---|---|
> | 확률 | 1/4 | 1/2 | 1/4 | 1 |

㉯ 확률변수 종류 [기출]

확률변수는 이산확률변수와 연속확률변수로 나눌 수 있다.

◈ 확률변수의 종류

확률변수	설명
이산확률변수	셀 수 있는 확률변수
연속확률변수	연속적인 구간 내의 실숫값을 가진 확률변수

③ 확률변수 – 기댓값

㉮ 기댓값(Expectation Value)의 개념
- 기댓값은 확률변수의 값에 해당하는 확률을 곱하여 모두 더한 값이다.
- 확률변수의 평균(μ)과 같으며, E(X)로 표시한다.
- 해당 확률분포에서 평균적으로 기대할 수 있는 값이며, 해당 확률분포의 중심 위치를 설명해주는 값이다.

㉯ 확률변수의 기댓값 공식

❥ 확률변수의 기댓값 공식

확률변수	기댓값
이산확률변수	$\mu = E(X) = \sum_{x=1}^{N} x f(x)$ • X: 확률변수 • x: 확률변수 X의 값 • $f(x)$: 확률 질량 함수
연속확률변수	$\mu = E(X) = \int_{-\infty}^{\infty} x f(x) dx$ • X: 확률변수 • x: 확률변수 X의 값 • $f(x)$: 확률 질량 함수

㉰ 확률변수의 기댓값 특징
- 선형 결합된 기댓값의 성질은 다음과 같다.
- X, Y는 확률변수이고 a, b는 상수일 때 다음과 같은 특성이 있다.

특징	내용		
$E(a) = a$	• 상수항 a는 기댓값이 a가 됨		
	이산확률변수	$E(a) = \sum_{x=1}^{n} a f(x) = a \sum_{x=1}^{n} f(x)$ $= a \times 1 = a$ 모든 확률의 합인 $\sum_{x=1}^{n} f(x)$는 1이 됨	
	연속확률변수	$E(a) = \int_{-\infty}^{\infty} a f(x) dx = a \int_{-\infty}^{\infty} f(x) dx$ $= a \times 1 = a$ 모든 확률의 합인 $\int_{-\infty}^{\infty} f(x) dx$는 1이 됨	

특징	내용
$E(aX) = aE(X)$	• 상수항 a와 확률변수 X를 곱한 후 기댓값을 취한 값은 상수항 a에 X의 기댓값과 곱한 값과 같음
	이산확률변수: $E(aX) = \sum_{x=1}^{n} axf(x) = a\sum_{x=1}^{n} xf(x) = aE(X)$
	연속확률변수: $E(aX) = \int_{-\infty}^{\infty} axf(x)dx = a\int_{-\infty}^{\infty} xf(x) = a\int_{-\infty}^{\infty} xf(x)$
$E(aX+b) = aE(X)+b$	• 상수항 a와 확률변수 X를 곱한 후 상수항 b를 더한 값에 기댓값을 취한 값은 상수항 a와 X의 기댓값을 곱한 값에 상수항 b를 더한 값과 같음
	이산확률변수: $E(aX+b) = \sum_{x=1}^{n}(ax+b)f(x) = a\sum_{x=1}^{n}xf(x) + b\sum_{x=1}^{n}f(x) = aE(X) + b\times 1 = aE(X)+b$
	연속확률변수: $E(aX+b) = \int_{-\infty}^{\infty}(ax+b)f(x)dx = a\int_{-\infty}^{\infty}xf(x)dx + b\int_{-\infty}^{\infty}f(x)dx = aE(X) + b\times 1 = aE(X)+b$
$E(X \pm Y) = E(X) \pm E(Y)$	확률변수 X와 Y를 더하거나 뺀 후 기댓값을 취한 값은 X의 기댓값과 Y의 기댓값을 더하거나 뺀 값과 같음
$E(XY) = E(X)E(Y)$ (단, X, Y는 독립)	확률변수 X와 Y를 곱한 후 기댓값을 취한 값은 X의 기댓값과 Y의 기댓값을 곱한 값과 같음

④ 확률변수 - 분산

㉮ 분산(Variance)의 개념

• 분산은 평균으로부터 얼마나 떨어져 있는지를 나타내는 값이다.

㉯ 확률변수의 분산 공식

• 확률변수의 산포도를 나타내는 값으로 $V(X)$ 또는 $Var(X)$로 표시한다.

⊘ **확률변수의 분산 공식**

확률변수	분산
이산확률변수	$\sigma^2 = V(X) = E[(X-E(X))^2]$ $= \sum_{x=1}^{N}(x-E(X))^2 f(x) = E(X^2) - [E(X)]^2$ • X: 확률변수 • x: 확률변수 X의 값 • $f(x)$: 확률변수
연속확률변수	$\sigma^2 = V(X) = E[(X-E(X))^2]$ $= \int_{-\infty}^{\infty}(x-E(X))^2 f(x)dx = E(X^2) - [E(X)]^2$ • X: 확률변수 • x: 확률변수 X의 값 • $f(x)$: 확률변수

• 공분산은 두 확률변수 사이의 관련성의 척도이며, 다음의 식과 같이 계산할 수 있다.

⊘ **두 확률변수의 공분산 공식**

$$Cov(X, Y) = \sigma_{XY} = E(XY) - E(X)E(Y)$$

㈐ **확률변수의 분산 특징** 기출

• 선형 결합된 분산의 성질은 다음과 같다.
• X, Y는 확률변수이고 a, b는 상수일 때 다음과 같은 특성이 있다.

$V(a) = 0$	• 상수항 a에 분산을 취한 값은 0이 됨 $V(a) = E((a-E(a))^2)$ $= E((a-a)^2)$ $= E(0) = 0$
$V(aX) = a^2 V(X)$	• 상수항 a와 확률변수 X를 곱한 값에 분산을 취한 값은 상수항 a를 제곱한 값과 X에 분산을 취한 값을 곱한 값과 같음 $V(aX) = E[\{aX - aE(X)\}^2]$ $= E[a^2\{X - E(X)\}^2]$ $= a^2 E[\{X - E(X)\}^2]$ $= a^2 V(X)$

$V(aX+b) = a^2 V(X)$	• 상수항 a와 확률변수 X를 곱한 값과 상수항 b를 더한 값에 분산을 취한 값은 상수항 a의 제곱과 X에 분산을 취한 값을 곱한 값과 같음 $$\begin{aligned} V(aX+b) &= E[\{aX+b-E(aX+b)\}^2] \\ &= E[\{aX+b-aE(X)-b\}^2] \\ &= a^2 E[\{X-E(X)\}^2] \\ &= a^2 V(X) \end{aligned}$$	
$V(X+Y)$ $= V(X)+V(Y)+2Cov(X,Y)$ (X와 Y가 독립이면 $Cov(X,Y)=0$)	• 확률변수 X와 Y를 더한 후 분산을 취한 값은 X에 분산을 취한 값과 Y에 분산을 취한 값 그리고 2와 X, Y의 공분산(Cov)을 취한 값을 곱한 값을 더한 값과 같음	
$V(X-Y)$ $= V(X)+V(Y)-2Cov(X,Y)$ (X와 Y가 독립이면 $Cov(X,Y)=0$)	• 확률변수 X와 Y를 뺀 후 분산을 취한 값은 X에 분산을 취한 값과 Y에 분산을 취한 값 그리고 2와 X, Y의 공분산(Cov)을 취한 값을 곱한 값을 뺀 값과 같음	

 학습 POINT ★

X, Y가 독립이면 $Cov(X,Y)=0$이지만, $Cov(X,Y)=0$이면 X, Y가 반드시 독립은 아닙니다.

 개념 박살내기

○ 기댓값 예제

앞의 예인 동전을 2회 던지는 실험에서 앞면이 나오는 횟수를 확률변수 X라고 하면, 앞면이 나올 횟수와 확률을 다시 표로 정리하면 다음과 같다.

앞면의 수(X)	0	1	2	계
확률	1/4	1/2	1/4	1

이산확률변수의 기댓값 공식에 값을 대입하면

$$\mu = E(X) = \sum_{x=1}^{N} xf(x) = 0 \times \frac{1}{4} + 1 \times \frac{1}{2} + 2 \times \frac{1}{4} = 1$$이 된다.

이때 분산은 $\sigma^2 = V(X) = E(X^2) - [E(X)]^2$에서 먼저 X^2의 기댓값을 구한다.

$$E(X^2) = \sum_{x=1}^{N} x^2 f(x) = 0^2 \times \frac{1}{4} + 1^2 \times \frac{1}{2} + 2^2 \times \frac{1}{4} = \frac{3}{2}$$이다.

따라서 분산은 $\sigma^2 = V(X) = E(X^2) - [E(X)]^2 = \frac{3}{2} - (1)^2 = \frac{1}{2}$이다.

(3) 확률분포 종류

① 이산확률분포

㉠ 이산확률분포(Discrete Probability Distribution) 개념

- 이산확률분포는 이산확률변수 X가 가지는 확률분포이다.

 학습 POINT ★

이산확률분포의 종류는 기출문제로 출제되었습니다. 이산확률분포와 연속확률분포의 차이를 명확히 알아두시기 바랍니다!

- 이산확률변수는 확률변수 X가 0, 1, 2, 3, …과 같이 하나씩 셀 수 있는 값을 취한다.

㉯ 이산확률분포 종류

- 이산확률분포의 종류로는 포아송분포, 베르누이분포, 이항분포, 초기하분포 등이 있다.

 이산확률분포 종류

종류	설명
포아송분포 (Poisson Distribution)	• 이산형 확률분포 중 주어진 시간 또는 영역에서 어떤 사건의 발생 횟수를 나타내는 확률분포 • 기댓값과 분산이 λ로 동일 $P = \dfrac{\lambda^n e^{-\lambda}}{n!}$ (e는 자연상수) • λ: 정해진 시간·영역 안에 어떤 사건이 일어날 횟수에 대한 기댓값 • n: 정해진 시간·영역 안에 사건이 일어나는 횟수 기댓값: $E(X) = \lambda$ 분산: $V(X) = \lambda$
베르누이분포 (Bernoulli Distribution)	• 특정 실험의 결과가 성공 또는 실패로 두 가지의 결과 중 하나를 얻는 확률분포 $P = p$ • p: 특정 실험의 결과가 성공할 확률 기댓값: $E(X) = p$ 분산: $V(X) = p(1-p)$
이항분포 (Binomial Distribution)	• n번 시행 중에 각 시행의 확률이 p일 때, k번 성공할 확률분포 $P = \binom{n}{k} p^k (1-p)^{n-k}$ • n: 시행 횟수 • p: 특정 실험의 결과가 성공할 확률 • k: 성공 횟수 기댓값: $E(X) = np$ 분산: $V(X) = np(1-p)$ • n과 k가 1이면 베르누이 시행

이산확률분포의 종류

「포베이초」

포아송 / **베**르누이 / **이**항분포 / **초**기하분포

→ 쌀국수 집 포베이는 초역세권에 있어!

학습 POINT ★

포아송분포에서 기댓값과 분산이 같다는 것을 알아야 풀 수 있는 문제가 나왔습니다. 기댓값과 분산이 λ라는 것을 꼭 기억해두세요!

종류	설명

초기하분포 (Hypergeometric Distribution)	• 비복원추출에서 N개 중에 r개가 특정 그룹이고, n번 추출했을때 특정 그룹에서 x개가 뽑힐 확률의 분포
	
	$P = \dfrac{\binom{r}{x}\binom{N-r}{n-x}}{\binom{N}{n}}$ • N: 전체 원소 개수
	         • r: 특정 그룹의 원소 개수
	         • n: 시행 횟수(추출 횟수)
	         • x: 특정 그룹의 원소 추출 횟수
	
	기댓값: $E(X) = n\left(\dfrac{r}{N}\right)$
	
	분산: $V(X) = n\left(\dfrac{r}{N}\right)\left(\dfrac{N-r}{N}\right)\left(\dfrac{N-n}{N-1}\right)$

학습 POINT ★

- 초기하분포는 비복원추출이기 때문에 성공 확률이 일정하지가 않습니다. 시험에도 나온 내용이니 꼭 기억해두세요.
- 초기하분포에서 $\binom{N}{n}$는 전체 중에서 n번 추출했을 때 경우의 수, $\binom{r}{x}$는 성공 원소를 뽑는 경우의 수, $\binom{N-r}{n-x}$는 실패 원소를 뽑는 경우의 수입니다.

개념 박살내기

 **나사 100개를 기준으로 1개가 불량이다. 나사 200개 중에서 불량이 1개 이하일 확률을 구하려고 한다.**

① 어떤 확률분포인지 파악

이산형 확률분포 중 주어진 시간 또는 영역에서 어떤 사건의 발생 횟수를 나타내는 확률분포이므로 포아송분포를 사용해야 한다.

② 계산에 필요한 값들을 도출

λ 도출	나사 100개를 기준으로 1개가 불량일 때, 나사 200개일 때 2개가 불량이므로 $\lambda=2$
n 도출	불량이 1개 이하일 확률은 불량이 0개($n=0$)일 때 확률과 불량이 1개($n=1$)일 때 확률을 합친 값 $n=0, n=1$

③ 포아송 계산

- 불량이 0개일 확률($\lambda=2, n=0$) $P = \dfrac{\lambda^n e^{-\lambda}}{n!} = \dfrac{2^0 \times e^{-2}}{0!} = e^{-2}$
- 불량이 1개일 확률($\lambda=2, n=1$) $P = \dfrac{\lambda^n e^{-\lambda}}{n!} = \dfrac{2^1 \times e^{-2}}{1!} = 2e^{-2}$
- 두 값을 더하면 $P = e^{-2} + 2e^{-2} = 3e^{-2}$이다.

학습 POINT ★

$n!$은 팩토리얼로 공식은 다음과 같습니다.
$n! = n \times (n-1)$
$\qquad \times (n-2) \cdots \times 1$
그리고 $0! = 1$입니다.

 동전을 2번 던져서 1번이 앞면이 나올 확률을 구하려고 한다.

① 어떤 확률분포인지 파악

2번(n번) 시행 중에 1번(k번) 성공할 확률이므로 이항분포이다.

② 계산에 필요한 값들을 도출

n 도출	동전을 2번 던지기 때문에 $n=2$
p 도출	동전 앞면이 나올 확률 $p=0.5$
k 도출	1번 나오므로 $k=1$

③ 이항분포 계산

$$P = \binom{n}{k}p^k(1-p)^{n-k} = \binom{2}{1}p^1(1-0.5)^{2-1} = \frac{2!}{1!(2-1)!}0.5 \times 0.5 = 0.5$$

> **학습 POINT ★**
>
> $\binom{n}{k}$은 조합(Combination)으로 주어진 원소 n개 중에서 k를 선택하는 경우의 수입니다. $_nC_k$로도 표기하고, 공식은 다음과 같습니다.
>
> $\binom{n}{k} = \dfrac{n!}{k!(n-k)!}$

㉰ 확률 질량 함수(PMF; Probability Mass Function)

- 확률 질량 함수는 이산확률변수에서 특정 값에 대한 확률을 나타내는 함수이다.

공식 확률 질량 함수 $P(X=x) = f(x)$

- 확률 질량 함수의 성질은 다음과 같다.

성질	설명
모든 x에 대해 $f(x) \geq 0$	모든 확률은 0보다 큼
$\sum\limits_{x=-\infty}^{\infty} f(x) = 1$	모든 확률을 합치면 1
$P(a \leq X \leq b) = \sum\limits_{x=a}^{b} f(x)$	a와 b 사이의 확률은 a에서 b까지 확률의 합한 값과 같음

개념 박살내기

❷ 확률 질량 함수

주사위의 눈을 X라고 하고, 주사위 눈이 나올 확률을 $f(x)$라고 할 때, 주사위 눈이 1이 나올 확률 $P(X=1) = \dfrac{1}{6}$, 주사위 눈이 2가 나올 확률 $P(X=2) = \dfrac{1}{6}$, $\cdots$, $P(X=6) = \dfrac{1}{6}$이고, 그래프로 나타내면 다음과 같다.

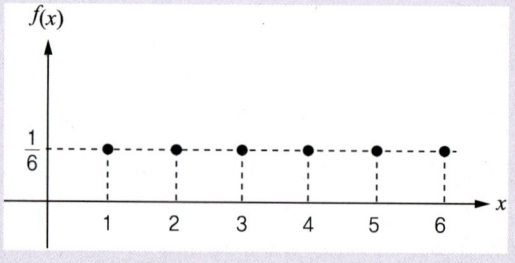

㉱ 누적 질량 함수(CMF; Cumulative Mass Function)

- 누적 질량 함수는 이산확률변수가 특정 값보다 작거나 같을 확률을 나타내는 함수이다.

| 공식 | 누적 질량 함수 | $P(X \leq x) = F(x)$ |

- 누적 질량 함수의 성질은 다음과 같다.

▽ 누적 질량 함수 성질

성질	설명
$a \leq b$라면 $F(a) \leq F(b)$	함숫값은 점점 증가
$F(-\infty) = 0$, $F(\infty) = 1$	x 값이 $-\infty$면 0, $+\infty$이면 1
$P(a < X \leq b) = F(b) - F(a)$	a와 b 사이의 확률은 $F(b)$와 $F(a)$ 차이와 같음

개념 박살내기

✪ **확률 질량 함수**

주사위의 눈을 X라고 하고, 주사위 눈이 나올 확률을 $f(x)$라고 할 때, 주사위 눈이 1 이하로 나올 확률은 $P(X \leq 1) = \frac{1}{6}$, 주사위 눈이 2 이하가 나올 확률은 눈이 1이 나올 때 확률인 $\frac{1}{6}$과 2가 나올 때 확률인 $\frac{1}{6}$을 합한 $P(X \leq 2) = \frac{2}{6}$, …, 주사위 눈이 6 이하가 나올 확률은 눈이 1이 나올 확률인 $\frac{1}{6}$부터 6이 나올 확률인 $\frac{1}{6}$까지 합한 $P(X \leq 6) = 1$이므로, 그래프로 나타내면 다음과 같다.

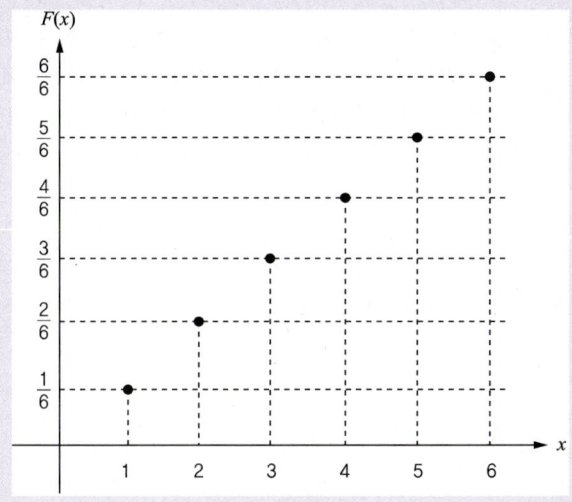

② **연속확률분포**

㉮ 연속확률분포(Continuous Probability Distribution) 개념

연속확률분포는 확률변수 X가 실수와 같이 연속적인 값을 취할 때는 이를 연속확률변수라 하고 이러한 연속확률변수 X가 가지는 확률분포이다.

㉮ 연속확률분포 종류 〔기출〕

연속확률분포의 종류에는 정규분포, 표준정규분포, T-분포, 지수분포, χ^2 분포, F-분포 등이 있다.

연속확률분포 종류

종류	설명
정규분포 (Normal Distribution)	• 모평균이 μ, 모분산이 σ^2이라고 할 때, 종 모양의 분포 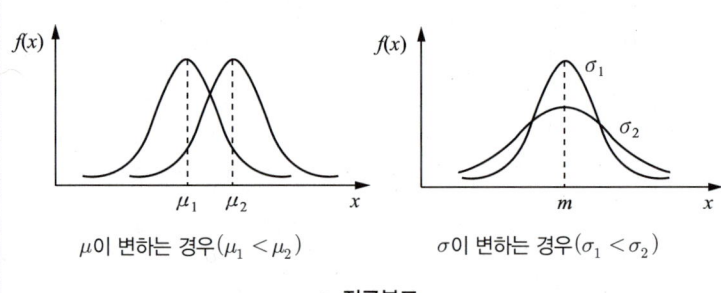 • 기댓값: $E(X) = \mu$ • 분산: $V(X) = \sigma^2$ （σ^2: 모분산, μ: 모평균, x: 확률변수, e: 자연상수(2.718…)） ▲ 정규분포
표준정규분포 (Z-분포) (Standard Normal Distribution)	• 표본 통계량이 표본평균일 때, 이를 표준화(정규화)시킨 표본분포 • 개념적으로 정규분포와 동일하여, 정규분포 평균의 해석에 많이 쓰이는 분포 • 표본의 크기가 큰 대표본의 경우 사용함 • 정규분포 함수에서 X를 Z로 정규화한 분포 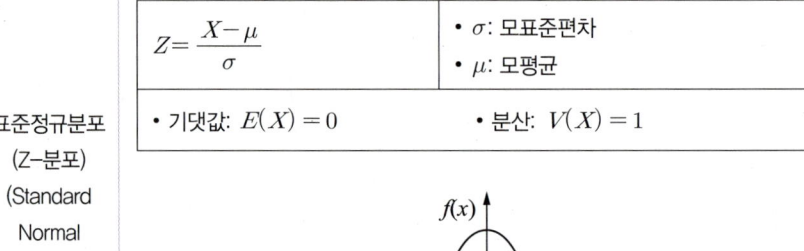 • 기댓값: $E(X) = 0$ • 분산: $V(X) = 1$ 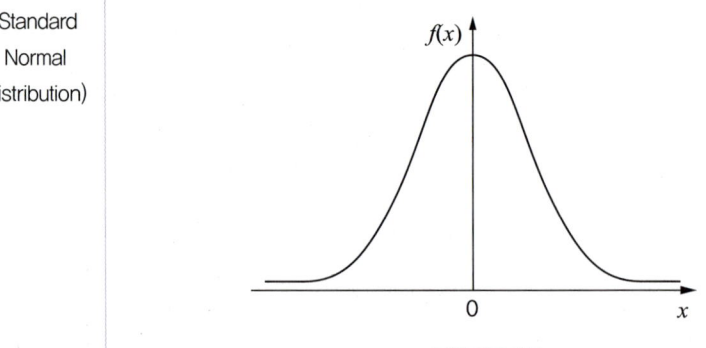 ▲ 표준정규분포

학습 POINT ★
확률분포 중 성격이 다른 것을 찾는 문제가 출제되었습니다. 연속확률분포의 종류를 잘 봐주세요!

학습 POINT ★
정규분포는 모평균(μ), 모분산(σ^2)에 의해 모양이 결정되기 때문에 X~N(μ, σ^2)으로도 표기합니다.

학습 POINT ★
표준정규분포는 모평균(μ)이 0이고, 모분산(σ^2)이 1이므로 X~N(0, 1)으로도 표기합니다.

종류	설명
T-분포 (T-Distribution)	• 모집단이 정규분포라는 정도만 알고, 모표준편차(σ)는 모를 때 모집단의 평균을 추정하기 위하여 사용 • 표본의 크기가 작은 소표본의 경우 사용함 • 표본의 크기인 n의 크기가 클 경우에 중심 극한 정리에 의하여 T-분포는 정규분포를 따름 • 정규분포의 평균(μ)의 해석에 많이 쓰이는 분포 • 정규분포의 평균을 측정할 때 주로 사용되고, 두 집단 간 평균의 차이 검정 등에 활용되는 분포 • 표준정규분포와 유사하게 0을 중심으로 좌우대칭이나, 표준정규분포보다 평평하고 기다란 꼬리를 가짐 • 자유도가 30이 넘으면 표준정규분포와 비슷해지고, 자유도가 증가할수록 표준정규분포에 가까워짐 $T = \dfrac{X-\mu}{s/\sqrt{n}}$ • s: 표본 표준편차 • μ: 모평균 • n: 표본의 개수 • 기댓값: $E(X)=0$ • 분산: $V(X)=\dfrac{n}{n-2}$ ▲ T-분포
지수분포 (Exponential Distribution)	• 지정된 시점으로부터 어떤 사건이 일어날 때까지 걸리는 시간을 측정하는 확률분포 $f(x) = \lambda e^{-\lambda x}$ λ: 정해진 시간 안에 어떤 사건이 일어날 횟수에 대한 기댓값 • 기댓값: $E(X)=\dfrac{1}{\lambda}$ • 분산: $V(X)=\dfrac{1}{\lambda^2}$
χ^2 분포 (카이-제곱분포) (Chi-Squared Distribution)	• 표본 통계량이 표본분산일 때의 표본분포 • n개의 서로 독립적인 표준정규 확률변수를 각각 제곱한 다음 합해서 얻어지는 분포 • 자유도 n이 작을수록 왼쪽으로 치우치는 비대칭적 모양이다. • 자유도 $n \geq 3$부터 단봉 형태이고, 값이 클수록 정규분포에 가까워짐

잠깐! 알고가기

중심 극한 정리 (Central Limit Theorem)
데이터의 크기가 커지면 그 데이터가 어떠한 형태이든 그 데이터 표본의 분포는 최종적으로 정규분포를 따른다.

자유도(Degrees of Freedom)
통계적 추정을 할 때 표본자료 중 모집단에 대한 정보를 주는 독립적인 자료의 수이다.

종류	설명
χ^2 분포 (카이- 제곱분포) (Chi-Squared Distribution)	$\chi^2(n) = Z_1^2 + Z_2^2 + \cdots + Z_n^2$ n: 자유도 • 기댓값: $E(X) = n$ • 분산: $V(X) = 2n$ 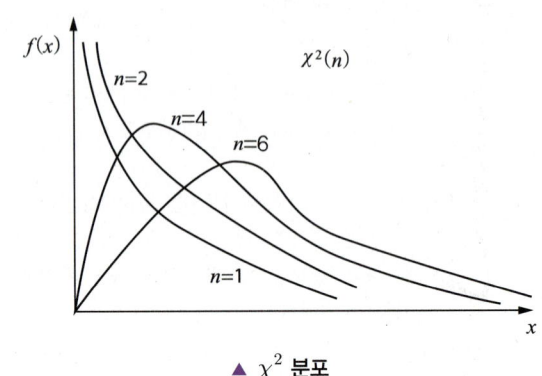 ▲ χ^2 분포
감마분포 (Gamma Distribution)	• 2개의 매개변수(α, β)와 감마함수를 사용하는 연속확률분포 • 지수분포의 일반화된 형태 • $\alpha = 1$, $\beta = \dfrac{1}{\lambda}$이면 지수분포 • $\alpha = \nu/2$, $\beta = 2$이면 카이제곱분포 $f(x) = \dfrac{x^{\alpha-1} e^{-\frac{x}{\beta}}}{\Gamma(\alpha)\beta^\alpha}$ • $\Gamma(k)$: 감마 함수 • 기댓값: $E(X) = \alpha\beta$ • 분산: $V(X) = \alpha\beta^2$
F-분포 (F-Distribution)	• 모집단 분산이 서로 동일($\sigma_1^2 = \sigma_2^2$)하다고 가정되는 두 모집단으로부터 표본 크기가 각각 n_1, n_2인 독립적인 2개의 표본을 추출하였을 때, 2개의 표본분산 s_1^2, s_2^2의 비율(s_1^2/s_2^2) • 독립적인 χ^2 분포가 있을 때, 두 확률변수의 비 $F = \dfrac{s_1^2}{s_2^2}$ s_1^2: 첫 번째 집단의 표본분산 s_2^2: 두 번째 집단의 표본분산 • 기댓값: $E(X) = \dfrac{d_2}{d_2 - 2}$ • 분산: $V(X) = \dfrac{2d_2^2(d_1 + d_2 - 2)}{d_1(d_2 - 2)^2(d_2 - 4)}$ 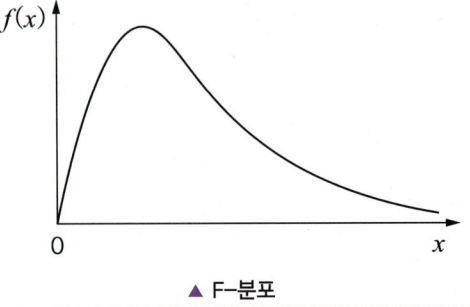 ▲ F-분포

> **학습 POINT**
>
> 감마분포는 복잡합니다. 감마분포는 연속확률분포이고, 감마분포에 α, β 값에 따라 지수분포, 카이제곱분포가 된다는 것 기억해두시면 되겠습니다. 그리고 α 대신에 k, β 대신에 θ를 사용하기도 합니다. 참고로 감마 함수는
> $\Gamma(\alpha) = \int_0^\infty x^{\alpha-1} e^{-x} dx$
> 입니다.

㉣ 확률밀도함수(PDF; Probability Density Function)
- 확률밀도함수는 연속확률변수의 분포를 나타내는 함수이다.

| 공식 확률밀도함수 | $P(a \leq X \leq b) = \int_a^b f(x)dx$ |

- 확률밀도함수는 두 가지 조건을 만족해야 한다.

▼ 확률밀도함수 성질

성질	설명
$f(x) \geq 0$	모든 확률은 0보다 큼
$\int_{-\infty}^{\infty} f(x)dx = 1$	모든 확률을 합치면 1

㉤ 누적밀도함수(CDF; Cumulative Density Function)
- 누적밀도함수는 연속확률변수가 특정 값보다 작거나 같을 확률을 나타내는 함수이다.

| 공식 누적밀도함수 | $F(x) = P(X \leq x) = \int_{-\infty}^{x} f(t)dt$ |

- 누적밀도함수의 성질은 다음과 같다.

▼ 누적밀도함수 성질

성질	설명
$a \leq b$라면 $F(a) \leq F(b)$	함숫값은 점점 증가
$F(-\infty) = 0$, $F(\infty) = 1$	x 값이 $-\infty$면 0, $+\infty$이면 1

4 표본분포 ★★

(1) 표본분포(Sample Distribution) 개념
- 표본분포는 모집단에서 추출한 일정한 개수의 표본에 대한 분포 상태이다.

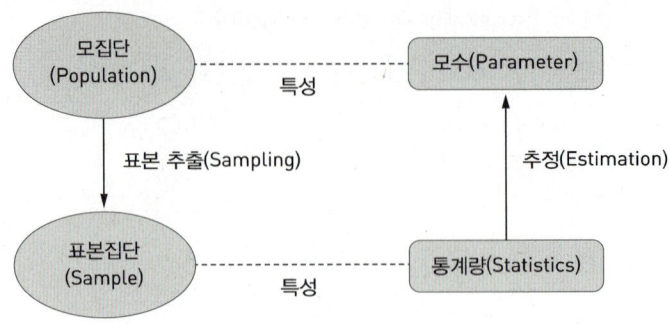

▲ 모집단/표본 관계

- 통계량에 의해 모집단에 있는 모수를 추론한다.

(2) 표본분포 용어

표본분포의 용어로는 모집단, 모수, 표본집단, 통계량 등이 있다.

◈ 표본분포 용어

용어	설명
모집단(Population)	• 정보를 얻고자 하는 대상이 되는 집단 전체
모수(Parameter)	• 모집단의 특성을 나타내는 대푯값
표본집단(Sample)	• 모집단에서 선택된 구성 단위의 일부
통계량(Statistic)	• 표본에서 얻은 평균이나 표준오차와 같은 값 • 이 값을 통해 모수를 추정하며, 무작위로 추출할 경우 각 표본에 따라 달라지는 확률변수

표본에서 나온 표본 통계량을 통해 추정하므로 통계량은 모두 추정량이 될 수 있습니다.

(3) 표본 추출(Sampling) 방법

표본 추출 방법은 복원 추출과 비복원 추출이 있다.

◈ 표본 추출 방법

방법	설명
복원 추출(Sampling with Replacement)	한 번 뽑은 표본을 모집단에 다시 넣고 추출하는 방식
비복원 추출(Sampling without Replacement)	한 번 뽑은 표본을 모집단에 다시 넣지 않고 추출하는 방식

(4) 표본조사 용어

- 수집된 자료를 토대로 모집단의 특성을 추정하게 되는데, 이때 조사하는 모집단의 일부분을 표본(Sample)이라고 한다.
- 모집단의 일부분을 조사하는 행위가 표본조사이다.

◉ 표본 추출 오차의 유형

구분	내용
표본 오차 (Sampling Error)	• 모집단의 일부인 표본에서 얻은 자료를 통해 모집단 전체의 특성을 추론함으로써 생기는 오차 • 표본 오차는 표본의 크기에 반비례하므로 표본의 크기가 증가하면 표본 오차가 작아짐
비표본 오차 (Non-Sampling Error)	• 표본 오차를 제외한 모든 오차 • 조사 과정에서 발생하는 모든 부주의나 실수, 알 수 없는 원인 등 모든 오차를 의미하며 조사 대상이 증가하면 오차가 커짐 • 표본 편의는 비표본 오차의 한 종류 **표본 편의 (Sampling Bias)** • 모수를 작게 또는 크게 할 때 추정하는 것과 같이 표본 추출 방법에서 기인하는 오차 • 표본을 선택하는 과정에서 표본이 체계적/확률적으로 모집단을 대표하지 못하는 경우 발생하는 오차 • 표본 편의는 확률화에 의해 최소화할 수 있음

(5) 표본분포와 관련된 법칙 [기출]

표본분포와 관련된 법칙에 대표적으로 큰 수의 법칙, 중심 극한 정리가 있다.

◉ 표본분포 관련 법칙

법칙	설명
큰 수의 법칙 (Law of Large Numbers)	• 데이터를 많이 뽑을수록(n이 커질수록) 표본평균의 분산은 0에 가까워진다는 법칙 • 데이터의 퍼짐이 적어져 정확해짐
중심 극한 정리 (Central Limit Theorem)	• 데이터의 크기가 커지면 그 데이터가 어떠한 형태이든 그 데이터 표본의 분포는 최종적으로 정규분포를 따른다는 법칙

> 예) 큰 수의 법칙
> • 주사위를 한 세트에 10번씩 세 세트를 던졌을 때 주사위 눈의 평균은 다음과 같다.
>
> ```
> 1세트: 4.0
> 2세트: 3.0
> 3세트: 3.2
> ```
>
> 한 세트에 10번씩 던졌을 때 세트들의 평균들을 보면 데이터의 퍼짐이 크다.
>
> • 주사위를 한 세트에 100번씩 세 세트를 던졌을 때 주사위 눈의 평균은 다음과 같다.
>
> ```
> 1세트: 3.52
> 2세트: 3.48
> 3세트: 3.50
> ```
>
> 한 세트에 100번씩 던졌을 때 세트들의 평균들을 보면 데이터의 퍼짐이 작다.

지피지기 기출문제

01 기술통계에 해당하지 않는 것은 무엇인가?

① 평균 ② 분산
③ 가설검정 ④ 시각화

> **해설** 기술통계는 통계적 수치(평균, 분산, 표준편차)를 계산하고 도출하거나 시각화를 활용하여 데이터에 대한 전반적인 이해를 돕는다.

02 다음 사례에서 설명하는 A 야구팀의 연봉의 대푯값을 구하기 위한 가장 적절한 통계량은 무엇인가?

> A 야구 구단의 상위 1~2명이 구단 전체 연봉의 50% 이상을 차지하며 나머지 선수들의 연봉은 일반적인 범주에 있다.

① 평균 ② 최빈수
③ 중위수 ④ 이상값

> **해설** 상위 1~2명으로 인한 이상값에 영향을 받지 않으며, A구단의 연봉을 대표할 수 있는 통계량은 중위수이다.

03 평균에 대한 설명으로 옳은 것은?

① 제2사분위수(Q_2)와 같다.
② 왜도가 0보다 클 때 평균은 중위수보다 작다.
③ 중위수와 관측치의 단위는 같다
④ 데이터값 중에서 빈도수가 가장 높은 데이터값이다.

> **해설**
> • 제2사분위수(Q_2)는 중위수와 같다.
> • 왜도가 0보다 클 때 최빈수 < 중위수 < 평균이다.
> • 데이터값 중에서 빈도수가 가장 높은 데이터값은 최빈수이다.

04 다음 중 성격이 다른 지표는 무엇인가?

① 평균 ② 범위
③ 중위수 ④ 최빈수

> **해설**
>
> | 대푯값 | 평균값, 중위수, 최빈수, 사분위수 |
> |---|---|
> | 산포도 | 분산, 표준편차, 범위, IQR, 사분편차 |

05 다음 중 대푯값에 대한 설명으로 옳지 않은 것은?

① 산술 평균은 자료를 모두 더한 후 자료 개수로 나눈 값이다.
② 기하 평균은 숫자들을 모두 곱한 후 거듭제곱근을 취해서 얻는 평균이다.
③ 조화 평균은 속도를 평균낼 때 사용하기에 적합하다.
④ 중위수는 이상값에 영향을 많이 받는다.

> **해설**
>
> | 산술 평균 | • 자료를 모두 더한 후 자료 개수로 나눈 값 |
> |---|---|
> | 기하 평균 | • 숫자들을 모두 곱한 후 거듭제곱근을 취해서 얻는 평균
• 성장률, 백분율과 같이 자료가 비율이나 배수와 같이 곱의 관계일 때 사용 |
> | 조화 평균 | • 자료들의 역수에 대해 산술 평균을 구한 후 그것을 역수로 취한 평균
• 속도의 평균, 여러 곳의 평균 성장률과 같은 곳에 사용 |
> | 중위수 | • 모든 데이터값을 오름차순으로 순서대로 배열하였을 때 중앙에 위치한 데이터값
• 이상값에 영향을 받지 않음 |

06 상관관계에 대한 설명으로 옳은 것은?

① 범주형 값이어야 하고, −1~1의 값을 가진다.
② 명목적 데이터 상관관계를 분석할 때 피어슨 상관계수를 이용한다.
③ 상관계수의 절댓값이 작을수록 강한 상관관계를 갖는다.
④ 상관계수가 −1에 가까울수록 강한 음의 상관관계를 가진다.

> **해설**
> - 상관관계는 수치형 데이터도 가능하다.
> - 명목적 데이터 상관관계를 분석할 때 카이제곱 검정을 이용한다.
> - 상관계수의 절댓값이 클수록 강한 상관관계를 갖는다.

07 두 변수 간에 직선 관계가 있는지를 나타낼 때 가장 적절한 통계량은 다음 중 무엇인가?

① F−통계량　　② T−통계량
③ p−값　　　　④ 표본상관계수

> **해설** 두 변수 간에 직선 관계가 있는지를 나타낼 때 표본상관계수를 이용한다.

08 사건 A, B가 있다. x가 발생했을 때, B가 일어날 확률인 $P(B|x)$를 구하는 공식으로 옳은 것은?

① $P(B|x) = \dfrac{P(B|x) \cdot P(B)}{P(A|x) \cdot P(A) + P(B|x) \cdot P(B)}$

② $P(B|x) = \dfrac{P(x|B) \cdot P(B)}{P(x|A) \cdot P(A) + P(x|B) \cdot P(B)}$

③ $P(B|x) = \dfrac{P(B|x) \cdot P(x)}{P(A|x) \cdot P(A) + P(B|x) \cdot P(x)}$

④ $P(B|x) = \dfrac{P(x|B) \cdot P(x)}{P(x|A) \cdot P(x) + P(x|B) \cdot P(x)}$

> **해설**
> - 전 확률의 정리 공식에 따르면 $P(x) = P(A \cap x) + P(B \cap x)$ 이다.
> - 베이즈 정리는 $P(B|x) = \dfrac{P(B \cap x)}{P(x)}$
> $= \dfrac{P(B)P(x|B)}{P(A)P(x|A) + P(B)P(x|B)}$ 이다.

09 한 회사에서 A 공장은 부품을 50% 생산하고 불량률은 1%이다. B 공장은 부품을 30% 생산하고 불량률은 2%이고, C 공장은 부품을 20% 생산하고 불량률은 3%이다. 불량품이 발생하였을 때 C 공장에서 생산한 부품일 확률은 얼마인가?

① 1/3　　② 6/17
③ 1/2　　④ 3/5

> **해설** $P(E)$: 불량품이 발생할 확률
> - $P(A)$: A 공장의 생산율=0.5,
> - $P(E|A)$: A 공장에서 불량품이 발생할 확률=0.01
> - $P(B)$: A 공장의 생산율=0.3,
> - $P(E|B)$: B 공장에서 불량품이 발생할 확률=0.02
> - $P(C)$: A 공장의 생산율=0.2,
> - $P(E|C)$: C 공장에서 불량품이 발생할 확률=0.03
> - 베이즈 정리에 의해서 $P(C|E)$는 다음과 같다.
> $P(C|E) = \dfrac{P(E|C) \times P(C)}{P(E|A) \times P(A) + P(E|B) \times P(B) + P(E|C) \times P(C)}$
> $= \dfrac{(0.03 \times 0.2)}{(0.01 \times 0.5) + (0.02 \times 0.3) + (0.03 \times 0.2)} = \dfrac{6}{17}$

10 다음 중에서 분포의 성격이 다른 분포는 무엇인가?

① 정규분포　　② 이항분포
③ F−분포　　　④ 지수분포

> **해설** 정규분포, F−분포, 지수분포는 연속확률분포이고 이항분포는 이산확률분포이다.

지피지기 기출문제

11 다음 중에서 확률분포에 대한 설명으로 가장 올바르지 않은 것은 무엇인가?

① 포아송분포는 독립적인 두 카이제곱분포가 있을 때, 두 확률변수의 비이다.
② 카이제곱분포는 서로 독립적인 표준정규 확률변수를 각각 제곱한 다음 합해서 얻어지는 분포이다.
③ T-분포는 모집단이 정규분포라는 정도만 알고 모표준편차는 모를 때 모집단의 평균을 추정을 위하여 사용한다.
④ 베르누이분포는 특정 실험의 결과가 성공 또는 실패로 두 가지의 결과 중 하나를 얻는 확률분포이다.

해설 독립적인 두 카이제곱분포가 있을 때, 두 확률변수의 비를 나타내는 확률분포는 F-분포이다.

12 χ^2 분포에 대한 설명으로 옳지 않은 것은?

① n개의 서로 독립적인 표준정규 확률변수를 각각 제곱한 다음 합해서 얻어지는 분포이다.
② 자유도 n이 작을수록 왼쪽으로 치우치는 비대칭적 모양이다.
③ 자유도가 $n \geq 2$이면 단봉 형태이다.
④ 기댓값은 n이다.

해설 자유도가 $n \geq 3$이면 단봉 형태이다.

13 포아송분포를 가지는 X 변수는 평균이 4이고, Y 변수는 평균이 9일 때 $E\left(\dfrac{3X+2Y}{6}\right)$, $V\left(\dfrac{3X+2Y}{6}\right)$을 계산한 결과는 무엇인가?

① 3, 2   ② 3, 4
③ 5, 2   ④ 5, 4

해설 포아송분포는 기댓값과 분산이 같다.(X의 평균 $E(X)$가 4이므로, X의 분산 $V(X)$도 4이고, Y의 평균 $E(Y)$가 9이므로, Y의 분산 $V(Y)$도 9이다.

$$E\left(\dfrac{3X+2Y}{6}\right) = E\left(\dfrac{3}{6}X\right) + E\left(\dfrac{2}{6}Y\right)$$
$$= \dfrac{1}{2}E(X) + \dfrac{1}{3}E(Y) = \dfrac{1}{2}\times 4 + \dfrac{1}{3}\times 9 = 5$$
$$V\left(\dfrac{3X+2Y}{6}\right) = V\left(\dfrac{3}{6}X\right) + V\left(\dfrac{2}{6}Y\right)$$
$$= \dfrac{1}{2^2}V(X) + \dfrac{1}{3^2}V(Y) = \dfrac{1}{4}\times 4 + \dfrac{1}{9}\times 9 = 2$$

14 다음에서 설명하는 표본추출 방법은 무엇인가?

다수의 이질적인 원소들로 구성된 모집단에서 각 계층을 고루 대표할 수 있도록 표본을 추출하는 방법이다. 이질적인 모집단의 원소들로 서로 유사한 것끼리 몇 개의 층을 나눈 후, 각 계층에서 표본을 랜덤하게 추출한다.

① 층화추출법
② 계통추출법
③ 군집추출법
④ 단순무작위추출법

해설 층화추출법이란 이질적인 원소들로 구성된 모집단에서 각 계층을 고루 대표할 수 있도록 표본을 추출하는 방법으로 유사한 원소끼리 몇 개의 층으로 나누어 각 층에서 랜덤 추출하는 방법이다.

15 다음 중 전수 조사에 해당하는 것은?

① 전구의 수명
② 우주 왕복선의 부품 검사
③ 암 환자 치료제의 효과
④ 동해안 고래의 개체 수

해설
- 전구의 수명은 측정 형태가 파괴성이 있으므로 표본조사를 사용한다.
- 우주 왕복선의 부품 검사는 대상이 비파괴성이고, 모집단이 상대적으로 작기 때문에 전수 조사를 수행할 수 있다.
- 암 환자 치료제의 효과는 조사할 때 시간과 비용이 크기 때문에 표본 조사를 사용한다.
- 동해안 고래의 개체 수는 조사할 때 시간과 비용이 크기 때문에 표본 조사를 사용한다.

16 집단 내 이질적이고, 집단 간 동질적인 특성을 갖는 추출 방법은?

① 군집 추출
② 층화 추출
③ 계통 추출
④ 다단계 추출

해설

군집 추출	• 모집단을 여러 군집으로 나누고, 일부 군집의 전체를 추출하는 방식 • 집단 내부는 이질적이고, 집단 외부는 동질적
층화 추출	• 모집단을 여러 계층으로 나누고, 계층별로 무작위 추출을 수행하는 방식 • 층내는 동질적이고, 층간은 이질적
계통 추출	• 모집단을 일정한 간격으로 추출하는 방식

17 중심 극한 정리에 대한 설명으로 옳지 않은 것은?

① 표본 크기 n이 충분히 클 때 만족한다.
② 모집단의 분포 형태에 관계없이 성립한다.
③ 모집단의 분포는 연속형, 이산형 모두 가능하다.
④ 표본평균의 기댓값과 분산은 모집단의 기댓값과 분산과 동일하다.

해설 표본의 크기(n)가 증가할수록(보통 30 이상) 평균이 μ이고 분산이 σ^2인 모집단으로부터 확률적으로 독립인 표본을 추출하면 표본평균은 평균이 μ이고 분산이 σ^2/n인 정규분포에 근사한다.

18 대푯값에 대한 설명 중 틀린 것은 무엇인가?

① 이상값이 있는 경우 중앙값은 평균보다 영향이 크다.
② IQR는 Q_3와 Q_1의 차이이다.
③ 변화율 등은 기하 평균을 많이 사용한다.
④ 변동 계수는 산포도와 관련이 있다.

해설 평균은 값들을 모두 더한 후에 값의 개수로 나누므로 이상값의 영향을 많이 받고, 중앙값은 순서대로 배열했을 때 중앙에 있는 값이라 이상값의 영향을 많이 받지 않는다.

19 다음과 같은 분포를 가진 데이터가 있을 때 결측값이 발생할 경우 대치값으로 가장 적절한 것은?

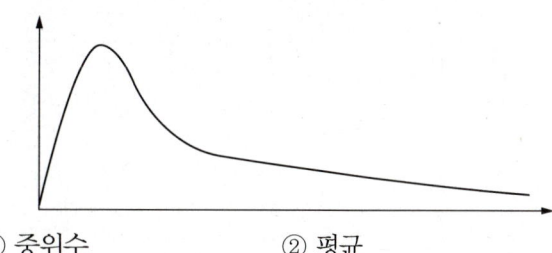

① 중위수
② 평균
③ 분산
④ 표준편차

지피지기 기출문제

해설
- 대치값으로 대푯값인 평균, 중위수를 사용해야 한다.
- 분포는 이상값이 많으므로 이상값의 영향을 받지 않도록 중위수를 사용해야 한다.

20 다음 중 3사분위수보다 항상 작은 값은 무엇인가?

① 평균
② 하위 80%에 위치한 값
③ 중위수
④ 최댓값

해설 50%에 위치한 중위수는 75%에 위치한 3사분위수보다 작다.

21 통계량에 대한 설명으로 옳지 않은 것은?

① 1사분위수는 75백분위수이다.
② 변동계수는 측정 단위가 서로 다른 자료의 흩어진 정도를 상대적으로 비교할 때 사용한다.
③ 첨도는 더 뾰족한지 덜 뾰족한지 정도를 나타낼 때 사용한다.
④ 통계량은 표본을 추출하는 방법에 따라 값이 결정되는 확률변수이다.

해설 1사분위수는 25백분위수이다.

백분위수	모든 데이터값을 순서대로 배열하였을 때 100등분한 지점에 있는 값	
	25백분위수	1사분위수
	50백분위수(중앙값)	2사분위수
	75백분위수	3사분위수
변동계수	• 표준편차를 평균으로 나눈 값 • 측정 단위가 서로 다른 자료의 흩어진 정도를 상대적으로 비교할 때 사용	
첨도	• 데이터 분포의 '뾰족한 정도'를 설명하는 통계량	
통계량	• 표본에서 얻은 평균이나 표준오차와 같은 값 • 이 값을 통해 모수를 추정하며, 무작위로 추출할 경우 각 표본에 따라 달라지는 확률변수	

22 오른쪽으로 꼬리가 길 때, 피어슨 왜도 계수와 평균, 중위값, 최빈수의 관계로 옳은 것은?

① 피어슨 왜도 계수 > 0, 평균 > 중위값 > 최빈수
② 피어슨 왜도 계수 = 0, 평균 > 중위값 > 최빈수
③ 피어슨 왜도 계수 < 0, 평균 > 중위값 > 최빈수
④ 피어슨 왜도 계수 < 0, 평균 < 중위값 < 최빈수

해설
- 오른쪽으로 꼬리가 길면 왜도 > 0이고, 평균 > 중위값 > 최빈수의 관계를 가진다.
- 왼쪽으로 꼬리가 길면 왜도 < 0이고, 평균 < 중위값 < 최빈수의 관계를 가진다.

23 데이터 중에 매우 큰 값이 있을 경우 영향을 가장 적게 주는 변동 척도는?

① 표준편차
② 범위
③ IQR
④ 변동 계수

해설
- 데이터 중에 매우 큰 값이 있을 경우 X_i중에 큰 값이 발생하여 표준편차(σ), 평균(μ)는 어느 정도 영향을 받고, X_{max}는 영향을 매우 크게 받는다.

표준편차	$\sigma = \sqrt{\dfrac{1}{N}\sum_{i=1}^{N}(X_i - \mu)^2}$
범위	$X_{max} - X_{min}$
IQR	$Q_3 - Q_1$
변동 계수	$CV = \dfrac{\sigma}{\mu}$

- 데이터 중에 매우 큰 값이 있을 경우 사분위수들은 상대적으로 영향을 거의 받지 않기 때문에 IQR은 영향을 거의 받지 않는다.

24 상관계수에 대한 설명으로 옳지 않은 것은?

① 상관계수는 -1에서 1 사이의 값을 가진다.
② 상관계수는 0에 가까우면 선형 관계가 희미하다.
③ 상관계수만으로 통계적 유의성을 알 수 있다.
④ 산점도를 통해 상관 정도를 파악할 수 있다.

해설
- 상관계수는 두 변수 사이의 연관성을 수치상으로 객관화하여 두 변수 사이의 방향성과 강도를 표현하는 방법으로 -1 ~ 1의 값을 가진다.
- 상관계수만으로 통계적 유의성을 알 수 없다.

25 다음은 피어슨 상관계수 행렬표이다. 분석을 위해 가장 먼저 제거하면 좋은 변수는 무엇인가?

	A	B	C	D
A	1.00	0.70	-0.95	0.45
B	0.70	1.00	0.00	-0.10
C	-0.95	0.00	1.00	-0.35
D	0.45	-0.10	-0.35	1.00

① A, C 변수 중 하나를 제거한다.
② A, D 변수 중 하나를 제거한다.
③ B, C 변수 중 하나를 제거한다.
④ B, D 변수 중 하나를 제거한다.

해설
- 두 변수가 같이 커지거나 같이 작아지는 경향이 있으면 상관계수가 높다.
- 상관계수가 높은 변수가 여럿 존재하면 파라미터 수가 불필요하게 증가하여 차원 저주(Curse of Dimensionality)에 빠질 우려가 있다.
- 선형 모델, 신경망 등의 기계학습 모델은 상관계수가 큰 예측 변수들이 있을 경우 성능이 떨어지거나 모델이 불안정해질 수 있으므로 상관계수가 큰 변수들을 제거할 수 있다.

26 공분산에 대한 설명으로 옳지 않은 것은?

① $Cov(X, Y) \neq 0$이면 X, Y 변수 사이에 상관관계가 있다.
② X, Y가 독립이면 $Cov(X, Y) = 0$이다.
③ $Cov(X, Y) = 0$이면 X, Y가 독립이다.
④ $Cov(X, Y) < 0$이면 (a_i, b_i)가 있을 때 a_i가 $E(X)$보다 클 때, b_i는 $E(X)$보다 작은 경향을 보인다.

해설 X, Y가 독립이면 $Cov(X, Y) = 0$이지만, $Cov(X, Y) = 0$이면 X, Y가 반드시 독립은 아니다.

27 다음 산점도의 상관계수의 값은 얼마인가?

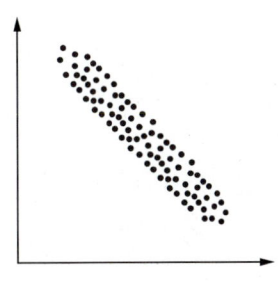

① -0.7
② -0.1
③ 0.0
④ 0.7

해설 산점도는 x축의 값이 증가할수록 y축의 값은 감소하는 관계가 뚜렷하므로 음의 선형관계를 가진다.

+ 0.1 ~ + 1.0	양의 선형관계
- 0.1 ~ + 0.1	거의 무시될 수 있는 선형관계
- 1.0 ~ - 0.1	음의 선형관계

지피지기 기출문제

28 다음 중에서 확률 및 확률분포에 대한 설명 중 가장 적절하지 못한 것은?

① 확률변수 x가 구간 또는 구간들의 모임인 숫자 값을 갖는 확률분포 함수를 이산형 확률 질량 함수라 한다.
② 모든 확률은 0과 1 사이의 값을 가진다.
③ 확률함수는 확률변수에 의해 정의된 실수를 확률에 대응시키는 함수이다.
④ 서로 배반인 사건에 대한 합집합의 확률은 각 사건에 대한 확률의 합이 된다.

> **해설** 확률변수 x가 구간 또는 구간들의 모임인 숫자 값을 갖는 확률분포 함수를 연속형 확률 밀도 함수라 한다.

29 X_1, X_2는 독립이고, X_1, X_2 각각은 평균이 μ, 표준편차가 σ일 때, $X_1 + X_2$의 표준편차는 얼마인가?

① $\sqrt{2}\,\sigma$ ② σ
③ $\sigma/\sqrt{2}$ ④ $\sigma/2$

> **해설** 분산에 제곱근을 씌우면 표준편차가 되므로 $X_1 + X_2$의 분산을 구한 후에 제곱근을 씌운다.
> $$\sqrt{V(X_1 + X_2)} = \sqrt{V(X_1) + V(X_2)}$$
> $$= \sqrt{\sigma^2 + \sigma^2} = \sqrt{2\sigma^2} = \sqrt{2}\,\sigma$$

30 정규분포에 대한 설명으로 옳지 않은 것은?

① 정규분포를 나타내기 위해 평균과 분산을 사용한다.
② 분포 형태가 종 모양이다.
③ 왜도는 3이고, 첨도는 0이다.
④ 표준정규분포는 평균이 0, 표준편차가 1이다.

> **해설** 정규분포는 좌우 대칭의 특성을 갖는 분포이다. 왜도가 0이 아닌 값이면 좌우 대칭이 되지 않는다.

31 쥐의 무게(X)가 평균 150g이고, 표준편차는 4g이다. $\dfrac{X - 150}{4}$의 분포는 무엇인가?

① $N(150, 6)$ ② $N(0, 1)$
③ $N(0, 1/10)$ ④ $N(0, 1/100)$

> **해설**
> • 정규분포에 평균을 빼고, 그 값을 표준편차로 나눈 값은 표준정규분포다.
> • 표준정규분포는 평균이 0, 분산이 1이므로 $N(0, 1)$이다.

32 다음 표준정규분포 $N(0, \sigma^2)$에 대해 표본 집합을 추출하여 $\dfrac{X - \mu}{s/\sqrt{n}}$ 분포를 만족할 때 자유도와 분포의 종류는 무엇인가?

① 자유도 $n-1$, χ^2분포
② 자유도 n, χ^2 분포
③ 자유도 $n-1$, T-분포
④ 자유도 n, T-분포

> **해설**
> • $\dfrac{X-\mu}{s/\sqrt{n}}$ 분포를 만족하는 분포는 T-분포이고, 표준정규분포에서 표본을 추출하므로 자유도는 1 감소하게 된다.
> • 연속확률분포 공식은 다음과 같다.
>
> | | |
> |---|---|
> | T-분포 | $T = \dfrac{X - \mu}{s/\sqrt{n}}$ |
> | χ^2 분포 | $\chi^2(n) = Z_1^2 + Z_2^2 + \cdots + Z_n^2$ |
> | F-분포 | $F = s_1^2 / s_2^2$ |

33 주어진 시간 또는 영역에서 어떤 사건의 발생 횟수를 나타내는 확률분포는 무엇인가?

① 지수분포
② 포아송분포
③ 베르누이분포
④ 정규분포

해설

지수분포	지정된 시점으로부터 어떤 사건이 일어날 때까지 걸리는 시간을 측정하는 확률분포
포아송분포	주어진 시간 또는 영역에서 어떤 사건의 발생 횟수를 나타내는 확률분포
베르누이분포	특정 실험의 결과가 성공 또는 실패로 두 가지의 결과 중 하나를 얻는 확률분포
정규분포	모평균이 μ 모분산이 σ^2이라고 할 때, 종 모양의 분포

34 초기하분포에 대한 설명으로 옳지 않은 것은?

① 초기하분포는 특정 그룹에서 뽑힌 표본의 수에 대한 확률분포이다.
② 초기하분포는 시행마다 성공 확률이 일정하지 않다.
③ 초기하분포는 시행은 독립적이다.
④ 초기하분포는 이산확률분포를 가진다.

해설
- 초기하분포는 비복원 추출로 성공 확률이 일정하지 않기 때문에 각각의 시행은 독립적이지 않다.
- n번의 시행 중 각각의 시행이 독립적인 것은 이항분포이다.

35 다음 중 확률분포 및 확률변수에 대한 설명으로 옳지 않은 것은?

① 이산확률변수는 셀 수 있는 값들을 변수로 갖는 확률변수이다.
② 이항분포는 이산확률분포이다.
③ 연속확률분포에는 초기하분포, 지수분포, 감마분포 등이 있다.
④ 정규분포는 연속확률분포이다.

해설
- 초기하분포는 이산확률분포이다.
- 확률분포의 종류는 다음과 같다.

이산확률분포	포아송분포, 베르누이분포, 이항분포, 초기하분포
연속확률분포	정규분포, 감마분포, 지수분포, 카이제곱분포

36 복원 추출했을 때 표본 추출에 대한 설명으로 옳지 않은 것은?

① 표본의 개수가 많아지면 표준오차가 줄어든다.
② 표본의 크기가 커질수록 정규분포를 따른다.
③ 복원 추출에 의해 추출한 데이터는 크기가 커져도 중심 극한 정리는 성립하지 않는다.
④ 표본의 크기가 증가할수록 표본의 평균과 표준편차가 모집단의 평균과 표준편차에 가까워진다.

해설
- 표준오차는 $\frac{\sigma}{\sqrt{n}}$이므로 표본의 수인 n이 커질수록 표준오차는 줄어든다.
- 중심 극한 정리에 의해 데이터의 크기가 커지면 최종적으로 정규분포를 따른다.
- 복원 추출, 비복원 추출 관계없이 데이터의 크기가 커지면 중심 극한 정리를 만족한다.

지피지기 기출문제

37 중심 위치를 구하는 통계량으로 옳지 않은 것은?

① 평균 ② 표준 편차
③ 중앙값 ④ 최빈값

> **해설**
> | 중심 경향성 통계량 | • 평균값, 중위수, 최빈수, 사분위수, 백분위수 |
> |---|---|
> | 산포도 통계량 | • 분산, 표준편차, 범위, IQR, 사분편차, 변동계수 |

38 대푯값에 대한 설명으로 옳지 않은 것은?

① 최빈수는 데이터값 중에서 빈도수가 가장 높은 데이터값이다.
② 좌우 비대칭인 경우 평균을 사용하는 것이 좋다.
③ 변동 계수는 단위가 다른 속성을 비교할 수 있다.
④ 사분위수는 모든 데이터값을 순서대로 배열하였을 때 4등분한 지점에 있는 값이다.

> **해설** 좌우 비대칭인 경우에는 중앙값이나 최빈수를 대푯값으로 사용하는 것이 좋다.

39 다음 데이터에 대한 표본 평균과 표본 분산은?

> 2, 4, 6, 8, 10

① 표본 평균: 6, 표본 분산: 8
② 표본 평균: 6, 표본 분산: 10
③ 표본 평균: 7.5, 표본 분산: 8
④ 표본 평균: 7.5, 표본 분산: 10

> **해설**
> 표본 평균 $\overline{X} = \frac{1}{n}\sum_{i=1}^{n} X_i = \frac{1}{5}(2+4+6+8+10) = 6$
>
> 표본 분산 $s^2 = \frac{\sum_{i=1}^{n}(X_i - \overline{X})^2}{n-1}$
> $= \frac{(2-6)^2 + (4-6)^2 + (6-6)^2 + (8-6)^2 + (10-6)^2}{5-1} = 10$

40 최빈수에 대한 설명으로 옳지 않은 것은?

① 최빈수는 도수 분포표의 도수 값 중 가장 큰 값이다.
② 이상값의 영향을 거의 받지 않는다.
③ 연속형 데이터에서 활용하기에 가장 적합한 통계량이다.
④ 최빈수는 값이 여러 개일 수 있다.

> **해설** 최빈수는 주로 이산형 데이터 또는 범주형 데이터에서 사용되며, 이산적인 카테고리나 범주 중에서 어떤 값이 가장 자주 나타나는지를 나타냅니다.

41 혈액형(A, B, O, AB형)에 대한 결측값을 처리하는 방법으로 가장 적절한 것은?

① 스플라인(Spline)
② 엔트로피(Entropy)
③ 기하 평균
④ 최빈수

> **해설** 최빈수는 범주형 데이터에서 가장 빈번하게 나타나는 범주(값)를 나타내기 때문에 혈액형 데이터에 결측값이 있을 경우, 가장 빈번하게 나타나는 혈액형으로 대체하는 것이 적절하다.

42 기초 통계량에 대한 설명으로 옳지 않은 것은?

① IQR은 3사분위수와 1사분위수의 차이다.
② 왜도는 분포의 비대칭 정도를 설명한다.
③ 첨도는 분포의 양쪽 끝이 뾰족한 정도를 설명한다.
④ 중앙값은 모든 데이터값을 오름차순으로 순서대로 배열하였을 때 중앙에 위치한 데이터값이다.

해설 첨도는 분포의 꼬리 부분의 길이와 중앙 부분의 뾰족함에 대한 정보를 제공하는 통계량이다.

43 비대칭을 나타내는 통계량으로 옳은 것은?

① 첨도
② 표준편차
③ 왜도
④ 평균

해설 왜도는 데이터 분포의 기울어진 정도를 설명하는 통계량으로 비대칭성을 나타낸다.

44 다음 공분산 행렬에 대한 설명으로 옳지 않은 것은?

$$\Sigma = \begin{bmatrix} 4 & -1 & 1 \\ -1 & 5 & 0 \\ 1 & 0 & 1 \end{bmatrix}$$

① X_1의 분산은 4이다.
② X_1, X_2는 음의 상관 관계를 가진다.
③ X_1, X_3의 상관계수는 0.25이다.
④ X_2, X_3의 상관계수는 0이다.

해설
• 3×3 행렬에서 공분산은 다음과 같다.

$$\Sigma = \begin{bmatrix} Cov(X_1, X_1) & Cov(X_1, X_2) & Cov(X_1, X_3) \\ Cov(X_2, X_1) & Cov(X_2, X_2) & Cov(X_2, X_3) \\ Cov(X_3, X_1) & Cov(X_3, X_2) & Cov(X_3, X_3) \end{bmatrix}$$
$$= \begin{bmatrix} 4 & -1 & 1 \\ -1 & 5 & 0 \\ 1 & 0 & 1 \end{bmatrix}$$

• X_1의 분산은 $V(X_1) = Cov(X_1, X_1) = 4$, X_2의 분산은 $V(X_2) = Cov(X_2, X_2) = 5$, X_2의 분산은 $V(X_3) = Cov(X_3, X_3) = 1$이다.
• X_1, X_2의 공분산 $Cov(X_1, X_2) = -1$이므로 음의 상관 관계를 가진다.
• X_1, X_3의 상관계수는
$$\rho_{X_1, X_3} = \frac{Cov(X_1, X_3)}{\sigma_{X_1} \cdot \sigma_{X_3}} = \frac{Cov(X_1, X_3)}{\sqrt{V(X_1)} \cdot \sqrt{V(X_3)}}$$
$$= \frac{1}{\sqrt{4}\sqrt{1}} = \frac{1}{2} = 0.5$$이다.
• X_2, X_3의 상관계수는
$$\rho_{X_2, X_3} = \frac{Cov(X_2, X_3)}{\sigma_{X_2} \cdot \sigma_{X_3}} = \frac{Cov(X_2, X_3)}{\sqrt{V(X_2)} \cdot \sqrt{V(X_3)}}$$
$$= \frac{0}{\sqrt{5}\sqrt{1}} = 0$$이다.

지피지기 기출문제

45 다음 그래프에 대한 설명으로 옳지 않은 것은?

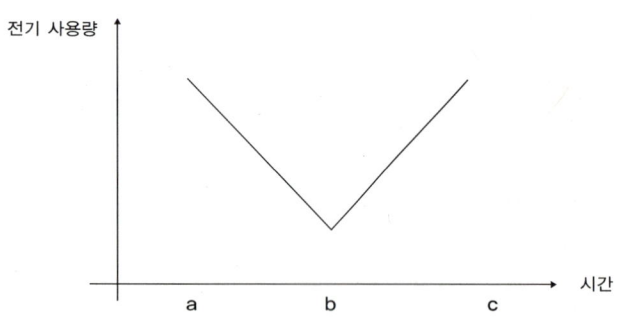

① 시간을 a~b 구간과 b~c 구간으로 따로 나누어서 상관관계를 파악할 수 있다.
② 시간에서 a~b 구간은 전기 사용량과 양의 상관관계를 가진다.
③ 시간에서 a~b 구간은 기울기 감소하고, b~c 구간은 기울기 증가한다.
④ 시간에서 b~c 구간은 전기 사용량과의 상관계수가 1에 가깝다.

> **해설** a~b 구간은 시간이 증가함에 따라 전기 사용량이 감소하므로 음의 상관관계를 가진다.

46 A 도시에서 키가 180cm 이상일 때 여성일 확률은?

- A 도시 내에 여성의 비율은 40%이다.
- A 도시 내에 남성은 15%, 여성은 2.5%가 180cm 이상이다.

① 0.1 ② 0.5
③ 1.0 ④ 1.5

> **해설**
> - 여성을 F, 남성을 M, 키가 180cm 이상을 H로 하는 베이지안 확률로 계산한다.
>
> | | |
> |---|---|
> | 도시 내 여성일 확률 | $P(F) = 0.4\,(40\%)$ |
> | 도시 내 남성일 확률 | $P(M) = 0.6$ |
> | 도시 내 여성이면서 키가 180cm 이상인 사람일 확률 | $P(F \cap H) = 0.4 \times 0.025 = 0.01$ |
> | 도시 내 남성이면서 키가 180cm 이상인 사람일 확률 | $P(M \cap H) = 0.6 \times 0.15 = 0.09$ |
>
> - 키가 180cm 이상인 사람이 여성일 확률은 다음과 같다.
> $$P(F \mid H) = \frac{P(F \cap H)}{P(F \cap H) + P(M \cap H)}$$
> $$= \frac{0.4 \times 0.025}{0.4 \times 0.025 + 0.6 \times 0.15} = \frac{0.01}{0.1} = 0.1$$

47 다음 식에 대한 이산확률분포는 무엇인가?

$$P = \frac{\lambda^n e^{-\lambda}}{n!}$$

① 포아송 분포
② 베르누이 분포
③ 정규분포
④ 지수분포

> **해설**
>
> | | |
> |---|---|
> | 포아송 분포 | $P = \dfrac{\lambda^n e^{-\lambda}}{n!}$ |
> | 베르누이 분포 | $P = p$ |
> | 정규분포 | $f(x) = \dfrac{1}{\sigma\sqrt{2\pi}} e^{-\frac{(x-\mu)^2}{2\sigma^2}}$ |
> | 지수분포 | $f(x) = \lambda e^{-\lambda x}$ |

48 다음 중 이산확률분포에 해당하는 분포로 옳은 것은?

① F-분포   ② 지수 분포
③ 이항 분포   ④ 정규 분포

해설

이산확률분포의 종류	
포베이초	포아송 / 베르누이 / 이항분포 / 초기하분포

49 변수 X가 n개의 데이터로 구성되어 있을 때, 표본 분포에 대한 설명으로 옳은 것은?

① 자유도가 $n-1$인 카이제곱 분포를 따른다.
② 정규 분포를 따른다.
③ 자유도가 $n-1$인 T-분포를 따른다.
④ 데이터 개수에 따라 정규 분포 또는 T-분포를 따른다.

해설 표본의 크기인 n의 크기가 클 경우에($n \geq 30$) 중심 극한 정리에 의하여 표본 분포는 정규 분포를 따르고, n이 작을 때 표본 분포는 자유도가 $n-1$인 T-분포를 따른다.

50 중심 극한 정리에 대한 설명으로 옳지 않은 것은?

① 데이터가 충분히 클 때 적용 가능한 정리이다.
② 중심 극한 정리를 만족하는 분포는 최종적으로 정규 분포를 따른다.
③ 중심 극한 정리를 만족하려면 데이터는 연속 값이어야만 한다.
④ 표본 분포와 관련된 법칙이다.

해설 중심 극한 정리는 데이터의 크기가 커지면 그 데이터가 어떠한 형태이든 그 데이터 표본의 분포는 최종적으로 정규분포를 따른다는 법칙이다.

51 점수가 60, 70, 80일 때 표본 분산은 얼마인가?

① 10
② 66.67
③ 100
④ 200

해설
- 평균은 다음과 같이 계산한다.

$$\overline{X} = \frac{1}{n}\sum_{i=1}^{3} X_i = \frac{1}{3}(60+70+80) = 70$$

- 표본 분산은 다음과 같이 계산한다.

$$s^2 = \frac{1}{n-1}\sum_{i=1}^{3}(X_i - \overline{X})^2$$
$$= \frac{1}{2}(60-70)^2 + (70-70)^2 + (80-70)^2$$
$$= 100$$

52 데이터 분포의 기울어진 정도를 설명하는 통계량은 무엇인가?

① 분포
② 왜도
③ 첨도
④ 상관계수

해설 데이터의 분포가 좌·우로 치우친 정도에 따른 왜도와 정규 분포보다 뾰족한 정도를 나타내는 첨도로 데이터의 분포를 파악할 수 있다.

지피지기 기출문제

53 여러 집단에 대해 샘플링을 한 후 동질성 검정을 수행하려고 한다. 각 집단의 특성을 고르게 반영하기 위해 가장 적합한 샘플링 기법으로 옳은 것은 무엇인가?

① 단순 무작위 추출
② 계통 추출
③ 층화 추출
④ 군집 추출

해설 동질성 검정을 수행할 때 집단 내부는 동질적이어야 하므로 층화 추출을 사용해야 한다.

단순 무작위 추출	• 모집단에서 정해진 규칙 없이 표본을 추출하는 방식
계통 추출	• 모집단을 일정한 간격으로 추출하는 방식
층화 추출	• 모집단을 여러 계층으로 나누고, 계층별로 무작위 추출을 수행하는 방식 • 층내는 동질적이고, 층간은 이질적
군집 추출	• 모집단을 여러 군집으로 나누고, 일부 군집의 전체를 추출하는 방식 • 집단 내부는 이질적이고, 집단 외부는 동질적

54 $(X-1)^2$의 기댓값은 얼마인가?

X	0	1	2	합계
$P(X)$	$\frac{1}{4}$	$\frac{1}{2}$	$\frac{1}{4}$	1

① 0
② $\frac{1}{4}$
③ $\frac{1}{2}$
④ 1

해설

$(X-1)^2$	$(0-1)^2=1$	$(1-1)^2=0$	$(2-1)^2=1$
$P((X-1)^2)$	$\frac{1}{4}$	$\frac{1}{2}$	$\frac{1}{4}$

• $(X-1)^2$의 기댓값은 $(X-1)^2$과 $P((X-1)^2)$을 곱한 값들의 합으로 계산한다.

$$E((X-1)^2) = 1 \times \frac{1}{4} + 0 \times \frac{1}{2} + 1 \times \frac{1}{4} = \frac{1}{2}$$

55 다음이 설명하는 법칙은 무엇인가?

> 데이터의 크기가 커지면 그 데이터가 어떠한 형태이든 그 데이터 표본의 분포는 최종적으로 정규 분포를 따르는 법칙

① 체비셰프 정리
② 마르코프 연쇄
③ 중심 극한 정리
④ 큰 수의 법칙

해설

큰 수의 법칙	• 데이터를 많이 뽑을수록(n이 커질수록) 표본 평균의 분산은 0에 가까워짐 • 데이터의 퍼짐이 적어져 정확해짐
중심 극한 정리	• 데이터의 크기가 커지면 그 데이터가 어떠한 형태이든 그 데이터 표본의 분포는 최종적으로 정규 분포를 따름

56 다음 중 데이터가 양수일 때만 사용해야 하는 산포도 값은 무엇인가?

① 변동계수
② 표준편차
③ 사분위수(IQR)
④ 범위

> **해설** 변동계수는 데이터가 모두 양수이면서 단위가 다른 그룹 또는 단위는 같지만, 평균 차이가 클 때의 흩어진 정도를 비교할 때 사용한다.

57 확률 분포에 대한 설명으로 옳은 것은?

① 포아송 분포는 사건이 발생하는 횟수의 제곱을 하는 분포이다.
② 정규 분포는 매개변수가 3개 필요하다.
③ n개의 서로 독립적인 표준 정규 확률변수를 각각 제곱한 다음 합하면 카이제곱 분포를 따른다.
④ 베르누이 분포를 n번 반복하면 초기하 분포가 된다.

> **해설**
> • 포아송 분포는 주어진 시간 또는 공간 내의 사건 발생 횟수를 모델링하는 이산 확률 분포이다.
> • 정규 분포는 $N(\mu, \sigma)$로 매개변수는 2개(평균, 표준편차)이다.
> • n개의 서로 독립적인 표준 정규 확률변수를 각각 제곱한 후 합하면 카이제곱 분포를 따른다.
> • n번 반복한 경우 이항 분포가 되며, 초기하 분포는 서로 독립이 아닌 경우에 사용된다.

정답 01 ③ 02 ③ 03 ③ 04 ② 05 ④ 06 ④ 07 ④ 08 ② 09 ② 10 ② 11 ① 12 ③ 13 ③ 14 ① 15 ② 16 ① 17 ④ 18 ① 19 ② 20 ③ 21 ① 22 ① 23 ① 24 ③ 25 ① 26 ① 27 ① 28 ① 29 ① 30 ② 31 ② 32 ③ 33 ② 34 ③ 35 ③ 36 ③ 37 ② 38 ② 39 ② 40 ③ 41 ④ 42 ③ 43 ③ 44 ③ 45 ② 46 ① 47 ① 48 ③ 49 ④ 50 ③ 51 ③ 52 ② 53 ③ 54 ③ 55 ③ 56 ① 57 ③

천기누설 예상문제

01 다음 기초 통계량에 대한 설명 중 가장 옳지 않은 것은?

① 평균은 변수의 값들의 합을 변수의 개수로 나눈 값이다.
② 이상값에 의한 영향은 중위수가 평균보다 크다.
③ 중위수는 모든 데이터값을 크기 순서로 오름차순 정렬하였을 때 중앙에 위치한 데이터값으로 중위수라고도 한다.
④ 변동계수는 측정 단위가 서로 다른 자료의 흩어진 정도를 상대적으로 비교할 때 사용한다.

> **해설** 이상값에 의한 영향은 중위수보다 평균이 영향을 더 많이 받는다.

02 다음 중 평균에 대한 설명으로 가장 올바르지 않은 것은?

① 자료를 모두 더한 후 자료 개수로 나눈 값이다.
② 전부 같은 가중치를 두지만, 이상값에 영향을 받지 않는다.
③ 표본평균은 표본조사를 통해 얻은 n개의 데이터가 $X_1, X_2, \ldots, X_n$일 때 표본에 대한 평균이다.
④ 모평균은 모집단 $X_1, X_2, \ldots, X_n$에 대한 평균으로 μ라고 표기한다.

> **해설** 평균은 이상값에 민감하다.

03 다음 중 모든 데이터값을 오름차순으로 배열하였을 때 중앙에 위치한 데이터값으로 알맞은 것은?

① 중위수   ② 최빈수
③ 범위   ④ 분산

> **해설** 중위수라고도 하며 특잇값에 영향을 받지 않는다.

04 다음과 같이 표본 데이터가 주어졌을 경우 대푯값으로 가장 적절한 것은 무엇인가?

> 10 20 30 40 50 500

① 최빈수   ② 평균
③ 중위수   ④ 분산

> **해설** 분포가 비대칭이고 극단값이 있으므로 극단값에 영향을 받지 않는 중위수(중앙값)가 대푯값으로 가장 적절하다.

05 아래 주어진 데이터의 중위수는 무엇인가?

> 6, 7, 9, 15, 13, 20, 45, 15

① 15   ② 14
③ 13   ④ 14.5

> **해설**
> - 데이터를 오름차순으로 정렬 : 6, 7, 9, 13, 15, 15, 20, 45
> - 데이터의 개수가 짝수(8)이므로 : 8/2와 (8+2)/2번째 값의 평균을 구한다.
> - 정렬했을 때 4번째 데이터(13)과 5번째 데이터(15)의 평균은 14이다.

06 다음 중 분산에 대한 설명으로 가장 올바르지 않은 것은?

① 평균으로부터 얼마나 떨어져 있는지를 나타내는 지표이다.
② 분산에는 표본의 분산, 모분산이 있다.
③ 표본의 분산은 편차의 제곱을 한 값의 합을 구하고 n개로 나눈 값이다.
④ 모집단에 대한 분산은 σ^2으로 표시한다.

> **해설** 표본의 분산은 $(n-1)$개로 나눈다.

07 평균이 100이고 분산이 25일 경우 변동계수(Coefficient of Variation)는 얼마인가?

① 0.25　　② 4
③ 0.05　　④ 20

> **해설**
> - 변동계수(CV) = 표준편차 ÷ 평균
> - 문제에 분산으로 데이터가 주어졌으므로 표준편차로 변환하면 5이다.
> - 따라서 변동계수(CV) = 5 ÷ 100 = 0.05

08 아래 주어진 데이터의 사분위수 범위(IQR)는 얼마인가?

| 1, 5, 8, 9, 13, 17, 19 |

① 12　　② 5
③ 8　　④ 10

> **해설**
>
> | 자료들을 오름차순으로 정렬 | 문제에서 이미 오름차순 정렬이 되어 있음 (1, 5, 8, 9, 13, 17, 19) |
> |---|---|
> | 자료들의 중위수를 구함 | 7개의 자료로 홀수이므로 (7+1)/2 = 4번째 자료인 9가 중위수 |
> | 좌측 중위수, 우측 중위수를 구함 | 중위수를 기준으로 좌측(1, 5, 8)의 중위수(Q_1는 5)와 우측(13, 17, 19)의 중위수(Q_3는 17)를 각각 구함 |
> | IQR = $Q_3 - Q_1$ 계산 | IQR = 17 - 5 = 12 |

09 다음 중에서 오른쪽으로 꼬리가 긴 분포를 갖는 것은?

① 평균 40, 중위수 45, 최빈수 50
② 중위수 40, 평균 45, 최빈수 50
③ 최빈수 40, 중위수 45, 평균 50
④ 중위수 40, 최빈수 40, 평균 50

> **해설** 오른쪽으로 꼬리가 긴 분포는 평균 > 중위수 > 최빈수의 분포를 가진다.

10 왜도(Skewness)가 왼쪽 편포일 경우 왜도의 값의 범위는 얼마인가?

① 왜도 > 0
② 왜도 = 0
③ 왜도 < 0
④ 왜도 > 1

> **해설** 왜도가 왼쪽 편포일 경우 왜도 < 0

11 왜도의 값이 0보다 클 경우 평균(Mean)과 최빈수(Mode), 중위수(Median) 중에서 가장 작은 값은 무엇인가?

① 최빈수(Mode)
② 중위수(Median)
③ 평균값(Mean)
④ 최빈수와 중위수, 평균값의 크기는 동일하다.

> **해설** 왜도의 값이 0보다 큰 오른쪽 편포에서 값의 크기는 최빈수(Mode) < 중위수(Median) < 평균(Mean)

12 다음 중 모집단에서 정해진 규칙 없이 표본을 추출하는 방식으로 가장 알맞은 것은?

① 단순 무작위 추출
② 계통 추출
③ 층화 추출
④ 군집 추출

> **해설** 단순 무작위 추출은 정해진 규칙 없이 표본을 추출하는 방식이다.

천기누설 예상문제

13 다음 중 층화추출에 대한 설명으로 가장 올바르지 않은 것은?

① 모집단을 여러 계층으로 나누고, 계층별로 무작위 추출을 수행하는 방식이다.
② 모집단을 일정한 간격으로 추출하는 방식이다.
③ 층내는 동질적이고, 층간은 이질적이다.
④ 사례로 지역별 여론 조사를 위해 조사 지역을 도별로 나누고, 각 도에서 무작위로 100명씩 선정한다.

> **해설** 계통 추출은 모집단을 일정한 간격으로 추출하는 방식이다.

14 10,000명으로 구성된 모집단에서 1,000명을 표본추출 할 때, 첫 번째 사람은 목록에서 1번에서 10번 사이에서 무작위로 추출하고, 그 다음 부터는 10번의 간격으로 표본을 추출하는 표본추출 방법은 무엇인가?

① 단순 무작위 추출법
② 계통 추출법
③ 층화 추출법
④ 군집 추출법

> **해설** 모집단을 일정한 간격으로 추출하는 방식으로 계통 추출법에 해당한다.

15 단순 무작위 추출법으로 표본을 추출할 때 표본 크기를 2배로 늘릴 경우에 나타나는 효과와 가장 관련이 있는 것은?

① 추정값의 분산이 줄어든다.
② 모집단의 평균값이 커진다.
③ 표본 평균과 최빈수가 일치한다.
④ 아무런 효과가 없다.

> **해설** 표본의 크기가 커질수록 정확도가 높아진다. 즉, 추정값이 모수에 근접하므로 추정값의 분산이 줄어든다.

16 다음 중 모집단을 여러 군집으로 나누고, 일부 군집의 전체를 추출하는 방식으로 가장 알맞은 것은?

① 군집 추출
② 층화 추출
③ 단순 무작위 추출
④ 계통 추출

> **해설** 모집단을 여러 군집으로 나누고, 일부 군집의 전체를 추출하는 방식은 군집 추출이며 군집 추출은 집단 내부는 이질적이고, 집단 외부는 동질적이다.

17 다음 중에서 층화 추출법에 대한 설명으로 가장 옳지 않은 것은?

① 모집단의 각 계층에 대한 정확한 정보가 필요하다.
② 각 계층으로부터 표본을 추출한다.
③ 각 계층은 내부적으로 이질적이고, 외부적으로는 동질적이다.
④ 확률 표본추출 방법이다.

> **해설**
> • 층화 추출법은 모집단을 동질적인 여러 개의 계층으로 나눈 후, 각 계층으로부터 표본을 추출하는 확률 표본 방법으로 모집단의 각 계층에 대한 정확한 정보가 필요하다.
> • 각 계층은 내부적으로 동질적이고, 외부적으로는(계층 간) 이질적이다.

18 두 사건 A, B에 대해 $P(A \cap B) = \frac{1}{8}$, $P(B|A) = \frac{1}{2}$ 일 때, $P(A)$의 값은 얼마인가?

① $\frac{1}{4}$
② $\frac{3}{8}$
③ $\frac{1}{2}$
④ $\frac{5}{8}$

> **해설** 사건 A가 조건으로 일어났을 때, 사건 B의 조건부 확률은 다음과 같다.
> $$P(B|A) = \frac{P(A \cap B)}{P(A)} \text{이므로}$$
> $$P(A) = \frac{P(A \cap B)}{P(B|A)} = \frac{\frac{1}{8}}{\frac{1}{2}} = \frac{2}{8} = \frac{1}{4}$$

19 컴퓨터를 사용하는 집단 A는 전체 학생의 80%이고, 그중에 60% 학생이 안경을 착용하고 있다. 컴퓨터를 사용하지 않는 집단 B는 전체 학생의 20%이고, 그중에 40% 학생이 안경을 착용하고 있다. 이때, 안경을 쓴 학생을 임의로 선택했을 때 학생이 컴퓨터를 사용하는 집단 A에 속할 확률은 얼마인가?

① $\frac{1}{3}$　　② $\frac{1}{2}$
③ $\frac{6}{7}$　　④ $\frac{3}{4}$

해설
- $P(E)$: 안경을 착용할 확률
- $P(A)$: A 집단의 학생 = 80%, $P(E|A)$: A 집단에서 안경을 착용할 확률 = 60%
- $P(B)$: B 집단의 학생 = 20%, $P(E|B)$: B 집단에서 안경을 착용할 확률 = 40%일 때 $P(A|E)$를 구하는 문제이다.
- 베이즈 정리에 의해서

$$P(A|E) = \frac{P(E|A) \times P(A)}{P(E|A) \times P(A) + P(E|B) \times P(B)}$$
$$= \frac{(80\% \times 60\%)}{(80\% \times 60\%) + (20\% \times 40\%)}$$
$$= \frac{0.8 \times 0.6}{(0.8 \times 0.6) + (0.2 \times 0.4)} = \frac{6}{7}$$

20 다음 중 상관관계 분석에 대한 설명으로 가장 올바르지 않은 것은?

① 두 변수 간 어떤 선형적 또는 비선형적 관계가 있는지를 분석하는 방법이다.
② 한 변수가 증가할 때 다른 변수가 같은 방향으로 증가하는지, 반대 방향으로 감소하는지를 관찰하여 두 변수 간 관계를 규정하는 분석기법이다.
③ 단순상관 분석(Simple Correlation Analysis)은 단순히 두 개의 변수가 어느 정도 강한 관계에 있는가를 측정한다.
④ 다중상관 분석(Multiple Correlation Analysis)은 2개 이상의 변수 간 관계 강도를 측정한다.

해설 다중상관 분석(Multiple Correlation Analysis)은 3개 이상의 변수 간 관계 강도를 측정한다.

21 아래는 특정 제품의 Sales와 TV, Radio, Newspaper 광고예산 간의 피어슨 상관계수 행렬이다. 설명이 가장 알맞지 않은 것은?

	TV	Radio	Newspaper	Sales
TV	1.000	0.054	0.057	0.793
Radio	0.054	1.000	0.333	0.543
Newspaper	0.057	0.333	1.000	0.222
Sales	0.793	0.543	0.222	1.000

① 3가지 매체의 광고예산은 Sales와 양의 상관관계를 가지고 있다.
② Newspaper 광고예산이 증가할 때 Radio 광고예산이 증가하는 경향이 있다.
③ TV 광고예산을 늘릴 경우 Sales가 증가하는 인과관계를 가진다.
④ Sales와 가장 상관관계가 높은 변수는 TV이다.

해설
- 상관 분석은 두 변수 간의 관계의 정도를 알아보기 위한 분석 방법이다.
- 인과관계는 상관 분석으로 알 수 없다.

22 상관 분석에 대한 설명으로 가장 올바르지 않은 것은?

① 상관 분석은 변수 간의 연관성을 파악하기 위해 사용하는 분석기법 중 하나로 변수 간의 선형 관계 정도를 분석하는 통계기법이다.
② 상관 분석은 종속변수에 미치는 영향력의 크기를 파악하여 독립변수의 특정한 값에 대응하는 종속 변숫값을 예측하는 선형모형을 산출하는 방법이다.
③ 등간 척도 및 비율척도로 측정된 변수 간의 상관계수는 피어슨 상관계수로 측정한다.
④ 서열 척도로 측정된 변수 간의 상관계수는 스피어만 상관계수로 측정한다.

천기누설 예상문제

해설 회귀 분석은 종속변수에 미치는 영향력의 크기를 파악하여 독립변수의 특정한 값에 대응하는 종속 변숫값을 예측하는 선형모형을 산출하는 방법이다.

피어슨 상관계수	등간 척도, 비율척도로 측정된 변수 간의 상관계수
스피어만 상관계수	서열 척도로 측정된 변수 간의 상관계수

23 육면체 주사위 한 개를 한 번 던졌을 때 윗면에 나타난 수를 X라고 할 경우, X의 기댓값은 얼마인가?

① 1 ② 21
③ 2.5 ④ 3.5

해설
- 공정한 주사위 1개를 던졌을 때 윗면에 나타나는 수의 확률은 모두 1/6이다.

X	1	2	3	4	5	6
확률 $P(X)$	1/6	1/6	1/6	1/6	1/6	1/6

- 이산확률변수 X의 기댓값을 공식에 대입하면 아래와 같다.

$$E(X) = \sum xf(x)$$
$$= (1 \times 1/6) + (2 \times 1/6) + (3 \times 1/6) + (4 \times 1/6) + (5 \times 1/6) + (6 \times 1/6)$$
$$= 3.5$$

24 다음 중 확률변수의 기댓값에 대한 성질로서 가장 올바르지 않은 것은? (단, X, Y는 확률변수이고 서로 독립이며, a는 상수이다.)

① $E(X+Y) = E(X) + E(Y)$
② $E(a) = 0$
③ $E(XY) = E(X)E(Y)$
④ $E(aX) = aE(X)$

해설 확률변수의 기댓값의 성질에서 $E(a) = a$이다.

25 확률변수 X의 기댓값은 2이고, 확률변수 $Y = 3 + 2X$와 같이 주어질 경우에 확률변수 Y의 기댓값은 얼마인가?

① 3 ② 5
③ 7 ④ 9

해설 기댓값의 성질에 의해서
$E(Y) = E(3+2X) = E(3) + E(2X) = 3 + 2E(X) = 7$이다.

26 확률변수 X의 분산은 2이고, 확률변수 $Y = 2 + 5X$와 같이 주어질 경우에 확률변수 Y의 분산은 얼마인가?

① 20 ② 30
③ 40 ④ 50

해설 확률변수의 분산의 성질을 이용하여 계산한다.
$V(Y) = V(2+5X) = V(2) + V(5X) = 0 + 25V(X) = 50$

27 확률변수 X와 확률 질량 함수 $P(X)$가 다음과 같이 주어질 때, 확률변수 X의 분산은 얼마인가?

X	1	2	3	4
$P(X)$	1/6	1/6	1/6	3/6

① 1 ② $\dfrac{4}{3}$
③ $\dfrac{5}{6}$ ④ $\dfrac{5}{3}$

해설
- 확률변수 X의 분산은 $V(X)=E(X^2)-[E(X)]^2$이므로, 이를 각각 구한다.
- 기댓값의 공식에 의해서,

$$E(X)=\sum xf(x)$$
$$=\left(1\times\frac{1}{6}\right)+\left(2\times\frac{1}{6}\right)+\left(3\times\frac{1}{6}\right)+\left(4\times\frac{3}{6}\right)$$
$$=3$$
$$E(X^2)=\left(1^2\times\frac{1}{6}\right)+\left(2^2\times\frac{1}{6}\right)+(3^2\times\frac{1}{6})+\left(4^2\times\frac{3}{6}\right)$$
$$=\frac{62}{6}\text{이다.}$$

따라서 분산은
$$V(X)=E(X^2)-[E(X)]^2$$
$$=\frac{62}{6}-(3)^2=\frac{8}{6}=\frac{4}{3}$$
가 된다.

28 다음이 설명하는 내용으로 가장 적절한 것은 무엇인가?

> 이산형 확률분포 중 주어진 시간 또는 영역에서 어떤 사건의 발생 횟수를 나타내는 확률분포

① 베르누이분포
② 포아송분포
③ 이항분포
④ T-분포

해설

베르누이분포	특정 실험의 결과가 성공 또는 실패로 두 가지의 결과 중 하나를 얻는 분포
이항분포	n번 시행 중에 각 시행의 확률이 p일 때, k번 성공할 확률을 나타내는 분포
포아송분포	주어진 시간 안에 어떤 사건이 일어날 횟수에 대한 기댓값을 λ라고 했을 때, 그 사건이 n회 일어날 확률을 나타내는 분포

29 A 지하철역에서 1분에 1명씩 승객이 온다. A 지하철역에 2분 동안 아무도 오지 않을 확률을 구하시오. (e는 자연상수)

① $\dfrac{1}{e^2}$ ② $\dfrac{1}{e}$
③ $\dfrac{2}{e^2}$ ④ $\dfrac{2}{e}$

해설
- 주어진 시간 또는 영역에서 어떤 사건의 발생 횟수를 나타내는 확률분포이므로 포아송분포를 사용한다.
- 1분에 1명씩 오면 2분에 2명씩 오기 때문에 사건 발생 확률은 $\lambda=2$이다.
- 2분 동안 아무도 오지 않는다고 했으므로 $n=0$이다.

$$P=\frac{\lambda^n e^{-\lambda}}{n!}=\frac{2^0\times e^{-2}}{0!}=e^{-2}=\frac{1}{e^2}$$

30 주사위를 두 번 던졌을 때 주사위눈이 1이 한 번 나올 확률은 얼마인가?

① $\dfrac{1}{36}$ ② $\dfrac{1}{6}$
③ $\dfrac{5}{18}$ ④ $\dfrac{1}{2}$

해설
- 두 번(n번) 시행 중에 한 번(k번) 성공할 확률이므로 이항분포이다.
- 주사위를 두 번 던지기 때문에 $n=2$, 주사위눈이 1이 나올 확률 $p=\dfrac{1}{6}$, 주사위에서 1의 눈이 한 번 나오므로 $k=1$이다.

$$P=\binom{n}{k}p^k(1-p)^{n-k}$$
$$=\binom{2}{1}\left(\frac{1}{6}\right)^1\left(1-\frac{1}{6}\right)^{2-1}=\frac{2!}{1!(2-1)!}\times\frac{1}{6}\times\frac{5}{6}$$
$$=\frac{10}{36}=\frac{5}{18}$$

천기누설 예상문제

31 다음 중 이산확률분포에 대한 설명으로 가장 올바르지 않은 것은?

① 이산확률변수 X가 가지는 확률분포이다.
② 이산확률변수는 확률변수 X가 0, 1, 2, 3, …와 같이 하나씩 셀 수 있는 값을 취한다.
③ 포아송분포는 특정 실험의 결과가 성공 또는 실패로 두 가지의 결과 중 하나를 얻는 분포이다.
④ 이항분포는 n번 시행 중에 각 시행의 확률이 p일 때, k번 성공할 확률이다.

> **해설** 포아송분포는 정해진 시간 안에 어떤 사건이 일어날 횟수에 대한 기댓값을 λ라고 했을 때, 그 사건이 n회 일어날 확률이다.

32 연속형 확률변수의 분포 중에서 정규분포의 평균을 측정할 때 주로 사용되고 두 집단 간 평균의 차이 검정 등에 활용되는 분포는 다음 중 무엇인가?

① F-분포
② 카이제곱(χ^2)-분포
③ 포아송분포
④ T-분포

> **해설** 정규분포의 평균을 측정할 때 주로 사용이 되고 두 집단의 평균의 차이 검정 등에 활용이 되는 분포는 T-분포이다.

33 다음 중 연속확률분포로 가장 올바르지 않은 것은?

① 표준정규분포
② Z-분포
③ T-분포
④ 베르누이분포

> **해설** 베르누이분포는 이산확률분포이다.

34 다음 중 모수를 추정하기 위해 구하는 표본의 값들을 나타내는 용어로 옳은 것은?

① 통계량
② 총 조사
③ 표본추출
④ 모집단

> **해설**
> • 통계량은 모수를 추정할 때 구하는 표본의 값들을 의미한다.
> • 총 조사는 전국 규모의 조사를 의미한다.
> • 표본추출은 모집단을 구성하는 모든 추출 단위에 대해 표본으로 추출된 확률을 알 수 있는 추출법을 의미한다.
> • 모집단은 통계적인 정보를 얻고자 하는 관심 대상의 전체집합을 의미한다.

35 다음 중 통계적 추정을 할 때 표본자료 중 모집단에 대한 정보를 주는 독립적인 자료의 수로 가장 알맞은 것은?

① 자유도
② T-분포
③ F-분포
④ 카이제곱분포

> **해설** 자유도(Degrees of Freedom)는 통계적 추정을 할 때 표본자료 중 모집단에 대한 정보를 주는 독립적인 자료의 수이다.

36 다음 중 정규분포에 대한 설명으로 가장 올바르지 않은 것은?

① 모평균이 μ, 모분산이 σ^2이라고 할 때, 종 모양의 분포이다.
② 기댓값은 $E(X) = \mu$이다.
③ 분산은 $V(X) = \sigma^2$이다.
④ 정규분포 함수에서 X를 Z로 정규화한 분포이다.

> **해설** 정규분포 함수에서 X를 Z로 정규화한 분포는 표준정규분포이다.

37 다음 중 모집단이 정규분포라는 정도만 알고, 모 표준편차(σ)는 모를 때 사용하는 연속확률분포로 가장 알맞은 것은?

① 정규분포 ② T-분포
③ 베르누이분포 ④ 카이제곱분포

해설 모집단이 정규분포라는 정도만 알고, 모 표준편차는 모를 때 사용하는 연속확률분포는 T-분포이다.

38 수집된 자료를 토대로 모집단의 특성을 추정하게 되는데, 이때 조사하는 모집단의 일부분을 표본(Sample)이라 한다. 다음 중 표본조사에 대한 설명으로 가장 올바르지 않은 것은?

① 비표본오차(Non-Sampling Error)는 표본오차를 제외한 모든 오차로 조사 과정에서 발생하는 모든 부주의나 실수, 알 수 없는 원인 등의 모든 오차를 의미하고, 조사대상이 증가한다고 해서 오차가 커지지는 않는다.
② 표본오차(Sampling Error)는 모집단의 일부인 표본에서 얻은 자료를 통해 모집단 전체의 특성을 추론함으로써 생기는 오차이다.
③ 표본편의는 확률화(Randomization)에 의해 최소화할 수 있다. 확률화란 모집단으로부터 편의 되지 않은 표본을 추출하는 절차를 의미하며 확률화 절차에 의해 추출된 표본을 확률표본(Random Sample)이라 한다.
④ 표본 편의(Sampling Bias)는 모수를 작게 또는 크게 할 때 추정하는 것과 같이 표본추출 방법에서 기인하는 오차이다.

해설 비표본오차(Non-Sampling Error)는 표본오차를 제외한 모든 오차로서 조사 과정에서 발생하는 모든 부주의나 실수, 알 수 없는 원인 등 모든 오차를 의미하며 조사대상이 증가하면 오차가 커진다.

39 다음 중 독립적인 χ^2 분포가 있을 때, 두 확률변수의 비로 가장 알맞은 것은?

① 포아송분포 ② 이항분포
③ F-분포 ④ Z-분포

해설 독립적인 χ^2-분포가 있을 때, 두 확률변수의 비는 F-분포이다.

정답 01 ② 02 ② 03 ① 04 ③ 05 ② 06 ② 07 ③ 08 ① 09 ③ 10 ③ 11 ① 12 ① 13 ② 14 ② 15 ① 16 ① 17 ① 18 ① 19 ③ 20 ④ 21 ③ 22 ② 23 ④ 24 ① 25 ③ 26 ④ 27 ② 28 ② 29 ① 30 ③ 31 ③ 32 ④ 33 ④ 34 ① 35 ① 36 ④ 37 ② 38 ① 39 ③

② 추론통계

1 추론통계

(1) 추론통계(Inferential Statistics) 개념 `기출`

- 추론통계는 모집단의 표본(Sample)을 가지고 모집단의 특성(모수)을 추론(추정)하고 그 결과의 신뢰성을 검정하는 통계적 방법이다.
- 표본의 개수가 많을수록 표본오차는 감소한다.
- 추정은 표본의 데이터인 일부의 데이터를 이용하여 모집단을 추정하므로 어느 정도의 오차가 있다.
- 추정은 점 추정(Point Estimation)과 구간 추정(Interval Estimation)으로 구분할 수 있다.

(2) 점 추정

① 점 추정(Point Estimation) 개념
- 점 추정은 표본의 정보로부터 모집단의 모수를 하나의 값으로 추정하는 기법이다.
- 점 추정에서는 신뢰도를 나타낼 수 없는 단점이 있어 구간 추정을 주로 사용한다.
- 점 추정에 사용되는 통계량에는 표본평균, 표본분산, 표본비율 등이 있다.

② 점 추정(Point Estimation) 조건 `기출`

좋은 점 추정 조건으로는 불편성(불편의성), 효율성, 일치성, 충족성(충분성) 등이 있다.

▼ 점 추정 조건

조건	설명
불편성/불편의성 (Unbiasedness)	• 추정량의 기댓값이 모집단의 모수와 차이가 없다는 특성 • 불편 추정량은 모수를 중심으로 분포 $E(\hat{\theta}) = \theta$ $\hat{\theta}$: 추정량, θ: 모수
효율성 (Efficiency)	• 추정량의 분산이 작을수록 좋다는 특성 • 추정량의 효율은 항상 1 이하이고, 효율이 1인 추정량을 최대효율 추정량이라고 함 $V(\hat{\theta_1}) < V(\hat{\theta_2})$일 때, $\hat{\theta_1}$이 $\hat{\theta_2}$보다 효율성이 좋음
일치성 (Consistency)	• 표본의 크기가 아주 많이 커지면, 추정량이 모수와 거의 같아진다는 특성 • 일치성을 가지는 추정량을 일치 추정량을 통해 확인
충족성/충분성 (Sufficiency)	• 추정량은 모수에 대하여 많은 정보를 제공할수록 좋다는 특성 • 충분성을 추정하기 위해 충족 추정량을 사용

③ **모수의 점 추정량** 기출

모수의 점 추정량은 표본의 통계량을 이용하여 계산한다.

모수	설명	
모평균	$E(\overline{X}) = E\left(\dfrac{1}{n}\sum_{i=1}^{n} X_i\right)$ $= \dfrac{1}{n}\sum_{i=1}^{n} E(X_i)$ $= \mu$	$X_1, X_2, ..., X_n$: 표본 • μ: 모평균 • $\overline{X}$: 표본평균 • n: 표본의 개수
	표본평균은 모평균의 불편 추정량임	
모분산	$E(s^2) = E\left(\dfrac{1}{n-1}\sum_{i=1}^{n}(X_i - \overline{X})^2\right)$ $= \sigma^2$	$X_1, X_2, ..., X_n$: 표본 • s^2: 표본분산 • σ^2: 모분산 • n: 표본의 개수
	표본분산은 모분산의 불편 추정량임	
모비율	$E(\hat{p}) = E\left(\dfrac{X}{n}\right)$ $= \dfrac{1}{n}E(X)$ $= p$	• p: 모비율 • $\hat{p}$: 표본비율 • n: 표본의 개수 • X: 표본 관측치의 개수(예를 들어 주사위를 던졌을 때 1의 발생 횟수)
	표본비율은 모비율의 불편 추정량임	

④ **표준오차(SE; Standard Error)**

- 추정량은 추출된 표본의 값에 따라서 달라질 수 있다.
- 정확도를 측정하기 위해 추정량의 표준편차를 계산한다.
- 추정량의 표준편차를 표준오차라고 한다.

㉮ **표본평균의 표준오차**

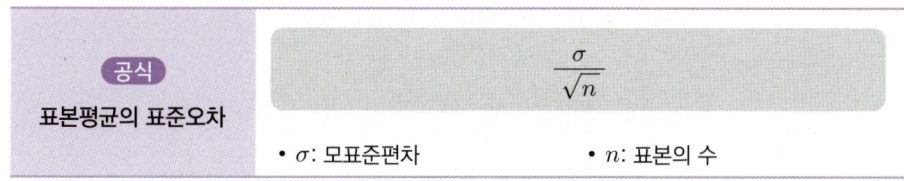

- 모분산(모표준편차)을 모를 경우 표본분산(표본표준편차)을 사용하여 계산한다.

개념 박살내기

수제비 고등학교 1학년 남학생 16명의 평균 몸무게를 측정한 결과의 표본분산을 25라고 할 때, 평균 몸무게의 표준오차를 구하려고 한다. 표본의 개수 $n=16$이고, 표본분산 $s^2=25$이므로, 표본표준편차 $s=5$이다.

모표준편차가 알려져 있지 않으므로 표본표준편차($s=5$)를 이용하여 계산한다.

표준오차(Standard Error; SE)$=\dfrac{\sigma}{\sqrt{n}}=\dfrac{s}{\sqrt{n}}=\dfrac{5}{\sqrt{16}}=\dfrac{5}{4}$

㉯ 표본비율의 표준오차

공식	
표본비율의 표준오차	$\sqrt{\dfrac{\hat{p}(1-\hat{p})}{n}}$ • $\hat{p}$: 모집단의 확률 p에 대한 추정량(표본비율) • n: 표본의 수

(3) 구간 추정

① 구간 추정(Interval Estimate) 개념
- 구간 추정은 추정값에 대한 신뢰도를 제시하면서 범위로 모수를 추정하는 방법이다.
- 항상 추정량의 분포에 대한 전제가 주어져야 하고, 구해진 구간 안에 모수가 있을 가능성의 크기(신뢰수준)가 주어져야 한다.

② 구간 추정 용어
대표적인 구간 추정 용어로는 신뢰수준과 신뢰구간이 있다.

▼ 구간 추정 용어

용어	설명
신뢰수준 (Confidence Level)	• 추정값이 존재하는 구간에 모수가 포함될 확률 • $100\times(1-\alpha)\%$로 계산함(α: 유의수준) 예) 신뢰수준이 95%라면, $(1-\alpha)=0.95$, 즉 $\alpha=0.05$ • 90%, 95%, 99% 신뢰수준을 주로 사용

잠깐! 알고가기

유의수준(Significance Level)
제1종 오류를 범할 최대 허용확률이고, 조사에서 인정되는 오차 수준이다.

용어	설명
신뢰구간 (Confidence Interval)	• 신뢰수준을 기준으로 추정된 통계적으로 유의미한 모수의 범위 예) 모평균의 구간 추정의 경우, 95%의 신뢰구간은 100번 중 95번은 그 구간 내에 모평균이 포함된다는 의미 • 신뢰구간은 아래 그래프처럼 양측(왼쪽과 오른쪽)을 다루므로 α를 반으로 나눈 $\frac{\alpha}{2}$가 많이 사용 됨 예) 모평균에 대한 신뢰구간 $= \overline{X} \pm Z_{\frac{\alpha}{2}} \times$ 표준오차

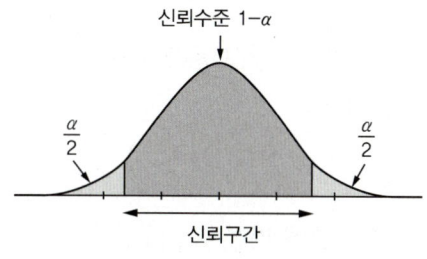

▲ 신뢰수준, 신뢰구간

개념 박살내기

점 추정은 'A 후보의 지지율은 54.1%입니다.'라고 말하듯 하나의 값만 추정하는 것이다. 반면 구간 추정은 'A 후보의 지지율은 신뢰수준 95%로 신뢰구간 51.3%~57.3% 내에 있다.'라고 말하듯 구간을 추정하는 것이다.

신뢰구간을 추정할 때는 모분산에 따라 확률분포를 사용한다. 모분산을 알고 있는 경우에는 정규분포를, 모르는 경우에는 T-분포를 사용한다.

95% 신뢰수준에서 모분산을 알고 있는 경우에는 표준정규분포표에 의해 다음과 같이 쓸 수 있다.

$P(-1.96 \leq Z \leq 1.96) = 0.95$

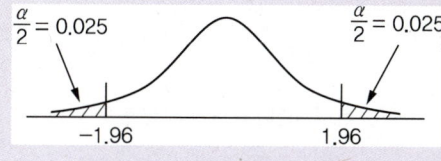

▲ 신뢰수준

신뢰수준이 95%이므로 $(1-\alpha) = 0.95$, 즉 $\alpha = 0.05$이다. 표준정규분포의 양쪽 면적을 고려해야 하므로 $\frac{\alpha}{2}$에 해당하는 값 0.025를 선택한다. 0.025에 해당하는 Z값은 표준정규분포표에 의해 1.96을 사용한다.

③ 단일 모평균 추정 [기출]

- 단일 모평균의 추정은 모분산이 알려져 있는 경우와 알려져 있지 않은 경우로 나누어 계산한다.
- 모분산이 알려져 있지 않은 경우는 대표본과 소표본일 경우로 나누어 계산한다.

㉮ 모분산이 알려져 있는 경우

- 모집단이 정규분포를 따르고 모분산이 알려져 있는 경우 Z-분포를 이용한다.

모평균 추정	검정통계량
$\overline{X} - Z_{\frac{\alpha}{2}} \frac{\sigma}{\sqrt{n}} \leq \mu \leq \overline{X} + Z_{\frac{\alpha}{2}} \frac{\sigma}{\sqrt{n}}$	$Z = \frac{\overline{X} - \mu}{\sigma/\sqrt{n}}$

- $\overline{X}$: 표본평균
- $Z_{\frac{\alpha}{2}}$: 유의수준이 $\alpha/2$인 Z-분포
- σ: 모표준편차
- n: 표본수
- μ: 모평균

- 90%, 95%, 99% 신뢰수준에 따른 $Z_{\frac{\alpha}{2}}$의 값은 아래의 표와 같다.

신뢰수준($1-\alpha$)	α	$\frac{\alpha}{2}$	$Z_{\frac{\alpha}{2}}$
90%(0.9)	0.1	0.05	$Z_{0.05} = 1.645$
95%(0.95)	0.05	0.025	$Z_{0.025} = 1.96$
99%(0.99)	0.01	0.005	$Z_{0.005} = 2.575$

㉯ 모분산이 알려져 있지 않고, 대표본($n \geq 30$)일 경우

- 표본의 크기가 30 이상인 대표본의 경우에는 Z-분포를 이용한다.

모평균 추정	검정통계량
$\overline{X} - Z_{\frac{\alpha}{2}} \frac{s}{\sqrt{n}} \leq \mu \leq \overline{X} + Z_{\frac{\alpha}{2}} \frac{s}{\sqrt{n}}$	$Z = \frac{\overline{X} - \mu}{s/\sqrt{n}}$

- $\overline{X}$: 표본평균
- $Z_{\frac{\alpha}{2}}$: 유의수준이 $\alpha/2$인 Z-분포
- s: 표본표준편차
- n: 표본수
- μ: 모평균

학습 POINT ★

모평균 추정에서 신뢰구간을 구하는 문제가 출제되었습니다. 개념 박살내기를 참고하여 자세히 이해하고 넘어가시길 권장합니다.

학습 POINT ★

신뢰수준과 신뢰구간에서 사용하는 Z값 중에서 $Z_{0.05} = 1.645$, $Z_{0.025} = 1.96$, $Z_{0.005} = 2.575$는 많이 사용되는 값이므로 암기해주시는 것이 좋습니다.

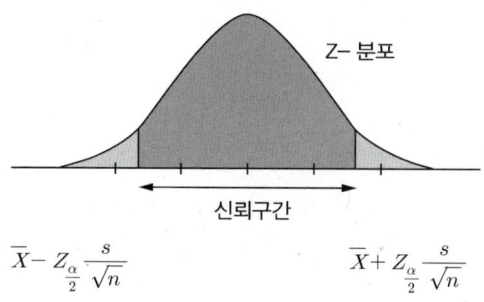

▲ 대표본의 경우 모평균의 신뢰구간

㉰ 모분산이 알려져 있지 않고, 소표본($n < 30$)일 경우

• 표본의 크기가 30보다 작은 소표본의 경우 자유도가 $(n-1)$인 T-분포를 따른다.

모평균 추정	검정통계량
$\overline{X} - t_{\frac{\alpha}{2}, n-1} \frac{s}{\sqrt{n}} \leq \mu \leq \overline{X} + t_{\frac{\alpha}{2}, n-1} \frac{s}{\sqrt{n}}$	$t = \dfrac{\overline{X} - \mu}{s/\sqrt{n}}$

- $\overline{X}$: 표본평균
- $t_{\frac{\alpha}{2}, n-1}$: 유의수준이 $\alpha/2$와 자유도 $n-1$인 T-분포
- s: 표본표준편차
- n: 표본수
- μ: 모평균

▲ 소표본의 경우 모평균의 신뢰구간

개념 박살내기

모집단이 정규분포를 따르며 모분산이 알려져 있지 않을 때, 표본의 개수가 20개, 표본평균이 10, 표본 표준편차가 4일 경우 모평균의 양측 신뢰구간을 추정해 보자. (이때, 신뢰수준은 95%로 한다.)

모분산이 알려져 있지 않고 표본의 개수가 20개인 소표본이므로 T-분포를 이용한다.

$\overline{X} - t_{\frac{\alpha}{2}, n-1} \frac{s}{\sqrt{n}} \leq \mu \leq \overline{X} + t_{\frac{\alpha}{2}, n-1} \frac{s}{\sqrt{n}}$ 공식에서 표본평균과 표본 표준편차가 주어져 있으므로, $t_{\frac{\alpha}{2}, n-1} = t_{0.025, 19}$인 t값만 알면 모평균의 신뢰구간을 구할 수 있다.

다음 표에서처럼 T-분포표의 첫 번째 가로축은 α의 값을 나타내고, 첫 번째 세로축은 자유도를 나타내므로 α와 자유도의 교차점을 찾으면 t값이 된다.

신뢰수준이 95%이므로 $\frac{\alpha}{2} = 0.025$이고, 표본의 개수가 20개이므로 자유도는 19이다.

따라서, ① α는 0.025인 축과 ② 자유도가 19인 축의 교차점인 2.093이 t값이 된다.
따라서 모평균의 신뢰구간은
$10 - 2.093 \times \frac{4}{\sqrt{20}} \leq \mu \leq 10 + 2.093 \times \frac{4}{\sqrt{20}}$ 이 된다.

df \ α	0.4	0.25	0.1	0.05	0.025	0.01	0.005	0.0025	0.001	0.0005
1	0.325	1.000	3.078	6.314	12.706	31.821	63.657	127.32	318.31	636.62
2	0.289	0.816	1.886	2.920	4.303	6.965	9.925	14.089	22.327	31.599
3	0.277	0.765	1.638	2.353	3.182	4.541	5.841	7.453	10.215	12.924
4	0.271	0.741	1.533	2.132	2.776	3.747	4.604	5.598	7.173	8.610
5	0.267	0.727	1.476	2.015	2.571	3.365	4.032	4.773	5.893	6.869
6	0.265	0.718	1.440	1.943	2.447	3.143	3.707	4.317	5.208	5.959
7	0.263	0.711	1.415	1.895	2.355	2.998	3.499	4.029	4.785	5.408
8	0.262	0.706	1.397	1.860	2.306	2.896	3.355	3.833	4.501	5.041
9	0.261	0.703	1.838	1.833	2.252	2.821	3.250	3.690	4.297	4.781
10	0.260	0.700	1.372	1.812	2.228	2.764	3.169	3.581	4.144	4.587
11	0.260	0.697	1.363	1.796	2.201	2.718	3.106	3.497	4.025	4.437
12	0.259	0.695	1.356	1.782	2.179	2.681	3.055	3.428	3.930	4.318
13	0.259	0.694	1.350	1.771	2.150	2.650	3.012	3.372	3.852	4.221
14	0.258	0.692	1.345	1.761	2.145	2.624	2.977	3.326	3.787	4.140
15	0.258	0.691	1.341	1.753	2.131	2.602	2.947	3.286	3.733	4.073
16	0.258	0.690	1.337	1.746	2.120	2.583	2.921	3.252	3.686	4.015
17	0.257	0.689	1.333	1.740	2.110	2.567	2.898	3.222	3.646	3.965
18	0.257	0.688	1.330	1.734	2.101	2.552	2.878	3.197	3.610	3.922
19	0.257	0.688	1.320	1.729	2.093	2.539	2.861	3.174	3.579	3.883
20	0.257	0.687	1.325	1.725	2.086	2.528	2.845	3.153	3.552	3.850

④ **두 모평균 차이의 추정**
- 두 모평균의 차이($\mu_1 - \mu_2$)에 대한 추정도 모분산이 알려진 경우와 알려져 있지 않은 경우로 나누어 계산한다.

㉮ 모분산이 알려져 있는 경우
- 두 모집단이 정규분포를 따르고 모분산이 알려져 있는 경우 Z-분포를 이용한다.

모평균 차이 추정	검정통계량
$(\overline{X_1} - \overline{X_2}) - Z_{\frac{\alpha}{2}} \sqrt{\dfrac{\sigma_1^2}{n_1} + \dfrac{\sigma_2^2}{n_2}}$ $\leq \mu_1 - \mu_2$ $\leq (\overline{X_1} - \overline{X_2}) + Z_{\frac{\alpha}{2}} \sqrt{\dfrac{\sigma_1^2}{n_1} + \dfrac{\sigma_2^2}{n_2}}$	$Z = \dfrac{(\overline{X_1} - \overline{X_2}) - (\mu_1 - \mu_2)}{\sqrt{\dfrac{\sigma_1^2}{n_1} + \dfrac{\sigma_2^2}{n_2}}}$

- $\overline{X_1}$: 집단 1의 표본평균
- $\overline{X_2}$: 집단 2의 표본평균
- μ_1: 집단 1의 모평균
- μ_2: 집단 2의 모평균
- $Z_{\frac{\alpha}{2}}$: 유의수준이 $\alpha/2$인 Z-분포
- s_1: 집단 1의 표본표준편차
- s_2: 집단 2의 표본표준편차
- n_1: 집단 1의 표본수
- n_2: 집단 2의 표본수
- σ_1: 집단 1의 모표준편차
- σ_2: 집단 2의 모표준편차

㉯ 모분산이 알려져 있지 않고, 대표본($n \geq 30$)일 경우

- 표본의 크기가 30 이상인 대표본의 경우에는 Z-분포를 이용한다.

모평균 차이 추정	검정통계량
$(\overline{X_1} - \overline{X_2}) - Z_{\frac{\alpha}{2}} \sqrt{\dfrac{s_1^2}{n_1} + \dfrac{s_2^2}{n_2}}$ $\leq \mu_1 - \mu_2$ $\leq (\overline{X_1} - \overline{X_2}) + Z_{\frac{\alpha}{2}} \sqrt{\dfrac{s_1^2}{n_1} + \dfrac{s_2^2}{n_2}}$	$Z = \dfrac{(\overline{X_1} - \overline{X_2}) - (\mu_1 - \mu_2)}{\sqrt{\dfrac{s_1^2}{n_1} + \dfrac{s_2^2}{n_2}}}$

- $\overline{X_1}$: 집단 1의 표본평균
- $\overline{X_2}$: 집단 2의 표본평균
- μ_1: 집단 1의 모평균
- μ_2: 집단 2의 모평균
- $Z_{\frac{\alpha}{2}}$: 유의수준이 $\alpha/2$인 Z-분포
- s_1: 집단 1의 표본표준편차
- s_2: 집단 2의 표본표준편차
- n_1: 집단 1의 표본수
- n_2: 집단 2의 표본수

㉰ 두 모분산이 같고 소표본($n < 30$)일 경우

- 모분산은 모르지만 두 모분산이 같다고 알려진($\sigma_1^2 = \sigma_2^2 = \sigma^2$) 소표본의 경우에는 자유도가 $n_1 + n_2 - 2$인 T-분포를 따른다.

모평균 차이 추정	검정통계량
$(\overline{X_1} - \overline{X_2}) - t_{\frac{\alpha}{2}, n_1+n_2-2} \, s_p \sqrt{\frac{1}{n_1} + \frac{1}{n_2}} \leq \mu_1 - \mu_2$ $\leq (\overline{X_1} - \overline{X_2}) + t_{\frac{\alpha}{2}, n_1+n_2-2} \, s_p \sqrt{\frac{1}{n_1} + \frac{1}{n_2}}$	$t = \dfrac{(\overline{X_1} - \overline{X_2}) - (\mu_1 - \mu_2)}{s_p \sqrt{\frac{1}{n_1} + \frac{1}{n_2}}}$

- $\overline{X_1}$: 집단 1의 표본평균
- $\overline{X_2}$: 집단 2의 표본평균
- μ_1: 집단 1의 모평균
- μ_2: 집단 2의 모평균
- n_1: 집단 1의 표본수
- n_2: 집단 2의 표본수
- $t_{\frac{\alpha}{2}, n_1+n_2-2}$: 유의수준이 $\alpha/2$, 자유도가 n_1+n_2-2인 T-분포
- $s_p = \sqrt{\dfrac{(n_1-1)s_1^2 + (n_2-1)s_2^2}{n_1+n_2-2}}$: 합동 표본표준편차 (s_1: 집단 1의 표본표준편차, s_2: 집단 2의 표본표준편차)

⑤ **대응 표본(Paired Sample)일 경우 두 모평균 차이의 추정** 기출

- 대응 표본은 실험 전후의 연구 대상을 비교할 때 많이 사용되는 비교 방법이다.

> 예) 새로 출시될 다이어트 약의 효과를 검증하기 위하여 실험 참가자들의 다이어트 약 투약 전과 투약 후의 체중을 비교한다.

- 대응되는 두 모평균의 차이를 $\mu_D = \mu_1 - \mu_2$라고 할 경우 추정량은 표본평균의 차이인 $\overline{D} = \overline{X_1} - \overline{X_2}$이며, 대응되는 표본평균의 차이의 분산을 s_D^2으로 두어 단일 표본 문제로 축소하여 추정할 수 있다.

㉮ 대표본($n \geq 30$)일 경우

- 대응되는 표본의 크기가 30 이상인 대표본의 경우에는 Z-분포를 이용한다.

모평균 차이 추정	검정통계량
$\overline{D} - Z_{\frac{\alpha}{2}} \dfrac{s_D}{\sqrt{n}} \leq \mu_D \leq \overline{D} + Z_{\frac{\alpha}{2}} \dfrac{s_D}{\sqrt{n}}$	$Z = \dfrac{\overline{D} - \mu_D}{\dfrac{s_D}{\sqrt{n}}}$

- $\mu_D = \mu_1 - \mu_2$: 두 집단의 모평균 차이(집단 1의 모평균 μ_1와 집단 2의 모평균 μ_2 차이)
- $s_D = \sqrt{\dfrac{1}{n-1} \sum_{i=1}^{n} (D_i - \overline{D})^2}$: 두 표본 차이에 대한 표본표준편차
- $D_i = X_{1i} - X_{2i}$: 두 집단의 i번째 표본 차이(집단 1의 i번째 표본 X_{1i}와 집단 2의 i번째 표본 X_{2i} 차이)
- $\overline{D} = \overline{X_1} - \overline{X_2}$: 표본 평균 차이
- $Z_{\frac{\alpha}{2}}$: 유의수준이 $\alpha/2$인 Z-분포
- n: 두 집단 각각의 표본수($n_1 = n_2 = n$)

학습 POINT ★

통계에서는 표본이 30개 이상($n \geq 30$)이면 충분히 크다고 봅니다.

㉯ 소표본($n < 30$)일 경우
- 대응되는 표본의 크기가 30보다 작은 소표본의 경우에는 자유도가 $n-1$인 T-분포를 따른다.

두 모평균 차이 추정	검정통계량
$\overline{D} - t_{\frac{\alpha}{2}, n-1} \frac{s_D}{\sqrt{n}} \leq \mu_D \leq \overline{D} + t_{\frac{\alpha}{2}, n-1} \frac{s_D}{\sqrt{n}}$	$t = \dfrac{\overline{D} - \mu_D}{\dfrac{s_D}{\sqrt{n}}}$

- $\mu_D = \mu_1 - \mu_2$: 두 집단의 모평균 차이(집단 1의 모평균 μ_1과 집단 2의 모평균 μ_2 차이)
- $s_D = \sqrt{\dfrac{1}{n-1}\sum_{i=1}^{n}(D_i - \overline{D})^2}$: 두 표본 차이에 대한 표본표준편차
- $D_i = X_{1i} - X_{2i}$: 두 집단의 i번째 표본 차이(집단 1의 i번째 표본 X_{1i}과 집단 2의 i번째 표본 X_{2i} 차이)
- $\overline{D} = \overline{X_1} - \overline{X_2}$: 표본 평균 차이
- $t_{\frac{\alpha}{2}, n-1}$: 유의수준이 $\alpha/2$, 자유도가 $n-1$인 T-분포
- n: 두 집단 각각의 표본수($n_1 = n_2 = n$)

⑥ 모비율의 추정
- 크기가 n인 표본에서 어떤 사건이 발생할 횟수를 확률변수 X라고 할 때, 표본비율($\hat{p}$)은 $\hat{p} = \dfrac{X}{n}$이다.
- 일반적으로 표본의 크기 n이 충분히 클 때, 표본비율은 정규분포를 따른다.

㉮ 단일 모비율 추정
- 모비율(p)의 추정량은 표본비율($\hat{p}$)이고 표본크기 n이 충분히 클 때 Z-분포를 이용한다.

단일 모비율 추정	검정통계량
$\hat{p} - Z_{\frac{\alpha}{2}} \sqrt{\dfrac{\hat{p}(1-\hat{p})}{n}} \leq p \leq \hat{p} + Z_{\frac{\alpha}{2}} \sqrt{\dfrac{\hat{p}(1-\hat{p})}{n}}$	$Z = \dfrac{\hat{p} - p}{\sqrt{\dfrac{\hat{p}(1-\hat{p})}{n}}}$

- $\hat{p}$: 표본비율(추정 비율)
- $Z_{\frac{\alpha}{2}}$: 유의수준이 $\alpha/2$인 Z-분포
- p: 모비율
- n: 표본수

학습 POINT ★

혹시 베르누이분포에서 분산이 $p(1-p)$인 것 기억하시나요? 단일 모비율 추정 시 표준 오차의 분자 부분이 $\sqrt{\hat{p}(1-\hat{p})}$인 이유는 베르누이분포의 분산이 $p(1-p)$이므로 표준편차는 양의 제곱근인 루트를 씌운 $\sqrt{p(1-p)}$이기 때문입니다.

④ 두 모비율 차이의 추정

- 두 모비율의 차이($p_1 - p_2$)의 추정량은 두 표본비율의 차이($\hat{p_1} - \hat{p_2}$)이고 표본크기가 충분히 클 때 Z-분포를 이용한다.

두 모비율 차이의 추정	검정통계량
$\hat{p_1} - \hat{p_2} - Z_{\frac{\alpha}{2}} \sqrt{\dfrac{\hat{p_1}(1-\hat{p_1})}{n_1} + \dfrac{\hat{p_2}(1-\hat{p_2})}{n_2}}$ $\leq p_1 - p_2$ $\leq \hat{p_1} - \hat{p_2} + Z_{\frac{\alpha}{2}} \sqrt{\dfrac{\hat{p_1}(1-\hat{p_1})}{n_1} + \dfrac{\hat{p_2}(1-\hat{p_2})}{n_2}}$	$Z = \dfrac{(\hat{p_1} - \hat{p_2}) - (p_1 - p_2)}{\sqrt{\dfrac{\hat{p_1}(1-\hat{p_1})}{n_1} + \dfrac{\hat{p_2}(1-\hat{p_2})}{n_2}}}$

- $\hat{p_1}$: 집단 1의 표본비율(추정 비율)
- $\hat{p_2}$: 집단 2의 표본비율(추정 비율)
- p_1: 집단 1의 모비율
- p_2: 집단 2의 모비율
- $Z_{\frac{\alpha}{2}}$: 유의수준이 $\alpha/2$인 Z-분포
- n_1: 집단 1의 표본수
- n_2: 집단 2의 표본수

2 비모수 통계 ★

(1) 비모수 통계(Non-parametric Statistics) 개념

- 비모수 통계는 평균이나 분산 같은 모집단의 분포에 대한 모수성을 가정하지 않고 분석하는 통계적 방법이다.

(2) 비모수 통계 특징

- 비모수 통계분석에서는 부호(Sign), 순위(Rank) 등의 통계량을 사용한다.
- 데이터가 모수적 분석 방법이 가정한 특성을 만족하지 못할 때는 비모수 통계분석 방법을 사용하여야 한다.

(3) 비모수 통계의 장단점

▽ 비모수 통계의 장단점

장점	단점
• 모수적 방법에 비해 통계량의 계산이 간편하고 직관적으로 이해하기 쉬움 • 모집단의 분포에 무관하게 사용할 수 있음 • 추출된 샘플의 개수가 10개 미만으로 작을 경우에도 사용할 수 있음 • 이상값으로 인한 영향이 적음	• 모수 통계로 검정이 가능한 데이터를 비모수 통계를 이용하면 효율성이 떨어짐 • 검정통계량의 신뢰성이 부족 • 자료의 수가 많은 경우 모수적 통계에 비해 오히려 계산 절차 복잡

잠깐! 알고가기

모수(Population Parameter)
- 모수는 모집단 분포 특성을 규정짓는 척도 및 모집단의 특성치이다.
- 모수에 대한 통계적 추론이란 모집단에서 추출한 표본 특성을 분석하여, 모수에 대해 추측/추론을 하는 과정이다.

학습 POINT ★

비모수 통계에서는 개념과 검정 방법의 종류를 잘 봐두시길 권장합니다. 뒤에서 좀 더 상세하게 다룰 예정입니다!

(4) 비모수 통계 검정 방법의 종류

▼ 비모수 통계 검정 방법 종류

구분	비모수 통계	모수 통계
단일 표본	• 부호 검정(Sign Test) • 윌콕슨 부호 순위 검정(Wilcoxon Signed Rank Test)	단일 표본 T-검정
두 표본	• 윌콕슨 순위 합 테스트(Wilcoxon Rank Sum Test)	독립 표본 T-검정
대응 표본	• 부호 검정(Sign Test) • 윌콕슨 부호 순위 검정(Wilcoxon Signed Rank Test)	대응 표본 T-검정
분산 분석	• 크루스칼-왈리스 검정(Kruscal-Wallis Test)	ANOVA
무작위성	• 런 검정(Run Test)	없음
상관 분석	• 스피어만 순위 상관계수(Spearman's Rank Correlation Coefficient)	피어슨 상관계수(Pearson's Correlation Coefficient)

> **학습 POINT ★**
> 비모수 통계 검정 방법은 분량에 비해 실제 문제로 출제될 때는 개념을 중심으로 문제가 출제됩니다. 따라서 너무 어렵다 싶은 부분은 개념 중심으로 학습을 권장합니다!

(5) 비모수 통계 검정 방법

① 부호검정(Sign Test)

- 부호 검정은 데이터가 중위수를 기준으로 중위수보다 큰지 작은지만을 이용하여 검정하는 방법이다.
- 자료를 중위수와 차이의 부호인 +와 -의 부호로 전환한 다음 부호들의 수를 근거로 검정한다.
- 자료의 분포가 연속적이고 독립적인 분포에서 나온 것이라는 가정만 필요하다.

> **학습 POINT ★**
>
> **중위수(Median)**
> 어떤 주어진 값들을 크기의 순서대로 정렬했을 때 가장 중앙에 위치하는 값이다.
> 1, 8, 100의 세 값이 있을 때, 8이 가장 중앙에 있기 때문에 8이 중위수이다.

공식
검정 통계량

$$B = \sum_{i=1}^{n} \Psi_i$$

$$\Psi_i = \begin{cases} 1, (X_i > \theta_0 \text{일 경우}) \\ 0, (X_i \leq \theta_0 \text{일 경우}) \end{cases}$$

- θ는 중위수이고 θ_0는 가정된 중위수이며, 자료의 분포가 대칭이라고 가정(대칭성 가정은 반드시 필요하지는 않음)한다.
- 가정된 중위수 θ_0와 같은 표본을 제외 후 남은 표본의 수가 n개일 때, 남은 표본을 $X_1, X_2, \cdots, X_n$이라고 정의한다.

> • 가정된 중위수가 11이고 추출된 표본이 4, 12, 9, 30, 11, 31, 11의 7개일 경우에, 가정된 중위수 11과 같은 표본 2개를 제외한 후 표본의 수 n은 5이다. 추출된 표본이 4, 12, 9, 30, 31이고 θ_0가 11일 때 중위수와의 차이는 4-11, 12-11, 9-11, 30-11, 31-11이고 부호는 -, +, -, +, +가 된다.
> • 차이가 음수일 경우 $\Psi_i = 0$이라고 하고 양수일 경우 $\Psi_i = 1$이라고 하면 $B = 0 + 1 + 0 + 1 + 1$이 된다.

② **윌콕슨 부호 순위 검정(Wilcoxon Signed Rank Test)**
- 윌콕슨 부호 순위 검정은 데이터와 중위수의 차이를 비교한 값을 바탕으로 순위를 부여하여 검정하는 방법이다.
- 윌콕슨 부호 순위 검정은 단일 표본에서 중위수에 대한 검정에 사용되며, 또한 대응되는(Paired) 두 표본의 중위수의 차이 검정에도 사용된다.
- 차이의 부호뿐만 아니라 차이의 상대적인 크기도 고려한 검정 방법이다.
- 자료의 분포가 연속적이고 독립적인 분포에서 나온 것이라는 기본 가정 외에 자료의 분포에 대한 대칭성 가정이 필요하다.

> **학습 POINT ★**
>
> 단일 표본 부호 순위 검정도 마찬가지로 개념을 중점으로 봐주시고 세부 내용까지는 깊게 공부하지 않으셔도 됩니다.

공식 검정 통계량

$$W^+ = \sum_{i=1}^{n} \Psi_i R_i^+$$

$$\Psi_i = \begin{cases} 1, (X_i > \theta_0 \text{일 경우}) \\ 0, (X_i \leq \theta_0 \text{일 경우}) \end{cases}$$

$Y_i = X_i - \theta_0$일 때, $|Y_i|$를 구하고 Y_i의 가장 낮은 절댓값을 1부터 시작하여 가장 높은 값을 n으로 순위를 부여하여 R_i^+를 구한다.

> **예**
> - 추출된 표본이 4, 12, 9, 30, 31이고 θ_0가 11일 때 중위수와의 차이는 4−11, 12−11, 9−11, 30−11, 31−11이다.
> - 차이의 절댓값은 7, 1, 2, 19, 20이 된다. 따라서 순위 R_i^+ = 3, 1, 2, 4, 5이다.
> - 추출된 표본이 4, 12, 9, 30, 31이고 θ_0가 11일 때 중위수와의 차이는 4−11, 12−11, 9−11, 30−11, 31−11이다. 이때 부호는 −, +, −, +, +이므로 Ψ_i = 0, 1, 0, 1, 1이다. 위에서 구한 R_i^+를 이용하여 W^+를 계산하면, $W^+ = (0 \times 3) + (1 \times 1) + (0 \times 2) + (1 \times 4) + (1 \times 5) = 10$이 된다.

③ **윌콕슨 순위 합 검정(Wilcoxon Rank Sum Test)**
- 윌콕슨 부호 순위 검정은 데이터와 중위수의 차이를 통해 각 표본 내의 순위 합을 비교하여 두 그룹 간의 중위수 차이를 이용하여 검정하는 방법이다.
- 윌콕슨 순위 합 검정은 두 표본의 혼합 표본에서 순위 합을 이용한 검정 방법이다.
- 두 표본 중위수 검정의 대표적인 비모수 검정 방법으로서 만−휘트니의 U 검정(Mann−Whitney U Statistics)과 동일하다.
- 세 사람의 이름을 모두 붙여서 만−휘트니−윌콕슨 순위 합 검정이라고도 부른다.

공식 검정 통계량

$$W = \sum_{j=1}^{n} R_j - \frac{n(n+1)}{2}$$

- n: 모집단 2의 표본 개수
- R_j: Y_j의 순위

- 모집단 1의 표본은 $X_1, X_2, X_3, \cdots, X_m$과 같이 m개의 표본을, 모집단 2의 표본은 $Y_1, Y_2, Y_3, \cdots, Y_n$과 같이 n개의 표본을 각각 추출한다.
- 표본의 개수는 $m \geq n$이어야 하고, 두 모집단은 동일한 분포를 가졌다고 가정한다.
- $m+n$개의 혼합 샘플에서 X_i, Y_j의 순위를 부여한다.

> (예)
> - 샘플 1이 4, 12, 9, 30, 31이고 샘플 2가 11, 25, 27, 7로 주어질 경우, $m=5, n=4$이다.
> - 혼합 표본을 만든 후에 순위를 부여하면 다음과 같다.
>
> | 샘플 1 | 1, 5, 3, 8, 9 |
> |---|---|
> | 샘플 2 | 4, 6, 7, 2 |
>
> - R_j는 Y_j의 순위이므로 R_j는 4, 6, 7, 2가 된다.
> - 표본의 개수가 더 적은 것은 샘플2이므로 샘플2에 대한 검정 통계량을 계산한다.
>
> $$W = \sum_{j=1}^{4} R_j - \frac{4 \times 5}{2} = (4+6+7+2) - 10 = 9$$

④ 분산 분석 – 크루스칼 왈리스 검정(Kruscal-Wallis Test)

- 크루스칼 왈리스 검정은 세 집단 이상의 분포를 비교하는 검정 방법이다.
- 그룹별 평균이 아닌 중위수가 같은지를 검정한다.
- 각 그룹의 표본의 수는 다를 수도 있다.

▼ 크루스칼 왈리스 혼합표본 샘플

항목	그룹 1	그룹 2	...	그룹 k
값	R_{11}	R_{21}	...	R_{k1}
	R_{12}	R_{22}	...	R_{k2}
	...	...	...	...
	R_{1m}	R_{2m}	...	R_{km}
평균	$\overline{R_{1.}}$	$\overline{R_{2.}}$		$\overline{R_{k.}}$

공식	
i 그룹의 순위의 합	$R_{i.} = \sum_{j=1}^{m_i} R_{ij}$ • R_{ij}: 그룹 i의 j번째 관측값의 순위 • m_i: i 그룹 개수

공식	
검정 통계량	$H = \dfrac{12}{n(n+1)} \sum_{i=1}^{k} \dfrac{R_i^2}{m_i} - 3(n+1)$ • k: 그룹 수 • m_i: 그룹 i의 샘플 수 • n: 전체 샘플 수

잠깐! 알고가기

일원 분산 분석(One-way ANalysis Of VAriance; One-way ANOVA)
- 일원 분산 분석은 세 개 이상의 집단을 포함하고 있는 독립 변수가 하나이고 그 집단들에 의해 집단 간 차이가 있음을 검증하는 통계 방법이다.
- 일원 분산 분석은 둘 이상의 표본 평균을 비교하는 데 사용할 수 있는 통계 방법이다.

학습 POINT ★

크루스칼 왈리스 검정의 개념을 중심으로 봐주시고 검정절차의 대략적인 흐름을 봐주시면 좋겠습니다.

> **예)**
> - 다음과 같이 세 그룹이 있다고 한다.
>
> | 그룹 1 | 115, 216, 250, 184, 190 |
> |---|---|
> | 그룹 2 | 129, 186, 193, 160 |
> | 그룹 3 | 226, 250, 227, 260, 150, 171 |
>
> - 그룹별 순위는 다음과 같다. (250은 공동순위이므로 13, 14등의 중간 등수인 13.5등으로 함)
>
> | 그룹 1 | 1, 10, 13.5, 6, 8 |
> |---|---|
> | 그룹 2 | 2, 7, 9, 4 |
> | 그룹 3 | 11, 13.5, 12, 15, 3, 5 |
>
> - 이때 각 그룹의 순위의 합은 $R_1 = 38.5$, $R_2 = 22$, $R_3 = 59.5$이다.
> - 그룹이 3개이므로 $k=3$, 전체 샘플의 수가 $n=15$이다. 1번 그룹의 샘플 수 m_1, 2번 그룹의 샘플 수 m_2, 3번 그룹의 샘플 수 m_3이므로
>
> $$H = \frac{12}{n(n+1)} \sum_{i=1}^{3} \frac{R_i^2}{m_i} - 3(n+1)$$
> $$= \left(\frac{12}{15 \times 16}\right)\left(\frac{38.5^2}{5} + \frac{22^2}{4} + \frac{59.5^2}{6}\right) - 3(15+1)$$
> $$= 2.374$$

⑤ 런 검정(Run Test)

- 런 검정은 두 개의 값을 가지는 연속적인 측정값들이 어떤 패턴이나 경향이 없이 임의적으로 나타난 것인지를 검정하는 방법이다.
- 런(Run)은 동일한 측정값들이 시작하여 끝날 때까지의 덩어리를 말한다.

> **예)** 동전의 앞면과 뒷면이 각각 1, 0이라고 할 때 '101001'이 나타났을 경우, 1/0/1/00/1로서 5개의 연속적인 런이라고 함

학습 POINT ★
런 검정 역시 개념을 중점으로 보고, 대략적인 흐름을 봐주시길 권장합니다!

3 가설검정 ★★★

(1) 가설

① 가설(Hypothesis) 개념

- 가설이란 모집단의 특성, 특히 모수에 대한 가정 혹은 잠정적인 결론이다.
- 가설을 검정하기 위해 알고 싶은 내용을 기술한 가설의 종류에는 귀무가설과 대립가설이 있다.

② 가설의 종류

가설의 종류로는 귀무가설과 대립가설이 있다.

학습 POINT ★
가설과 가설검정에 대해서는 기본개념들을 알아두시기 바랍니다. 관련 문제들을 풀기위해서 필히 알아두어야 합니다!

가설의 종류

종류	설명
귀무가설(H_0) (Null Hypothesis)	• 현재까지 주장되어 온 것이거나 기존과 비교하여 변화 혹은 차이가 없음을 나타내는 가설 예) 두통약 A와 B 간의 효과 차이가 없다.
대립가설(H_1) (Alternative Hypothesis)	• 표본을 통해 확실한 근거를 가지고 입증하고자 하는 가설 • 연구가설(Research Hypothesis)이라고도 함 예) 두통약 A와 B 간의 효과 차이가 있다.

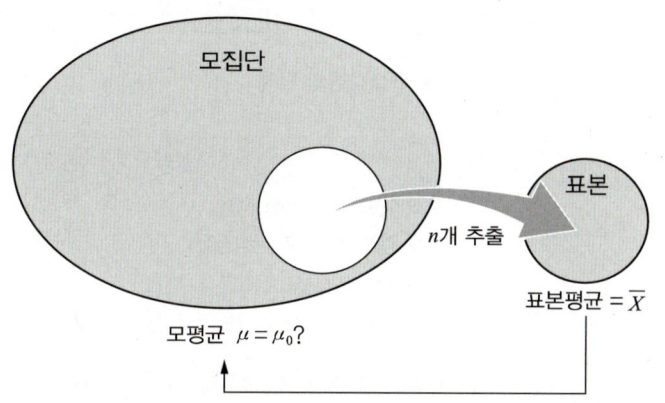

▲ 모집단 평균이 특정 값과 일치하는지를 판단하기 위한 가설검정

(2) 가설검정

① 가설검정(Statistical Hypothesis Test) 개념

- 가설검정은 모집단에 대한 통계적 가설을 세우고 표본을 추출한 다음, 그 표본을 통해 얻은 정보를 이용하여 통계적 가설의 진위를 판단하는 과정이다.
- 표본을 활용하여 모집단에 대입해보았을 때 새롭게 제시된 대립가설이 옳다고 판단할 수 있는지를 평가하는 과정이다.

② 가설검정 절차

- 가설검정 시 p-값과 유의수준을 비교하여 귀무가설 혹은 대립가설을 채택하는 절차를 거치게 된다.

 잠깐! 알고가기

유의수준
(Significance Level; α)
제1종 오류를 범할 최대 허용확률이고, 조사에서 인정되는 오차 수준이다.

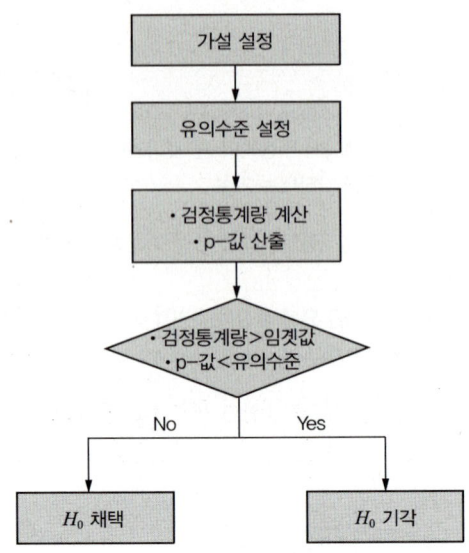

▲ 가설검정의 단계

순서	단계	설명
1	가설 설정	• 귀무가설과 대립가설 설정 • 양측 검정, 좌·우측 검정결정
2	유의수준 설정	• 유의수준 α 설정 • 보통 0.05로 주어지는 경우가 많음
3	검정통계량 계산 p-값 산출	• t-값, Z-값 등의 검정통계량과 검정통계량에 따른 p-값 산출
4	검정통계량 > 임곗값 p-값 < 유의수준	• 검정통계량의 값과 임곗값을 비교하거나 p-값과 유의수준 비교
5	의사결정	• 귀무가설의 채택 및 기각 • 검정통계량의 값이 임곗값보다 크거나, p-값이 유의수준보다 작으면 귀무가설을 기각

③ **가설검정 방법** 기출

일반적으로 가설검정 방법은 대립가설의 형태에 따라서 양측 검정과 단측 검정이 있다.

◈ 가설검정 방법

검정	설명
양측 검정	• 모수 θ(혹은 모수들의 함수)에 대해 표본자료를 바탕으로 모수가 특정 값 θ_0과 통계적으로 같은지 여부를 판단 • 귀무가설을 $H_0: \theta = \theta_0$, 대립가설을 $H_1: \theta \neq \theta_0$와 같이 설정

검정	설명	
단측 검정	• 모수 θ(혹은 모수들의 함수)에 대해 표본자료를 바탕으로 모수가 특정 값 θ_0과 통계적으로 큰지 작은지 여부를 판단	
	좌측 검정	귀무가설을 $H_0: \theta = \theta_0$, 대립가설을 $H_1: \theta < \theta_0$와 같이 설정 **예** A 과자의 무게가 30g보다 작은지 여부에 대하여 검정하고자 할 때의 가설은 아래와 같이 설정할 수 있다. • H_0 : A 과자의 무게는 30g이다. • H_1 : A 과자의 무게는 30g보다 작다.
	우측 검정	귀무가설을 $H_0: \theta = \theta_0$, 대립가설을 $H_1: \theta > \theta_0$와 같이 설정 **예** 한국 남자의 키가 175cm보다 더 큰지를 검정하고자 할 때의 가설은 아래가 같이 설정할 수 있다. • H_0 : 한국 남자의 키는 175cm이다. • H_1 : 한국 남자의 키는 175cm보다 크다.

학습 POINT ★

좌측 검정과 우측 검정 시에 귀무가설을 $H_0: \theta \geq \theta_0$ 와 $H_0: \theta \leq \theta_0$ 와 같이 설정하기도 합니다.

개념 박살내기

한국의 15세 남자 청소년의 표준편차는 16이고 정규분포를 따른다고 한다. 15세 남자 청소년 256명을 조사하여 키를 측정하였더니 평균이 173cm라고 하면, 한국의 15세 남자의 평균 키는 175cm라고 할 수 있는지 확인해 보고자 한다. (유의수준은 0.1이다)

① 가설 설정

귀무가설 H_0	한국의 15세 남자 청소년의 평균 키는 175cm이다.
대립가설 H_1	한국의 15세 남자 청소년의 평균 키는 175cm가 아니다. (크거나 작다)

• 대립가설이 "175cm가 아니다."이므로 양측 검정을 사용한다.

② 유의수준 설정
• 유의수준은 문제에서 주어지는 경우가 대부분이며, 주어지지 않을 경우 일반적으로 0.05 또는 0.01을 많이 사용한다.
• 여기에서는 유의수준(α)는 0.1로 주어져 있다.

③ 검정통계량 계산 및 p–값 산출
• 모집단이 정규분포를 따르고 분산이 알려져 있으므로 Z–분포를 이용하여 검정통계량을 계산한다.

- $Z = \dfrac{\overline{X} - \mu}{\dfrac{\sigma}{\sqrt{n}}}$ 이고, 모평균(μ) = 175, 표본평균($\overline{X}$) = 173, 모표준편차(σ) = 16, 표본의 크기(n) = 256이므로 검정통계량 $Z = \dfrac{173 - 175}{\dfrac{16}{\sqrt{256}}} = -2$가 된다.

- 양측 검정이므로 양수인 Z의 값이 +2일 경우의 확률값을 구한 후 0.5에서 확률값을 빼면 p-값이 된다.
- 검정통계량 Z가 2일 경우, 이에 따른 확률값을 표준정규분포표에서 찾는다.
- 표준정규분포표의 y축의 첫 번째 줄은 Z값의 정수와 소수 첫 번째 자리를 나타내고, x축의 첫 번째 줄은 소수점 둘째 자리를 나타낸다. x축과 y축의 교차하는 지점의 값이 확률값이 된다.
- Z값이 2일 때 확률값은 다음 그림에서 보는 것처럼 y축이 2.0이고 x축이 0.00과 교차하는 지점의 값인 0.4772가 된다.
- 따라서, 0.5에서 0.4772를 뺀 값 0.5 - 0.4772 = 0.0228 이 p-값이 된다.

z	0.00	0.01	0.02	0.03	0.04	0.05	0.06	0.07	0.08	0.09
0.0	0.0000	0.0040	0.0080	0.0120	0.0160	0.0199	0.0239	0.0279	0.0319	0.0359
0.1	0.0398	0.0438	0.0478	0.0517	0.0557	0.0596	0.0636	0.0675	0.0714	0.0753
0.2	0.0793	0.0832	0.0871	0.0910	0.0948	0.0987	0.1026	0.1064	0.1103	0.1141
0.3	0.1179	0.1217	0.1255	0.1293	0.1331	0.1368	0.1406	0.1443	0.1480	0.1517
0.4	0.1554	0.1591	0.1628	0.1664	0.1700	0.1736	0.1772	0.1808	0.1844	0.1879
⋮					⋮					
1.4	0.4192	0.4207	0.4222	0.4236	0.4251	0.4265	0.4279	0.4292	0.4306	0.4319
1.5	0.4332	0.4345	0.4357	0.4370	0.4382	0.4394	0.4406	0.4418	0.4429	0.4441
1.6	0.4452	0.4463	0.4474	0.4484	0.4495	0.4505	0.4515	0.4525	0.4535	0.4545
1.7	0.4554	0.4564	0.4573	0.4582	0.4591	0.4599	0.4608	0.4616	0.4625	0.4633
1.8	0.4641	0.4649	0.4656	0.4664	0.4671	0.4678	0.4686	0.4693	0.4699	0.4706
1.9	0.4713	0.4719	0.4726	0.4732	0.4738	0.4744	0.4750	0.4756	0.4761	0.4767
2.0	0.4772	0.4778	0.4783	0.4788	0.4793	0.4798	0.4803	0.4808	0.4812	0.4817
2.1	0.4821	0.4826	0.4830	0.4834	0.4838	0.4842	0.4846	0.4850	0.4854	0.4857

④ 검정통계량과 임곗값 비교 또는 p-값과 유의수준 비교
  ㉮ 검정통계량의 값과 임곗값의 비교
  - 유의수준은 0.1이고 양측 검정이므로 중간 값인 0.05일 경우의 Z값이 임곗값이 된다.
  - 0.05일 때의 값은 없고 0.4495와 0.4505의 값이 있으므로 이 중간의 값을 읽는다. 따라서 임곗값은 세로축인 1.6의 값과 가로축인 0.04와 0.05의 중간 값인 0.045를 결합한 1.645가 된다.

z	0.00	0.01	0.02	0.03	0.04	0.05	0.06	0.07	0.08	0.09
0.0	0.0000	0.0040	0.0080	0.0120	0.0160	0.0199	0.0239	0.0279	0.0319	0.0359
0.1	0.0398	0.0438	0.0478	0.0517	0.0557	0.0596	0.0636	0.0675	0.0714	0.0753
0.2	0.0793	0.0832	0.0871	0.0910	0.0948	0.0987	0.1026	0.1064	0.1103	0.1141
0.3	0.1179	0.1217	0.1255	0.1293	0.1331	0.1368	0.1406	0.1443	0.1480	0.1517
0.4	0.1554	0.1591	0.1628	0.1664	0.1700	0.1736	0.1772	0.1808	0.1844	0.1879
⋮					⋮					
1.4	0.4192	0.4207	0.4222	0.4236	0.4251	0.4265	0.4279	0.4292	0.4306	0.4319
1.5	0.4332	0.4345	0.4357	0.4370	0.4382	0.4394	0.4406	0.4418	0.4429	0.4441
1.6	0.4452	0.4463	0.4474	0.4484	0.4495	0.4505	0.4515	0.4525	0.4535	0.4545
1.7	0.4554	0.4564	0.4573	0.4582	0.4591	0.4599	0.4608	0.4616	0.4625	0.4633
1.8	0.4641	0.4649	0.4656	0.4664	0.4671	0.4678	0.4686	0.4693	0.4699	0.4706
1.9	0.4713	0.4719	0.4726	0.4732	0.4738	0.4744	0.4750	0.4756	0.4761	0.4767
2.0	0.4772	0.4778	0.4783	0.4788	0.4793	0.4798	0.4803	0.4808	0.4812	0.4817
2.1	0.4821	0.4826	0.4830	0.4834	0.4838	0.4842	0.4846	0.4850	0.4854	0.4857

- Z-값인 2는 임곗값인 1.645보다 크다는 것을 알 수 있다.
④ p-값과 유의수준 비교
  - ③에서 구한 p-값은 0.0228이고, 유의수준 α는 양측 검정이므로 0.1의 1/2인 0.05로서 p-값이 유의수준보다 작다는 것을 알 수 있다.

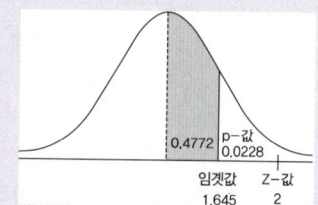

▲ 검정통계량과 p-값과의 관계

⑤ 의사결정
- 검정통계량의 값이 임곗값보다 크므로 귀무가설을 기각한다.
- 또한, p-값이 유의수준보다 작으므로 귀무가설을 기각한다.
- 주로 p-값과 유의수준을 비교하여 귀무가설의 채택 여부를 결정한다.
- 따라서, 한국의 15세 남자 청소년의 평균 키는 유의수준 0.1 이하에서 175cm라고 통계적으로 말할 수 없다.

(3) 가설검정의 오류

① 가설검정 오류의 개념
- 가설검정 오류는 통계적 가설 검정에서 발생할 수 있는 오류이다.
- 모집단으로부터 추출된 표본을 기반으로 모집단에 대한 결론을 내리는 것이기 때문에 다음과 같은 통계적인 오류가 발생할 가능성이 항상 존재한다.

② 가설검정 오류의 종류 [기출]
- 가설검정 오류의 종류에는 제1종 오류, 제2종 오류가 있다.

> **학습 POINT ★**
> 가설검정의 오류는 중요 개념입니다. 이후에도 자세히 다루겠지만 나오는 건 모두 집중해서 보도록 합시다!

가설검정 오류의 종류

「1기2채」
제**1**종 오류 - 귀무가설이 참인데 **기각** / 제**2**종 오류 - 귀무가설이 거짓인데 **채택**
→ 가짜사나이 1기에 이어 2가 채널에 나옴

학습 POINT ★

가설검정에서 1종 오류와 2종 오류에 대한 문제가 출제되었습니다. 그림을 참고하여 숙지해두시면 좋겠습니다!

⊻ 가설검정 오류의 종류

종류	설명
제1종 오류	귀무가설이 참인데 잘못하여 이를 기각하게 되는 오류 | 용어	설명
유의수준 (Level of Significance)	• 제1종 오류를 범할 최대 허용확률을 의미 • α로 표기
신뢰수준 (Level of Confidence)	• 귀무가설이 참일 때 이를 참이라고 판단하는 확률 $(1-\alpha)$	
제2종 오류	귀무가설이 거짓인데 잘못하여 이를 채택하게 되는 오류 | 용어	설명
베타 수준 (β Level)	• 제2종 오류를 범할 최대 허용확률을 의미 • β로 표기
검정력	• 귀무가설이 참이 아닌 경우 이를 기각할 수 있는 확률 $(1-\beta)$	

• 일반적으로 1종 오류의 영향이 2종 오류의 영향보다 크므로, 유의수준(α)을 기준으로 가설검정을 수행한다.

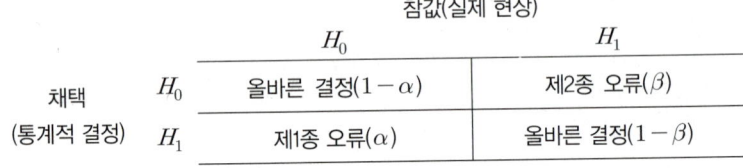

▲ 1종/2종 오류

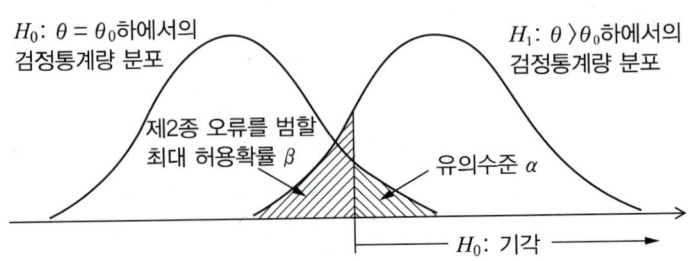

▲ 가설검정의 오류(단측검증 예시)

(4) 검정통계량
- 검정통계량은 가설검정의 대상이 되는 모수를 추론하기 위해 사용되는 표본 통계량이다.
- 귀무가설이 참이라는 전제하에서 모집단으로부터 추출된 확률표본의 정보를 이용하여 계산된다.

(5) p-값(p-Value) = 유의 확률(Significance Probability) 기출
- p-값은 귀무가설이 참이라는 전제하에 실제 표본에서 구한 표본 통계량의 값보다 더 극단적인 값이 나올 확률이다.

귀무가설 채택	p-값 > 유의수준(α)
귀무가설 기각	p-값 < 유의수준(α)

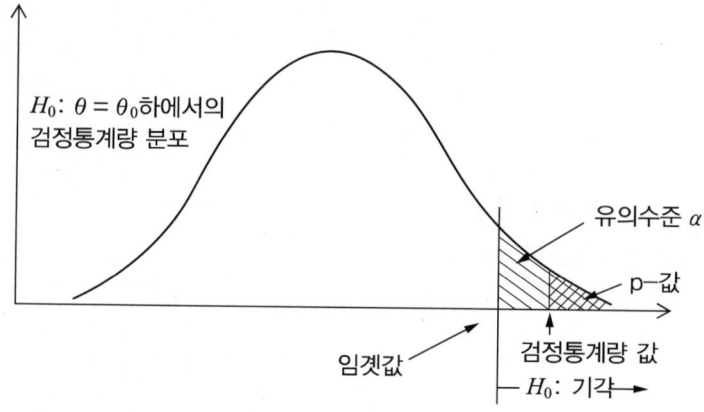

▲ 검정통계량과 p-값과의 관계

(6) 임곗값(임계치)
주어진 유의수준을 검정통계량의 값으로 환산한 값으로서 귀무가설을 채택 또는 기각하는 기준이 된다.

귀무가설 채택	임곗값 > 검정통계량
귀무가설 기각	임곗값 < 검정통계량

지피지기 기출문제

01 점 추정 조건에 대한 설명 중 옳지 않은 것은?
① 불편성(Unbiasedness): 추정량의 기댓값이 모집단의 모수와 차이가 없는 특성
② 효율성(Efficiency): 추정량의 분산이 작은 특성
③ 일치성(Consistency): 표본의 크기가 커지면 추정량이 모수와 거의 같아지는 특성
④ 편의성(Convenience): 모수를 추정할 때 복잡한 정도를 나타내는 특성

해설

점 추정 조건	
불효일충	불편성 / 효율성 / 일치성 / 충족성

02 A 고등학교에서 남학생 25명을 대상으로 키를 측정하였더니 평균 키는 170cm이고, 분산이 25이다. A고등학교 남학생의 평균 키에 대한 95% 신뢰구간은 얼마인가?

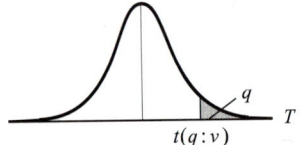

$P\{T \geq t_{(q:v)}\} = q$

자유도 v	꼬리확률 q								
	0.4	0.25	0.1	0.05	0.025	0.01	0.005	0.0025	0.001	0.0005
1	0.325	1.000	3.078	6.314	12.706	31.821	63.657	127.32	318.31	636.62
2	0.289	0.816	1.886	2.920	4.303	9.965	9.925	14.089	23.326	31.598
3	0.277	0.765	1.638	2.353	3.182	4.541	5.841	7.453	10.213	12.924
4	0.271	0.741	1.533	2.132	2.776	3.747	4.604	5.598	7.173	8.610
5	0.267	0.727	1.476	2.015	2.571	3.365	4.032	4.773	5.893	6.869
⋮					⋮					
23	0.256	0.685	1.319	1.714	2.069	2.500	2.807	3.104	3.485	3.767
24	0.256	0.685	1.318	1.711	2.064	2.492	2.792	3.091	3.467	3.745
25	0.256	0.684	1.316	1.708	2.060	2.485	2.787	3.078	3.450	3.725
26	0.256	0.684	1.315	1.706	2.056	2.479	2.779	3.067	3.435	3.707
27	0.256	0.684	1.314	1.703	2.052	2.473	2.771	3.057	3.421	3.690

① $167.936 \leq 키 \leq 172.064$
② $167.940 \leq 키 \leq 172.060$
③ $168.289 \leq 키 \leq 171.711$
④ $168.292 \leq 키 \leq 171.708$

해설
- 표본의 크기가 30보다 작은 소표본이므로 자유도가 $n-1$인 t-분포를 따른다.
- 표본평균 $\overline{X} = 170$, 표본분산 $s^2 = 25$이며, 자유도가 24인 t-분포이다.
- 95% 신뢰구간이므로 $\alpha = 0.05$이고, 따라서 $\frac{\alpha}{2} = 0.025$가 된다.

t-분포의 신뢰구간 공식에 각 값들을 대입한다.

$$\overline{X} - t_{\frac{\alpha}{2}, n-1} \frac{s}{\sqrt{n}} \leq \mu \leq \overline{X} + t_{\frac{\alpha}{2}, n-1} \frac{s}{\sqrt{n}}$$
$$= 170 - t_{0.025, 24} \frac{5}{\sqrt{25}} \leq \mu \leq 170 - t_{0.025, 24} \frac{5}{\sqrt{25}}$$

- 자유도가 24이고, $\alpha = 0.025$인 값을 t-분포표에서 찾으면 $t_{0.025, 24}$의 값은 2.064이다.

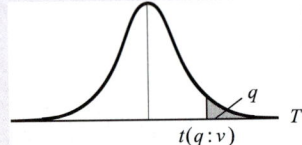

$P\{T \geq t_{(q:v)}\} = q$

자유도 v	꼬리확률 q								
	0.4	0.25	0.1	0.05	0.025	0.01	0.005	0.0025	0.001	0.0005
1	0.325	1.000	3.078	6.314	12.706	31.821	63.657	127.32	318.31	636.62
2	0.289	0.816	1.886	2.920	4.303	9.965	9.925	14.089	23.326	31.598
3	0.277	0.765	1.638	2.353	3.182	4.541	5.841	7.453	10.213	12.924
4	0.271	0.741	1.533	2.132	2.776	3.747	4.604	5.598	7.173	8.610
5	0.267	0.727	1.476	2.015	2.571	3.365	4.032	4.773	5.893	6.869
⋮					⋮					
23	0.256	0.685	1.319	1.714	2.069	2.500	2.807	3.104	3.485	3.767
24	0.256	0.685	1.318	1.711	2.064	2.492	2.792	3.091	3.467	3.745
25	0.256	0.684	1.316	1.708	2.060	2.485	2.787	3.078	3.450	3.725
26	0.256	0.684	1.315	1.706	2.056	2.479	2.779	3.067	3.435	3.707
27	0.256	0.684	1.314	1.703	2.052	2.473	2.771	3.057	3.421	3.690

따라서 $170 - 2.064 \leq 키 \leq 170 + 2.064$이므로 정답은 $167.936 \leq 키 \leq 172.064$이다.

03 다음 중 추론통계에 대한 설명으로 가장 올바르지 않은 것은 무엇인가?

① 표본의 개수가 많을수록 표준오차는 커진다.
② 신뢰구간은 신뢰수준을 기준으로 추정된 통계적으로 유의미한 모수의 범위이다.
③ 점 추정은 모집단의 모수를 하나의 값으로 추정하는 것이다.
④ 신뢰수준은 추정값이 존재하는 구간에 모수가 포함될 확률을 말한다.

해설 표본의 개수가 많을수록 표본오차는 감소한다.

04 모표준편차 $\sigma = 8$인 정규분포를 따르는 모집단에서 표본의 크기가 25인 표본을 추출하였을 때 표본평균($\overline{X}$)은 90이다. 모평균 μ에 대한 90% 신뢰구간은 얼마인가? (단, $Z_{0.05} = 1.645$, $Z_{0.1} = 1.282$이다.)

① $86.864 \leq \mu \leq 93.136$
② $87.368 \leq \mu \leq 92.632$
③ $87.368 \leq \mu \leq 93.136$
④ $86.864 \leq \mu \leq 92.632$

해설
- 정규분포를 따르는 모집단에서 모표준편차가 알려져 있으므로 Z-분포를 이용한다.
- 90% 신뢰구간이므로 $\alpha = 0.1$이고, 따라서 $Z_{\frac{\alpha}{2}} = Z_{0.05}$이다.

$$\overline{X} - Z_{\frac{\alpha}{2}} \frac{\sigma}{\sqrt{n}} \leq \mu \leq \overline{X} + Z_{\frac{\alpha}{2}} \frac{\sigma}{\sqrt{n}}$$
$$= 90 - 1.645 \frac{8}{\sqrt{25}} \leq \mu \leq 90 + 1.645 \frac{8}{\sqrt{25}}$$

- 따라서 모평균의 90% 신뢰구간은 $87.368 \leq \mu \leq 92.632$이다.

05 동일 집단에 대해 처치 전과 후를 비교할 때 평균 추정에 대한 설명으로 옳은 것은?

① 처치 전과 후의 평균에 대한 차이를 추정한다.
② 표본의 크기가 30 이상이면 T-분포를 30 미만이면 Z-분포를 사용한다.
③ 처치 전과 후를 추정할 때 표본표준편차는 표본의 개수와 비례한다.
④ 표본표준편차는 처치 전의 표준편차와 처치 후의 표준편차를 합해서 계산한다.

해설
- 동일 집단에 대해 처치 전과 후를 비교할 때 평균 추정은 처치 전과 후의 평균에 대한 차이를 추정한다.
- 표본의 크기가 30 이상이면 Z-분포를, 30미만이면 T-분포를 사용한다.

06 다음 중 비모수 통계에 대한 설명으로 가장 알맞지 않은 것은?

① 모집단의 분포에 대한 가정의 불만족으로 인한 오류의 가능성이 크다.
② 모수적 방법에 비해 통계량의 계산이 간편하여 직관적으로 이해하기 쉽다.
③ 이상값으로 인한 영향이 적다.
④ 검정 통계량의 신뢰성이 부족하다.

해설 모집단의 분포에 대한 가정의 불만족으로 인한 오류의 가능성이 작다.

지피지기 기출문제

07 10명의 혈당을 측정하여 측정 전과 측정 후의 짝을 이룬 표본에 대한 비모수 검정으로 가장 알맞은 것은 무엇인가?

① 윌콕슨 부호 순위 검정
② 윌콕슨 순위 합 검정
③ T-검정
④ 크루스칼 왈리스(Kruskal-Wallis) 검정

> **해설** 혈당 측정 전과 측정 후의 짝을 이룬 표본은 대응 표본이므로 가장 알맞은 비모수 검정은 윌콕슨 부호 순위 검정이다.

단일 표본	• 부호 검정(Sign Test) • 윌콕슨 부호 순위 검정 (Wilcoxon Signed Rank Test)	단일 표본 T-검정
두 표본	• 윌콕슨 순위 합 테스트 (Wilcoxon Rank Sum Test) • 부호 검정(Sign Test) • 윌콕슨 부호 순위 검정 (Wilcoxon Signed Rank Test)	독립 표본 T-검정 대응 표본 T-검정
분산 분석	• 크루스칼-왈리스 검정 (Kruscal-Wallis Test)	ANOVA
무작위성	• 런 검정(Run Test)	없음
상관 분석	• 스피어만 순위 상관계수 (Spearman's Rank Correlation Coefficient)	피어슨 상관계수 (Pearson's Correlation Coefficient)

08 유의 확률에 대한 설명으로 옳은 것은?

① 유의 확률이 유의 수준보다 크면 H_0를 채택한다.
② 1종 오류를 범할 최대 허용 확률이다.
③ 2종 오류를 범할 최대 허용 확률이다.
④ 가설검정의 대상이 되는 모수를 추론하기 위해 사용되는 표본 통계량이다.

> **해설** 유의 확률이 유의 수준보다 크면 H_0를 채택한다.

09 다음 중 T-분포와 Z-분포에 대한 설명으로 가장 적절하지 않은 것은?

① 표본의 크기가 작은 소표본의 경우 T-분포를 사용한다.
② 표본의 크기가 큰 대표본의 경우에는 Z-분포를 사용한다.
③ Z-분포의 평균은 0이고 분산은 1이다.
④ 표본의 크기와 상관없이 T-분포는 정규분포를 따른다.

> **해설** 표본의 크기인 n의 크기가 클 경우에 중심 극한 정리에 의하여 T-분포는 정규분포를 따른다.

10 다음 중 빈칸에 알맞은 값은?

		실젯값	
		H_0	H_1
예측값	H_0	ⓐ	ⓑ
	H_1	ⓒ	ⓓ

① ⓐ: 제1종 오류, ⓑ: 올바른 결정, ⓒ: 제2종 오류, ⓓ: 올바른 결정
② ⓐ: 제2종 오류, ⓑ: 올바른 결정, ⓒ: 제1종 오류, ⓓ: 올바른 결정
③ ⓐ: 올바른 결정, ⓑ: 제2종 오류, ⓒ: 제1종 오류, ⓓ: 올바른 결정
④ ⓐ: 올바른 결정, ⓑ: 제1종 오류, ⓒ: 올바른 결정, ⓓ: 제2종 오류

> **해설** ⓐ와 ⓓ는 올바른 결정이며, ⓑ는 실제로 틀린 것을 옳다고 예측한 경우이므로 제2종 오류이다. ⓒ는 반대로 실제로 옳은 것을 틀리게 예측한 경우이므로 제1종 오류이다.

11 $H_0: \mu < 35$, $H_1: \mu \geq 35$를 만족할 때 표본의 평균은 38, 모집단의 표준편차는 6이고, 표본의 개수는 36개이다. 신뢰도 99%를 만족할 때 Z값, 귀무가설 검정으로 옳은 것은?

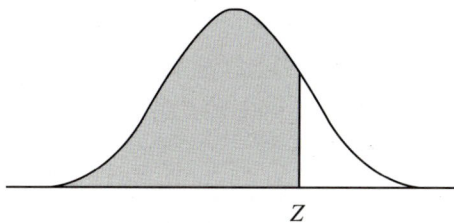

	0.00	0.01	0.02	0.03	0.04	0.05	0.06	0.07	0.08	0.09
2.5	0.9938	0.9940	0.9941	0.9943	0.9945	0.9946	0.9948	0.9949	0.9951	0.9952
2.6	0.9953	0.9955	0.9956	0.9957	0.9959	0.9960	0.9961	0.9962	0.9963	0.9964
2.7	0.9965	0.9966	0.9967	0.9968	0.9969	0.9970	0.9971	0.9972	0.9973	0.9974
2.8	0.9974	0.9975	0.9976	0.9977	0.9977	0.9978	0.9979	0.9979	0.998	0.9981
2.9	0.9981	0.9982	0.9982	0.9983	0.9984	0.9984	0.9985	0.9985	0.9986	0.9986
3.0	0.9987	0.9987	0.9987	0.9988	0.9988	0.9989	0.9989	0.9989	0.999	0.999
3.1	0.9990	0.9991	0.9991	0.9991	0.9992	0.9992	0.9992	0.9992	0.9993	0.9993
3.2	0.9993	0.9993	0.9994	0.9994	0.9994	0.9994	0.9994	0.9995	0.9995	0.9995
3.3	0.9995	0.9995	0.9995	0.9996	0.9996	0.9996	0.9996	0.9996	0.9996	0.9997
3.4	0.9997	0.9997	0.9997	0.9997	0.9997	0.9997	0.9997	0.9997	0.9997	0.9998
3.5	0.9998	0.9998	0.9998	0.9998	0.9998	0.9998	0.9998	0.9998	0.9998	0.9998

① $Z = 2.0$, H_0 채택 ② $Z = 2.0$, H_0 기각
③ $Z = 3.0$, H_0 채택 ④ $Z = 3.0$, H_0 기각

해설

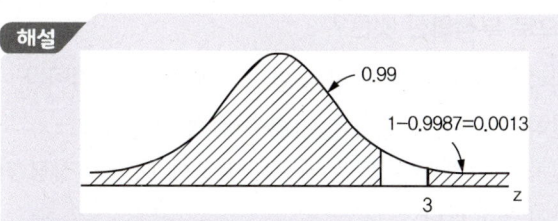

99% 신뢰도를 가질 때 유의수준 α는 0.01이고,
$Z = 3 \left(Z = \dfrac{\overline{X} - \mu}{\dfrac{\sigma}{\sqrt{n}}} = \dfrac{38 - 35}{\dfrac{6}{\sqrt{36}}} = 3 \right)$일 때, p-value는 0.0013이므로 p-value가 유의수준 α보다 작으므로 H_0를 기각한다.

12 빅데이터분석기사 시험에 응시하는 나이의 평균을 추정하려고 한다. 나이의 모표준편차는 11이고, 표본은 121개이다. 평균이 35일 때 95% 신뢰구간에 대해 추정한 값으로 올바른 것은?

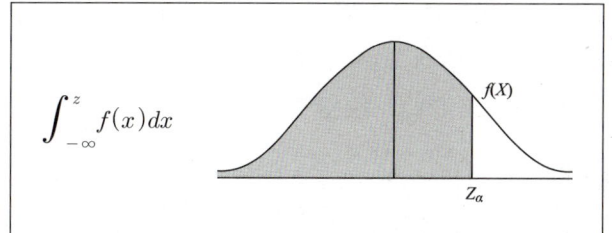

z	0.00	0.01	0.02	0.03	0.04	0.05	0.06	0.07	0.08	0.09
1.0	0.8413	0.8438	0.8461	0.8485	0.8508	0.8531	0.8554	0.8577	0.8599	0.8621
1.1	0.8643	0.8665	0.8686	0.8708	0.8729	0.8749	0.8770	0.8790	0.8810	0.883
1.2	0.8849	0.8869	0.8888	0.8907	0.8925	0.8944	0.8962	00.898	0.8997	0.9015
1.3	0.9014	0.9049	0.9066	0.9082	0.9099	0.9115	0.9131	0.9147	0.9162	0.9177
1.4	0.9192	0.9207	0.9222	0.9236	0.9251	0.9265	0.9279	0.9292	0.9306	0.9319
1.5	0.9332	0.9345	0.9357	0.9370	0.9382	0.9394	0.9406	0.9418	0.9429	0.9441
1.6	0.9452	0.9463	0.9474	0.9484	0.9495	0.9505	0.9515	0.9525	0.9535	0.9545
1.7	0.9554	0.9564	0.9573	0.9582	0.9591	0.9599	0.9608	0.9616	0.9625	0.9633
1.8	0.9641	0.9649	0.9656	0.9664	0.9671	0.9678	0.9686	0.9693	0.9699	0.9706
1.9	0.9713	0.9719	0.9726	0.9732	0.9738	0.9744	0.975	0.9756	0.9761	0.9767
2.0	0.9772	0.9778	0.9783	0.9788	0.9793	0.9798	0.9803	0.9808	0.9812	0.9817

① $33.72 < \mu < 36.28$ ② $33.04 < \mu < 36.96$
③ $33.35 < \mu < 36.65$ ④ $33.95 < \mu < 36.05$

해설 $\overline{X} = 35$, $\sigma = 11$, $n = 121$이고 양측 검정이므로 95% 신뢰구간(유의 수준 0.05)의 절반인 0.025에 해당하는 $Z_{\frac{\alpha}{2}}$는 1.96이다. 따라서, 모평균 μ의 추정값은 다음과 같다.

$$\overline{X} - Z_{0.025} \frac{\sigma}{\sqrt{n}} < \mu < \overline{X} + Z_{0.025} \frac{\sigma}{\sqrt{n}}$$

$$35 - 1.96 \frac{11}{\sqrt{121}} < \mu < 35 + 1.96 \frac{11}{\sqrt{121}}$$

$$35 - 1.96 < \mu < 35 + 1.96$$

$$33.04 < \mu < 36.96$$

지피지기 기출문제

13 혈당을 낮추는 약을 개발했을 때 혈당을 낮추는 약이 효과가 있는지 검정을 할 때 사용하는 가설 검정은 무엇인가?

① 단일 모평균의 단측 검정
② 단일 모평균의 양측 검정
③ 대응 표본(쌍체 표본) 단측 검정
④ 대응 표본(쌍체 표본) 양측 검정

> **해설** 실험 전후의 연구 대상을 비교할 때 많이 사용되는 비교 방법으로 대응 표본(쌍체 표본)을 사용하고, 혈당이 기존 약보다 낮은지 여부를 판단하므로 단측 검정을 해야 한다.
>
> | 단측 검정 | 모수 θ에 대해 표본자료를 바탕으로 모수가 특정 값 θ_0과 통계적으로 큰지 작은지 여부를 판단 |
> |---|---|
> | 양측 검정 | 모수 θ에 대해 표본자료를 바탕으로 모수가 특정 값 θ_0과 통계적으로 같은지 여부를 판단 |

14 다음 중 통계적 가설 검정에 관한 내용으로 가장 적절하지 않은 것은 무엇인가?

① 귀무가설이 참이 아닌데도 귀무가설을 채택할 오류의 확률을 검정력이라고 한다.
② 귀무가설을 기각시키는 검정통계량의 범위를 기각역이라고 한다.
③ 귀무가설이 맞는다는 가정하에 표본 통계량보다 더 극단적인 결과가 관측될 확률을 유의 확률이라고 한다.
④ 귀무가설이 참인데도 기각함으로써 발생하는 오류를 제1종 오류라고 한다.

> **해설** 귀무가설이 참이 아닌데도 귀무가설을 채택할 오류를 제2종 오류라고 한다.

15 다음 중 p-value인 유의확률과 유의수준에 대한 설명으로 올바른 것은?

① p-value가 유의수준보다 크면 대립가설을 채택한다.
② p-value가 유의수준보다 작으면 귀무가설을 기각한다.
③ p-value가 유의수준보다 크면 귀무가설을 기각한다.
④ p-value가 유의수준보다 작으면 귀무가설을 채택한다.

> **해설** p-value는 유의확률로 유의수준보다 작으면 귀무가설을 기각하고, 대립가설을 채택한다.

16 윌콕슨 부호 순위 검정, 윌콕슨 순위 합 검정에 대한 설명으로 부적합한 것은?

① 윌콕슨 부호 순위 검정은 단일 표본 검정 기법이다.
② 윌콕슨 순위 합 검정은 이변수 검정 기법이다.
③ 윌콕슨 순위 합 검정은 자료의 분포에 대한 대칭성 가정이 필요하다.
④ 윌콕슨 순위 합 검정은 모수 분포를 가정한 방법이다.

> **해설**
> - 윌콕슨 순위 합 검정은 비모수적 방법이다.
> - 윌콕슨 부호 순위 검정은 단일 표본에서 중위수에 대한 검정에 사용되며, 대응되는(Paired) 두 표본의 중위수의 차이 검정에도 사용된다.

17 다음 중 비모수 통계 검정으로 가장 알맞지 않은 것은?

① 윌콕슨 부호 순위 검정(Wilcoxon Signed Rank Test)
② 부호 검정(Sign Test)
③ 만-휘트니 검정(Mann-Whitney Test)
④ 피어슨(Pearson) 상관계수

> **해설**
> - 피어슨(Pearson) 상관계수는 모수 통계 검정 방법이다
> - 비모수 통계는 평균이나 분산 같은 모집단의 분포에 대한 모수성을 가정하지 않고 분석하는 통계적 방법이다.
>
> | | |
> |---|---|
> | 윌콕슨 부호 순위 검정(Wilcoxon Signed Rank Test) | • 단일 표본에서 중위수에 대한 검정
• 대응되는(Paired) 두 표본의 중위수의 차이 검정 |
> | 부호 검정(Sign Test) | • 차이의 크기는 무시하고 차이의 부호만을 이용, 중위수의 위치에 대한 검정 방법 |
> | 만-휘트니(Mann-Whitney)의 U 검정 | • 두 모집단이 독립이면서 정규분포를 따르지 않을 때의 검정 방법
• Wilcoxon Rand sum TEST(윌콕슨 순위 합 검정)라고 불린다. |
> | 크루스칼-왈리스 검정(Kruscal-Wallis Test) | • 세 집단 이상의 분포를 비교하는 검정 방법
• 모수적 방법에서의 one-way ANOVA와 같은 목적으로 쓰인다.
• 그룹별 평균이 아닌 중위수가 같은지를 검정 |

18 가설 검정에 대한 설명으로 옳지 않은 것은?

① 귀무가설이 참인데 잘못하여 이를 기각하게 되는 오류를 제1종 오류라고 한다.
② 가설 검정은 귀무가설과 대립 가설이 있다.
③ "남성의 평균신장은 175cm이다."는 통계적 가설이 될 수 있다.
④ 양측 검정일 때 모수 θ (혹은 모수들의 함수)에 대해 표본자료를 바탕으로 모수가 특정 값 θ_0과 통계적으로 큰지 작은지 여부를 판단한다.

> **해설**
> 양측 검정일 때 모수 θ (혹은 모수들의 함수)에 대해 표본자료를 바탕으로 모수가 특정 값 θ_0과 통계적으로 같은지 여부를 판단하고, 큰지 작은지 여부를 판단하는 것은 단측 검정이다.

19 두 집단의 비모수 통계 검정으로 가장 적합한 것은?

① T-검정
② 윌콕슨 부호 순위 검정(Wilcoxon Signed Rank Test)
③ 카이제곱 검정(Chi-Square Test)
④ Z-검정

> **해설**
>
> | 구분 | 비모수 통계 | 모수 통계 |
> |---|---|---|
> | 단일 표본 | • 부호 검정(Sign Test)
• 윌콕슨 부호 순위 검정(Wilcoxon Signed Rank Test) | 단일 표본 T-검정 |
> | 두 표본 | • 윌콕슨 순위 합 테스트(Wilcoxon Rank Sum Test) | 독립 표본 T-검정 |
> | 대응 표본 | • 부호 검정(Sign Test)
• 윌콕슨 부호 순위 검정(Wilcoxon Signed Rank Test) | 대응 표본 T-검정 |
> | 분산 분석 | • 크루스칼-왈리스 검정(Kruscal-Wallis Test) | ANOVA |
> | 무작위성 | • 런 검정(Run Test) | 없음 |
> | 상관 분석 | • 스피어만 순위 상관계수(Spearman's Rank Correlation Coefficient) | 피어슨 상관계수(Pearson's Correlation Coefficient) |

지피지기 기출문제

20 모집단에서 표본 n개를 추출했을 때, S_1과 S_2에 대한 설명으로 가장 옳은 것은?

$$S_1 = \frac{1}{n}\sum_{i=1}^{n}(X_i - \overline{X})^2$$
$$S_2 = \frac{1}{n-1}\sum_{i=1}^{n}(X_i - \overline{X})^2$$
$$\text{if } \overline{X} = \frac{1}{n}\sum_{i=1}^{n}X_i$$

① S_1은 불편 추정량이다.
② S_2는 일치 추정량이 아니다.
③ S_2의 Bias는 0이다.
④ S_1, S_2는 n이 작을수록 차이가 작다.

해설
- S_1은 분산을 계산할 때 n으로 나누었으므로 불편의성을 만족하지 않으므로 추정량의 기댓값과 모수가 다르다.
- S_2에서 n이 얼마인지 정해져 있지 않으므로 일치 추정량(표본이 크기가 증가함에 따라 추정량이 모수와 같아지는 추정량)을 알 수 없다.
- S_2는 분산을 계산할 때 $n-1$로 나누었으므로 불편의성을 만족하므로 편향(Bias)은 0이다.

21 A 지역에서는 100명 중에 73명이 찬성하고, B 지역에서는 200명 중에 138명이 찬성한다. A 지역에서 찬성 비율이 p_1이고, B 지역에서 찬성 비율이 p_2일 때 $p_1 - p_2$의 추정치는?

① 0.04
② 0.50
③ 0.95
④ 1.42

해설 두 모비율 차이의 추정은 다음과 같다.
$$E(\widehat{p_1}) = \frac{73}{100} = 0.73$$
$$E(\widehat{p_2}) = \frac{138}{200} = 0.69$$
$$E(\widehat{p_1} - \widehat{p_2}) = E(\widehat{p_1}) - E(\widehat{p_2}) = 0.73 - 0.69 = 0.04$$

22 다음과 같이 베르누이 분포를 따르는 실험을 10번 시도했을 때 7번 이상 성공할 확률에 대한 귀무가설이 다음과 같을 때 2종 오류가 발생할 확률은 얼마인가?

$$H_0: p = \frac{1}{2}, \ H_1: p = \frac{2}{3}$$

① $\sum_{i=1}^{6} \frac{10!}{i!(10-i)!} \left(\frac{1}{2}\right)^{10}$

② $\sum_{i=7}^{10} \frac{10!}{i!(10-i)!} \left(\frac{1}{2}\right)^{10}$

③ $\sum_{i=1}^{6} \frac{10!}{i!(10-i)!} \left(\frac{2}{3}\right)^{i}\left(\frac{1}{3}\right)^{10-i}$

④ $\sum_{i=7}^{10} \frac{10!}{i!(10-i)!} \left(\frac{2}{3}\right)^{i}\left(\frac{1}{3}\right)^{10-i}$

해설
- 2종 오류는 H_0가 거짓인데, 이를 채택하는 오류이다.
- H_0를 채택했을 때, H_0가 거짓인 경우이므로 귀무가설이 옳지 않아야 한다.
- H_0가 옳지 않을 확률은 실험을 10번 시도했을 때 7번 미만으로 성공할 확률이므로 $\sum_{i=1}^{6} \frac{10!}{i!(10-i)!} \left(\frac{1}{2}\right)^{10}$ 이 된다.

정답 01 ④ 02 ① 03 ① 04 ② 05 ① 06 ① 07 ① 08 ① 09 ④ 10 ③ 11 ④ 12 ② 13 ③ 14 ① 15 ② 16 ④ 17 ④ 18 ④ 19 ② 20 ③ 21 ① 22 ①

천기누설 예상문제

01 다음이 설명하는 용어로 올바른 것은?

> 모집단에 대한 통계적 가설을 세우고 표본을 추출한 다음, 그 표본을 통해 얻은 정보를 이용하여 통계적 가설의 진위를 판단하는 과정이다.

① 기술통계 ② 확률분포
③ 분산 분석 ④ 가설검정

해설 가설검정은 모집단에 대한 통계적 가설을 세우고 표본을 추출한 다음, 그 표본을 통해 얻은 정보를 이용하여 통계적 가설의 진위를 판단하는 과정이다.

02 가설검정에 대한 설명으로 가장 옳은 것은 무엇인가?

① 대립가설은 H_0으로 표기하고, 귀무가설은 H_1으로 표기한다.
② 귀무가설은 현재까지 주장되어 온 것이거나 기존과 비교하여 변화 혹은 차이가 없음을 나타내는 가설이다.
③ 귀무가설은 연구가설이라고도 한다.
④ 대립가설은 영어로 Null Hypothesis이다.

해설
- 귀무가설은 현재까지 주장되어 온 것이거나 기존과 비교하여 변화 혹은 차이가 없음을 나타내는 가설이다.
- 귀무가설은 H_0으로 표기하고, 대립가설은 H_1으로 표기한다.
- 대립가설을 연구가설이라고 한다.
- 대립가설은 영어로 Alternative Hypothesis이다.

03 가설의 종류 중 표본을 통해 확실한 근거를 가지고 입증하고자 하는 가설은 무엇인가?

① 연구가설 ② 귀무가설
③ 영가설   ④ 기각가설

해설 가설의 종류 중 표본을 통해 확실한 근거를 가지고 입증하고자 하는 가설은 대립가설이며, 연구가설이라고도 한다.

04 다음 중 추정과 가설검정에 대한 설명으로 가장 알맞지 않은 것은?

① 구간 추정이란 일정한 크기의 신뢰구간으로 모수가 특정한 구간에 있을 것이라고 추정하는 것으로 구해진 구간을 신뢰구간이라고 한다.
② 점 추정은 표본의 정보로부터 모집단의 모수가 특정한 값일 것이라고 추정하는 것이다.
③ 기각역은 귀무가설을 기각시키는 검정통계량의 범위이다.
④ p-값은 귀무가설이 참이라는 가정에 따라 주어진 표본 데이터를 평균값으로 얻을 확률값이다.

해설 귀무가설이 참이라는 가정에 따라 주어진 표본 데이터를 희소 또는 극한값으로 얻을 확률값을 p-값이라고 한다.

05 고등학교 학생들 중에서 안경을 착용한 학생의 비율을 추정하기 위해 무작위로 고등학교 남학생 100명, 여학생 100명을 조사하였다. 이 중 남학생이 30명, 여학생이 40명이 안경을 착용하였다. 전체 고등학생 중에서 안경을 착용한 학생들에 대한 가장 적절한 추정값은 얼마인가?

① 0.3   ② 0.4
③ 0.7   ④ 0.35

해설
- 모비율의 점추정량은 표본비율이다. 따라서, 안경을 착용한 학생들에 대한 표본비율을 구하면 된다.
- 안경을 착용한 학생들의 표본비율 $= \dfrac{30+40}{100+100} = \dfrac{7}{20} = 0.35$이다.

천기누설 예상문제

06 동일한 모집단에서 표본을 더 많이 추출하였을 경우 가장 바람직한 설명은 무엇인가?

① 모표준편차가 더 커진다.
② 모표준편차가 더 작아진다.
③ 표준오차가 더 커진다.
④ 표준오차가 더 작아진다.

해설 동일한 모집단에서 표본을 더 많이 추출하였을 경우 표준오차 $\frac{\sigma}{\sqrt{n}}$ 는 더 작아진다.

07 표본평균의 표준오차에 대한 설명으로 가장 옳지 않은 것은 무엇인가?

① 표준오차는 0 이상의 값을 가진다.
② 표본의 크기가 커질수록 표본 평균의 표준오차는 커진다.
③ 모집단의 표준편차가 클수록 표본 평균의 표준오차는 커진다.
④ 표본 평균의 표준편차이다.

해설
- 표준오차는 $\frac{\sigma}{\sqrt{n}}$ 이고, $n>0$, $\sigma \geq 0$ 이므로 항상 0 이상의 값을 가진다.
- 표본의 크기가 커지면 표준오차는 작아지고, 모집단의 표준편차가 클수록 표준오차도 커진다.

08 다음 중 표준오차에 대한 설명으로 가장 올바르지 않은 것은?

① 통계량의 변동 정도를 의미이다.
② 평균을 낸 값들의 표준편차이다.
③ 항상 0 이상의 값을 가진다.
④ 모집단의 표준편차가 클수록 표준 오차는 작아진다.

해설 모집단의 표준편차가 클수록 표준 오차도 커진다.

09 크기가 1000인 표본으로 95% 신뢰수준을 가지도록 모평균을 추정하였는데 신뢰구간의 길이가 10이었다. 동일한 조건에서 크기가 250인 표본으로 95% 신뢰수준을 가지도록 모평균을 추정할 경우에 표본의 길이는 얼마인가?

① 2.5   ② 40
③ 20   ④ 5

해설
- 모평균 추정 시 신뢰구간의 길이는 표준오차에 비례하고 표본의 크기의 제곱근에 반비례한다.
- 표본의 크기를 1,000에서 250으로 $\frac{1}{4}$배 감소시켰으므로 신뢰구간의 길이는 $\sqrt{4}=2$배 증가한다. 따라서 신뢰구간의 길이는 $10 \times 2 = 20$이 된다.

10 고등학교 학생의 수능성적을 추정하려고 한다. 25명의 고등학생을 임의로 조사한 결과 평균이 400점이었다. 고등학교 학생에 대한 수능성적의 95% 신뢰구간은 다음 중 무엇인가? (단, 모집단의 분포를 정규분포라고 가정하고 모분산은 25이다. 또한 $Z_{0.025}=1.96$, $Z_{0.05}=1.645$ 이다.)

① $398.04 \leq \mu \leq 401.96$
② $398.355 \leq \mu \leq 401.645$
③ $398.04 \leq \mu \leq 401.645$
④ $398.355 \leq \mu \leq 401.96$

해설
- 모분산을 알고 있는 경우 모평균에 대한 $100 \times (1-\alpha)$ 신뢰구간을 구하는 공식은
$\overline{X} - Z_{\frac{\alpha}{2}} \frac{\sigma}{\sqrt{n}} \leq \mu \leq \overline{X} + Z_{\frac{\alpha}{2}} \frac{\sigma}{\sqrt{n}}$ 이다.
- 표본평균 $\overline{X}=400$, 표본의 크기 $n=25$이다.
- 95% 신뢰구간이므로 $\alpha=0.05$, $\frac{\alpha}{2}=0.025$이다. 또한, 모분산 $\sigma^2=25$이므로 모표준편차 $\sigma=\sqrt{25}=5$이다.
- 공식에 각 값들을 대입하면
$400 - 1.96 \frac{5}{\sqrt{25}} \leq \mu \leq 400 + 1.96 \frac{5}{\sqrt{25}}$
- 따라서 모평균에 대한 신뢰구간은 $398.04 \leq \mu \leq 401.96$이 된다.

11 수면제를 만드는 제약회사에서 신약의 복용 전과 복용 후에 대한 효과를 측정하기 위하여 100명의 실험자를 대상으로 수면 시간을 비교하였다. 신약을 복용하기 전·후의 평균 수면시간의 차이는 0.5시간이고, 표준편차는 0.1시간이 측정되었다. 수면시간의 차이에 대한 90% 신뢰구간은 다음 중 무엇인가? (단, $Z_{0.05} = 1.645$, $Z_{0.1} = 1.282$)

① $0.5 - 1.645\dfrac{0.1}{\sqrt{99}} \leq \mu_D \leq 0.5 + 1.645\dfrac{0.1}{\sqrt{99}}$

② $0.5 - 1.282\dfrac{0.1}{\sqrt{99}} \leq \mu_D \leq 0.5 + 1.282\dfrac{0.1}{\sqrt{99}}$

③ $0.5 - 1.645\dfrac{0.1}{\sqrt{100}} \leq \mu_D \leq 0.5 + 1.645\dfrac{0.1}{\sqrt{100}}$

④ $0.5 - 1.282\dfrac{0.1}{\sqrt{100}} \leq \mu_D \leq 0.5 + 1.282\dfrac{0.1}{\sqrt{100}}$

해설
- 대표본($n \geq 30$) 대응 표본일 경우 두 평균의 차이에 대한 검정에 관한 문제이다. Z-분포를 이용하며 공식은 다음과 같다.

$$\overline{D} - Z_{\frac{\alpha}{2}}\dfrac{s_D}{\sqrt{n}} \leq \mu_D \leq \overline{D} + Z_{\frac{\alpha}{2}}\dfrac{s_D}{\sqrt{n}}$$

- $n = 100$, $\overline{D} = 0.5$이고 $s_D = 0.1$이며, $\alpha = 0.10$, $\dfrac{\alpha}{2} = 0.05$이므로 $Z_{\frac{\alpha}{2}} = 1.645$이다.
- 공식에 값을 대입하면

$$0.5 - 1.645\dfrac{0.1}{\sqrt{100}} \leq \mu_D \leq 0.5 + 1.645\dfrac{0.1}{\sqrt{100}}$$

12 모평균을 추정하는데 표본의 크기를 4배 증가시킬 경우 신뢰구간의 길이의 변화는 어떻게 되는가?

① 4배 증가한다. ② 1/4배 감소한다.
③ 2배 증가한다. ④ 1/2배 감소한다.

해설 모평균 추정 시 신뢰구간의 길이는 표준오차에 비례하고 표본의 크기의 제곱근에 반비례한다. 따라서 표본의 크기를 4배 증가시켰으므로 신뢰구간의 길이는 $\dfrac{1}{\sqrt{4}} = \dfrac{1}{2}$배 감소한다.

13 다음이 설명하는 가설의 종류로 가장 올바른 것은?

표본을 통해 확실한 근거를 가지고 입증하고자 하는 가설

① 귀무가설   ② 관계적 가설
③ 대립가설   ④ 사실적 가설

해설

귀무가설(H_0)	현재까지 주장되어 온 것이거나 기존과 비교하여 변화 혹은 차이가 없음을 나타내는 가설
대립가설(H_1)	표본을 통해 확실한 근거를 가지고 입증하고자 하는 가설

14 비모수 검정 방법 중에서 차이의 부호만을 이용한 중위수(Median)의 위치에 대한 검정 방법은 무엇인가?

① 런 검정
② 부호 검정
③ 만-휘트니의 U 검정
④ 윌콕슨 순위 합 검정

해설 비모수 검정 방법 중에서 차이의 부호만을 이용한 중위수(Median)의 위치에 대한 검정 방법은 부호 검정이다.

15 다음 비모수 검정 방법 중에서 관측된 표본이 어떤 패턴이나 경향이 없이 랜덤하게 추출되었다는 가설을 검정하는 방법은?

① 부호 검정(Sign Test)
② 만-휘트니(Mann-Whitney)의 U 검정
③ 런 검정(Run Test)
④ 윌콕슨 순위 합 검정(Wilcoxon Rank Sum Test)

해설 런 검정(Run Test)은 관측된 표본이 어떤 패턴이나 경향이 없이 랜덤하게 구성되었다는 가설을 검정하는 방법이다.

천기누설 예상문제

16 다음 중 비모수적 기법에 대한 설명으로 가장 옳지 않은 것은?

① 순위와 부호에 기초한 방법 위주로 이상값의 영향이 크다.
② 모집단의 분포에 아무런 제약을 가하지 않고 검정을 실시하는 기법이다.
③ 관측된 자료가 특정 분포를 따른다고 가정할 수 없는 경우에 이용한다.
④ 추출된 샘플의 개수가 10개 미만일 경우에도 사용할 수 있다.

> **해설** 비모수적 기법은 순위와 부호에 기초한 방법 위주이므로 이상값의 영향이 작다.

17 다음 중 부호 검정(Sign Test)에 대한 설명 중 가장 옳지 않은 것은?

① 단일 표본에서 중위수를 이용한 비모수 검정법이다.
② 차이의 크기는 무시하고 단지 차이의 부호만을 이용한다.
③ 독립적인 분포의 가정이므로 대칭성 가정은 반드시 필요하다.
④ 자료의 분포가 연속적이고 독립적인 분포에서 나온 것이라는 가정만 필요하다.

> **해설** 부호 검정에서 대칭성의 가정이 반드시 필요한 것은 아니다.

18 다음 중 윌콕슨 부호 순위 검정에 대한 설명 중 가장 옳지 않은 것은?

① 대응되는(Paired) 두 표본의 중위수의 차이 검정에도 사용 가능하다.
② 대칭성 가정이 반드시 필요한 것은 아니다.
③ 윌콕슨 부호 순위 검정는 단일 표본에서 중위수에 대한 검정에 사용한다.
④ 자료의 분포가 연속적이고 독립적인 분포에서 나온 것이라는 가정이 필요하다.

> **해설** 윌콕슨 부호 순위 검정은 대칭성의 가정이 반드시 필요한 검정 방법이다.

19 동전의 앞을 1, 뒤를 0으로 하였을 경우 10번 동전을 던졌을 때의 결과는 아래와 같다. 이때 런(Run)의 총 횟수는 얼마인가?

| 1, 0, 0, 1, 0, 1, 1, 1, 0, 1 |

① 2 ② 5
③ 7 ④ 9

> **해설** 런은 동일한 측정값들이 시작하여 끝날 때까지의 덩어리를 말하는 것으로 문제에서 런은 1/00/1/0/111/0/1 구분할 수 있다. 따라서 총 7회이다.

20 다음 중 1종 오류에 대한 설명으로 옳은 것은?

① 귀무가설이 참인데 잘못하여 이를 기각하게 되는 오류
② 귀무가설이 참일 때 이를 참이라고 판단하는 확률
③ 귀무가설이 참이 아닌데 잘못하여 이를 채택하게 되는 오류
④ 귀무가설이 참이 아닌 경우 이를 기각할 수 있는 확률

> [해설]
>
> | 제1종 오류 | 귀무가설이 참인데 잘못하여 이를 기각하게 되는 오류 |
> |---|---|
> | 신뢰수준 | 귀무가설이 참일 때 이를 참이라고 판단하는 확률 |
> | 제2종 오류 | 귀무가설이 참이 아닌데 잘못하여 이를 채택하게 되는 오류 |
> | 검정력 | 귀무가설이 참이 아닌 경우 이를 기각할 수 있는 확률 |

21 다음이 설명하는 검정 방법으로 가장 옳은 것은?

> - 모수 θ(혹은 모수들의 함수)에 대해 표본자료를 바탕으로 모수가 특정 값 θ_0과 통계적으로 같은지 여부를 판단
> - 귀무가설을 $H_0 : \theta = \theta_0$, 대립가설을 $H_1 : \theta \neq \theta_0$와 같이 설정

① 양측 검정 ② 단측 검정
③ T-검정 ④ F-검정

> [해설]
>
> | 양측 검정 | - 모수 θ(혹은 모수들의 함수)에 대해 표본자료를 바탕으로 모수가 특정 값 θ_0과 통계적으로 같은지 여부를 판단
- 귀무가설을 $H_0 : \theta = \theta_0$, 대립가설을 $H_1 : \theta \neq \theta_0$와 같이 설정 |
> |---|---|
> | 단측 검정 | - 모수 θ(혹은 모수들의 함수)에 대해 표본자료를 바탕으로 모수가 특정 값 θ_0과 통계적으로 큰지 작은지 여부를 판단
- 귀무가설이 $H_0 : \theta \geq \theta_0$일 경우, 대립가설을 $H_1 : \theta < \theta_0$와 같이 설정
- 귀무가설이 $H_0 : \theta \leq \theta_0$일 경우, 대립가설을 $H_1 : \theta > \theta_0$와 같이 설정 |

22 다음이 설명하는 용어는 무엇인가?

> - 귀무가설이 참이라는 가정에 따라 주어진 표본 데이터를 희소 또는 극한값으로 얻을 확률값
> - 검정통계량 및 이의 확률분포에 근거하여 귀무가설이 참일 때 귀무가설을 기각하게 되는 제1종 오류를 범할 확률

① 유의수준 ② 신뢰수준
③ 검정력 ④ p-값

> [해설]
>
> | 유의수준 | 제1종 오류를 범할 최대 허용확률을 의미, α로 표기 |
> |---|---|
> | 신뢰수준 | 귀무가설이 참일 때 이를 참이라고 판단하는 확률 $(1-\alpha)$ |
> | 검정력 | 귀무가설이 참이 아닌 경우 이를 기각할 수 있는 확률 $(1-\beta)$ |

23 다음 중 2종 오류에 대한 설명으로 옳은 것은?

① 귀무가설이 참인데 잘못하여 이를 기각하게 되는 오류
② 귀무가설이 참일 때 이를 참이라고 판단하는 확률
③ 귀무가설이 참이 아닌데 잘못하여 이를 채택하게 되는 오류
④ 귀무가설이 참이 아닌 경우 이를 기각할 수 있는 확률

> [해설]
>
> | 제1종 오류 | 귀무가설이 참인데 잘못하여 이를 기각하게 되는 오류 |
> |---|---|
> | 신뢰수준 | 귀무가설이 참일 때 이를 참이라고 판단하는 확률 |
> | 제2종 오류 | 귀무가설이 참이 아닌데 잘못하여 이를 채택하게 되는 오류 |
> | 검정력 | 귀무가설이 참이 아닌 경우 이를 기각할 수 있는 확률 |

천기누설 예상문제

24 자료의 정보를 이용해 집단에 관한 추측, 결론을 이끌어내는 과정인 통계적 추론에 대한 설명으로 가장 부적절한 것은?

① 전수조사가 불가능하면 모집단에서 표본을 추출하고 표본을 근거로 확률론을 활용하여 모집단의 모수들에 대해 추론하는 것을 추정이라 한다.
② 점 추정은 표본의 정보로부터 모집단의 모수를 하나의 값으로 추정하는 것이다.
③ 통계적 추론은 제한된 표본을 바탕으로 모집단에 대한 일반적인 결론을 유도하려는 시도이므로 본질적으로 불확실성을 수반한다.
④ 구간 추정은 모수의 참값이 포함되어 있다고 추정되는 구간을 결정하는 것이며, 실제 모집단의 모수는 신뢰구간에 포함되어야 한다.

해설 구간 추정은 모수의 참값이 포함되어 있다고 추정되는 구간을 결정하는 것이지만, 실제 모집단의 모수가 신뢰구간에 반드시 포함되어 있는 것은 아니다.

25 다음 제1종 오류에 대한 설명 중 올바른 것은?

① H_0가 사실일 때, H_0가 사실이라고 판정
② H_0가 사실이 아닐 때, H_0가 사실이라고 판정
③ H_0가 사실일 때, H_0가 사실이 아니라고 판정
④ H_0가 사실이 아닐 때, H_0가 사실이 아니라고 판정

해설
• 제1종 오류는 귀무가설(H_0)이 참인데 잘못하여 이를 기각하게 되는 오류이다.
• H_0가 사실일 때, H_0가 사실이 아니라고 판정하여 기각하게 되는 오류이다.

26 제2종 오류를 범할 최대 허용확률을 의미하는 값은 무엇인가?

① α ② $1-\alpha$
③ β ④ $1-\beta$

해설

유의수준	제1종 오류를 범할 최대 허용확률을 의미(α)
신뢰수준	귀무가설이 참일 때 이를 참이라고 판단하는 확률 ($1-\alpha$)
베타 수준	제2종 오류를 범할 최대 허용확률을 의미(β)
검정력	귀무가설이 참이 아닌 경우 이를 기각할 수 있는 확률 ($1-\beta$)

27 다음 중 구간 추정 방법과 신뢰구간에 대한 설명으로 옳지 않은 것은?

① 일정한 크기의 신뢰수준으로 모수가 특정한 구간에 있을 것이라고 선언하는 것이다.
② 95% 신뢰구간은 '주어진 한 개의 신뢰구간에 미지의 모수가 포함될 확률이 5%다'라는 의미이다.
③ 신뢰수준이 높아지면 신뢰구간의 길이는 길어진다.
④ 표본의 수가 많아지면 신뢰구간의 길이는 짧아진다.

해설 95% 신뢰구간은 '주어진 한 개의 신뢰구간에 미지의 모수가 포함될 확률이 95%다.'라는 의미이다.

28 다음 중 확실하게 증명하고 싶은 가설, 뚜렷한 증거가 있어야 채택할 수 있는 가설은?

① 대립가설 ② 영가설
③ 귀무가설 ④ 기각가설

해설 대립가설은 표본을 통해 확실한 근거를 가지고 입증하고자 하는 가설이다. 귀무가설과 대립되고 뚜렷한 증거가 있을 때 주장하는 것은 대립가설이다.

29 다음 중 모수에 대한 추정량이 표본의 크기가 커질수록 확률적으로 모수에 수렴하는 특성은 무엇인가?

① 불편성 ② 충족성
③ 효율성 ④ 일치성

해설 일치성은 표본의 크기가 아주 많이 커지면, 추정량이 모수와 거의 같아진다는 특성이다.

정답 01 ④ 02 ② 03 ① 04 ④ 05 ④ 06 ④ 07 ② 08 ④ 09 ③ 10 ④ 11 ③ 12 ④ 13 ③ 14 ② 15 ③ 16 ① 17 ③ 18 ② 19 ③ 20 ①
21 ① 22 ④ 23 ③ 24 ④ 25 ③ 26 ③ 27 ② 28 ① 29 ④

선견지명 단원종합문제

01 다음 중 데이터 전처리에 대한 설명으로 가장 올바르지 않은 것은?

① 전처리 결과가 분석 결과에 직접적인 영향을 주고 있어서 전처리는 반복적으로 수행해야 한다.
② 데이터 분석의 단계 중 가장 많은 시간이 소요되는 단계가 데이터 수집과 전처리 단계이다.
③ 데이터 전처리는 데이터 정제 → 결측값 처리 → 이상값 처리 → 분석 변수 처리 순서로 진행된다.
④ 데이터 분석 과정에서 데이터 전처리는 필요에 따라 생략이 가능하다.

> **해설** 데이터 분석 과정에서 데이터 전처리는 반드시 거쳐야 하는 과정이다.

02 다음 중 데이터 오류 원인에 대한 설명으로 옳지 않은 것은?

① 결측값은 필수적인 데이터가 입력되지 않고 누락된 값을 지칭한다.
② 노이즈는 중심 경향값(평균값, 중위수, 최빈수)을 넣어 처리한다.
③ 노이즈는 실제 입력되지 않았지만 입력되었다고 잘못 판단된 값을 지칭한다.
④ 이상값은 데이터값이 일반적인 값보다 편차가 큰 값을 지칭한다.

> **해설** 결측값이 중심 경향값(평균값, 중위수, 최빈수)을 넣어 처리한다.

03 데이터 정제 기법에 대한 설명으로 옳지 않은 것은?

① 변환은 다양한 형태로 표현된 값을 일관된 형태로 변환하는 작업이다.
② 변환은 코드 변환과 형식 변환이 있다.
③ 주민 등록 번호를 생년월일, 성별로 분할하는 것은 파싱의 대표적인 예다.
④ 보강은 데이터를 정제 규칙을 적용하기 위한 유의미한 최소 단위로 만드는 작업이다.

> **해설** 보강은 변환, 파싱, 수정, 표준화 등을 통한 추가 정보를 반영하는 작업이다.

04 다음이 설명하는 데이터 세분화 기법은 무엇인가?

> 전체 집단으로부터 시작하여 유사성이 떨어지는 객체들을 분리해가는 기법

① 응집분석법 ② 분할분석법
③ 인공신경망 모델 ④ k-평균 군집

> **해설**
>
> | | |
> |---|---|
> | 응집분석법 | 각 객체를 하나의 소집단으로 간주하고 단계적으로 유사한 소집단들을 합쳐 새로운 소집단을 구성해가는 기법 |
> | 분할분석법 | 전체 집단으로부터 시작하여 유사성이 떨어지는 객체들을 분리해가는 기법 |
> | 인공신경망 모델 | 기계 학습에서 생물학의 신경망에서 영감을 얻은 통계학적 학습 모델 |
> | k-평균 군집 | K개 소집단의 중심좌표를 이용하여 각 객체와 중심좌표 간의 거리를 산출하고, 가장 근접한 소집단에 배정한 후 해당 소집단의 중심좌표를 업데이트하는 방식으로 군집 방식 |

05 다음이 설명하는 데이터 결측값 종류는 무엇인가?

- 누락된 자료가 특정 변수와 관련되어 일어나지만, 그 변수의 결과는 관계가 없는 경우
- 누락이 전체 정보가 있는 변수로 설명이 될 수 있음을 의미(누락이 완전히 설명될 수 있는 경우 발생)

① MCAR(Missing Completely At Random)
② MAR(Missing At Random)
③ MNAR(Missing Not At Random)
④ MNCAR(Missing Not Completely At Random)

해설 데이터 결측값 중 무작위 결측(MAR)에 대한 설명이다.

	데이터 결측값 종류
완무비	완전 무작위 결측(MCAR) / 무작위 결측(MAR) / 비무작위 결측(MNAR)

06 다음이 설명하는 단순 확률 대치법의 종류로 옳은 것은?

- 무응답을 현재 진행 중인 연구에서 '비슷한' 성향을 가진 응답자의 자료로 대체하는 방법
- 표본조사에서 흔히 사용

① 핫덱(Hot-Deck) 대체   ② 콜드덱(Cold-Deck) 대체
③ 완전 분석법   ④ 평균 대치법

해설

핫덱 대체	• 무응답을 현재 진행 중인 연구에서 '비슷한' 성향을 가진 응답자의 자료로 대체하는 방법 • 표본조사에서 흔히 사용
콜드덱 대체	• 핫덱과 비슷하나 대체할 자료를 현재 진행 중인 연구에서 얻는 것이 아니라 외부 출처 또는 이전의 비슷한 연구에서 가져오는 방법
혼합 방법	• 몇 가지 다른 방법을 혼합하는 방법

07 데이터 이상값 발생 원인에 해당하는 것을 모두 고른 것은?

㉠ 데이터 입력 오류   ㉡ 실험 오류
㉢ 고의적인 이상값   ㉣ 표본추출 에러

① ㉠   ② ㉠, ㉡
③ ㉠, ㉡, ㉢   ④ ㉠, ㉡, ㉢, ㉣

해설

데이터 이상값 발생 원인	
표고 입실 측처자	표본추출 오류 / 고의적인 이상값 / 데이터 입력 오류 / 실험 오류 / 측정 오류 / 데이터 처리 오류 / 자연 오류

08 다음 중 데이터 이상값에 대한 설명으로 가장 옳지 않은 것은?

① 데이터 이상값은 관측된 데이터의 범위에서 많이 벗어난 아주 작은 값이나 아주 큰 값이다.
② 데이터 이상값의 발생 원인으로는 표본추출 오류, 고의적인 이상값, 실험 오류 등이 있다.
③ 데이터 이상값 검출을 위해 ESD, 기하평균, 사분위수 등을 이용할 수 있다.
④ 데이터 이상값을 반드시 제거해야 하며 삭제, 대체 등의 기법을 활용한다.

해설 데이터 이상값을 반드시 제거해야 하는 것은 아니므로 이상값을 처리할지는 분석의 목적에 따라 적절한 판단이 필요하다.

선견지명 단원종합문제

09 다음이 설명하는 데이터 이상값 검출 방법으로 옳은 것은?

> 데이터의 분포를 고려한 거리 측도로, 관측치가 평균으로부터 벗어난 정도를 측정하는 통계량 기법

① 머신러닝 기법
② 마할라노비스 거리(Mahalanobis Distance) 활용
③ LOF(Local Outlier Factor)
④ iForest(Isolation Forest)

해설

개별 데이터 관찰	• 전체 데이터의 추이나 특이 사항 관찰하여 이상값 검출 • 전체 데이터 중 무작위 표본추출 후 관찰하여 이상값 검출
통곗값	• 통계 지표 데이터(평균, 중위수, 최빈수)와 데이터 분산도(범위, 분산)를 활용한 이상값 검출
시각화	• 데이터 시각화(Data Visualization)를 통한 지표 확인으로 이상값 검출
머신러닝 기법	• 데이터 군집화를 통한 이상값 검출
마할라노비스 거리 활용	• 데이터의 분포를 고려한 거리 측도로, 관측치가 평균으로부터 벗어난 정도를 측정하는 통계량 기법
LOF	• 관측치 주변의 밀도와 근접한 관측치 주변의 밀도의 상대적인 비교를 통해 이상값을 탐색하는 기법
iForest	• 관측치 사이의 거리 또는 밀도에 의존하지 않고, 데이터 마이닝 기법인 의사결정나무를 이용하여 이상값을 탐지하는 방법

10 ESD(Extreme Studentized Deviation)에 대한 설명으로 옳은 것은?

① 평균(μ)으로부터 3 표준편차(σ) 떨어진 값(각 0.15%)을 이상값으로 판단
② 기하평균으로부터 2.5 표준편차(σ) 떨어진 값을 이상값으로 판단
③ 제1 사분위, 제3 사분위를 기준으로 사분위 간 범위($Q_3 - Q_1$)의 1.5배 이상 떨어진 값을 이상값으로 판단
④ 평균이 μ이고, 표준편차가 σ인 정규분포를 따르는 관측치들이 자료의 중심(평균)에서 얼마나 떨어져 있는지를 나타냄에 따라서 이상값을 검출

해설

ESD	평균(μ)으로부터 3 표준편차(σ) 떨어진 값(각 0.15%)을 이상값으로 판단
기하평균 활용한 방법	기하평균으로부터 2.5 표준편차(σ) 떨어진 값을 이상값으로 판단
사분위수를 이용한 방법	제1 사분위, 제3 사분위를 기준으로 사분위 간 범위($Q_3 - Q_1$)의 1.5배 이상 떨어진 값을 이상값으로 판단
Z-점수(Z-Score)를 활용한 이상값 검출	평균이 μ이고, 표준편차가 σ인 정규분포를 따르는 관측치들이 자료의 중심(평균)에서 얼마나 떨어져 있는지를 나타냄에 따라서 이상값을 검출

11 주로 x축에 계급값을, y축에 각 계급에 해당하는 자료의 수치를 표시하여 이상값을 검출하는 기법으로 가장 적합한 것은 무엇인가?

① 확률밀도함수   ② 히스토그램
③ ESD   ④ 시계열 차트

해설

확률밀도함수	확률변수의 분포를 보여주는 함수
히스토그램	주로 x축에 계급값을, y축에 각 계급에 해당하는 자료의 수치를 표시
ESD	평균(μ)으로부터 3 표준편차(σ) 떨어진 값(각 0.15%)을 이상값으로 판단
시계열 차트	시간에 따른 자료의 변화나 추세를 보여주는 그래프

12 Box-Plot에서 수염(Whiskers)에 대한 설명으로 옳은 것은?

① $(Q_3 - Q_1)$의 값
② 박스의 각 모서리(Q_1, Q_3)로부터 IQR의 1.5배 내에 있는 가장 멀리 떨어진 데이터 점까지 이어져 있는 값
③ 중위수 50%에 위치
④ 25%(Q_1)~75%(Q_3) 값

해설

중위수	데이터를 순차적으로 정렬했을 때 50%에 위치
박스	25%(Q_1) ~ 75%(Q_3) 값들을 박스로 둘러 쌓음
IQR	(Q_3-Q_1)의 값
수염	박스의 각 모서리(Q_1, Q_3)로부터 IQR의 1.5배 내에 있는 가장 멀리 떨어진 데이터 점까지 이어져 있는 값
이상값	수염보다 바깥쪽에 데이터가 존재한다면, 이것은 이상값으로 분류

13 관측 대상을 범주로 나누어 분류한 후 이에 따라 기호나 숫자를 부여하는 방법으로 가장 알맞은 것은?

① 명목 척도   ② 순위 척도
③ 등간 척도   ④ 비율 척도

해설 관측 대상을 범주로 나누어 분류한 후 이에 따라 기호나 숫자를 부여하는 방법은 명목 척도이다.

순위 척도 (Ordinal Scale)	비계량적인 변수를 관측하기 위하여 여러 관측 대상을 적당한 기준에 따라 상대적인 비교 및 순위화를 통해 관측하는 방법
등간 척도 (Interval Scale)	주로 비계량적인 변수를 정량적인 방법으로 측정하기 위하여 동일 간격화로 크기 간의 차이를 비교할 수 있게 만든 방법
비율 척도 (Ratio Scale)	균등 간격에 절대 영점이 있고, 비율 계산이 가능한 척도

14 다음 박스플롯에서 확인할 수 없는 것은?

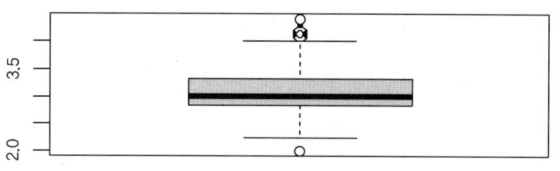

① 하위경계   ② 중위수
③ 결측값   ④ 이상값

해설 박스플롯은 하위 경계, 최솟값, 제1 사분위, 제2 사분위, 제3 사분위, 최댓값, 상위 경계, 수염, 이상값을 확인할 수 있지만, 결측값은 확인할 수 없다.

15 다음 중 시각적 데이터 탐색에 자주 사용되는 박스플롯(Box-Plot)에 대한 설명으로 가장 올바르지 않은 것은?

① 데이터의 대략적인 분포를 파악할 수 있다.
② 중위수(중윗값)에 대한 정보를 알 수 있다.
③ 상자 길이와 분산과는 관련이 없다.
④ 이상값에 대한 정보를 알 수 있다.

해설 박스플롯(Box-Plot)에서 분산이 커지면 사분위수 값이 커지므로 상자의 길이가 길어진다.

16 다음 중 히스토그램(Histogram)에 대한 설명으로 가장 옳지 않은 것은?

① 히스토그램은 자료 분포의 형태를 직사각형 형태로 시각화하여 보여주는 그래프이다.
② 히스토그램의 가로축은 수치형 데이터이다.
③ 히스토그램의 막대는 서로 붙어 있다.
④ 히스토그램의 막대 너비는 같지 않을 수 있다.

해설 히스토그램의 막대 너비는 일정해야 하며, 막대 너비가 다른 것은 막대 그래프(Bar Graph)에 대한 설명이다.

선견지명 단원종합문제

17 다음이 설명하는 파생변수 생성 방법으로 옳은 것은?

- 날짜를 바탕으로 해당 요일을 변환하는 작업
- 성별 데이터를 남자일 때 0, 여자일 때 1로 변환하는 작업

① 단위 변환
② 표현형식 변환
③ 요약 통계량 변환
④ 변수 결합

> **해설** 단순한 표현방법으로 변환하는 기법으로 표현형식 변환을 사용한다.
>
> | 파생변수 유형 | |
> |---|---|
> | 단표요정결조 | 단위 변환 / 표현형식 변환 / 요약통계량 변환 / 정보 추출 / 변수 결합 / 조건문 이용 |

18 다음 중 앙상블 기법에 대한 설명으로 옳지 않은 것은?

① 앙상블은 같거나 서로 다른 여러 가지 모형들의 예측/분류 결과를 종합하여 최종적인 의사결정에 활용하는 기법이다.
② 앙상블은 임곗값을 데이터가 많은 쪽으로 이동시킨다.
③ 과소 표집, 과대 표집, 임곗값 이동을 조합한 앙상블을 만들 수 있다.
④ 앙상블의 예측 중에서 가장 많은 표를 받은 클래스를 최종적으로 선택한다.

> **해설** 임곗값을 데이터가 많은 쪽으로 이동시키는 방법은 임곗값 이동에 대한 설명이다.

19 EDA의 4가지 주제에 대한 설명으로 가장 알맞지 않은 것은?

① 저항성은 수집된 자료에 오류점, 이상값이 있을 때에도 영향을 적게 받는 성질을 의미한다.
② 잔차란 관찰 값들이 주 경향으로부터 얼마나 벗어난 정도이다.
③ 자료의 재표현은 데이터 분석과 해석을 단순화할 수 있도록 원래 변수를 적당한 척도로 바꾸는 것이다.
④ 현시성은 로그 변환, 제곱근 변환, 역수 변환 등을 통해 데이터 분석 결과를 쉽게 이해할 수 있도록 시각적으로 표현하고 전달하는 과정을 의미한다.

> **해설** 로그 변환, 제곱근 변환, 역수 변환 등은 자료 재표현에 관련된 내용이다.

20 다음과 같은 특징이 있는 불균형 데이터 처리 기법은 무엇인가?

- 정보가 손실되지 않는다는 장점이 있으나, 복제된 관측치를 원래 데이터 세트에 추가하면 여러 유형의 관측치를 다수 추가하여 과적합(Over-fitting)을 초래할 수 있다.
- 알고리즘의 성능은 높으나 검증의 성능은 나빠질 수 있다.

① 과소 표집(Under-Sampling)
② 과대 표집(Over-Sampling)
③ 임곗값 이동(Threshold Moving)
④ 앙상블 기법(Ensemble Technique)

> **해설**
> - 과대 표집은 오버 샘플링이라고도 하며, 무작위로 소수의 데이터를 복제하는 방법이다.
> - 과대 표집(Over-Sampling)은 업 샘플링(Up-Sampling)이라고도 한다.

21 탐색적 데이터 분석의 4가지 주제에 해당하지 않는 것은?

① 저항성 ② 잔차 해석
③ 자료 표현 ④ 현시성

해설

EDA 4가지 주제
저잔재현	저항성 / 잔차 해석 / 자료의 재표현 / 현시성

22 다음 중 기술통계에 대한 설명으로 옳지 않은 것은?

① 기술통계란 데이터 분석의 목적으로 수집된 데이터를 확률·통계적으로 정리·요약하는 기초적인 통계이다.
② 기술통계는 분석의 초기 단계에서 데이터 분포의 특징을 파악하려는 목적으로 주로 산출한다.
③ 통계적 수치를 계산하고 도출(평균, 분산, 표준편차)하거나 그래프를 활용(막대그래프, 파이 그래프)하여 데이터에 대한 전반적인 이해를 돕는다.
④ 기술통계에서 기술은 Descriptive가 아닌 Technology이다.

해설 기술통계에서 기술은 Technology가 아닌 Descriptive이다.

23 아래는 K고등학교 1학년 2반 5명의 키를 나타낸 것이다. 아래 5명의 키에 대한 평균, 중위수, 분산의 값으로 올바른 것은?

170, 165, 180, 185, 175

	[평균]	[중위수]	[분산]
①	175	180	40
②	180	180	40
③	175	175	40
④	175	175	50

해설
• 평균, 중위수, 분산의 계산은 아래와 같다.
• 평균 $= \dfrac{165+170+175+180+185}{5} = 175$
• 중위수는 정렬했을 때 가운데 값이므로 165, 170, 175, 180, 185에서 가운데 값인 175이다.
• 분산 $= \dfrac{(165-175)^2+(170-175)^2+(175-175)^2+(180-175)^2+(185-175)^2}{5}$
  $= 50$

24 상관성 분석에 대한 설명으로 옳지 않은 것은?

① 수치적 데이터의 상관성 분석은 두 변수 사이의 연관성을 계량적으로 산출하여 분석하는 방법이다.
② 수치적 데이터의 상관 분석에서 피어슨 상관계수 방법을 일반적으로 사용한다.
③ 명목적 데이터의 상관성 분석은 F-분포를 통하여 분석한다.
④ 순서적 데이터의 상관성 분석은 순서적 데이터일 경우에 두 변수 사이의 연관성을 계량적으로 산출하여 분석하는 방법이다.

해설 명목적 데이터일 경우에 두 변수 사이의 연관성을 계량적으로 산출하여 분석하는 방법으로 χ^2(Chi-Squared: 카이제곱) 검정을 통하여 분석한다.

25 중심 경향성을 나타내는 값이 아닌 것은?

① 상관 분석 ② 평균
③ 중위수 ④ 최빈수

해설
• 중심 경향성을 나타내는 통계량에는 평균, 중위수(중윗값), 최빈수 등이 있다.
• 상관 분석은 수치적 데이터 변수로 이루어진 두 변수 간의 선형적 연관성을 계량적으로 파악하기 위한 통계적 기법이다.

단원종합문제

26 표준편차(Standard Deviation)에 대한 설명으로 옳지 않은 것은?

① 표준편차는 분산의 양(+)의 제곱근의 값이다.
② 분산은 편차의 제곱을 했기 때문에 원래의 수학적 단위와 차이가 발생하므로 제곱근을 취한 값을 표준편차로 한다.
③ 표준편차를 통하여 평균에서 흩어진 정도를 나타낸다.
④ 표본표준편차(s)는 $\sqrt{\dfrac{\sum_{i=1}^{n}(x_i - \bar{x})^2}{n}}$ 이다.

해설 표본표준편차(s)는 $\sqrt{\dfrac{\sum_{i=1}^{n}(x_i - \bar{x})^2}{n-1}}$ 이다.

27 변동계수(CV; Coefficient of Variation)의 공식으로 옳은 것은?

① 변동계수(CV) = 표준편차 / 평균
② 변동계수(CV) = 평균 / 표준편차
③ 변동계수(CV) = 분산 / 평균
④ 변동계수(CV) = 평균 / 분산

해설 변동계수(CV) = 표준편차 / 평균

28 다음 중 박스플롯의 구성요소에 대한 설명으로 가장 옳지 않은 것은?

① 최솟값을 넘어서는 값은 이상값으로 구분한다.
② 제1 사분위(Q_1)는 자료들의 하위 25%의 위치를 의미한다.
③ 제2 사분위(Q_2)는 자료들의 50%의 위치로 중위수(Median)을 의미한다.
④ 최댓값은 제3 사분위에서 2 IQR을 더한 위치이다.

해설 박스플롯의 상위경계는 제3 사분위에서 IQR의 1.5배 위치이다. 박스플롯의 최댓값은 상위경계 내 관측치의 최댓값이다.

29 다음 중 시각화 기법의 상자 그림(Box Plot)에 대한 설명으로 가장 부적절한 것은 무엇인가?

① 자료의 크기 순서를 나타내는 5가지 순서통계량(최솟값, 최댓값, 제1 사분위수, 중위수, 제3 사분위수)을 이용하여 시각화하는 방법이다.
② 사분위수를 한 눈에 볼 수 있다.
③ 순서통계량을 사용하기 때문에 이상값 판단에 사용하는 것은 적합하지 않다.
④ 제1 사분위(Q_1)는 자료들의 하위 25%의 위치를 의미한다.

해설 상자 그림에서 이상값은 o로 표시되기 때문에 이상값 판단이 가능하다.

30 다음 중 표본추출 기법으로 옳지 않은 것은?

① 단순 무작위 추출
② 복잡 무작위 추출
③ 층화추출
④ 계통추출

해설

표본추출 기법	
단계층군	단순 무작위 추출 / 계통추출 / 층화추출 / 군집추출

31 베르누이 시행에 대한 설명으로 옳지 않은 것은?

① 특정 실험의 결과가 성공 또는 실패로 두 가지의 결과 중 하나를 얻는 분포이다.
② 확률 P는 p이다.
③ 기댓값 $E(X)$는 p^2이다.
④ 분산은 $p(1-p)$이다.

> **해설** 기댓값 $E(X)$는 p이다.

32 다음이 설명하는 독립변수 선택 방법은 무엇인가?

> 모든 독립변수를 사용하여 하나의 회귀식을 수립 회귀식에서 중요하지 않은 독립변수 값들에 대한 검정을 한 후, 그 값이 가장 작은 변수부터 차례로 제거하고 남은 나머지 독립변수들을 바탕으로 회귀식을 다시 추정하는 방법

① 전진 선택법 ② 후진 소거법
③ 혼합 기법 ④ 단계적 방법

> **해설**
>
> | 전진 선택법 | • 종속변수에 가장 큰 영향을 줄 것으로 판단되는 하나의 독립변수를 이용하여 회귀식을 수립한 후, 단계마다 중요하다고 판단되는 독립변수를 하나씩 회귀식에 추가하여 회귀 모델을 다시 추정하여 새로운 독립변수의 부분 검정을 통해 중요 정도를 계산하는 방법 |
> |---|---|
> | 후진 소거법 | • 모든 독립변수를 사용하여 하나의 회귀식을 수립 회귀식에서 중요하지 않은 독립 변숫값들에 대한 검정을 한 후, 그 값이 가장 작은 변수부터 차례로 제거하고 남은 나머지 독립변수들을 바탕으로 회귀식을 다시 추정하는 방법 |
> | 단계적 방법 | • 후진 소거법과 전신 선택법의 절충적인 형태
• 전진 선택법에 따라 종속변수에 가장 큰 상관관계가 있는 독립변수를 택함과 동시에 각 단계에서 후진 소거법과 같이 회귀식에서 중요하지 않은 독립변수를 제거하는 방법 |

33 포아송분포의 확률 P의 공식으로 옳은 것은? (단, e는 자연상수, λ는 기댓값)

① $P = \dfrac{n!}{e^n \lambda^{-e}}$

② $P = \dfrac{n!}{\lambda^n e^{-\lambda}}$

③ $P = \dfrac{e^n \lambda^{-e}}{n!}$

④ $P = \dfrac{\lambda^n e^{-\lambda}}{n!}$

> **해설** 포아송분포는 정해진 시간 안에 어떤 사건이 일어날 횟수에 대한 기댓값을 λ라고 했을 때, 그 사건이 n회 일어날 확률이다.
>
> $P = \dfrac{\lambda^n e^{-\lambda}}{n!}$ (e는 자연상수)

34 A 버스 정류장에서 10분에 2명씩 승객이 온다. A 버스 정류장에 5분 동안 아무도 오지 않을 확률을 구하시오. (e는 자연상수)

① $\dfrac{1}{2e^2}$ ② $\dfrac{1}{e}$
③ $2e^2$ ④ e

> **해설**
> • 주어진 시간 또는 영역에서 어떤 사건의 발생 횟수를 나타내는 확률분포이므로 포아송분포를 사용한다.
> • 10분에 2명씩 오면 5분에 1명씩 오기 때문에 사건 발생 확률은 $\lambda=1$이다.
> • 5분 동안 아무도 오지 않는다고 했으므로 $n=0$이다.
>
> $P = \dfrac{\lambda^n e^{-\lambda}}{n!} = \dfrac{1^0 \times e^{-1}}{0!} = e^{-1} = \dfrac{1}{e}$

선견지명 단원종합문제

35 동전을 세 번 던졌을 때 앞면이 두 번 나올 확률은 얼마인가?

① 0.125
② 0.375
③ 0.5
④ 0.625

해설
- 세 번(n번) 시행 중에 두 번(k번) 성공할 확률이므로 이항분포이다.
- 동전을 세 번 던지기 때문에 $n=3$, 동전 앞면이 나올 확률 $p=0.5$, 앞면이 두 번 나오므로 $k=2$이다.

$$P = \binom{n}{k}p^k(1-p)^{n-k} = \binom{3}{2}p^2(1-0.5)^{3-2}$$
$$= \frac{3!}{2!(3-2)!}0.5^2 \times 0.5$$
$$= 3 \times 0.5^3 = 0.375 \text{이다}.$$

36 정규분포와 표준정규분포에 대한 설명으로 옳지 않은 것은?

① 정규분포는 모평균이 μ, 모분산이 σ^2이라고 할 때, 종 모양의 분포이다.
② 표준정규분포는 기댓값($E(X)$)이 1, 분산($V(X)$)이 0인 분포이다.
③ 표준정규분포는 정규분포 함수에서 X를 Z로 정규화한 분포이다.
④ 표준정규분포는 Z-분포라고도 불린다.

해설 표준정규분포는 기댓값($E(X)$)이 0, 분산($V(X)$)이 1인 분포이다.

37 다음이 설명하는 분포는 무엇인가?

모집단 분산이 서로 동일($\sigma_1^2 = \sigma_2^2$)하다고 가정되는 두 모집단으로부터 표본 크기가 각각 n_1, n_2인 독립적인 2개의 표본을 추출하였을 때, 2개의 표본분산 s_1^2, s_2^2의 비율(s_1^2/s_2^2)

① Z-분포
② T-분포
③ χ^2-분포
④ F-분포

해설

Z-분포	정규분포 함수에서 X를 Z로 정규화한 분포	$Z = \dfrac{X-\mu}{\sigma}$
T-분포	• 정규분포의 평균(μ)의 해석에 많이 쓰이는 분포 • 모집단이 정규분포라는 정도만 알고, 모표준편차(σ)는 모를 때 사용	$T = \dfrac{X-\mu}{s/\sqrt{n}}$
χ^2-분포	k개의 서로 독립적인 표준정규 확률변수를 각각 제곱한 다음 합해서 얻어지는 분포	$X = Z_1^2 + Z_2^2 + \cdots + Z_k^2$
F-분포	• 독립적인 χ^2 분포가 있을 때, 두 확률변수의 비 • 모집단 분산이 서로 동일($\sigma_1^2 = \sigma_2^2$)하다고 가정되는 두 모집단으로부터 표본 크기가 각각 n_1, n_2인 독립적인 2개의 표본을 추출하였을 때, 2개의 표본분산 s_1^2, s_2^2의 비율(s_1^2/s_2^2)	$F = \dfrac{s_1^2}{s_2^2}$

38 표본분포 용어가 잘못 설명된 것은?

① 모집단: 정보를 얻고자 하는 대상이 되는 집단 전체
② 모수: 모집단의 특성을 나타내는 대푯값
③ 통계량: 표본에서 얻은 평균이나 표준오차와 같은 값
④ 추정량: 통계량의 변동 정도를 의미

해설

모집단	• 정보를 얻고자 하는 대상이 되는 집단 전체
모수	• 모집단의 특성을 나타내는 대푯값
통계량	• 표본에서 얻은 평균이나 표준오차와 같은 값 • 이 값을 통해 모수를 추정하며, 무작위로 추출할 경우 각 표본에 따라 달라지는 확률변수
추정량	• 모수의 추정을 위해 구해진 통계량

39 점 추정(Point Estimation) 조건에 해당하지 않는 것은?

① 편성(Biasedness)
② 효율성(Efficiency)
③ 일치성(Consistency)
④ 충족성(Sufficient)

해설

점 추정 조건	
불효일충	불편성 / 효율성 / 일치성 / 충족성

40 평균이 100이고 분산이 16인 정규 모집단에서 크기가 4인 표본을 추출하였을 경우 표본 평균의 표준편차는 얼마인가?

① 2 ② 16
③ 4 ④ 100

해설
표본 평균의 표준편차는 표준오차이다.
$n=4$, $\sigma=\sqrt{16}=4$이므로
표준오차는 $\dfrac{\sigma}{\sqrt{n}}=\dfrac{4}{\sqrt{4}}=\dfrac{4}{2}=2$이다.

41 평균 키가 173cm이고 표준편차가 16인 고등학교 남학생 중에서 임의로 추출한 고등학교 남학생 100명의 평균 키의 표준편차는 얼마인가?

① 173cm ② 16cm
③ 1.6cm ④ 0.4cm

해설
표준오차(Standard Error; SE)는 다음과 같이 계산한다.
$$\dfrac{\sigma}{\sqrt{n}}=\dfrac{16}{\sqrt{100}}=\dfrac{16}{10}=1.6$$

42 전구를 대량 생산하는 전기회사가 있다. 전구의 평균 수명을 측정하기 위하여 100개의 전구를 표본추출하여 평균 수명을 측정하였더니 600시간, 표준편차는 20시간이었다. 이 회사에서 생산되는 전구의 평균 수명에 대한 95% 신뢰구간은 다음 중 무엇인가? (단, $Z_{0.025}=1.96$, $Z_{0.05}=1.645$)

① $596.71 \leq \mu \leq 603.29$
② $596.08 \leq \mu \leq 603.29$
③ $596.71 \leq \mu \leq 603.92$
④ $596.08 \leq \mu \leq 603.92$

해설
• 모분산을 모르는 대표본($n \geq 30$)일 경우 $100 \times (1-\alpha)$ 신뢰구간을 구하는 공식은 $\overline{X}-Z_{\frac{\alpha}{2}}\dfrac{s}{\sqrt{n}} \leq \mu \leq \overline{X}+Z_{\frac{\alpha}{2}}\dfrac{s}{\sqrt{n}}$ 이다.
• 표본평균 $\overline{X}=600$, 표본의 크기 $n=100$이다.
• 95% 신뢰구간이므로 $\alpha=0.05$, $\dfrac{\alpha}{2}=0.025$이다. 또한, 표본 표준편차 $s=20$이므로 공식에 각 값들을 대입하면
$$600-1.96\dfrac{20}{\sqrt{100}} \leq \mu \leq 600+1.96\dfrac{20}{\sqrt{100}}$$
따라서 모평균에 대한 신뢰구간은 $596.08 \leq \mu \leq 603.92$가 된다.

선견지명 단원종합문제

43 다음은 A 고등학교와 B 고등학교의 모의고사 성적 결과이다. 두 학교의 평균의 차이에 대한 90% 신뢰구간은 다음 중 무엇인가? (단, $Z_{0.05} = 1.645, Z_{0.1} = 1.282$)

	A 고등학교	B 고등학교
표본 크기	81	100
표본 평균	410	408
모분산	9	8

① $2 - 1.645\sqrt{\frac{9}{81} + \frac{8}{100}} \leq \mu_1 - \mu_2 \leq 2 + 1.645\sqrt{\frac{9}{81} + \frac{8}{100}}$

② $2 - 1.645\sqrt{\frac{9}{80} + \frac{8}{99}} \leq \mu_1 - \mu_2 \leq 2 + 1.645\sqrt{\frac{9}{80} + \frac{8}{99}}$

③ $2 - 1.282\sqrt{\frac{9}{81} + \frac{8}{100}} \leq \mu_1 - \mu_2 \leq 2 + 1.282\sqrt{\frac{9}{81} + \frac{8}{100}}$

④ $2 - 1.282\sqrt{\frac{9}{80} + \frac{8}{99}} \leq \mu_1 - \mu_2 \leq 2 + 1.282\sqrt{\frac{9}{80} + \frac{8}{99}}$

해설
- 모분산이 알려져 있는 경우 Z-분포를 이용하며 공식은 다음과 같다.

$(\overline{X_1} - \overline{X_2}) - Z_{\frac{\alpha}{2}}\sqrt{\frac{\sigma_1^2}{n_1} + \frac{\sigma_2^2}{n_2}} \leq \mu_1 - \mu_2 \leq (\overline{X_1} - \overline{X_2}) + Z_{\frac{\alpha}{2}}\sqrt{\frac{\sigma_1^2}{n_1} + \frac{\sigma_2^2}{n_2}}$

$n_1 = 81, n_2 = 100, \overline{X_1} = 410, \overline{X_2} = 408, \sigma_1^2 = 9, \sigma_2^2 = 8$로 주어져 있다.

$\alpha = 0.10, \frac{\alpha}{2} = 0.05$이므로 $Z_{\frac{\alpha}{2}} = 1.645$이다.

- 공식에 값을 대입하면

$(410-408) - 1.645\sqrt{\frac{9}{81} + \frac{8}{100}} \leq \mu_1 - \mu_2 \leq (410-408) + 1.645\sqrt{\frac{9}{81} + \frac{8}{100}}$

$= 2 - 1.645\sqrt{\frac{9}{81} + \frac{8}{100}} \leq \mu_1 - \mu_2 \leq 2 + 1.645\sqrt{\frac{9}{81} + \frac{8}{100}}$ 이다.

44 A 우유 회사의 우유를 25개를 표본추출하여 용량을 추출하였더니 평균이 200㎖이고 표준편차가 10㎖였다. 모집단이 정규분포를 따른다고 가정하였을 때, A 우유 회사 우유의 평균 용량에 대한 95% 신뢰수준은 다음 중 무엇인가? (T-분포표는 다음의 표와 같다)

df \ α	0.4	0.25	0.1	0.05	0.025	0.01	0.005	0.0025	0.001	0.0005
1	0.325	1.000	3.078	6.314	12.706	31.821	63.657	127.32	318.31	636.62
2	0.289	0.816	1.886	2.920	4.303	9.965	9.925	14.089	23.327	31.599
3	0.277	0.765	1.638	2.353	3.182	4.541	5.841	7.453	10.215	12.924
⋮										
21	0.257	0.686	1.323	1.721	2.080	2.518	2.831	3.135	3.527	3.819
22	0.256	0.686	1.321	1.717	2.074	2.508	2.819	3.119	3.505	3.792
23	0.256	0.685	1.319	1.714	2.069	2.500	2.807	3.104	3.485	3.768
24	0.256	0.685	1.318	1.711	2.064	2.492	2.797	3.091	3.467	3.745
25	0.256	0.684	1.316	1.708	2.060	2.485	2.787	3.078	3.450	3.725

① $196.578 \leq \mu \leq 203.422$

② $195.872 \leq \mu \leq 204.128$

③ $195.88 \leq \mu \leq 204.12$

④ $196.584 \leq \mu \leq 203.416$

해설
- 모분산을 모르는 소표본($n < 30$)일 경우 자유도가 $n-1$인 t-분포를 따르며, $100 \times (1-\alpha)$ 신뢰구간을 구하는 공식은

$\overline{X} - t_{\frac{\alpha}{2}, n-1}\frac{s}{\sqrt{n}} \leq \mu \leq \overline{X} + t_{\frac{\alpha}{2}, n-1}\frac{s}{\sqrt{n}}$ 이다.

- 표본평균 $\overline{X} = 200$, 표본의 크기 $n = 25$, 표본 표준편차 $s = 10$이다.

- 95% 신뢰구간이므로 $\alpha = 0.05, \frac{\alpha}{2} = 0.025$이다. 따라서 $t_{\frac{\alpha}{2}, n-1} = t_{0.025, 24}$이다.

- t-분포표에서 $df = 24, \alpha = 0.025$인 교차지점을 찾으면 $t_{0.025, 24} = 2.064$이다.

df \ α	0.4	0.25	0.1	0.05	0.025	0.01	0.005	0.0025	0.001	0.0005
1	0.325	1.000	3.078	6.314	12.706	31.821	63.657	127.32	318.31	636.62
2	0.289	0.816	1.886	2.920	4.303	9.965	9.925	14.089	23.327	31.599
3	0.277	0.765	1.638	2.353	3.182	4.541	5.841	7.453	10.215	12.924
⋮										
21	0.257	0.686	1.323	1.721	2.080	2.518	2.831	3.135	3.527	3.819
22	0.256	0.686	1.321	1.717	2.074	2.508	2.819	3.119	3.505	3.792
23	0.256	0.685	1.319	1.714	2.069	2.500	2.807	3.104	3.485	3.768
24	0.256	0.685	1.318	1.711	2.064	2.492	2.797	3.091	3.467	3.745
25	0.256	0.684	1.316	1.708	2.060	2.485	2.787	3.078	3.450	3.725

- 공식에 각각의 값들을 대입하면,

$200 - 2.064\frac{10}{\sqrt{25}} \leq \mu \leq 200 + 2.064\frac{10}{\sqrt{25}}$

- 따라서 모평균에 대한 신뢰구간은 $195.872 \leq \mu \leq 204.128$이 된다.

45 크기가 100인 표본으로부터 구한 모평균에 대한 90% 신뢰구간의 오차의 한계가 5라고 한다. 동일한 신뢰구간에서 오차의 한계가 최소 2.5를 넘지 않도록 하려면 표본의 크기가 최소한 얼마 이상이 되어야 하는가?

① 25
② 100
③ 200
④ 400

해설
- 모평균 추정 시 표본의 크기를 구하는 공식은 $n \geq \left(Z_{\frac{\alpha}{2}} \frac{\sigma}{d}\right)^2$ 이다. 즉, 표본의 크기는 허용 오차(오차의 한계)의 제곱에 반비례한다.
- 오차의 한계를 $\frac{1}{2}$ 감소시키기 위해서는 표본의 크기는 4배 증가시켜야 한다.
- 따라서 크기가 100인 표본의 4배인 400 이상이 되어야 한다.

46 다음 중 아래 사례를 분석할 때 사용할 수 있는 검정 방법은 무엇인가?

> A집단(단일표본)에게 술을 먹였을 때와 안 먹였을 때의 민첩성을 측정(=사전·사후 검사)할 때 사용

① 단일표본 T-검정
② 대응표본 T-검정
③ 분산표본 T-검정
④ 독립표본 T-검정

해설
- 대응표본 T-검정은 동일한 집단의 처치 전후 차이를 알아보기 위해 사용하는 검정 방법이다.
- 대응표본 T-검정은 표본(Sample)이 하나, 독립변수가 1개일 때 사용된다.

47 다음 검정 방법 중에서 비모수 검정 방법이 아닌 것은?

① 윌콕슨의 순위 합 검정(Wilcoxon Rank Sum Test)
② 부호 검정(Sign Test)
③ 윌콕슨 부호 순위 검정(Wilcoxon Sign Rank Test)
④ 피어슨(Pearson) 상관계수

해설 피어슨(Pearson) 상관계수는 모수 검정 방법이다.

48 동전의 앞을 1, 뒤를 0으로 하였을 경우 10번 동전을 던졌을 때의 결과는 아래와 같다. 이때 런(Run)의 총 횟수는 얼마인가?

> 1, 0, 0, 0, 0, 1, 1, 1, 1, 1

① 2
② 3
③ 5
④ 10

해설
- 런은 동일한 측정값들이 시작하여 끝날 때까지의 덩어리를 말하는 것으로 문제에서 런은 1/0000/11111로 구분할 수 있다.
- 총 3회이다.

선견지명 단원종합문제

49 가설검정에 대한 설명으로 옳지 않은 것은?

① 가설검정이란 모집단에 대한 통계적 가설을 세우고 표본을 추출한 다음, 그 표본을 통해 얻은 정보를 이용하여 통계적 가설의 진위를 판단하는 과정이다.
② 표본을 활용하여 모집단에 대입해보았을 때 새롭게 제시된 대립가설이 옳다고 판단할 수 있는지를 평가하는 과정이다.
③ 가설검정 시 p-값과 유의수준을 비교하여 귀무가설 혹은 대립가설을 채택하는 절차를 거치게 된다.
④ p-값은 귀무가설이 참이라는 전제하에 실제 표본에서 구한 표본 통계량의 값보다 더 극단적인 값이 나올 확률로 해석할 수 있으며, p-값이 유의수준보다 작으면 귀무가설을 채택한다.

> **해설** p-값은 귀무가설이 참이라는 전제하에 실제 표본에서 구한 표본 통계량의 값보다 더 극단적인 값이 나올 확률로 해석할 수 있으며, p-값이 유의수준보다 작으면 귀무가설을 기각하고 대립가설을 채택하게 되며, p-값이 유의수준보다 크면 귀무가설을 채택하게 된다.

50 가설검정의 오류의 용어에 대한 설명으로 옳지 않은 것은?

① 유의수준: $(1-\alpha)$의 값을 가짐
② 신뢰수준: 귀무가설이 참일 때 이를 참이라고 판단하는 확률
③ 베타 수준: 제2종 오류를 범할 최대 허용확률을 의미
④ 검정력: $(1-\beta)$의 값을 가짐

> **해설**
>
> | | |
> |---|---|
> | 유의수준 | • 제1종 오류를 범할 최대 허용확률을 의미
• α로 표기 |
> | 신뢰수준 | • 귀무가설이 참일 때 이를 참이라고 판단하는 확률 $(1-\alpha)$ |
> | 베타 수준 | • 제2종 오류를 범할 최대 허용확률을 의미
• β로 표기 |
> | 검정력 | • 귀무가설이 참이 아닌 경우 이를 기각할 수 있는 확률 $(1-\beta)$ |

정답 01 ④ 02 ② 03 ④ 04 ② 05 ② 06 ① 07 ④ 08 ④ 09 ② 10 ① 11 ② 12 ② 13 ① 14 ③ 15 ③ 16 ④ 17 ② 18 ② 19 ④ 20 ② 21 ③ 22 ④ 23 ④ 24 ③ 25 ① 26 ② 27 ① 28 ② 29 ③ 30 ② 31 ③ 32 ② 33 ④ 34 ② 35 ① 36 ② 37 ④ 38 ④ 39 ① 40 ① 41 ③ 42 ④ 43 ① 44 ② 45 ④ 46 ② 47 ④ 48 ② 49 ④ 50 ①